AGENDA BRASILEIRA

AGENDA BRASILEIRA

TEMAS DE UMA SOCIEDADE EM MUDANÇA

André Botelho
Lilia Moritz Schwarcz
[ORGANIZADORES]

Copyright © 2011 by os autores
Copyright © 2011 by os organizadores

Grafia atualizada segundo o Acordo Ortográfico
da Língua Portuguesa de 1990, que entrou em vigor
no Brasil em 2009.

PROJETO GRÁFICO
warrakloureiro

FOTO DE CAPA
José Medeiros /
Acervo Instituto Moreira Salles.
Rio de Janeiro, Brasil, c. 1945.

PESQUISA ICONOGRÁFICA
Vladimir Sachetta

PREPARAÇÃO
Cecília Ramos

REVISÃO
Márcia Moura
Ana Maria Barbosa

Dados Internacionais de Catalogação na Publicação (CIP)
(Câmara Brasileira do Livro, SP, Brasil)

Agenda brasileira : temas de uma sociedade em mudança /
André Botelho, Lilia Moritz Schwarcz (orgs.).
– São Paulo : Companhia das Letras, 2011.

Vários autores.
ISBN 978-85-359-1874-8

1. Ensaios brasileiros 2. Historiografia
3. Identidade nacional – Brasil 4. Sociologia I. Botelho,
André. II. Schwarcz, Lilia Moritz.

11-04523   CDD-301.0981

Índice para catálogo sistemático:
1. Brasil: Sociedade: Ensaios 301.0981

2ª reimpressão

[2019]
Todos os direitos desta edição reservados à
EDITORA SCHWARCZ S.A.
Rua Bandeira Paulista, 702, cj. 32
04532-002 – São Paulo – SP
Telefone: [11] 3707 3500
www.companhiadasletras.com.br
www.blogdacompanhia.com.br
facebook.com/companhiadasletras
instagram.com/companhiadasletras
twitter.com/cialetras

SUMÁRIO

Introdução — Um país de muitas faces 10
André Botelho e Lilia Moritz Schwarcz

Imagens da África no Brasil 18
Valdemir Zamparoni

Amazônia: povos tradicionais e luta por direitos 30
Neide Esterci

Arte e classicismo no Brasil: criando paisagens e relendo tradições 42
Luciano Migliaccio

Arte contemporânea brasileira: multiplicidade poética e inserção internacional 56
Luiz Camillo Osorio

Campo e cidade: veredas do Brasil moderno 68
Nísia Trindade Lima

É carnaval! 80
Maria Laura Viveiros de Castro Cavalcanti

O lugar do centro e da periferia 92
Bernardo Ricupero

Cidadania e direitos 102
Maria Alice Rezende de Carvalho

Ciência & Tecnologia no Brasil: um tema sempre atual 110
Silvia Figueirôa

Cinema brasileiro contemporâneo: pensar a conjuntura e viver impasses na sociedade do espetáculo 122
Ismail Xavier

Culturas populares: patrimônio e autenticidade 134
José Reginaldo Santos Gonçalves

Democracia: origens e presença no pensamento brasileiro 142
Bolívar Lamounier

Desenvolvimento e subdesenvolvimento no Brasil 154
Luiz Carlos Bresser-Pereira

Desigualdade e diversidade: os sentidos
contrários da ação 166
Antonio Sérgio Alfredo Guimarães

Educação no Brasil 176
Dalila Andrade Oliveira

Estado e sociedade: uma relação problemática 188
Brasilio Sallum Jr.

Ficção brasileira 2.0 202
Wander Melo Miranda

Futebol, metáfora da vida 214
Eduardo Gonçalves Andrade, Tostão

Gênero, ou a pulseira de Joaquim Nabuco 224
Mariza Correa

Homossexualidade e movimento LGBT:
estigma, diversidade, cidadania 234
Júlio Assis Simões

Iberismo e americanismo 246
Luiz Werneck Vianna e Fernando Perlatto

Identidade nacional: construindo a brasilidade 256
Ruben George Oliven

A imprensa brasileira: seu tempo,
seu lugar e sua liberdade —
e a ideia que (mal) fazemos dela 266
Eugênio Bucci

Índios como tema do pensamento
social no Brasil 278
Manuela Carneiro da Cunha

Indústria cultural: da era do rádio
à era da informática no Brasil 292
Marcelo Ridenti

Intelectuais: perfil de grupo
e esboço de definição 302
Fernando Antonio Pinheiro Filho

Internet e inclusão digital: apropriando
e traduzindo tecnologias 314
Hermano Vianna

Justiça e direitos: a construção da igualdade 324
Maria Tereza Aina Sadek

Mandonismo, coronelismo, clientelismo, República 334
José Murilo de Carvalho

Meio ambiente no Brasil 344
Fabio Feldmann

Militarismo, República e nação 354
Celso Castro

**Música popular brasileira: outras conversas
sobre os jeitos do Brasil** 364
Heloisa Maria Murgel Starling

Partidos políticos no Brasil 376
Jairo Nicolau

**Patrimônio: história e memória como
reivindicação e recurso** 390
Silvana Rubino

Periferia: favela, beco, viela 400
Celso Athayde

Poesia no Brasil: funciona 408
Eucanaã Ferraz

**Público e privado no pensamento
social brasileiro** 418
André Botelho

**Racismo no Brasil: quando inclusão combina
com exclusão** 430
Lilia Moritz Schwarcz

Região e nação: velhos e novos dilemas 444
Elide Rugai Bastos

A inserção do Brasil no mundo 458
Rubens Ricupero

Religiões no Brasil 470
Antônio Flávio Pierucci

Saúde pública ou os males do Brasil são 480
Gilberto Hochman

**Segurança pública: dimensão essencial
do Estado Democrático de Direito** 492
Luiz Eduardo Soares

**Teatro brasileiro: uma longa história
e alguns focos** 504
J. Guinsburg e Rosangela Patriota

Telenovela em três tempos 518
Esther Hamburger

**Trabalho e trabalhadores: organização
e lutas sociais** 530
José Ricardo Ramalho

Metamorfoses da velhice 542
Guita Grin Debert

**Violência e crime: sob o domínio
do medo na sociedade brasileira** 554
Sergio Adorno

OS AUTORES 567
CRÉDITOS DAS IMAGENS 579

UM PAÍS
DE MUITAS
FACES

André Botelho e Lilia Moritz Schwarcz

No ano de 2009, organizamos uma obra coletiva sobre os principais intérpretes do Brasil, que resultou no livro *Um enigma chamado Brasil*. Naquela ocasião, nosso objetivo era mostrar, apoiados nas pesquisas de uma série de colegas sobre diferentes intelectuais brasileiros, como havia uma produção consistente nessa área e como o país sempre gerou textos provocativos e densos sobre si mesmo. Constatamos, ao final, como um certo movimento pendular levava não só ao enaltecimento e à procura contínua por "identidades", que definiam a nação a partir de uma suposta singularidade — a mestiçagem, a passividade, o abuso da esfera do privado —, mas também à condenação e mesmo à detração diante de um destino que insistia em não vingar. Foram 29 intelectuais analisados, num esforço de grupo por levantar nomes fundamentais desse acervo vivo, sempre que lido e acionado no dia a dia.

No entanto, já naquele contexto, fomos nos convencendo da importância de um livro que pudesse complementar o primeiro, a partir de outro tipo de recorte: a ideia agora não é seguir intelectuais, mas antes temas da nossa agenda nacional; não tanto as teorias, mas as práticas, assuntos e questões que vêm contribuindo para desenhar projetos de nacionalidade, intencionais ou não. O livro que o leitor tem em mãos apresenta, assim, alguns dos temas intelectuais, mas também culturais, sociais, econômicos e políticos, mais recorrentes na agenda brasileira de discussão e ação, bem como outros que vêm ganhando atenção apenas mais recentemente. A intenção, também desta vez, não é esgotar possibilidades, mas animar o debate e mapear um repertório de questões que vêm interpelando nossa realidade, de maneira por vezes constante ou apenas atual. Se os dois livros são complementares, eles, porém, não se repetem, a despeito, inclusive, de alguns autores estarem presentes em ambas as obras e de referências a alguns intérpretes do Brasil reaparecerem em vários momentos.

O recorte por temas, que aqui apresentamos, traz a vantagem, paralela e complementar, de abrir a discussão para além do registro biográfico da apresentação autoral. Naturalmente, se a referência aos autores que tomaram parte dos debates sobre os diversos assuntos selecionados torna-se facultativa, neste tipo de recorte, isso não significa que as interpretações possam existir acima das relações sociais, ou independentes de seus portadores sociais — sejam eles acadêmicos, intelectuais públicos, artistas, militantes ou outros atores sociais. No lugar de acompanhar o desenvolvimento ao longo do tempo de uma determinada interpretação, a abordagem temática permite que se cruzem mais livremente várias interpretações, intérpretes e contextos. As questões se comunicam e se alimentam diretamente entre si. Se cada um dos verbetes ilumina um mundo e um objeto particulares, será fácil notar como eles se adicionam, complementam e tensionam.

Mas o motivo final que nos levou a organizar um livro como este é o desejo de que o interesse pelo conhecimento do país e do mundo social, com o qual ele se relaciona e que ajuda a dar forma, torne-se ainda mais atraente para o leitor não especializado, e que ecoe para além das salas de aulas dos colégios e universidades. Por isso reunimos aqui acadêmicos e especialistas que vêm lidando, analisando e atuando nos temas que previamente selecionamos.

Não cabe, nesta introdução, fazer um comentário pormenorizado sobre os temas escolhidos — uma vez que um levantamento como esse é sempre infindo e sujeito a novos rearranjos —, mas sim situar o leitor em relação a nossas opções. Depois de muito discutir, e após chegarmos a uma lista final, acabamos (vencidos pelas evidências) convencidos de que a melhor forma de apresentação seria pela (velha e tradicional) ordem alfabética. Essa forma de organização lembra, de certa maneira, a de um dicionário convencional, e justamente um dos sentidos que entrevemos no livro é o de consulta e referência sobre os assuntos que compõem a agenda intelectual, cultural e política brasileira contemporânea. Mas essa organização não é obrigatória e nem há entre os verbetes uma solução de continuidade: várias leituras, em dife-

12

rentes ordens, são não apenas possíveis como recomendáveis. Ler o livro dessa maneira certamente resultará em perspectivas e visões de conjunto em tudo diversas. Por exemplo, ao ler nesta ordem os artigos sobre "Estado e sociedade", "Violência" e "Segurança pública", o leitor partirá de um tema mais abrangente para ganhar uma visão de conjunto dos diferentes aspectos interligados. O mesmo ocorre com os verbetes acerca de teatro, poesia, música popular, artes plásticas, televisão e futebol no Brasil: lidos separadamente, eles iluminam universos particulares; já em conjunto, anunciam um panorama dialogado. E o que dizer de temas como gênero, racismo, movimento LGBT ou velhice, que revelam um debate tenso sobre questões, novamente, da identidade nacional? O que estamos sugerindo, em suma, é que há uma interconexão de sentido entre os temas e uma intertextualidade entre os artigos que podem e devem ser exploradas pelos leitores. O livro, nesse sentido, é um campo aberto, e cabe a cada um experimentar novas possibilidades.

Ainda assim, vale a pena mencionar que, quando organizávamos esta *Agenda*, chegamos a dispor os temas em diferentes grupos de afinidade. Nesse sentido, destaca-se um primeiro subconjunto voltado para o que se poderia denominar de "povo brasileiro". De um lado, estariam os assim chamados "brasileiros" (e não só eles, claro): ameríndios, afro-brasileiros, povos amazônicos. De outro, pautas que recobrem a expressão "marcadores sociais das diferenças" em questões como desigualdade e diversidade, racismo, gênero, envelhecimento, dentre outros temas que compõem esse subconjunto. Outro ainda é formado por verbetes que investigam a fundo a sociedade brasileira, decompondo-a em questões como, por exemplo, identidade nacional, campo e cidade, região e nação, violência e religiões. Um terceiro subgrupo volta-se diretamente para as relações entre o Brasil e o mundo: centro e periferia, desenvolvimento e subdesenvolvimento, relações internacionais são alguns dos temas que lhe dão forma. As mudanças e transformações verificadas na sociedade brasileira, flagradas da ótica de alguns dos seus atores coletivos mais emblemáticos, são tratadas em temas como cidadania, trabalho e trabalhadores, movimentos ecológicos, movimento LGBT e periferia, entre outros. O Estado brasileiro, suas políticas públicas e a competição política aparecem em artigos sobre Estado e sociedade, partidos políticos, justiça e direitos, militarismo, democracia, segurança pública, ciência e tecnologia, saúde pública e educação, entre outros. Culturas políticas e sociabilidades representam outro subconjunto, formado por temas como público e privado, iberismo e americanismo, mandonismo, coronelismo e clientelismo, carnaval, futebol, telenovelas, imprensa e inclusão digital. Por fim, vale destacar o núcleo temático que recupera os movimentos culturais e a cultura contemporânea, e reúne assuntos como intelectuais, indústria cultural, culturas populares, patrimônio histórico, teatro e dramaturgia, música popular brasileira, literatura, poesia e cinema contemporâneos, e artes plásticas clássicas e contemporâneas.

Como se pode notar, temos aqui um cardápio amplo, criado por interlocutores que partem de diferentes arenas de atuação: professores, profissionais de diversas áreas, militantes, políticos e agentes sociais garantem perspectivas, problemas e pontos de vista variados. Certamente a reunião e divisão dos temas em subconjuntos, experimentada acima, não se pretende exaustiva ou derradeira. Além disso, e mais uma vez, a organização pretende ser apenas analítica, e não substantiva. Gostaríamos, sobretudo, de sugerir uma compreensão de conjunto dinâmica, como dinâmicos são os processos, os fenômenos, as relações e as ações compreendidas em qualquer um dos verbetes que compõem este livro. Sua riqueza e complexidade não permitem, enfim, que sejam ordeiramente arrumados e classificados em compartimentos estanques.

Vimos falando nesta apresentação de uma "agenda contemporânea", e isso pode parecer estranho ao percorrer o índice do livro e as páginas que se seguem, uma vez que os ensaios aqui reunidos, de maneira geral, não se detêm apenas no que está ocorrendo hoje na sociedade brasileira; e tampouco se propõem a dar conta de todas as questões emergentes neste momento. Na verdade, ora se voltam a assuntos que, talvez, alguns suspeitassem há muito encerrados no nosso passado; ora se debruçam sobre temáticas quiçá consideradas periféricas. A explicação para essa aparente contradição é de ordem teórico-metodológica. Trata-se, em poucas palavras, do desafio de unir a abordagem sincrônica, que procura dar conta de um momento específico da sociedade, e a abordagem diacrônica, que o apresenta em relações comparativas ao longo do tempo. Dessa maneira, cruzando essas duas abordagens pretendemos provocar, no sentido de vislumbrar em cada um dos diferentes artigos que compõem o livro, bem como na totalidade formada por eles, uma visão a um só tempo de conjunto (e extensão) e em perspectiva (e profundidade) de uma agenda contemporânea brasileira. Pretendemos chamar a atenção, basicamente, para o fato de que o presente em que todos nós nos encontramos ainda oculta processos de durações mais longas, às vezes longuíssimas, e que sem conhecê-los ficará cada vez mais difícil aceitar o desafio de refletir sobre quem somos, como atuamos, o que construímos e para onde vamos. O fato é que o presente está repleto de passado e vice-versa. Será fácil notar como perguntas que incendeiam a imaginação e alimentam os projetos e as criações concorrentes de artistas, intelectuais, políticos e do cidadão imerso em seu cotidiano fazem, há muito tempo, parte de um movimento de maior abrangência e duração. País de extremos, e marcado por ciclos que preveem inclusão, mas igualmente larga e sistemática exclusão social, o Brasil é também uma nação que prima pela originalidade e criatividade, que não se limita à esfera cultural. A reflexão do passado ajuda a entender como por aqui sempre se negociam sentidos, constantemente se traduzem e adaptam realidades e práticas vindas de fora, assim como se criam modelos, que passam a ser exportados em nome de uma certa originalidade "tropical".

Vivemos um momento de incríveis mudanças na sociedade

brasileira, associadas a processos internos e também globais de diferentes ordens, que fazem parte da experiência cotidiana de todos nós, e nela ganham sentido. Talvez seja por isso que não poucos começam a comparar o momento atual com os anos 1950, os chamados anos desenvolvimentistas, já que, vistos sob os olhos de hoje, eles permanecem nos interpelando. Mas não apenas por suas promessas ainda inconclusas, como em geral se afirma. Também porque a década de 1950 nos alerta criticamente para o risco de que, mesmo cumprida, a modernização possa não se traduzir diretamente em modernidade e emancipação.

Por outro lado, internacionalmente o país nunca esteve em tanta evidência e com repercussões tão positivas. Considerado parte dos países BRIC — junto com China e Índia —, o Brasil, que há muito chama a atenção por suas manifestações culturais e pela miscigenação, que de biológica vira cultural, agora parece interessar por conta de seu processo democrático, de seu desempenho econômico, de sua originalidade e vigor cultural. Maior país da cristandade, gigante territorial e político — vide seu imenso e pacífico processo eleitoral —, somos também um dos campeões da desigualdade social e da violência. Por isso, mais do que uma visão evolutiva, o conjunto dos artigos, como o leitor perceberá, mostra a complexidade do panorama, a tensão que anima e torna dinâmicos os seus extremos.

Talvez se possa dizer, portanto, que a questão que se inscreve no coração deste livro seja mesmo a da mudança social, em seus vários aspectos e manifestações — econômicos, políticos, culturais, intelectuais, estéticos, nas sociabilidades, mas também nas suas continuidades e recorrências. É certo que cada geração tende a acentuar o caráter radicalmente diferente da sua era de mudança. Nenhuma surpresa quanto a isso, afinal, como há muito se sabe, essa é uma das estratégias mais eficientes e recorrentes sempre que uma "nova geração" busca afirmar-se. O crítico Sílvio Romero, por exemplo, nos idos de 1870, chamava de "um bando de ideias novas" aos receituários de sua geração, e condenava os românticos a meros metafísicos, alheios à realidade. Por outro lado, estudando o fenômeno relativamente à reação dos jovens naturalistas ao romantismo, Machado de Assis já aconselhava, no conto "A nova geração", a procurar divisar na "chasqueia" a inevitável continuidade, posto que nem mesmo "a extinção de um grande movimento literário não importa a condenação formal e absoluta de tudo o que ele afirmou; alguma coisa entra e fica de pecúlio do espírito humano". A ponderação realista de que continuidades e rupturas absolutas só são possíveis de fato no plano da metafísica não parece ter sido muito acatada entre nós, afinal prevalece ainda a impressão — nem sempre ingênua — de que nossa vida intelectual, como observou Roberto Schwarz no ensaio "Nacional por subtração", esteja sempre recomeçando do zero, a cada nova geração.

Assim, se é plausível falar de uma pulverização de certezas tradicionais quanto à mudança social no mundo contemporâneo, não deixa de ser ingênuo supor que a mudança implica, necessária e simplesmente, o desaparecimento de processos constitutivos da sociedade brasileira. A mudança por certo compreende novos arranjos das relações e ações sociais em curso, delimitadas pelos processos de que fazem parte. No entanto, também permite e suscita uma relação entre a sociedade que temos e outras sociedades alternativas a ela, assim como certo rearranjo com o passado — que insiste em estar presente. Nada mais oportuno, para tanto, do que começarmos a perseguir os fios que nos têm ligado ao longo do tempo, suas formas correspondentes de sentir e pensar o Brasil e de nele atuar. A visão de conjunto e de processo que o nosso presente oculta constitui, em suma, condição para que se possa até mesmo qualificar a imaginação social para a busca de novos Brasis. Numa época de mudanças aceleradas, olhar para nós mesmos pode parecer um gesto nostálgico, mas também um exercício crítico de autorreflexão e cidadania. Longe de essencializar temas e mostrar que "sempre fomos assim", vale encarar o desafio de olhar e estranhar; observar e reconhecer; notar e reivindicar mudanças.

IMAGENS DA ÁFRICA NO BRASIL

Valdemir Zamparoni

Nos dias de hoje já não causa tanta estranheza afirmar que o Brasil e os brasileiros são herdeiros culturais não só da Europa mas também da África e da Ásia, e que a construção da nossa identidade nacional passa pelo conhecimento da história e das culturas desses continentes. Mas o fato é que até recentemente a história europeia tem sido o foco de nossas atenções, e as demais são constantemente negligenciadas. O que sabemos sobre a África, objeto deste texto, e suas múltiplas culturas?

Qualquer brasileiro que tenha passado pelo ensino fundamental certamente já ouviu falar da cidade-Estado grega, do Império Romano, do feudalismo, da Revolução Francesa, das Guerras Mundiais; de nomes como Nero, César, Napoleão, Hitler ou Stálin, mas dificilmente ouviu falar das cidades-Estado Yorubas, ou de povos como os Haussa, Bakongo, Makonde, Xhosa e Swahíli. E da rainha Nzinga, de Mussa Keita, de Sundjata, de Tchaka e Ngungunhane, Amílcar Cabral, Patrice Lumumba, Julius Nyerere ou Samora Machel? Alguém já estudou a respeito? De Nelson Mandela muitos ouviram falar, mas de fato conhecem a história do país do *apartheid*, que levou este homem a ser visto como um herói? Longe de querer fazer apologias de impérios e heróis africanos, é preciso entretanto reconhecer a sua existência, apagada dos nossos livros escolares.

A verdade é que o pouco que sabemos sobre a África e os africanos está carregado de estereótipos e preconceitos. A imagem deles que predomina entre nós é a de uma terra exótica, selvagem, como selvagem são os animais e pessoas que nela habitam: pobres, miseráveis, que se destroem em sucessivas guerras fratricidas, seres irracionais em meio aos quais assolam doenças devastadoras. Enfim, desumana. É certo que esses males atingem a África, mas não são as únicas coisas que ocorrem por lá, e tais mazelas não são exclusivas daquele continente.

Não é raro ouvir nos meios informativos referências de que o artista tal estava fazendo um *tour* que incluía Londres,

Paris, Berlim e... África: o continente reduzido a uma cidade, nem mesmo um país. Às vezes, porém, um acontecimento, ocorrido num único país, é extrapolado para todo o continente. É o que ocorreu em relação à Copa do Mundo de Futebol de 2010: na mídia se falava de uma "Copa da África", e não da África do Sul, país que sediou o evento. O mesmo se passa com guerras, secas, fomes ou epidemias. Nesta lógica, o termo África passa a referenciar um lugar qualquer homogêneo. Essa homogeneização, que reduz todo o continente e suas múltiplas culturas a uma unidade inexistente na vida real, causa uma forte distorção no nosso olhar e é desumanizadora em relação aos africanos.

Quais os momentos críticos na construção e consolidação dessa imagem da África no mundo ocidental e em particular no Brasil?

Já os primeiros viajantes que costearam o continente africano ou os cronistas que sobre ele escreveram nos séculos XV, XVI e XVII, como Duarte Pacheco Pereira, Gomes Zurara e Cadamosto, anunciavam uma desumanização e mesmo uma zoologização dos africanos. Seus textos empregavam adjetivos depreciativos, tais como *velhacos, ladrões, traiçoeiros, bárbaros, bestiais, porcos, indecentes, mentirosos, feras,* quando se referiam de maneira genérica a "todos os negros". Essas obras refletem muito mais a mentalidade desses homens e das sociedades europeias do que da África e dos africanos reais. São os primeiros documentos da emergência de uma homogeneização desumanizadora. Conflituosos, esses viajantes e cronistas sabiam das diferenças entre os povos com os quais iam tomando contato; era empiricamente verificável e não tinham como escamotear os variados aspectos físicos e valores culturais, mas mesmo assim não hesitavam em emitir juízos de valores e reduzi-los a uma massa homogênea, o que começou a penetrar no imaginário ocidental.

Nesse mesmo século XVII, o tráfico de escravos se intensificou e acabou por ser um outro momento de coisificação, de desumanização. A própria escravatura é uma forma intensa de negação dos atributos humanos dos escravizados, e embora na linguagem corrente de então fosse chamado de "peça", o escravo não era tido como uma simples besta de carga, mas como um ser humano que procurava esquivar-se aos sofrimentos a que era submetido: as acomodações, revoltas e fugas são exemplos. E os seus senhores sabiam disso. Para os cativos negros a escravidão significou uma desterritorialização física e espacial, mas sobretudo cultural, em relação à sua origem e exigiu nas Américas a reconstrução identitária e a reconfiguração da multiplicidade cultural de origem, o que, em certa medida, ajudou a formar aos olhos da sociedade brasileira, escravocrata, a noção de que eram homogêneos. Esse processo se acentuou quando a partir de meados do século XIX o tráfico legal foi abolido e a chegada de novos africanos dificultada e depois extinta. A partir de então, paulatinamente, as diferenças culturais com origem na África foram se dissolvendo no universo mais amplo de crioulos, como eram chamados os negros nascidos no Brasil.

O momento mais crítico nesse processo de desumanização se deu no século XIX com a hegemonia da noção de raça, que então passou a ser difundida como parâmetro definidor e classificador da humanidade: um conjunto de indivíduos definia uma raça e, isso feito, com os pretensos e específicos atributos físicos e comportamentais, era esperado que todos os indivíduos a ela associados fossem portadores de tais atributos. Entretanto, no cotidiano as características da raça não se aplicavam aos indivíduos de maneira uniforme: o comportamento desviante de um branco era normalmente entendido como um problema individual, e o de um negro como uma característica inata de toda a raça. A associação entre a cor da pele, o "continente das trevas", a selvageria e a barbárie está claramente expressa em famoso texto de Hegel, cuja citação é aqui desnecessária.

Estudos mostram que no Brasil, desde meados do século XIX, nossos homens de ciência, particularmente os médicos, participaram ativamente da discussão e produção de conhecimento no âmbito do racismo científico, cujo centro era a Europa. Mas o ápice da discussão em torno da raça ganhou corpo no Brasil justamente quando estava sendo questionada a legitimidade da escravidão. A abolição em 1888 e a instalação da República no ano seguinte exigiam repensar a identidade nacional. Qual nação? O que fazer com o ex-escravo, agora tornado ao menos oficialmente cidadão da nova república? Mesmo a lógica abolicionista de que a nação era atrasada porque baseada na escravidão ajudou a fortalecer a tese de que os escravos eram naturalmente "atrasados" e por extensão também os negros em geral e a África. Nina Rodrigues — médico, ativo participante dos círculos científicos europeus e ele mesmo mulato — dizia que, por mais revoltante que houvesse sido a escravidão, era preciso reconhecer que a raça negra no Brasil constituiria sempre "um dos fatores da nossa inferioridade como povo". Segundo a lógica racialista de então, era preciso branquear a nossa população se o Brasil quisesse no futuro inserir-se no rol das nações superiores. Decidiu-se então pela maciça imigração de europeus, que vieram majoritariamente das regiões da Europa que passavam por turbulências políticas e cuja população vivia em condições precárias, senão miseráveis: Itália, Espanha, Portugal e parcelas da Europa Central. Simplificando, pode-se dizer que nessa decisão imperou a lógica do evolucionismo de Darwin aplicado às sociedades, o que ficou conhecido como darwinismo social.

Essas teses do branqueamento geraram na consciência nacional brasileira uma espécie de amnésia propositada e um afastamento da África. Se até o fim do tráfico havia um fluxo cultural da África para o Brasil e daqui para lá, inclusive com a manutenção ou criação de novos laços familiares dos dois lados do Atlântico, como foi o caso das comunidades de "brasileiros" na África ocidental, em especial no Benin, Gana, Nigéria e Togo, a partir de então isso paulatinamente desapareceu. Ficaram os laços simbólicos cada vez mais tênues e a África cada vez mais distante. No universo do discurso oficial, foi ainda mais grave. A necessidade de esconder das novas gerações o nosso passado escravocrata e a nossa imensa população de origem africana era tão forte por parte das classes dirigentes brasileiras que nos primeiros livros didáticos de "história pátria" do período republicano são quase ausentes as referências à escravidão, que durou quase quatro séculos e foi essencial para a existência de nosso país.

A Semana de Arte Moderna de 1922 trouxe novamente à tona a discussão sobre a identidade nacional. Seus intelectuais se propunham a repensar a nação, a brasilidade, em oposição à Europa, com base na exaltação nas artes e literatura, das *nossas* florestas, o *nosso* falar, a *nossa* comida, o *nosso* jeito de ser, o *nosso folk-lore*, a *nossa* gente, e esse movimento lançou as bases para o mito das três raças, como componentes essenciais da nossa formação, que será amplamente explorado após a Revolução de 1930 e particularmente durante a ditadura do Estado Novo. Nesse momento, foi preciso recolocar os negros na existência nacional. Mário de Andrade coletou práticas culinárias, cantos de trabalhos e contribuições culturais de diversas origens africanas; os negros foram pintados particularmente por Portinari — que ao retratar um "lavrador de café" tomou como modelo um negro com seu nariz achatado e lábios grossos, e não um dos imigrantes europeus que foram justamente trazidos para a lavoura cafeeira. Por outro lado, Monteiro Lobato criou personagens negros de maneira paternalista e caricata, sobretudo no famoso *Sítio do Pica-Pau Amarelo*.

No âmbito acadêmico, no I Congresso Afro-Brasileiro realizado em Recife, em 1934, e na segunda edição em Salvador, em 1937, Gilberto Freyre, Edson Carneiro e Manuel Querino se propuseram a repensar o lugar e a contribuição dos negros na cultura e na identidade brasileira, mas a África e os africanos não foram assunto dos congressos: eram tão somente referências. De maneira simplificada pode ser dito que esse grupo rompeu com as teses de Nina Rodrigues e passou a encarar a *mulatidade* brasileira como positiva. O mulato, e o mestiço em geral, deixou de ser visto como o ser degenerado e passou a simbolizar, em sentido positivo, a síntese cultural brasileira. Como se sabe, essa formulação, em si bastante realista, teve em Gilberto Freyre seu principal apologista, mas acabou por levar à consolidação do mito das três raças e à instituição de outro: o de que o Brasil era *sui generis*, pois, contrariamente a outras experiências escravocratas no mundo, era uma democracia racial. Para ele, o povo português — devido ao seu próprio mestiçamento e ao cristianismo — era inatamente aberto à miscigenação e avesso a qualquer forma de racismo. O Brasil mestiço era filho do macho português com as mulheres africanas e indígenas. Nessa formulação, o homem tem uma identidade, pertence a um povo, enquanto as mulheres são designadas como "africanas" ou "indígenas", de maneira genérica e não como parte de povos específicos. Essa tese derivou na do *luso-tropicalismo* e do *cristocentrismo*. Nos anos 1930, as ideias de Freyre foram bem recebidas no Brasil, mas fortemente repudiadas nos meios colonialistas portugueses, que na altura eram apologistas da pureza racial e inimigos da miscigenação. Entretanto, nos anos 1950, quando a legitimidade portuguesa sobre suas colônias na África e na Ásia passou a ser internacionalmente questionada, os próceres do salazarismo ressuscitaram Vasco da Gama em Gilberto Freyre e patrocinaram um périplo por terras de além-mar, onde os portugueses tinham estado no tempo das "grandes navegações", com destaque para as "províncias ultramarinas" africanas. Da viagem Freyre escreveu dois livros em defesa do colonialismo português; pura mistificação sobre o pretenso mestiçamento em tais terras coloniais.

Antes que o mito da democracia racial se propagasse, as imagens de que a África era sinônimo de atraso e barbarismo contaminaram os próprios negros brasileiros, que buscavam distanciar-se dela. Como diziam, a África era para os africanos e não para eles brasileiros. Não reivindicavam nenhuma pertença identitária à África, mas ao Brasil, terra que ajudaram a construir, embora referências idealizadas ao "continente negro" aparecessem sobretudo nos blocos carnavalescos, as "embaixadas africanas".

Logo após a Revolução de 1930, surgiu, em São Paulo, a Frente Negra Brasileira, com organização e discursos semelhantes aos do Movimento Integralista, que preconizava a defesa dos valores nacionais. Diziam que não se importavam que Hitler não quisesse "sangue negro", pois isso indicava que a Alemanha Nova se orgulhava da sua raça, assim como eles, brasileiros, não queriam saber de arianos, mas dos negros e mestiços que nunca traíram nem trairiam a nação. Esse discurso claramente se opõe ao arianismo em moda, sem ultrapassar a definição de raça então aceita como critério identitário. A África e os africanos não jogam aqui qualquer papel na constituição da identidade negra brasileira.

Depois da Segunda Guerra Mundial, e com a derrota dos regimes fascistas e nazistas, emergiu nas universidades brasileiras uma nova geração que não pactuava com Freyre e que claramente se distanciava do discurso racialista. Em São Paulo, Caio Prado Jr., Florestan Fernandes e depois Octavio Ianni, entre outros discípulos de Roger Bastide, começaram a estudar, inspirados pelas novas sociologias marxista ou weberiana, não mais a "questão negra", mas a escravidão enquanto sistema de opressão e alienação, os modernos conflitos raciais e as relações de classe. A África e os africanos, contudo, continuaram ausentes.

Foi com José Honório Rodrigues, em obra que se seguiu à independência da maioria dos países africanos (1960) e às vésperas do desencadeamento da luta armada de libertação nacional na Guiné-Bissau e Angola (1964), e com a chamada política externa independente levada a cabo pelo governo Jânio Quadros, que a África reemergiu no Brasil sob a perspectiva anticolonialista e das relações internacionais. É desse período a criação de três centros de estudos africanos no Brasil: em 1959 foi fundado o Centro de Estudos Afro-Orientais (CEAO), da Universidade Federal da Bahia; em 1961, o Instituto Brasileiro de Estudos Afro-Asiáticos (IBEAA), ligado à Presidência da República, fechado após o golpe militar de 1964; em 1963, o Centro de Estudos e Cultura Africana na Universidade de São Paulo, hoje denominado Centro de Estudos Africanos (CEA), e em 1973, o Centro de Estudos Afro-Asiáticos (CEAA) do Rio de Janeiro, uma espécie de herdeiro do IBEAA. Esses centros formaram as duas primeiras gerações, ainda que diminutas, de intelectuais brasileiros interessados em estudar a África.

A África voltou à cena na década de 1970, quando da expansão da luta armada nas então colônias portuguesas, como uma nova fonte de inspiração entre a comunidade negra. No entanto, aos poucos, à medida que esfriavam as notícias sobre as ex-colônias, a presença dos temas "africanos", a reivindicação da "libertação", foi perdendo espaço para uma agenda muito mais pautada pela discussão das relações raciais norte-americanas, num viés neoliberal.

Até os anos 1990, os currículos escolares brasileiros, em todos os níveis, refletiam a afirmação de Hegel de que a África não tinha "interesse histórico próprio", já que não aportava "nenhum ingrediente à civilização". Hoje vivemos em outra conjuntura institucional. Depois de pressões vindas de vários segmentos sociais, dos meios universitários, mas sobretudo de setores do movimento negro organizado, foi editada em 2003 a Lei 10.639, que tornou obrigatório o ensino de História da África e de cultura afro-brasileira nas escolas brasileiras. A partir de então uma nova onda emergiu, e a África, como tema e campo de estudos até então marginalizados, passou a ser atraente. Uma avalanche de publicações didáticas, de qualidade muito irregular, veio à luz, pretendendo sanar a nossa lacuna de conhecimentos. Pululam cursos de "especialização" — na verdade de introdução — para qualificar minimamente os docentes que já atuavam no ensino fundamental e médio. Como resposta a essa nova demanda, as universidades públicas e privadas introduziram ou ampliaram as disciplinas voltadas para a África, sobretudo nos cursos de História, para formar os futuros professores. Mas em sua maioria, o ensino de História da África ainda está restrito a um ou dois semestres letivos. É preciso ampliar os cursos de mestrado e doutorado em Estudos Africanos nas universidades, aumentando o número de pesquisadores em temas africanos para que se produza conhecimento desprovido de preconceitos. Essas são iniciativas que apontam para um extenso caminho a ser percorrido, ao longo do qual, espera-se, nossa imagem sobre a África e os africanos seja gradual mas solidamente alterada.

Com certa simplificação, pode-se dizer que prevalecem duas imagens só aparentemente antagônicas: de um lado, e ainda hegemônica, a da África selvagem e miserável apresentada nos documentários e telejornais; de outro, uma imagem mitificada, de uma "Mama África", "originária", "profunda" e "virgem", idealizada, irreal. Os africanos e a África buscados nessa visão, como inspiração política, são aqueles colocados num freezer, onde a cultura se inscreve num tempo mítico, que se repete, sem criação nem história. Essa imagem mitificada é também homogeneizadora e desumanizadora da África e dos africanos. Também ela não reconhece a multiplicidade dos povos e culturas com suas mazelas tipicamente humanas. Felizmente as duas visões extremadas tendem a ser superadas, mas o que ainda predomina está longe do ideal.

Enquanto a África e os africanos permanecerem desconhecidos dos brasileiros, tanto à direita, quanto à esquerda, tanto os racistas, travestidos de liberais, quanto os que labutam arduamente para a extinção do racismo, vão continuar prisioneiros de uma visão da África que foi criada para dominar e desumanizar.

SUGESTÕES DE LEITURA

RODRIGUES, José Honório. *Brasil e África — outro horizonte*. 2ª ed., revista e ampliada. Rio de Janeiro, Civilização Brasileira, 1964.

RODRIGUES, Nina. *Os africanos no Brasil*. São Paulo, Nacional, 1932.

SCHWARCZ, Lilia Moritz. *O espetáculo das raças: cientistas, instituições e questão racial no Brasil (1870-1930)*. São Paulo, Companhia das Letras, 1993.

ZAMPARONI, Valdemir. "Os estudos africanos no Brasil: veredas". *Revista de Educação Pública*. Cuiabá, vol. 4, nº 5, jan./jun. 1995, pp. 105-24.

_____. "A África e os estudos africanos no Brasil: passado e futuro". *Ciência e Cultura*. São Paulo, vol. 59, nº 2, abr./jun. 2007, disponível em http:// cienciaecultura.bvs.br/cgi-bin/wxis.exe/iah/.

AMAZÔNIA: POVOS TRADICIONAIS E LUTA POR DIREITOS

Neide Esterci

Terra de espanto e assombro para alguns, objeto de cobiça sem constrangimentos para outros, do ponto de vista das ciências da terra, a Amazônia pode ser pensada como um bioma, um conjunto de ecossistemas cujas características físicas e geográficas singulares se estendem por nove países da América do Sul: Brasil, Bolívia, Colômbia, Equador, Guiana, Guiana Francesa, Peru, Suriname e Venezuela. São quase 8 milhões de km² de rios enormes, milhares de lagos e ilhas, áreas de terra firme e florestas inundáveis de várzea, nas quais o nível das águas chega a variações anuais de mais de doze metros, como acontece no curso médio do rio Solimões, no estado do Amazonas. No território brasileiro, se encontram 60% de suas florestas.

Aí vivem e se reproduzem mais de um terço das espécies existentes no planeta. São cerca de 2500 espécies de árvores, mil espécies de aves, 311 espécies de mamíferos já registradas. Segundo o Ministério do Meio Ambiente, a floresta amazônica emite para a atmosfera mais de 7 trilhões de toneladas de água, através da evaporação e transpiração das plantas, e seus rios despejam aproximadamente 12% de toda a água doce fluvial descarregada, por ano, nos oceanos de todo o mundo. Só do rio Amazonas, o mais extenso e caudaloso da bacia, chegam ao Atlântico 230 milhões de litros d'água por segundo. Tudo isso, porém, em um ecossistema muito frágil, porque as árvores, que chegam a ter cinquenta metros de altura, tiram poucos nutrientes do solo, em sua maior parte pobre, de modo que a floresta vive do material que as próprias árvores lançam no chão. Daí os cuidados necessários para não romper o equilíbrio.

Por decreto-lei de 1966, o governo brasileiro criou, como instrumento de suas políticas, a chamada Amazônia Legal, para a qual procurava atrair, através da concessão de incentivos generosos, os interessados em realizar ali algum empreendimento econômico, dentro do projeto de desenvolvimento proposto para a região. A Amazônia Legal abrange uma extensão maior que o bioma Amazônia e nela se incluem os estados do Amazonas, Pará, Roraima, Rondônia, Acre, Amapá, Tocantins, Mato Grosso e parte do Maranhão. Mas a parte acrescida pelo conceito de Amazônia Legal, como adverte o jornalista Lúcio Flávio Pinto, defensor de primeira hora da integridade amazônica e de seus povos, não é constituída pela mesma típica floresta amazônica, aquela que o cientista alemão Alexandre Humboldt chamou de Hileia Amazônica — ela inclui também áreas de outros biomas, como o cerrado.

Com tantas denúncias de destruição e desrespeito à natureza, talvez surpreenda saber que a Amazônia chegou ao século XXI com a maior parte do seu território preservado; mas o que acende o sinal de alerta é o fato de os desmatamentos terem consumido 17% da floresta no curto espaço de algumas décadas, ou seja, desde que, no final dos anos 1950, foram feitas as primeiras grandes derrubadas para a abertura de estradas como a Belém-Brasília e a Brasília-Rio Branco. Essas informações se encontram no *Almanaque Brasil Socioambiental* de 2008, do Instituto Socioambiental.

DIVERSIDADE SOCIOCULTURAL E ÉTNICA – DIREITOS ESPECÍFICOS

Mas a Amazônia não é apenas o lócus de uma enorme biodiversidade. Habitada por mais de 20 milhões de pessoas, a Amazônia brasileira é também multicultural e pluriétnica: são povos indígenas, remanescentes de quilombos, ribeirinhos, seringueiros, pescadores artesanais, quebradeiras de coco babaçu, ciganos e outros povos e comunidades com histórias, modos de vida, tradições culturais, práticas econômicas e religiosas, conhecimentos e identidades coletivas distintas.

A manifestação mais radical dessa diversidade está, sem dúvida, nos povos indígenas. Na Amazônia, são 170 povos com uma população aproximada de 180 mil pessoas, o que corresponde a 57,64% da população indígena do país, que ocupa na Amazônia o equivalente a 98,97% das terras indígenas de todo o Brasil. De fato, nas décadas passadas, seu desaparecimento chegou a ser profetizado pelo antropólogo brasileiro Darcy Ribeiro, em *Os índios e a civilização — A integração das populações indígenas no Brasil moderno* (1970), talvez como grito de alerta às novas gerações de antropólogos e indigenistas, pois, segundo o levantamento que fizera nos anos 1950, muitos povos indígenas haviam desaparecido desde o início do século XX e vários outros viram sua população ser drasticamente reduzida. Organizações não governamentais, antropólogos, linguistas e missionários se mobilizaram nos anos seguintes: foi criado o Conselho Indigenista Missionário (Cimi) e uma rede de centenas de colaboradores começou um trabalho de levantamento — e acompanhamento — da situação de cada um desses povos, que resultou na série *Aconteceu — Povos indígenas no Brasil*, publicada desde 1980 pelo Instituto Socioambiental. Com seu imenso capital simbólico e o apoio de aliados, os povos indígenas conquistaram espaço na cena política e pela primeira vez um capítulo da Constituição lhes foi dedicado. Com direitos reconhecidos aos territórios tradicionalmente ocupados, nas décadas que se seguiram, sua população voltou a crescer. É na Amazônia que estão seus territórios mais extensos, como o Parque Indígena do Xingu (MT), com 2,8 milhões de hectares, onde vivem dezesseis etnias; a Terra Indígena do Alto Rio Negro (AM), com 11 milhões de hectares, onde vivem povos de 21 etnias; e a recém-demarcada Raposa Serra do Sol (RO), onde vivem cinco etnias, além das Terras Indígenas dos Tikuna e dos Yanomami (AM). Nesses espaços, vários povos indígenas construíram suas próprias organizações, como a Associação Terra Indígena do Xingu (ATIX) e a Federação das Organizações Indígenas do Rio Negro (FOIRN), ambas reunindo várias etnias, e têm tido a chance de recompor tradições linguísticas e mitológicas, reproduzir conhecimentos e modos de vida, e muitas vezes resgatar elementos de suas identidades sufocados ao longo de anos. No Alto Rio Negro, por exemplo, ouvi de um pajé, um sábio do povo Tuiuka, que um estudante ainda menino de um colégio salesiano, nos anos 1960, estava tão excitado com a chegada do momento de ir para casa, ao término de mais um semestre letivo em regime de internato, que no recreio se descontraiu e se pôs a falar a língua do seu povo com os colegas. Foi ouvido pelo supervisor e, como castigo, não pôde deixar o colégio, como previsto. No estado do Acre, como lembra Beto Ricardo, antropólogo e fundador do Instituto Socioambiental, o governo federal nem reconhecia, em 1975, a existência de povos indígenas. Hoje, lá existem vinte terras indígenas demarcadas, e os índios são componentes importantes do projeto dos últimos governos estaduais.

Mas, para garantir os direitos coletivos desses povos e manter suas terras extensas, são necessárias medidas de fiscalização e políticas compensatórias nas áreas de educação, saúde e produção econômica.

Além dos povos indígenas, a Constituição de 1988 reconheceu também, expressamente, os grupos remanescentes de quilombos como possuidores de condições que os distinguem da coletividade nacional e destinatários de direitos específicos, conforme publicações do Programa Nova Cartografia dos Povos da Amazônia (PNCPA). As terras que ocupam e sobre as quais devem ter direitos reconhecidos não são, necessariamente, de negros fugidos; nem a homogeneidade racial é condição do seu reconhecimento como sujeitos coletivos de direitos, pois, tanto na Constituição brasileira quanto no texto da Convenção 169 da Organização Internacional do Trabalho (OIT), o critério de reconhecimento de identidade é o da autoidentificação. Assim, e segundo informações constantes do site do Instituto Nacional de Colonização e Reforma Agrária, existem hoje, na Amazônia, nos estados do Pará, Amapá, Maranhão e Mato Grosso, 99 terras de remanescentes de quilombos já tituladas, além de muitas comunidades quilombolas com processos de reconhecimento abertos. Só no estado do Pará, por exemplo, estão em tramitação 23 processos de titulação (segundo o site do Incra, em 27 de julho de 2010). Outra coletividade que, no contexto do final dos anos 1980, emergiu na cena política, reivindicando direitos específicos, foi a dos seringueiros. Sua emergência, como protagonistas de um movimento político de peso, não se fez num abrir e fechar de olhos. Descendentes de nordestinos fugidos das secas e da miséria que assolavam suas famílias na região de origem, foram recrutados desde o final do século XIX para trabalhar na empresa seringalista, e as condições de vida e trabalho a que eram submetidos foram desde o início objeto de denúncias como as que se leem no romance *A selva* (1930), do escritor português Ferreira de Castro, que se tornou *persona non grata* no Brasil, acusado de denegrir a imagem do país no exterior. Também Euclides da Cunha, em *À margem da história* (1909), se referiu ao regime de aviamento que predominava nos seringais como uma forma de escravidão, pois implicava o endividamento dos trabalhadores e justificava a coerção exercida sobre eles pelos patrões. Tal como Ferreira de Castro, Euclides pensou a floresta como um ambiente grandioso e hostil: "Aquela natureza soberana e brutal, em pleno expandir de suas energias, é uma adversária do homem". E considerou negativos seus efeitos sobre "a delicada vibração do espírito na dinâmica das ideias".

Entre apogeu e períodos de crise e decadência, a empresa seringalista resistiu até meados do século XX e não trouxe grandes danos ambientais para a região, porque as seringueiras tinham que ser tratadas com cuidado e o látex extraído com delicadeza, já que trabalhadores e patrões as queriam sempre vivas e produtivas. O plantio de roças e a criação de animais pelos seringueiros, visando o consumo familiar — atividades que, nas primeiras décadas de funcionamento da empresa, tampouco eram permitidas, uma vez que os patrões queriam que os trabalhadores se dedicassem inteiramente à extração do látex —, também não implicaram grandes desmatamentos.

Ao chegar aos seringais, os trabalhadores nordestinos tiveram que se defrontar não somente com as tempestades assustadoras, os animais e outros entes da floresta, para eles desconhecidos, mas também com os povos indígenas. Contra os índios, os patrões ordenavam as chamadas "correrias", ataques às aldeias para matança generalizada e eventuais apreensões de mulheres e crianças. Ao longo da história, muitos nordestinos se casaram com mulheres indígenas e constituíram famílias. Essa miscigenação fez com que muitos índios se tornassem seringueiros e somente muitos anos depois viessem a resgatar sua identidade, a memória e o orgulho de serem índios, como no caso dos Kuntanawa, uma história de cem anos muito bem contada pela antropóloga Mariana Ciavatta Pantoja em *Os Milton* (2008).

Mas foi no final dos anos 1980, quando os seringais já estavam em franca decadência, o látex não tinha a mesma importância econômica para a economia nacional e os seringueiros eram percebidos como trabalhadores de uma atividade em extinção, que surgiram os enfrentamentos com os novos pretendentes às terras que ocupavam. No Alto Rio Juruá, o novo patrão, que adquirira a terra, não se interessava pela atividade seringueira, apostando muito mais na derrubada da floresta para exploração de madeira; no vale dos rios Purus e Acre, chegavam os *paulistas*, interessados no desmatamento para formação de pastos.

Nas lutas de resistência, esforço de organização e busca de uma identidade coletiva, ficaram célebres, no vale do Purus e Acre, os *empates* e líderes como Wilson Pinheiro e Chico Mendes, ambos assassinados. No Alto Juruá, a luta foi contra o pagamento da renda da terra, que se fez em grande parte através da organização sindical, na qual se destacaram líderes como

Luís Claudino e Chico Ginu. Mas a proposta de um lote familiar, nos moldes sugeridos pela organização sindical, não lhes servia, porque era necessário garantir o acesso às estradas de seringa e cada lote teria que ter cerca de seiscentos hectares. Misturados com os índios, aliados aos ambientalistas, antropólogos e indigenistas, os líderes seringueiros do Acre chegaram, afinal, à reivindicação de um território, um espaço coletivo de vida e trabalho, e de proteção da floresta. Assim foi construída a figura da Reserva Extrativista, mais tarde incorporada à legislação do Sistema Nacional de Unidades de Conservação.

DESENVOLVIMENTISMO – DEVASTADOR E ESCRAVISTA

Reivindicações de controle coletivo sobre um território não eram novidade. Nos anos 1960-70, nos estados de Mato Grosso e Pará, onde aportaram as primeiras empresas beneficiadas pelos incentivos fiscais oferecidos pelos governos militares, os pequenos produtores, então referidos como posseiros, também lutaram por direitos ao território que habitavam, defendendo, em confrontos físicos e às vezes em longas audiências com representantes dos órgãos federais, a racionalidade das suas formas específicas de uso e apropriação do espaço. As marcas imprimidas sobre o espaço eram evidência de um modo de vida. Mas sob a ditadura a integração da Amazônia se faria pela negação da diferença, e, naquela conjuntura, o acesso às áreas de uso comum, como pastagens naturais, áreas de caça, matas de coqueiro e plantas medicinais, tudo isso lhes seria negado. Em *Cruzando fronteira — 30 anos de estudos do campesinato na Amazônia* (2004), o antropólogo Jean Hébette registra várias situações de confronto entre esses pequenos produtores e as empresas no estado do Pará.

Esse novo impulso para empreendimentos de larga escala na Amazônia teve início nos anos 1960. Pensada como vazio demográfico por militares e planejadores, como fronteira de recursos a explorar, nos moldes de uma área de colonização interna, a Amazônia foi, desde então, o *locus* de implantação de um modelo expropriador e predatório de desenvolvimento. Centenas de hectares de terras públicas foram transferidos a particulares a preços irrisórios, e milhares de homens jovens foram trazidos ilegalmente através de longas distâncias para derrubar as matas. Muitos não voltavam. As vozes que se levantavam contra os efeitos devastadores dessas políticas tiveram dificuldades em se fazer ouvir, pois, no início dos anos 1970, o país crescia ao redor de 10% ao ano e não havia, mesmo entre planejadores e organismos internacionais de desenvolvimento, quem questionasse o modelo brasileiro. É significativo que, durante a ditadura, a Organização Internacional do Trabalho (OIT), que registrava anualmente os crimes contra a organização do trabalho no mundo inteiro, não tenha recebido uma denúncia sequer de que o Plano de Integração da Amazônia, do governo brasileiro, se fazia à custa do ressurgimento, em grande escala, das formas escravistas de emprego da força de trabalho.

MODELOS EM DISPUTA

No final da ditadura, o fracasso desses empreendimentos já era evidente e, no processo de redemocratização, dois fatores vieram imprimir nova dinâmica à história dos povos da Amazônia: a promulgação da Constituição de 1988 e o fortalecimento e a difusão dos movimentos ambientalistas no Brasil e no mundo. Abriram-se novas possibilidades e um novo cenário se descortinou. Nele, passaram a disputar espaço com as políticas desenvolvimentistas aqueles que propõem tratar a natureza com cuidado e convidam a ver a Amazônia pelos olhos da tradição e das regras costumeiras. Os seringueiros, que por mais de cem anos habitaram a floresta sem danificá-la, se pensam como parte de "uma ordem em que humanos e não humanos se relacionam sem solução de continuidade"; para eles "os rios são habitados por caboclinhos e seres encantados" e "há animais de encante que não podem ser abatidos". Eles extraem o látex com cuidado, para que as árvores não morram e porque a seringueira, da qual extraem o leite, é mãe. A caça tem que ser repartida entre vizinhos, de acordo com regras de reciprocidade estritas, do contrário o caçador fica na condição *panema* e não tem mais sucesso na sua atividade. Mauro Barbosa Almeida, antropólogo de origem acreana, conhece bem essa tradição e escreveu sobre ela em "Direitos à floresta e ambientalismo: os seringueiros e suas lutas".

Felizmente, na Amazônia que chega ao século XXI, os povos tradicionais passaram a ocupar mais espaço e áreas ambientalmente protegidas. Hoje 22,08% de seu território estão cobertos por Unidades de Conservação; se em algumas delas, como os Parques Nacionais, as Reservas Biológicas e as Estações Ecológicas, é vedada a presença humana, em outras a proposta é conciliar a existência de grupos sociais com a conservação da natureza: são as Florestas Nacionais, as Reservas de Desenvolvimento Sustentável e, justamente, as Reservas Extrativistas. Somadas às Terras Indígenas, consideradas ambientalmente protegidas em virtude do baixo impacto causado pelas técnicas de exploração dos índios, as áreas protegidas cobrem 40,19% do território da Amazônia. Pode-se considerar um avanço pelo que significa em termos de proteção para os ecossistemas e garantia dos direitos dos seus povos aos territórios por eles tradicionalmente ocupados.

Essa talvez seja a mais nova "invenção da Amazônia", diferente daquelas criadas por viajantes e planejadores, e já analisadas pelo ex-professor da Universidade Federal do Pará, Armando Dias Mendes, especialista em questões relativas ao desenvolvimento regional e educação superior, e pela professora de literatura da Universidade Federal do Amazonas, Neide Gondim. A nova invenção está assentada na ideia de que o Estado nacional é pluriétnico e multicultural, e, de acordo com a subprocuradora geral da República, Deborah Duprat, em "O direito sob o marco da plurietnicidade/multiculturalidade" (2007), cabe ao Estado assegurar aos portadores de culturas e identidades diferentes o controle de suas próprias instituições e formas de vida, desenvolvimento econômico e manutenção e fortalecimento de suas identidades, línguas e religiões.

No caso brasileiro, é talvez na Amazônia que essa noção tem mais condição de se aplicar. Mas, como alertam estudiosos e aliados desses povos, sem formas de fiscalização que garantam a integridade dos territórios conquistados, sem políticas compensatórias nas áreas de educação e saúde, e sem incentivos e proteção adequados à produção extrativista a que se dedicam esses grupos e povos, seus espaços continuarão a ser invadidos e seus meios de vida usurpados pelos grandes empreendedores agropecuários e madeireiros, pelas empresas mineradoras e siderúrgicas, pela monocultura de exportação como a soja, e pelas grandes obras rodoviárias e as hidrelétricas.

SUGESTÕES DE LEITURA

ALMEIDA, Alfredo W. Berno de. *Antropologia dos archivos da Amazônia*. Rio de Janeiro, Casa 8/Fundação Universidade da Amazônia, 2008.

ALMEIDA, Mauro W. Barbosa de. "Direitos à floresta e ambientalismo: os seringueiros e suas lutas". *Revista Brasileira de Ciências Sociais*, vol. 19, nº 55, pp. 33-53.

Antropolítica — Revista Contemporânea de Antropologia e Ciência, nº 19, segundo semestre de 2005, Niterói.

HÉBETTE, Jean. *Cruzando fronteira — 30 anos de estudo do campesinato na Amazônia*. Belém, Editora Universitária da UFPA, 2004, 4 v.

PANTOJA, Mariana Ciavatta. *Os Milton — Cem anos de história nos seringais*. Rio Branco (AC), Edufac, 2008.

Série *Aconteceu — Povos indígenas no Brasil*. São Paulo, CEDI/Instituto Socioambiental, 1980.

ARTE E CLASSICISMO NO BRASIL: CRIANDO PAISAGENS E RELENDO TRADIÇÕES

Luciano Migliaccio.

Falar da recepção do classicismo no caso da cultura artística do Brasil demanda uma primeira premissa. O Brasil nasceu com a idade moderna: os modelos advindos do mundo greco-romano não foram transmitidos como parte de uma tradição local sem interrupções, mas foram apropriados, em formas cada vez diferentes e em combinações variadas de tempo em tempo com elementos de outras tradições culturais: orientais, africanas e luso-africanas, ibéricas e italianas, judaicas e islâmicas. Durante a época colonial, a transferência se fez, sobretudo, através das formas peculiares em que tais modelos foram elaborados pela cultura lusitana. No espaço abrangido pelo império português, emular Roma era um assumido projeto de expansão e justificação do poder, tanto de um ponto de vista interno como externo. Roma emitia significados, Lisboa os captava e transmitia até os mais distantes domínios coloniais e, particularmente, ao Brasil. Roma, centro da ideia do império e do catolicismo, espelhando-se na corte de Lisboa, a legitimava como centro de irradiação da fé no Novo Mundo. Essa relação fica evidente, ainda que com particularidades locais, desde a Bahia às regiões do antigo estado do Maranhão e Grão-Pará, do Rio de Janeiro às Minas Gerais do final da colônia.

Até o reinado de d. João V, seriam sobretudo as ordens religiosas, em particular franciscanos e jesuítas, a promover essas transferências, por meio da fundação de colégios e igrejas e da criação de oficinas em que mestres europeus e artistas indígenas, mestiços ou africanos trazidos como escravos elaborariam os exemplos romanos e portugueses. A sacristia da Igreja do Colégio dos Jesuítas de Salvador, hoje catedral, representa um caso muito importante de adoção de um modelo decorativo romano nas últimas décadas do século XVII, na cidade que surgia como a segunda capital do império português. Não se pode excluir que a escolha de importar altares de mármore italiano, desenhados por artistas romanos ou florentinos, e de realizar no teto uma galeria de retratos pintados de jesuítas ilustres possa ser relacionada com a volta de Roma, em 1681, do padre Antonio Vieira, um dos maiores oradores sacros de sua época. A sugestão dos exemplos romanos voltaria com mais força na época de d. João V, no momento da elevação do bispado de Lisboa à dignidade patriarcal e do aumento das dioceses brasileiras, em função da necessidade de assegurar à Coroa o controle dos territórios da colônia. O pintor português Antonio Simões Ribeiro, autor das pinturas do teto da Biblioteca Joanina da Universidade de Coimbra, seria chamado para realizar aquelas da Biblioteca do Colégio dos Jesuítas de Salvador, emulando o modelo romano de Andrea Pozzo, na igreja de Santo Inácio. Essa modalidade decorativa se tornaria um exemplo para numerosos centros brasileiros: na mesma Salvador, na igreja da Conceição da Praia; em Recife, na igreja de São Pedro dos Clérigos; em João Pessoa, no mosteiro de São Francisco.

A tópica da emulação de Roma tornar-se-ia corrente, na América portuguesa, em determinados textos de meados do século XVIII. É o caso do conhecido relato de Joaquim Silva (1781), membro da Câmara de Mariana, ao descrever a igreja de São Pedro dos Clérigos de Mariana e a igreja de Nossa Senhora do Rosário de Ouro Preto. Segundo o autor, esses templos imitariam a "rotunda de Roma", o Panteão. A tópica retornaria nas *Cartas chilenas* de Tomás Antonio Gonzaga, quando, ao descrever ironicamente a nova Casa de Câmara e Cadeia riscada por Cunha Menezes para Vila Rica, lembraria que as qualidades do novo edifício eram tais que causariam "dura emulação na própria Roma". O centro deslocava-se às pontas do Império e a ideia da *Nova Roma* transferia-se já para o horizonte da colônia.

A situação estava destinada a mudar radicalmente em função das dramáticas transformações políticas, econômicas e culturais do final do século XVIII e do começo do XIX: o fim da sociedade de corte determinada pelas revoluções na América do Norte e na França; a vinda da corte portuguesa ao Brasil em consequência da aventura napoleônica; a independência do país no novo contexto americano. Além disso, para o Brasil, o século XIX foi um período no qual se sucederam diversos impactos tecnológicos. Subitamente tirada da esfera religiosa, a experiência estética começou a ser encarada como fator constituinte da identidade política e cultural da nação e como fator de prestígio. A produção de imagens visou, portanto, em muitos casos, refletir a adesão do país aos tempos novos, adotando os gêneros praticados nos principais centros culturais europeus, mas carregados de significados locais. No entanto, a compreensão dessa ressignificação do classicismo não deve se limitar apenas à busca das fontes e das importações europeias e das suas transcrições locais. É preciso considerar fatores de natureza social e técnica que afetaram a função e a circulação das imagens, quais sejam:

— O surgimento das instituições artísticas típicas do mundo moderno: o ensino acadêmico, as exposições, a crítica de arte, o desenvolvimento, ainda que restrito, de um mercado da arte.

— As técnicas inéditas de reprodução mecânica da imagem, como a litografia e a fotografia, que puseram em discussão algumas das funções tradicionais da pintura, da escultura, sobretudo como meio de registro e divulgação dos tipos humanos e ambientes sociais. No Brasil, essas formas de reprodução e circulação da imagem adquiriram uma relevância política às vezes maior que as formas artísticas tradicionais, adotando atitudes, procedimentos e partidos advindos delas.

— A difusão da imprensa ilustrada e da fotografia mudou radicalmente as relações entre artistas, imagem e público. Esse fenômeno não foi somente brasileiro, é claro, mas nas condições peculiares do Brasil é decisivo analisar as transformações provocadas por esses novos elementos no nível local.

— O impacto de Paris, como centro da editoria ilustrada e do mercado da arte, e de outros centros internacionais, em particular Roma, nas escolhas dos artistas e na criação de uma pauta para a cultura artística no Brasil.

No Rio de Janeiro, uma primeira tentativa de afirmar uma função pública e laica das artes deu-se já no final do século XVIII no círculo do vice-rei Luís de Vasconcelos e Sousa, patrocinador de um programa de obras públicas destinadas a destacar o papel da cidade como nova capital americana do império lusitano. Tal programa incluiu a reconstrução do chafariz da praça do Paço, junto ao antigo cais, o novo Chafariz das Marrecas, a Fonte dos Jacarés no quadro das obras do Passeio Público. Nelas seriam utilizados os primeiros bronzes fundidos no Brasil por Mestre Valentim. Um conjunto epigráfico e imagético relacionado com os temas da Arcádia poética e da mitologia clássica seria exposto na cidade em virtude da comemoração da ação de governo da monarquia portuguesa. A esse episódio estaria vinculado também o surgimento das primeiras telas com vistas da cidade do Rio de Janeiro e com a representação das principais atividades econômicas do Brasil, também colocadas em pavilhões no Passeio Público, posteriormente demolidos. Com certeza, os temas daquelas pinturas são afinados com a exaltação dos recursos naturais e das riquezas da colônia brasileira que se encontram nos poemas dos árcades mineiros e nos textos da Academia de Ciências do Rio de Janeiro, fundada pelo marquês do Lavradio. Leandro Joaquim, retratista de Luís de Vasconcelos e Sousa, executaria então as primeiras vistas históricas figurando o *Incêndio* e a *Reconstrução do Recolhimento do Parto* (1789, Museu da Diocese do Rio de Janeiro), em que apareceriam, ao lado do vice-rei, os vários tipos raciais, os fidalgos, os oficiais, os artistas e artífices, o povo em seus trajes característicos.

Com a vinda da corte portuguesa, os artistas da chamada Missão Artística Francesa realizaram o transplante dos gêneros e das formas neoclássicas, bem como das instituições artísticas modernas, introduzindo no contexto brasileiro um modelo oposto aos antecedentes lusitanos. O paisagista Nicolas-Antoine Taunay foi decisivo para a elaboração local de um gênero que se tornaria fundamental para a formação da imagem do Brasil: a paisagem histórica clássica na sua versão pastoral, inspirada na obra de Claude Lorrain. Esse aspecto, muito precoce em relação ao desenvolvimento da pintura em outras realidades americanas, representa um dos lados peculiares da cultura figurativa brasileira. Taunay pintou momentos da vida da corte portuguesa na nova capital tropical, em quadros como a *Passagem do cortejo real na ponte Maracanã* (Rio de Janeiro, Museu da Quinta da Boa Vista). Contribuiu também para o surgimento da vista urbana e do panorama em que a paisagem se mistura com a descrição dos costumes e das relações sociais. Na vista da *Cascatinha da Tijuca* (1819, Museu da Cidade do Rio de Janeiro), conjugou o tema pastoral com a majestade da natureza brasileira, a presença dos africanos escravizados e a situação do artista no novo contexto americano. O filho de Nicolas-Antoine Taunay, Félix-Émile, realizou os desenhos para o primeiro panorama do Rio de Janeiro, exposto em Paris em 1824, popularizando, através desse novo meio, a imagem da nação recém-nascida junto ao público europeu. Sucessivamente dirigiu a Academia Imperial de 1834 até 1851, quando implementou o exemplo do ensino artístico francês e inseriu de uma vez por todas a formação dos artistas brasileiros no sistema internacional ligado a Paris. Nas duas paisagens *A mata brasileira sendo reduzida a carvão* e *Vista da Mãe de Água* (1844, Rio de Janeiro, MNBA), o pintor, se servindo de elementos da tradição pictórica europeia, produziu exemplos de paisagem histórica nacional em que empregou o dilema ainda atual entre a preservação da natureza e o progresso material como um dos temas principais da representação do país.

A execução do grande quadro *Sagração de Dom Pedro I* (1827, Brasília, Palácio do Itamaraty), além dos aparatos festivos e trajes desenhados para a corte, permitiu a Jean-Baptiste Debret introduzir o modelo da pintura histórica, atraindo para sua escola uma geração de jovens artistas portugueses e brasileiros. Simplício Rodrigues de Sá, pintor açoriano, foi o mais sensível à renovação efetuada por Debret no campo do retrato e da pintura de usos e costumes. Suas habilidades podem ser vistas no retrato do Chalaça — que, em capacidade de observação e penetração psicológica, supera a retratística engessada de Debret —, até chegar numa pintura como o *Irmão pedinte*, pertencente ao acervo do Museu Nacional de Belas-Artes, um dos poucos exemplos de uma pintura de costumes brasileiros inspirada pelas ilustrações do mestre francês. No retrato do marinheiro *Simão Carvoeiro* (1853, Rio de Janeiro, MNBA), José Correia Lima utilizou pela primeira vez o tipo do retrato heroico para representar um afro-brasileiro. A obra é notável também pelo modo com que alude à chaga aberta da escravidão e aos argumentos favoráveis à abolição, utilizando uma iconografia clássica para um membro de uma parte da população brasileira frequentemente excluída das representações oficiais. Manuel Araújo Porto-Alegre, diretor da Academia Imperial entre 1854 e 1857, foi o mais importante, ainda que não o mais produtivo, entre os artistas e os críticos brasileiros da geração seguinte, e certamente o que teve mais clareza quanto à função das artes na criação de uma cultura e de uma identidade nacional.

Os três volumes do *Voyage Pictoresque e Historique*, de Debret, publicados em Paris entre 1837 e 1839, constituíram uma contribuição bastante relevante para a criação de uma ponte entre a elite da capital e o meio liberal internacional, marcando uma virada decisiva para a cultura brasileira. Nesse caso, o discurso histórico não consistiu na instrução por meio do exemplo do passado, mas na descrição visual dos elementos que formavam a sociedade local. Pode-se dizer que Debret criou um discurso sobre o país que correspondia essencialmente às intenções modernizadoras de uma parte das elites brasileiras. Seu livro ilustrou os contrastes presentes na sociedade da capital, os componentes étnicos do novo Estado que, a partir daquelas premissas, visava constituir um novo povo. Seria equivocado julgar tal postura do artista como um empobrecimento do papel do pintor de história neoclássico. Foi, pelo contrário, uma inteligente adaptação à nova importância política da editoria ilustrada e da imagem impressa e às novas condições ditadas pelo mercado internacional da arte, de que o Brasil começava a fazer parte.

Com a coroação de d. Pedro II o país cortou definitivamente seus laços com o passado português e buscou sua colocação dentro do contexto americano. Os modelos clássicos, sobretudo a épica heroica, foram então utilizados como referência para a construção de uma nova imagem da nação vinculada ao seu passado ameríndio e à evangelização dos povos nativos. Nas obras de Gonçalves Dias, de Gonçalves Magalhães, de Manuel Araújo Porto-Alegre, tais modelos formaram a moldura para os novos temas indianistas do imaginário romântico nacionalista: a exaltação da figura do indígena, o contraste entre a cultura europeia e aquela ameríndia destinada a dar vida a uma nova civilização. Significativamente, em 1861, enquanto o escultor francês Auguste Rochet expunha no Salon de Paris as figuras colossais de indígenas destinadas ao monumento equestre de d. Pedro I no Rio de Janeiro, um pintor brasileiro, Vítor Meirelles, mostrava pela primeira vez ao público da mesma exposição um quadro baseado num tema da história nacional: *A primeira missa no Brasil*. Elementos da pintura de história, desde Horace Vernet a Delaroche, da tradição da paisagem pastoral e da ilustração etnográfica eram elaborados de forma a gerar uma imagem das origens da nação que passaria depois ao cinema e aos livros de escola. Com *Moema* (São Paulo, MASP), exposta em 1866, o pintor de Florianópolis reformulou em termos nacionais um dos grandes gêneros da tradição classicista: a paisagem histórica.

50

Graças ao seu exemplo, o tema, que permitia a união do indianismo ao romance sentimental e ao erotismo por meio da imagem feminina, tornou-se característico da pintura brasileira durante toda a segunda metade do século. O quadro de Meirelles, uma das obras-primas do indianismo brasileiro, deu um novo significado a uma tradição figurativa europeia, inserindo-a no contexto americano. Em sua fórmula clássica, de Giorgione a Ticiano e a Rubens, o tema do nu feminino, ou da Vênus na paisagem, evocava a harmonia entre a natureza e o homem no estado primitivo e poético, o repúdio da história em favor da contemplação lírica. No entanto, *Moema* é uma paisagem trágica, em que se encarna o encontro de civilizações incompatíveis: o cadáver da jovem índia que se afogou por amor a um europeu representa a versão americana do mito que só pode ter um final trágico. A posse da natureza intacta equivale à sua destruição. Por isso, o corpo de Moema forma como uma dissonância na harmonia da paisagem ensolarada e de cores arenosas da baía. A Iracema e a Marabá de Rodrigues Duarte, de Amoedo e de Parreiras ecoariam a mesma triste poesia, que Meirelles soube intuir primeiro.

A apropriação dos elementos do passado clássico envolve também a sua transformação e a sua reapresentação até como paródia. A popularização da litografia constituiu ponta de lança decisiva de uma divulgação iconográfica em grande escala, que, unida ao desencantamento produzido pela ótica racionalista da ciência, amplamente divulgada pela imprensa, não podia deixar de provocar uma desmistificação da própria tradição figurativa. Seja através do desalinho insolente da paródia gráfica, que se tornará um *leitmotiv* da cultura brasileira da segunda metade do século XIX, seja através do prodigioso poder da fantasia, nas publicações ilustradas o desenho caricatural pôde indicar novos usos e leituras das imagens, desvinculando-as das normas convencionais. O caráter paródico e desmistificador da caricatura e da gráfica de jornais, como a celebérrima *Revista Ilustrada* de Angelo Agostini, penetrou na mais séria produção de artistas como Belmiro de Almeida (*Os descobridores*, 1899, Rio de Janeiro, Museu do Itamaraty, ou *Nu de mulher*, Rio de Janeiro, MNBA) ou como Rodolfo Bernardelli (*Faceira*, Rio de Janeiro, MNBA; *A comédia* para a decoração externa do Teatro Municipal do Rio), subvertendo as intenções das comemorações oficiais. A gráfica, bem como a fotografia, deu modelos importantes para a criação de um realismo local, que buscou distanciar-se das convenções dos gêneros para dobrá-los a novos significados. Observando-se certos resultados da pintura de história brasileira da época da República Velha, lembram-se os contos de Machado de Assis, porque a narração exemplar aparece também ali como que desconstruída e parodiada, com um gosto pelo paradoxo que faz lembrar o humanismo desencantado do grande escritor.

Alguns exemplos: entre as numerosas tentativas de criar uma imagem adequada do Tiradentes, mártir da Inconfidência Mineira, alçado à glória nas celebrações oficiais, destaca-se, por exemplo, o extraordinário *Tiradentes esquartejado* de Pedro Américo (1893, Juiz de Fora, Museu Mariano Procópio), modelado sobre as imagens dos mártires da Revolução Francesa, idealizadas por David. Com uma capacidade de distorção quase sarcástica dos cânones da representação heroica, Américo desmembrou o corpo do precursor da independência, em um clima alucinante de *grand-guignol*. Usando refinada crueldade, que perpassa o sadismo, Pedro Américo evoca as cabeças decepadas do Batista do mais sanguinolento barroco espanhol e as preparações dos gabinetes anatômicos. Ao lado de Pedro Américo, não isento, porém, de alegorias repletas de arcos e colunas (*Paz e concórdia*, 1889), Firmino Monteiro (*Vidigal na frente da casa da Vidinha*, Petrópolis, Palácio do Grão-Pará) e Henrique Bernardelli (*Mater* e *Messalina*, Rio de Janeiro, MNBA) transformaram a narrativa histórica atenuando as distinções com representação do cotidiano, ao exemplo dos temas pompeianos de Alma Tadema ou das anedotas históricas de Mariano Fortuny. Ainda, o gosto decadentista infiltrou-se na descrição psicológica dos personagens da história e da mitologia antiga, apresentados como grandes arquétipos de desejos, neuroses e obsessões recorrentes no homem contemporâneo. Em particular, as transformações da imagem feminina provocadas pela modernidade; a grande mãe da cultura mediterrânea, a figura materna e protetora da Nossa Senhora, é evocada ao lado do mito da mulher fatal: a *Salammbô* de Flaubert, ou a grande devoradora do *Vício supremo*, do Mestre da Sociedade dos Rosacruz, Joseph *Sar* Péladan, representada pelas ilustrações de Félicien Rops e de Khnopff, ou pelos ídolos antigos de Aristide Sartorio. Nas obras de artistas como Hélios Seelinger esses temas chegarão a ser tratados com a ironia de uma brincadeira de carnaval.

O mito do translado de Atenas e de Roma às orlas da baía de Guanabara reapareceria, quem sabe pela última vez, no grandioso pano de boca figurando o *Triunfo das artes, das ciências e do progresso*, pintado por Eliseu Visconti entre 1905 e 1907, em Paris, para o Teatro Municipal do Rio de Janeiro, edifício símbolo da reforma urbana da capital, realizada pelo prefeito Pereira Passos. Na tentativa de criar uma pintura decorativa moderna, de grande apelo público e cenográfico, plenamente integrada ao conjunto da arquitetura, e um coerente programa imagético de matriz racionalista, o pintor inspirou-se nas decorações da *Sezession* vienense, particularmente nas obras murais de Gustav Klimt, cuja influência fica ainda mais evidente nas pinturas da Biblioteca Nacional do Rio de Janeiro, ao lado daquela do movimento romano *In Arte Libertas* promovido por Gabriele D'Annunzio, também muito admirado no Brasil. A civilização clássica não significava mais um modelo formal, mas um reservatório de símbolos através dos quais se representavam as conquistas e as condições da modernidade. A poucos anos da tragédia de Canudos, a Acrópole e o Palatino, trasladados para a praia da Urca e para cima do Corcovado, num cortejo triunfal e a passo de dança, ocultavam atrás da imagem da civilização eternamente renovada as contradições materiais e culturais do país.

No século XX, o modernismo substituiria os ideais do classicismo pela busca das origens da cultura nacional: através do primitivismo das vanguardas, dos *Ballets Russes* de Stravinski e Bakst, que triunfavam em Paris, Vicente do Rego Monteiro, Tarsila e Cícero Dias trocariam as formas e os temas clássicos por aqueles extraídos da arte marajoara e das lendas amazônicas, ou da cultura popular. Contudo, ainda nos anos posteriores à Segunda Guerra Mundial, Vinicius de Moraes transplantaria o mito grego de Orfeu e Eurídice no ambiente das favelas do Rio de Janeiro, na sua obra teatral *Orfeu da Conceição*. O carnaval popular reencontrava assim suas antigas origens báquicas, misturando-se ao frenesi africano do samba: o mito do nascimento da música, Orfeu dominando os astros e as feras com o seu canto se tornaria o condutor de um bonde entre a Lapa e Santa Teresa. A peça de Vinicius foi levada ao cinema pelo diretor Marcel Camus, em 1959, com o título de *Orfeu negro,* numa coprodução brasileira, francesa e italiana. O filme ganhou a Palma de Ouro no Festival de Cannes e o Oscar como melhor obra em língua estrangeira, naquele ano. Marcou a afirmação internacional da imagem da cultura popular brasileira, do carnaval carioca, da Bossa Nova de Tom Jobim e de Luís Bonfá. Os louros imortais da Arcádia voltavam a brotar mais uma vez da terra do morro.

SUGESTÕES DE LEITURA

COLI, Jorge. *Como estudar a arte brasileira do século XIX?*. São Paulo, Senac, 2005.

EULALIO, Alexandre. "O século XIX". In: Marino, João (org.). *Tradição e ruptura. Síntese de arte e cultura brasileiras.* São Paulo, Fundação Bienal, 1984.

MIGLIACCIO, Luciano. "O século XIX". In: Aguilar, Nelson (org.). *Mostra do Redescobrimento.* São Paulo, Brasil 500 anos, 2000.

OLIVEIRA, Myriam Andrade Ribeiro de. *O rococó religioso no Brasil e seus antecedentes europeus.* São Paulo, CosacNaify, 2003.

SCHWARCZ, Lilia Moritz. *As barbas do imperador.* São Paulo, Companhia das Letras, 1998.

ARTE CONTEMPORÂNEA BRASILEIRA: MULTIPLICIDADE POÉTICA E INSERÇÃO INTERNACIONAL

Luiz Camillo Osorio

Volta e meia aparece alguém declarando que não gosta de arte contemporânea. Assim, na lata, sem maiores especificações. Normalmente, nesses casos, o contemporâneo entra como uma espécie de estilo tardio; não se gosta da arte contemporânea, mas sim do impressionismo, por exemplo. O que sobressai aí é uma percepção (uma irritação) de que a partir de algum momento na história teria se perdido o foco, e qualquer gesto, por mais arbitrário que pareça, passou a poder reivindicar legitimidade artística.

Nostalgias à parte, multiplicaram-se as formas de arte e diversificaram-se as genealogias poéticas. Há que se destacar que o alargamento de perspectivas a partir das quais se fala do presente e, consequentemente, do que foi e do que pode vir a ser (a arte, a política, a ética, a ciência e a própria natureza humana) não significa que aceitemos uma relativização que nos desobrigaria de escolher e de criar — como se tudo fosse igual e nada mais pudesse ser inventado. Multiplicar as perspectivas de compreensão do fenômeno artístico é produzir diferenças onde o relativismo só enxerga o mesmo — a indiferença. Não há mais um "Greenwich poético" regulando o relógio do contemporâneo, assim como não há mais uma topologia artística diferenciando um centro criativo das muitas periferias reprodutivas.

Destacaria dois episódios de natureza diversa, mas que me parecem relevantes no desenho espiritual do mundo contemporâneo: o verão punk na Londres de 1977 e o lançamento de *A condição pós-moderna* de Jean François Lyotard em 1979. Deste livro-acontecimento cabe ressaltar o questionamento das grandes narrativas que determinavam as formas de conhecimento. Na introdução do livro, o filósofo francês é bastante claro na definição de uma nova articulação dos saberes que vinha se constituindo paralelamente ao desenvolvimento das incipientes tecnologias da informação e da nova economia pós-industrial. Segundo Lyotard, nascia "uma sociedade que se baseia menos numa antropologia newtoniana (como o estruturalismo ou a teoria dos sistemas) e mais numa pragmática das partículas de linguagem. Existem muitos jogos de linguagem diferentes: trata-se da heterogeneidade dos elementos". A fragmentação que abriu brechas para o surgimento de discursos heterogêneos — constituindo as micronarrativas e a micropolítica — também fortaleceu a economia de mercado e a globalização do capital.

Ao contrário da lógica historicista e utópica das vanguardas modernistas, o movimento punk assumia como lema o "No future". A questão para aqueles jovens londrinos não era para onde ir, mas por que ir? Não se tratava de encontrar uma razão que determinasse o fazer, mas desconstruir toda racionalidade que pudesse articular saber e fazer. O desprezo pelas ideologias dominantes derivava de certo cansaço diante das fórmulas históricas e das categorias de comportamento que determinavam o que fazer e como fazer para mudar a história.

Mergulhava-se no vazio, no não saber, na agonia do presente vivido por si só, sem projeto de futuro definido. Em retrospectiva, o que interessa resgatar nessa dissolução do futuro não é, certamente, a perigosa tendência niilista que lhe é tão complementar, mas sim a afirmação do presente como instância temporal a ser conquistada e vivida.

Combinando-se a esperança da retomada democrática com a deflação do ideário utópico, vemos que a década de 1980 começa no Brasil com um tom ao mesmo tempo exaltado e agônico. Potencializando o hedonismo do momento, o "retorno à pintura" seria uma aposta no prazer e na emoção contra as poéticas cerebrais da década de 1970. É bom que se diga que essa ideologia, pautada na oposição conservadora entre prazer e pensamento, não impediu o desenvolvimento de obras heterogêneas que amadureceram naquela década, tais como as de Cildo Meireles, Waltércio Caldas, Artur Barrio, Tunga, Antonio Manuel, Carlos Vergara, Eduardo Sued, Antonio Dias, Nelson Leirner, Carlos Fajardo, Carmela Gross, Milton Machado, Iole de Freitas, José Resende, entre outros.

Em 1984 foi realizada na Escola de Artes Visuais do Parque Lage a emblemática exposição "Como vai você, geração 80?", com curadoria do crítico Marcus Lontra, do artista Paulo Roberto Leal e de Sandra Mager. Foi a plataforma de lançamento daquela geração. Mesmo que se busque ampliar a compreensão dos anos 1980 para além do retorno à pintura, é indiscutível que surgiu ali uma motivação nova para pintar. Se foi a pintura que dinamizou o mercado, ou o contrário, não cabe aqui discutir. Entre as décadas de 1980 e 1990, artistas e galerias ganharam de fato o circuito internacional. A atuação agressiva e pioneira do galerista Marcantonio Vilaça deve ser lembrada quando se menciona esse processo de internacionalização da arte brasileira.

Portanto, o retorno à pintura e o fortalecimento do mercado são os dois lados de uma mesma moeda. Um terceiro ponto, redutor e equivocado, que normalmente vem se somar a estes dois na caracterização da década de 1980, é o da descontinuidade histórica da produção artística. O rompimento com o historicismo modernista era percebido como condição de liberdade criativa. Segundo o crítico Frederico Morais, em artigo de 1984, "alguns artistas que tomam a história como referência insistem em manter a pintura como um teorema pictórico. Pintura é emoção, ela tem de nascer dentro das pessoas, no estômago, no coração, só na cabeça não dá. A arte vira ilustração de ideias e o erro está aí". Nessa reconstrução crítica da produção da geração 80, é fundamental separar historicismo e consciência histórica. Negar a historicidade das obras é apostar na relativização do juízo e na despotencialização crítica da arte. É imprescindível recuperar a inserção histórica daquelas obras, o modo pelo qual elas redefinem a inserção da arte na cultura contemporânea, de forma a não se cair no relativismo que suspende qualquer possibilidade de criação e ajuizamento. O que se torna evidente a partir dos anos 1980 é uma historicidade em que convivem diversas temporalidades, em que múltiplas formas de afirmação do presente redefinem modos de apropriação do passado e de possibilidades de futuro. A produção de arte que surge naquela década, ao contrário de negar a história, terá com ela uma relação mais generosa e menos determinista. As poéticas emergentes vão assumir, segundo a definição do teórico Hans Ulrich Gumbrecht, um "presente amplo de contemporaneidades", renegociando o passado e sinalizando para o futuro a partir de uma multiplicidade de "agoras". Para o mesmo autor, em livro de 1997, "as imagens do futuro e as reminiscências do passado se superpõem em graus crescentes de complexidade".

Nessa reconsideração dos modos de pensar a história de maneira geral, e a história da arte em particular, vemos na geração 80 obras que cruzam e deslocam influências artísticas. Cristina Canale, Beatriz Milhazes, Paulo Pasta e Leda Catunda lidam com a cor desde perspectivas muito distintas, renegociando formas de atualização da prática pictórica. Surgia nessas obras uma nova possibilidade de pensar a cor fora do eixo abstrato-construtivo da arte brasileira. Antes da universalidade da cor-forma há a particularidade lírica da cor local. Independentemente do vínculo geracional, não se pode falar de cor na década de 1980 sem se falar da pintura de Jorge Guinle. Sua formação se deu em contato estreito com a tradição, com ênfase na pintura americana do pós-guerra. É um gesto agressivo de cor que combina exemplarmente expressão e construção, consciência e espontaneidade.

Saindo da cor e indo para a fisicalidade da pintura, cabe destacar o grupo de artistas de São Paulo conhecido como "ateliê casa 7" — Nuno Ramos, Fabio Migues, Rodrigo Andrade, Paulo Monteiro e Carlito Carvalhosa. Suas obras vão assumir uma atitude mais dramática, noturna, atacando as enormes folhas de papel barato com uma pincelada furiosa, próxima de Philip Guston, e uma quantidade superlativa de tinta industrial.

Luiz Zerbini e Daniel Senise são artistas que retomam a figuração sem inseri-la em um espaço figurativo pré-moderno. O primeiro combinava irreverência pop com uma densidade pictórica neoexpressionista. Suas cores vibrantes retratam a realidade polifônica e sensual do Rio de Janeiro. A pintura de Senise surge em contato direto com o neoexpressionismo alemão, mais especialmente com a pintura de Anselm Kieffer. Essa mesma tensão entre imagem e matéria está presente nas esculturas de Ângelo Venosa, sem discussão, junto com Nelson Felix, o grande nome da escultura surgida naquela década. No que diz respeito a essa retomada da imagem e da história, uma artista importante é Adriana Varejão, cuja pintura atualiza o passado barroco da arte brasileira. Nesse aspecto, pode-se perceber em Varejão, seja pela exaltação sensorial, seja pela pulsão matérica, um diálogo transversal com o legado barroco e as cicatrizes e singularidades do passado colonial.

Por mais que tenha sido caracterizada como uma década pictórica, vemos que alguns caminhos heterodoxos surgiram naquele momento, cujas poéticas destacaram-se pela mistura de meios expressivos. Refiro-me, em especial, a Jac Leirner, José Leonilson, Eduardo Kac, Ana Tavares, Mônica Nador, Paulo Paes e Ricardo Basbaum. Percebe-se aí um desvio conceitual interessado em discutir o lugar da arte em uma sociedade massificada pelo espetáculo, onde a contaminação dos meios — imagem/palavra/forma/espaço — foi gerando linguagens visuais impuras e híbridas. Ninguém melhor do que o cearense José Leonilson para nos revelar esse momento. Sua obra de curta duração — interrompida pela morte prematura — foi substituindo as tintas e os pincéis pelo bordado, pela costura e pela palavra, realizando um movimento gráfico sutil e altamente lírico. O mais significativo na obra de Leonilson é a coragem em assumir um tom confessional, revelando uma subjetividade fragmentada, hesitante e solitária. A disseminação da Aids reverberou no tom de desencanto com que se fechou a década.

A subjetividade fragilizada, fragmentada, multiplicada e em negociação aberta com o outro — seja individual, seja social — é uma pista interessante na caracterização do momento contemporâneo e como chave de leitura da década de 1990, cujos artistas retomam práticas experimentais dos anos 1960 e 1970 e assumem a hibridação (de meios, de culturas) como sinal de uma singularidade cultural. Entre a queda do muro de Berlim e o atentado às duas torres, passando pela decepção com os caminhos tomados pelos primeiros governos democráticos no Brasil, aquela década viveu uma crise de desmobilização social e desencanto político. Nesse vácuo ideológico, a arte procurou o vazio, o silêncio, a pele, extraindo da fragilidade formal brasileira — ausência de instituições sólidas, desrespeito às normas, inércia patrimonialista, recusa da impessoalidade na vida pública — canais para trocas suprassensoriais, onde se cruzariam experiências e temporalidades na busca de novas formas de subjetivação. Junto com Leonilson, uma artista que parece interessante nessa passagem de década, apontando para uma poética híbrida e, ao mesmo tempo, irônica e confessional, seria Márcia X. O sarcasmo e a tensão erótico-pornográfica de suas instalações apontavam para uma mistura performática, de alta dosagem poética, entre corpo, objeto e fantasia.

O trabalho de Ernesto Neto também é exemplar nesse contexto de passagem para os anos 1990. A sensorialidade de suas esculturas e instalações revela um desejo de habitação estética do mundo, de transformação da vida coletiva na busca de uma unidade singular entre corpo e espírito, entre individuação e coletividade. Apontando nessa mesma direção, mas com tonalidades poéticas e plásticas distintas, podemos perceber os trabalhos de Franklin Cassaro, Tatiana Grinberg e mesmo os de Ricardo Basbaum com suas NBPs (Novas Bases para a Personalidade). Para além de uma utopia adocicada, essas obras parecem apostar na capacidade das proposições plásticas de renovar nosso vocabulário sensível a partir de uma especificidade cultural em que o corpo desde sempre foi o foco de hibridações (e opressões sociais), pontuando uma sociedade mestiça e instável, fraturada socialmente e misturada genética e simbolicamente. A informalidade que perpassa muitas poéticas que se firmaram na década de 1990 — Fernanda Gomes, Carla Guagliardi, Cabelo, Lucia Koch, Marcos Chaves, Vânia Mignone, Brígida Baltar, Sandra Cinto, Marcos Cardoso, Marepe, João Modé — remete, sem determinismo de qualquer ordem, a uma precariedade formal (institucional) complementada e/ou enfrentada pelo espírito de improvisação tão típico do Brasil. Nossa promessa de constituirmos uma sociabilidade nova convive a cada dia com a dor de a percebermos como cronicamente inviável. Há que se manter a tensão.

Em paralelo, respondendo ao nosso desejo de forma que tensiona e se contrapõe à fragilidade formal, temos poéticas como as de Iran do Espírito Santo, José Damasceno, Raul Mourão, Eduardo Coimbra, Elisa Bracher, Paulo Climachauska, José Bechara, Carlos Bevilacqua, José Rufino e Afonso Tostes, que surgem também no começo da década de 1990. Muito distintas entre si, cada uma delas aposta à sua maneira em uma rigorosa economia plástica como elemento disseminador de uma necessária e mínima ordem formal. Nessa dialética entre forma e informalidade, não há oposição, mas complementaridade, em uma busca incessante por parte da arte brasileira de oferecer ao Ocidente uma estética, que é também uma ética, relacional.

Para além dessa esperança relacional, realizada poeticamente e frustrada socialmente, a década de 1990 definiu, para o bem e para o mal, uma economia globalizada da cultura, fazendo-se notar pelo crescimento das feiras e pela consolidação das galerias brasileiras no mercado internacional. Cabe também ressaltar o fortalecimento institucional, além de uma crescente descentralização do circuito, com uma produção interessante aparecendo em Pernambuco, na

Bahia, em Minas Gerais, no Rio Grande do Sul. Os exemplos de Marepe, Lucia Koch, José Rufino, Franz Manata, Éder Santos, Oriana Duarte, Marcelo Coutinho, Cao Guimarães, Rivane Neuenschwander são típicos desse processo. Em se tratando de um país continental como o Brasil, com tantas particularidades regionais, essa descentralização representa uma saudável articulação entre o elemento local e a perspectiva global. A presença da fotografia e dos meios tecnológicos é um capítulo à parte que se instala definitivamente no circuito da década de 1990 em diante e que só cresceu há pouco tempo — releituras históricas a partir do experimentalismo fotográfico dos anos 1940 e 1950 nos fazem chegar à fotografia contemporânea, na qual a questão dos suportes parece definitivamente sem lugar.

Duas grandes exposições devem ser destacadas na passagem entre o final dos anos 1990 e a entrada no novo século. A Bienal "Antropofágica", com curadoria de Paulo Herkenhoff, e o 27º Panorama da Arte Brasileira de 2001, com curadoria tripla de Paulo Reis (Paraná), Ricardo Basbaum (Rio de Janeiro) e Ricardo Resende (São Paulo). Ambas marcam uma redefinição da ação curatorial, característica emblemática dali para a frente, requalificando recortes históricos, redefinições culturais e reposicionamentos geopolíticos. A primeira potencializou uma releitura da história da arte moderna pela perspectiva brasileira, forçando um deslocamento crítico entre centro e periferia, ideias e lugares. Já o Panorama de 2001 marcou uma repolitização estética pela convergência da experimentação com um novo tipo de engajamento — do atrito e do dissenso —, desestabilizando as referências canônicas. A 27ª Bienal de São Paulo, com curadoria de Lisette Lagnado — que teve como título "Como viver junto" —, reverberou em uma escala maior o tema problemático e irreversível de novas políticas da arte, assim como a 29ª Bienal, no ano 2010, com curadoria de Moacir dos Anjos e Agnaldo Faria, é mais um desdobramento promissor dessa discussão.

Os coletivos de artista, as colaborações multimídia e a abertura de circuitos e espaços alternativos — desde o Torreão em Porto Alegre ao Alpendre em Fortaleza, passando pelo Capacete e o Canal Contemporâneo no Rio de Janeiro — apontam para uma disseminação de práticas e apostam na descentralização da cena, multiplicando as possibilidades de inserção dos artistas mais jovens. A cena carioca, apesar de fragilizada institucionalmente, ganhou contundência crítica e disseminação urbana com grupos como Atrocidades Maravilhosas, Imaginário Periférico, Rradial, Hapax — incluindo artistas como Ducha, Jarbas Lopes, Marsares, Ronald Duarte, Alexandre Vogler, Guga, entre outros —, que tensionaram as formas e os espaços da arte, repotencializando a herança experimental dos anos 1960 e 1970. Tomando-se agora o circuito institucional, cabe lembrar a criação da Bienal do Mercosul, da Fundação Iberê Camargo, de Inhotim e da feira SP Arte, mostrando dinamismo e crescimento do mercado de arte brasileiro.

Nossa presença na história da arte do século XX vai aos poucos sendo revista, substituindo o interesse pelo exótico e multiplicando as chaves de leitura e compreensão da arte moderna. O diálogo contemporâneo passou a ser de fato de mão dupla, centralizando as periferias e diversificando os centros, a ponto de todo o último Panorama da Arte Brasileira, de 2009, com curadoria de Adriano Pedrosa, ter sido montado a partir da influência brasileira na produção internacional, contando apenas com artistas não brasileiros. Trajetórias recentes, tais como as de Marcelo Cidade, Renata Lucas, Laura Lima, Vik Muniz, Cao Guimarães, Assume Vivid Astro Focus, entre outros, passam a circular imediatamente no exterior e são incluídas em importantes exposições internacionais.

Enfim, não obstante a persistência de nossos problemas sociais e institucionais, alguma luz parece indicar que da nossa adversidade foi se constituindo uma produção artística vibrante e complexa que se insere no circuito internacional com voz própria e energia poética singular.

SUGESTÕES DE LEITURA

BASBAUM, R. (org.). *Arte contemporânea brasileira*. Rio de Janeiro, Contracapa, 2001.

BRITO, R. *Experiência crítica*. São Paulo, CosacNaify, 2005.

HERKENHOFF, P. e PEDROSA, A. (orgs.). *Catálogo da XXIV Bienal de São Paulo*. São Paulo, Bienal de São Paulo, 1998, 4 v.

OITICICA, H. *Aspiro ao grande labirinto*. Rio de Janeiro, Rocco, 1986.

CAMPO E CIDADE: VEREDAS DO BRASIL MODERNO

Nísia Trindade Lima

Tema frequente na história social, o contraste entre campo e cidade alcançou um dos seus mais conhecidos registros em fábula de Jean de La Fontaine (1621-95). Na narrativa em forma de versos, um rato burguês recebe seu primo do campo em ambiente ricamente mobiliado e lhe oferece as mais finas iguarias. O jantar, entretanto, é interrompido diversas vezes por ruídos no interior da casa, que sobressaltam o anfitrião, levando-o a buscar seu esconderijo. Por fim, o visitante decide convidá-lo a cear sossegadamente em sua casa no campo. Moral da história: diante dos riscos, de nada valia o sofisticado modo de vida urbano e era preferível o refúgio seguro do mundo rural. Contudo, e a despeito de fábulas como essa, representações negativas e positivas se alternam. Se a cidade pode ser concebida como lugar da artificialidade e da insegurança, pode também ser imaginada como ambiente da civilização e da liberdade. Por sua vez, retrata-se o campo tanto como espaço da autenticidade e de uma vida em conformidade com a natureza quanto como local do conservadorismo e do atraso.

A percepção desse contraste esteve historicamente relacionada à mudança da posição das cidades, pois nas sociedades de base agrária elas constituíam o centro político e administrativo, mas eram totalmente dependentes do campo, onde se desenvolviam as principais atividades econômicas. As cidades medievais europeias já indicavam importante processo de mudança, com a formação dos mercados urbanos e o enfraquecimento da dominação política dos senhores feudais e da Igreja.

Com o advento da Revolução Industrial na Inglaterra do século XVIII e sua progressiva expansão na Europa, teve lugar um conjunto de transformações relacionadas à mecanização da atividade agrícola, ao predomínio da indústria sobre a agricultura e da cidade sobre o campo. Verificou-se uma escala sem precedentes do crescimento da população urbana — o advento das cidades massivas com mais de 1 milhão de habitantes, cenário de contundentes obras de ficção, a exemplo dos romances de Charles Dickens e Victor Hugo, com seu retrato sombrio de Londres e de Paris oitocentistas.

No Brasil, a percepção mais aguda dos contrastes entre campo e cidade pode ser identificada no final do século XIX e esteve associada à disseminação de um modo de vida urbano e burguês, cujas origens Gilberto Freyre, em seu livro *Sobrados e mucambos* (1936), atribuiu à transferência da corte portuguesa em 1808. Em muitos outros ensaios sociais e políticos, e também na arte, abordou-se o tema. Essa produção intelectual e artística teve lugar em uma sociedade rural e que assim permaneceu até a década de 1960, quando o Brasil ingressou na faixa estatística das nações urbanas. Os dados censitários não nos permitem explicar, entretanto, os significados atribuídos a campo e cidade no pensamento social brasileiro. A partir de diferentes perspectivas, importantes intérpretes apontaram no mundo rural os fundamentos da vida política do país, com efeitos duradouros no curso do processo de urbanização. Neste verbete será priorizada uma tese central: o conflito entre um Brasil urbanizado e litorâneo e um Brasil dos sertões, constituído por populações rurais, que seriam desconsideradas ou incompreendidas nos projetos de modernização.

CIVILIZAÇÃO URBANA E CULTURAS SERTANEJAS

Em 1897, ocorreu um conflito armado que opôs de um lado a população de Canudos, no interior da Bahia, e de outro o recém-criado governo da República. Enviado como repórter pelo jornal *O Estado de S. Paulo* à região conflagrada, o engenheiro militar Euclides da Cunha lá permaneceu durante as três semanas finais do conflito, tendo presenciado o dramático desfecho da guerra, com o massacre dos sertanejos. Cinco anos mais tarde, publicou *Os sertões*, que se tornou um clássico, com implicações ainda mais amplas do que o evento histórico narrado.

Embora o autor discutisse longamente fatores como raça e sua importância para a compreensão das motivações dos moradores de Canudos, o principal argumento apresentado consiste no isolamento dos sertanejos, ao qual imputou tanto consequências negativas como positivas. De um lado, a ele atribuiu o atraso daquelas populações e o que analisava como o seu fanatismo religioso; de outro, entendia que a distância geográfica e cultural as protegera dos modismos das cidades litorâneas. Para Euclides da Cunha, tornava-se imperioso que as elites intelectuais e políticas voltassem suas costas à Europa e olhassem o país dos sertões. E ainda: o conflito de Canudos não era incidental, mas corresponderia a uma formação histórica na qual se deixaram à margem importantes grupos sociais, e, portanto, movimentos semelhantes poderiam ocorrer se não fossem adotadas políticas que rompessem tal isolamento.

De forma bastante simplificada, é possível afirmar que essas ideias tiveram ressonância ao longo do século XX nos movimentos intelectuais e políticos que chamaram a atenção para a necessidade de superar aquele potencial conflito: militares, médicos, educadores, literatos, enfim, os mais diferentes portadores de propostas de reforma social, referiram-se ao tema da incorporação dos sertões brasileiros. Ainda que, a partir da obra de Euclides da Cunha, se designasse com o termo sertão áreas de clima semiárido do Nordeste, não havia precisão geográfica no uso da palavra, o que se evidencia na diversidade de lugares em relação aos quais foi utilizada: da Amazônia aos subúrbios da cidade do Rio de Janeiro. Em poucas palavras, o sertão se localizava onde estava ausente o poder público.

Nas obras de interpretação do Brasil publicadas durante as décadas de 1910 e 1920, a ideia dos obstáculos à incorporação social e política dessas populações constituiu tema constante. Também um dos argumentos implícitos em *Os sertões* — o do descompasso entre as instituições políticas e a formação histórico-social do país — seria aprofundado, segundo novas perspectivas, em livros como *A organização nacional* (1914) e *O problema nacional brasileiro* (1914), de Alberto Torres, e principalmente em *Populações meridionais no Brasil*, de Oliveira Vianna, entre outros. Publicado em 1920, alguns argumentos apresentados no ensaio de Vianna estiveram presentes no debate intelectual ao longo de todo o século XX.

"Nós somos o latifúndio." Essa é a ideia-força que resume a interpretação de Oliveira Vianna. O autor procura demonstrar sua tese sobre as características essenciais da sociedade brasileira, atribuindo-as ao que considerava a função simplificadora do domínio rural. Disponibilidade de terras, resolução do problema do trabalho através do braço escravo, ausência de um inimigo externo e de nítida divisão de classes são explicações apontadas para a formação de uma aristocracia rural no país. De um lado, via, nesse fato, consequências positivas — austeridade dos costumes e existência de um rígido código de honra. De outro, no entanto, identificava obstáculos para o desenvolvimento de instituições de solidariedade social. Para o autor, só teríamos assistido a uma solidariedade fundada em relações verticais organizadas em torno do proprietário de terras. Cunhou o termo insolidarismo, referindo-se à incapacidade de organização autônoma por parte da população, o que dificultaria a emergência de uma sociedade moderna.

Esse autor chamou também a atenção para a presença de homens pobres e livres, que viveriam à margem da sociedade formada pelo latifúndio. De fato, desde o Brasil Colônia, pode-se perceber a existência de um campesinato livre que provê de gêneros básicos as fazendas monocultoras e de gado. Formavam, assim, uma camada intermediária entre os senhores e os escravos e, posteriormente, entre os fazendeiros e os trabalhadores sem terra. Sua posição não era fixa, podendo oscilar entre a condição de pequeno proprietário ou posseiro e a de agregado ou parceiro. É dessa camada que trataria boa parte da literatura sobre caboclos, sertanejos e caipiras.

Quando *Populações meridionais* foi publicado, também alcançara repercussão um personagem criado por Monteiro Lobato — Jeca Tatu —, originalmente um caipira do vale do Paraíba, que se tornaria uma das mais conhecidas caricaturas dos pobres rurais na literatura brasileira. Para Lobato, diante de problemas no sítio do qual era agregado ou de grandes mudanças na vida política nacional, fosse a abolição da escravidão ou a proclamação da República, o caboclo continuava de cócoras, alheio a qualquer possibilidade de mudança. À mesma época, a conferência de Rui Barbosa sobre *A questão social no Brasil* partiu da caricatura do Jeca para se referir a uma concepção mais ampla sobre a sociedade. Perguntava, então, se o povo brasileiro seria mesmo aquele caboclo que não se põe de pé e cujo voto pode ser comprado por um trago de aguardente ou um rolo de fumo.

Perguntas dessa natureza mobilizavam os debates políticos que antecederam a Revolução de 1930 e permaneceram em pauta nos anos iniciais do governo Vargas. A partir de 1937, teria início o período designado como Estado Novo, que esteve inserido em um conjunto de experiências internacionais de intervenção do Estado no período entre as duas guerras mundiais, muitas delas de caráter autoritário, como ocorreu no Brasil. Ainda durante a década de 1930, no bojo das discussões sobre as possibilidades e limites das instituições democráticas, foram publicadas outras grandes obras de interpretação social, entre elas *Casa-grande & senzala* (1933), de Gilberto Freyre, e *Raízes do Brasil* (1936), de Sérgio Buarque de Holanda. Em ambas, o mundo rural esteve em foco, mas a partir de perspectivas distintas tanto sobre o passado nacional como sobre o processo de modernização. De forma muito simplificada, pode-se afirmar que Freyre analisou o passado, acentuando as tensões, mas também a aproximação entre heranças culturais distintas. A modernização, por seu turno, objeto de sua análise em *Sobrados e mucambos* (1936), foi vista como um processo de reeuropeização e criticada pelo que portava de concepção uniformizadora da sociedade. No caso de Sérgio Buarque de Holanda, *Raízes do Brasil* aborda centralmente os dilemas da modernização do país que, como legado da colonização, experimentaria grande dificuldade para o estabelecimento de normas abstratas e universais. Em suas palavras, a mentalidade da casa-grande teria invadido também as cidades. Ainda que sob ângulos diversos, Oliveira Vianna, Gilberto Freyre e Sérgio Buarque de Holanda chamaram a atenção para um ponto comum que atribuíram à formação histórica do país: o reconhecimento do papel central da família extensa gravitando em torno do proprietário rural e das relações pessoais na sociedade brasileira.

AS CIÊNCIAS SOCIAIS E O MUNDO RÚSTICO

O debate sobre a distância cultural entre a civilização urbana e as populações sertanejas e sobre os projetos de nação teve continuidade nos anos de 1945 a 1964, caracterizados, no plano político, pela vigência de um lapso democrático entre dois períodos de autoritarismo e, no plano de transformações socioeconômicas, pelo processo de industrialização e urbanização. O campo intelectual foi marcado pela publicação de trabalhos sob novas orientações metodológicas e influência de professores europeus e norte-americanos, após a institucionalização das ciências sociais como curso universitário na década de 1930. Não seria forçado, entretanto, apontar uma relativa continuidade em relação ao período das grandes interpretações do Brasil, pois muitos dos problemas que compunham a agenda intelectual desde o início do século XX mantiveram sua importância. Estava fortemente inserido nessa agenda o projeto de participar do processo de mudança e influenciá-lo, ou mesmo orientá-lo, em direção a uma sociedade democrática, industrializada e urbana.

Ao mesmo tempo que o Brasil moderno era posto em questão, ganhou destaque a análise do que então se denominavam resistências culturais à mudança, presente nas publicações acadêmicas e nos congressos de ciências sociais. Particularmente Florestan Fernandes a ela se dedicou em trabalhos sobre mudança social elaborados nas décadas de 1940 e 1950. Em sua perspectiva, a modernização requeria recursos racionais de pensamento e ação e esbarrava em obstáculos de natureza cultural, a exemplo de crenças mágico-religiosas, difíceis de serem superados mesmo nas principais cidades brasileiras. O quadro seria ainda mais desfavorável nas áreas rurais, pois nessas, de acordo com o sociólogo, conformados pela tradição, milhares de indivíduos viviam como nos séculos XVIII ou XIX. Considerava que a realidade cultural do Brasil era e continuaria a ser ainda durante alguns anos a descrita por Euclides da Cunha em *Os sertões*.

Uma das principais referências para os trabalhos de Florestan Fernandes consistiu nos estudos de Emilio Willems, sociólogo alemão radicado no Brasil, que realizou pesquisas sobre aculturação de imigrantes e populações caboclas. Willems partia da ideia da ausência de um sistema de entendimentos compartilhado que pudesse servir de base comum à civilização urbana e à multiplicidade das culturas sertanejas. O conceito de *cultura rústica* baliza sua análise, compreendendo o universo das culturas tradicionais, resultantes do ajustamento do colonizador português ao novo mundo, seja por transferência e modificação dos traços da cultura original, seja em virtude do contato com os indígenas e posteriormente com as culturas de matriz africana. Formada nos dois primeiros séculos da colonização, essa cultura teria persistido através do tempo e indicaria um padrão específico de contato interétnico e cultural. Tal conceito influenciou diferentes trabalhos.

Em *Os parceiros do Rio Bonito*, por exemplo, Antonio Candido discute as transformações nos meios de vida e padrões de sociabilidade do caipira paulista tradicional, relacionando-as às mudanças socioculturais que acompanharam os processos de urbanização e industrialização no estado de

São Paulo. Em diálogo explícito com os estereótipos negativos sobre o caipira, observa que Jeca Tatu não era preguiçoso, simplesmente não era ambicioso. Também em diálogo com a perspectiva de Oliveira Vianna, observa que no bairro caipira é que se deveria buscar a autonomia que aquele autor atribuíra ao latifúndio. Segundo Antonio Candido, esse padrão de sociabilidade sofre profunda alteração na transição da economia de subsistência para a capitalista, quando a vida social do caipira se fecharia no grupo familiar, implicando a perda dos laços organizados em torno do bairro.

O conceito de cultura rústica também esteve presente no desenvolvimento de pesquisas sobre campesinato, sociologia política e movimentos messiânicos, realizados por Maria Isaura Pereira de Queiroz. A autora critica a ideia de um contínuo rural-urbano sugerida por Emilio Willems e a tese do isolamento do sertanejo, proposta por Euclides da Cunha. Para ela, se considerarmos as relações estabelecidas com outros grupos sociais, o elemento definidor das populações rústicas não estaria no isolamento, e sim na relativa independência econômica, por viverem de culturas de subsistência ou participarem de forma complementar tanto da economia monocultora quanto da economia urbana do país. Certas formas de interação com os núcleos urbanos gerariam, na verdade, maior isolamento de sertanejos e caipiras, acarretando situações de decadência e miséria.

O que se percebe, através dos estudos sobre grupos rústicos realizados por Antonio Candido e Maria Isaura Pereira de Queiroz, é a ênfase nas contradições presentes no processo de integração dessas populações à chamada civilização urbana. Dessa forma, mundo rústico se tornou um tema privilegiado para o estudo do processo de modernização, de suas contradições e impasses.

Na análise desse processo pelos cientistas sociais, a partir da segunda metade da década de 1950 verifica-se a ampliação da agenda de pesquisas com o aumento de estudos sobre o mundo urbano. Tendência expressiva nesses trabalhos consistiu na análise da industrialização e de temas a ela associados, como a sindicalização e a representação política. Essa atenção para o urbano foi abordada, com muita frequência, por cientistas sociais que haviam se dedicado ao universo rural.

No bojo do desenvolvimento da pós-graduação em ciências sociais no país, consolidou-se, a partir dos anos 1970, amplo campo de estudos, voltado em um primeiro momento para a análise do impacto do Estatuto do Trabalhador Rural, de 1963, e do Estatuto da Terra, de 1964. Em diálogo com a tradição de pesquisas das décadas de 1950 e 1960, analisou-se sobretudo a extensão dos direitos sociais ao campo, seus significados e implicações culturais e políticos. Direitos que, em seu processo inicial de implantação no Brasil, haviam excluído os trabalhadores rurais.

No que se refere aos estudos urbanos, é interessante observar que no ano da inauguração de Brasília — a capital modernista, construída no sertão — foram publicados pelo jornal *O Estado de S. Paulo* os resultados da primeira pesquisa sociológica abrangente referida às favelas do Rio de Janeiro: *Aspectos humanos da favela carioca*, sob coordenação de José Arthur Rios. Sobre essa forma de moradia, críticas consistentes foram elaboradas, a partir da década de 1960, questionando explicações fundadas no conceito de cultura da pobreza e no mito da ruralidade e marginalidade de suas populações. Aliás, a palavra favela tem origem em planta do mesmo nome, que, por sua abundância, designava um dos morros de Canudos e passou a nomear o morro do Rio de Janeiro para onde vieram soldados que haviam combatido os seguidores de Antonio Conselheiro. A generalização do termo para os aglomerados urbanos de característica semelhante, no início do século XX, faz pensar nesse encontro ainda hoje tenso e polêmico entre Canudos e civilização urbana, entre campo/sertão e cidade.

SUGESTÕES DE LEITURA

BOTELHO, André. "Sequências de uma sociologia política brasileira". *Dados*, vol. 50, nº 1, Rio de Janeiro, 2007.

BOTELHO, André e SCHWARCZ, Lilia Moritz. *Um enigma chamado Brasil: 29 intérpretes e um país*. São Paulo, Companhia das Letras, 2009.

CARVALHO, Lucas Correia. Transição e tradição: mundo rústico e mudança social na sociologia de Maria Isaura Pereira de Queiroz. Dissertação de mestrado em sociologia. Rio de Janeiro, PPGSA/IFCS/UFRJ, 2010.

GARCIA JR., Afrânio e GRYNSPAN, Mário. "Veredas da questão agrária e os enigmas do grande sertão". *In*: MICELI, Sergio (org.). *O que ler na ciência social brasileira*. São Paulo, Sumaré/Anpocs, 2002.

LIMA, Nísia Trindade. *Um sertão chamado Brasil*. Rio de Janeiro, Revan/IUPERJ, 1999.

VALLADARES, Licia do Prado. *A invenção da favela — Do mito de origem à favela*. Rio de Janeiro, FGV, 2005.

É CARNAVAL!

Maria Laura Viveiros de Castro Cavalcanti

Carnaval é bom para brincar, é bom para fazer e é bom para pensar. Festa civilizatória, cujos rastros dourados buscamos na poeira do tempo. Festa contemporânea sempre desdobrada em inesgotável multiplicidade. Salve Sua Majestade, o Carnaval! Quando brincamos, colocamo-nos sob sua subversiva égide, que tudo descentra. Se o fazemos, nos engajamos em seu febril vórtice festivo. Para tudo se acabar em cinzas na quarta-feira e logo, quase sorrateiramente, retornar, renovando gradualmente forças até o novo anúncio, em alto e bom som, da incomparável graça do aqui e do agora. Quando pensamos sobre o carnaval, estamos também a seu serviço, e a mesma absorvente Majestade requer que nos curvemos diante de sua surpreendente complexidade.

Trata-se de uma época especial, cujo conteúdo social bem definido abriga a celebração da própria alegria, do corpo e do aqui e do agora. As regras da vida social rotineira ficam então suspensas, e trocamos de bom grado a casa pela rua ou pelo salão de bailes, o dia pela noite, ou a monótona passagem das horas pela intensidade da duração. Trocamos a roupa, ou o uniforme, pelas fantasias, o rosto pela máscara, o comedimento pela exibição ou pela brincadeira expansiva. Quem quiser pode participar, se fantasiar, pular nas ruas ou em bailes, dançar, tocar, cantar para valer até se exaurir. Pode competir ou se exibir em um desfile festivo, ou simplesmente descansar ou trabalhar para o carnaval que a cada ano retorna. Festa pública e urbana por excelência, o carnaval conclama os cidadãos a reivindicarem territórios para a folia — rua, avenida, passarela, pista, quadra, terreiro, praça, salão, palco, terraço, onde quer que se possa acender sua faísca. A natureza simbólica e ritual característica dessa festa permite que, diante de suas muitas formas, em todas elas reconheçamos, sem maiores dificuldades, um carnaval.

O caráter excepcional do carnaval define-se tanto pelo contraste com a vida social cotidiana como pelo contraste com o período da quaresma, que, na tradição civilizatória cristã, sucede-o imediatamente. O tempo festivo carnavalesco, que se aninha na história concreta de diferentes sociedades, integra um calendário cosmológico de natureza cíclica que entrecruza o calendário histórico laico e mais linear. Enquanto a contagem sucessiva dos anos nos leva sempre em frente — 2010, 2011, 2012 —, o calendário festivo cíclico no qual o carnaval se insere se reinaugura a cada novo ano, é repetitivo e cheio de conteúdos tradicionais. A formação desse calendário cíclico festivo tem sua própria história. A suspensão de regras do comportamento ordinário — com as inversões da hierarquia social, o uso de máscaras e os travestimentos — envolve elementos festivos arcaicos que podem ser encontrados em muitas civilizações e sociedades humanas. O carnaval, entretanto, tal como chegou até nós, nasceu efetivamente na Europa, no contexto da tradição civilizatória cristã. Com a decadência do Império Romano, a partir do século IV, o calendário cristão se expandiu e padronizou gradualmente os usos e costumes das populações em uma grande extensão territorial. Muitos elementos de festas populares pagãs agregaram-se, então, nesse nicho temporal imediatamente anterior à quaresma, conformando o carnaval.

O carnaval é, assim, uma festa inscrita no calendário cristão, regido pelos episódios mítico-religiosos da morte e ressurreição de Jesus Cristo e dentro do qual se estabeleceu a oposição ritual fundamental entre o carnaval e a quaresma. Do lado do carnaval, estão a alegria, a expansão, a expressão ritual da agressividade, a expressão mais livre dos apetites corporais, da gula, da luxúria. Do lado da quaresma, estão o comedimento, a tristeza, a desolação, os jejuns, a contenção.

A dimensão civilizatória e universalizante do carnaval e seu papel ativo na conformação da cultura pública, festiva e grotesca medieval foram demonstrados pelo crítico literário russo Mikhail Bakhtin em seu estudo sobre a obra de François Rabelais intitulado *A cultura popular na Idade Média e no Renascimento*, traduzido e publicado no Brasil em 1987. O historiador inglês Peter Burke abordou também, em seu livro *A cultura popular na Idade Moderna*, traduzido e publicado no Brasil em 1989, o lugar fundamental ocupado por essa festa na constituição do repertório comum da cultura popular no Ocidente entre os séculos XVI e XVIII.

O CARNAVAL BRASILEIRO

O carnaval brasileiro — ou poderíamos dizer também os carnavais brasileiros, tamanha a diversidade dos festejos carnavalescos no país — está entre os principais carnavais celebrados no mundo contemporâneo.

Essa antiga festa europeia chegou ao Brasil via península Ibérica, e a cidade do Rio de Janeiro funcionou no século XIX e no primeiro quartel do século XX como um disseminador dos folguedos carnavalescos país afora. Nessa cidade, a folia se iniciou no século XIX com o entrudo — com os arremessos de baldes d'água, limões de cheiro, pastelões entre brincantes pelas ruas da cidade. Na segunda metade desse mesmo século, os festejos se transformam com a chegada do chamado "grande carnaval" — os bailes e as grandes sociedades espelhados nos carnavais das cidades europeias de Nice, Veneza e Paris. Logo surgiu o chamado "pequeno carnaval", com os ranchos e blocos populares. Nas primeiras décadas do século XX, ganhou força e forma o chamado carnaval popular, que encontrou nas escolas de samba uma de suas formas mais expressivas.

O carnaval do Rio de Janeiro já era assim, ao final do século XIX e início do XX, um carnaval marcante, com ocupação de ruas centrais para desfiles públicos e, em alguns casos, competitivos, de corsos, ranchos, grandes sociedades, realizados com o apoio dos jornais da época e da prefeitura. As escolas de samba surgem nesse contexto como uma notável forma de organização popular que acompanhou a evolução territorial e populacional da cidade do Rio de Janeiro a partir dos anos 1920.

Impulsionadas pela expressão cultural, carnavalesca, rítmica e musical dos negros, mulatos e brancos pobres das áreas periféricas e dos morros e regiões centrais da cidade, as escolas de samba são, no entanto, uma expressão moderna e híbrida desde seu surgimento. Delas participaram também segmentos das camadas médias urbanas e nelas somaram-se e fundiram-se elementos sociais e artísticos das manifestações carnavalescas anteriores: o ritmo percussivo dos blocos; o estandarte, o desfile em cortejo, o enredo, o mestre-sala e a porta-estandarte dos ranchos; as alegorias das grandes sociedades. O próprio samba urbano configurou-se como gênero musical característico no contexto da interação entre setores afro-brasileiros da população, segmentos das camadas médias urbanas e o meio radiofônico e fonográfico nascente.

Por volta dos anos 1950, muitas escolas de samba já haviam surgido no Rio de Janeiro e seu desfile competitivo já havia conquistado o gosto da população. Meu livro *Carnaval carioca: dos bastidores ao desfile*, cuja edição revista e ampliada foi publicada em 2006, acompanhou durante todo um ano o processo da confecção de um desfile festivo por uma grande escola de samba. A elaborada forma artística do desfile carnavalesco — a narração de um enredo, anualmente renovado, nas linguagens expressivas rítmico e musical do samba-enredo, acompanhado pela poderosa percussão da bateria, e na linguagem plástica e visual do conjunto dos figurinos das alas e alegorias — torna as escolas de samba uma das mais elaboradas manifestações da arte popular coletiva e contemporânea. O regime competitivo e hierárquico que rege o desfile anual, bem como a complexa organização requerida para a confecção de cada um deles, tornam as escolas de samba um eficaz dispositivo de articulação social e um canal de expressão de valores, tensões e conflitos críticos da cidade como um todo.

As escolas de samba espraiaram-se rapidamente por muitas outras cidades do país — São Paulo, Porto Alegre, Belém, Manaus, São Luís do Maranhão, Feira de Santana, Salvador, Recife, São João d'el Rei, entre tantas outras, em uma história de troca e difusão culturais que ainda está para ser feita. Sua fama correu o mundo, e há hoje redes de samba e comemorações carnavalescas em algumas cidades europeias, americanas e em Tóquio, no Japão, inspiradas nas escolas de samba. Entre os anos 1950 e 1970, a extraordinária expansão popular dessa forma de brincar o carnaval no país tornou as escolas de samba aptas a operarem também como um símbolo da identidade cultural nacional no plano do pensamento social brasileiro.

A partir de meados dos anos 1980, acompanhando transformações mundiais, a própria forma de representação cultural da nacionalidade brasileira se alterou significativamente, valorizando cada vez mais o pluralismo e as diferenças culturais. O carnaval das escolas de samba, que tem como grande ícone o desfile do grupo especial no Rio de Janeiro, veio perdendo a hegemonia como emblema do nacionalismo cultural carnavalesco. Muitos outros carnavais emergiram de modo mais marcado nas diferentes regiões do país, incentivados também pelas políticas culturais e de turismo interessadas em afirmar mais amplamente a particularidade das expressões culturais locais. Vale mencionar os carnavais de Salvador (BA), com seus trios elétricos e blocos afro; de Olinda, com seus gigantescos bonecos, e Recife (PE), com o frevo, os maracatus, os ursos e escolas de samba; de Belém (PA), com os cordões de bicho e escolas de samba; de Manaus (AM), com as escolas de samba e o carna-boi. Mesmo na cidade do Rio de Janeiro, local de nascimento das escolas de samba e onde até nossos dias elas ocupam lugar de honra no gosto popular e na imagem turística e televisiva da cidade, podem ser atestadas a diversidade e a pujança dos blocos de rua em diversos bairros, dos bandos de Clóvis no centro e nos bairros periféricos.

Muito talento, criatividade e trabalho se fazem presentes na diversidade das celebrações carnavalescas, que, ao mobilizar amplos segmentos da população citadina, atraem também turistas de todo o mundo.

O CARNAVAL NAS CIÊNCIAS SOCIAIS

Como folguedo popular, as brincadeiras do carnaval foram durante um bom tempo foco de interesse dos estudiosos do folclore brasileiro e dos cronistas e jornalistas que muitas vezes tomaram parte ativa na construção social da festa urbana. Nos anos 1970, o carnaval emergiu na bibliografia das ciências sociais como tema de interesse nos estudos de antropologia urbana e dos rituais, e logo ingressou de modo decidido no centro do interesse acadêmico com *Carnavais, malandros e heróis: por uma sociologia do dilema brasileiro*, de Roberto DaMatta, publicado em 1979. Em 1992, a publicação de *O carnaval brasileiro: o vivido e o mito*, de Maria Isaura Pereira de Queiroz, viria corroborar o grande interesse pelo tema. São marcos de referência importantes para a produção contemporânea e, significativamente, ambos enfatizam o lugar das escolas de samba do Rio de Janeiro em suas abordagens.

Carnavais, malandros e heróis, de Roberto DaMatta (1979), marcou época por sua originalidade e escopo interpretativo. O livro dialoga com autores marcantes no pensamento social brasileiro — Gilberto Freyre, Caio Prado Júnior, Sérgio Buarque de Holanda, Câmara Cascudo, Amadeu Amaral, Florestan Fernandes, entre outros —, que elaboraram ou problematizaram em sua obra representações simbólicas da nacionalidade. Insere-se firmemente, ao mesmo tempo, na tradição antropológica dos estudos dos rituais, compreendidos como um plano da ação coletiva onde se encontrariam dramatizados os valores centrais e duradouros da vida social. Aquilo que, em suma, "faz o brasil, Brasil", para utilizar uma feliz expressão do autor.

Num fraseado mais acadêmico, trata-se de compreender a especificidade cultural e sociológica da participação de uma sociedade periférica num sistema mundial capitalista que tem como valor crítico a ideologia burguesa da democracia e dos direitos iguais. A tese central do livro é a da permanente tensão vivida na sociedade brasileira entre dois universos de valores opostos: o mundo holista e hierárquico regido pelo código da "patronagem" e do "jeitinho", e o mundo democrático e fragmentado, regido pelos valores individualistas.

Sem que o livro como um todo possa ser reduzido a esse ponto, vale assinalar que um dos rituais centrais cuja análise sustenta a tese elaborada é justamente o grande desfile das escolas de samba do Rio de Janeiro, onde se revelaria um traço decisivo da nacionalidade. Como ocorreria nas demais organizações sociais que dialogam com as estruturas de relações sociais vigentes na realidade brasileira (o bloco, a tenda espírita, quem sabe o partido?, o clube de futebol), nas escolas de samba uma ideologia igualitária seria superimposta a um núcleo familístico, patronal, autoritário, dotado de ideologia claramente hierárquica. Ao garantirem o controle de seu centro organizacional, ao mesmo tempo que se abrem à participação de todos no ritual, as escolas de samba produziriam uma brecha no sistema social, provocando uma "harmonização das desigualdades". No ritual carnavalesco, o idioma hierárquico predominante na experiência social mais ampla se transmutaria em linguagem competitiva, igualitária e compensatória.

Carnaval brasileiro: o vivido e o mito, de Maria Isaura Pereira de Queiroz (1992), é um contraponto à abordagem proposta por DaMatta. O interesse da autora pelo carnaval situa-se no contexto de sua ampla pesquisa da dimensão cultural da vida social, para a qual conflui o imbricamento de sua sociologia com outras áreas de conhecimento — antropologia, história, política, folclore — tão característico do berço disciplinar de nossas ciências sociais. O carnaval é abordado em perspectiva sócio-histórica, que, contraposta a interpretações que simplesmente validariam, no entendimento da autora, a visão nativa da sociedade sobre si mesma, enfatiza a primazia da análise do que é "vivido" sobre o que seria apenas "sentido". O "vivido" é um termo que alude à dimensão propriamente sociológica da vida social, no sentido em que, muito embora os fatos sejam sempre categorizados pela sociedade para pensar a si própria, essas ideias seriam sempre fortemente determinadas por outras dimensões sociais — as mudanças na festa carnavalesca, por exemplo, correspondem sempre a mudanças ocorridas na sociedade urbana. Aquilo que é efetivamente "vivido" teria, assim, primazia sobre o que é apenas "sentido" e expresso no "mito" — noção que, tal como manuseada por Pereira de Queiroz, aproxima-se mais do que chamaríamos, no jargão antropológico, de representações nativas, aquelas ideias que os membros de uma sociedade fazem de si mesmos. A autora examina a presença portuguesa, e mesmo europeia, na formação do carnaval brasileiro, traça excelente quadro da evolução do carnaval no Rio de Janeiro e aborda, entre outros aspectos, o problema da presença do mecenato do jogo do bicho no universo das escolas de samba cariocas. Em especial, afirma-se nessa obra a salutar convicção da capacidade de adaptação e renovação dessa festa urbana. Quando uma velha forma de carnaval se perde no tempo, outra logo lhe toma o lugar. Ao invés de destruir-se pela desorganização e reorganização da sociedade em novos moldes, a festa ganha sempre novo impulso e nova configuração. É preciso compreender as mudanças em seus próprios termos e abrir a interpretação sociológica para o que trazem de novo. Pereira de Queiroz propôs assim uma abordagem aberta da rica e suntuosa parada das escolas de samba, vistas como o núcleo da festa na cidade, e enfatizou a natureza agonística da disputa festiva e seus efeitos sociais integrativos. Em especial, sinalizou uma direção de análise que segue na contramão da forte tendência romântica que marca as análises sociológicas e antropológicas da cultura popular, vendo na festa carnavalesca brasileira a demonstração da expressiva presença da tradição cultural barroca na configuração da cultura popular contemporânea.

Tomados em conjunto, esses dois livros, que expressam perspectivas analíticas e interpretativas diversas, descortinam um amplo horizonte de questões e debates. Com eles, a festa carnavalesca ergueu-se como amplo tema de investigação contemporânea.

A natureza cíclica da festa carnavalesca, seu forte apelo aos sentidos humanos, a multiplicidade de seus meios expressivos, sua plasticidade, em suma, tornam-na particularmente adequada à expressão simbólica da história, dos valores, da dinâmica social dos grupos humanos. Para celebrar o carnaval, entretanto, é preciso refazê-lo sempre. Muito trabalho, cooperação, tensão e conflitos embrenham-se na produção da excepcionalidade do período ritual carnavalesco. O tempo ordinário da experiência social mais ampla e o tempo extraordinário da festa enlaçam-se na linguagem multifacetada e criativa do rito.

SUGESTÕES DE LEITURA

BAKHTIN, Mikhail. *A cultura popular na Idade Média e Renascimento: o contexto de François Rabelais.* São Paulo/Brasília, Hucitec/UnB, 1987.

BURKE, Peter. *Cultura popular na Idade Moderna.* São Paulo, Companhia das Letras, 1989.

CAVALCANTI, Maria Laura Viveiros de Castro. *O rito e o tempo: ensaios sobre o carnaval.* Rio de Janeiro, Civilização Brasileira, 1999.

_____. *Carnaval carioca: dos bastidores ao desfile.* 3ª ed. revista e ampliada. Rio de Janeiro, UFRJ, 2006.

CAVALCANTI, Maria Laura Viveiros de Castro e GONÇALVES, Renata de Sá. *Carnaval em múltiplos planos.* Rio de Janeiro, Aeroplano, 2009.

DAMATTA, Roberto. *Carnavais, malandros e heróis: por uma sociologia do dilema brasileiro.* Rio de Janeiro, Zahar, 1979.

FERREIRA, Felipe. *O livro de ouro do carnaval brasileiro.* Rio de Janeiro, Ediouro, 2004.

PEREIRA DE QUEIROZ, Maria Isaura. *Carnaval brasileiro: o vivido e o mito.* São Paulo, Brasiliense, 1999.

O LUGAR DO CENTRO E DA PERIFERIA

Bernardo Ricupero

A discussão sobre "centro" e "periferia" no pensamento brasileiro vincula-se a elaborações que se dão num âmbito mais amplo, latino-americano. O primeiro *locus* importante onde se procura interpretar a relação entre esses dois polos é a Comissão Econômica para a América Latina (CEPAL), criada pouco depois da Segunda Guerra Mundial, em 1947.

É possível encontrar antecedentes a esse tipo de análise na teoria do imperialismo. No entanto, a elaboração anterior à CEPAL preocupava-se principalmente com os países capitalistas avançados, interessando-se pelos países "atrasados" na medida em que desenvolvimentos ocorridos neles repercutissem para além deles.

Também certos latino-americanos, como o brasileiro Caio Prado Jr., o trindadense Eric Williams e o argentino Sérgio Bagu, haviam chamado a atenção para a vinculação, desde a colônia, da sua região com o capitalismo mundial. Não chegaram, contudo, a desenvolver tal percepção de maneira mais sistemática.

Já no segundo pós-guerra, ganha impulso uma linha de reflexão que sublinha a diferença entre centro e periferia, ao mesmo tempo que enfatiza a ligação entre os dois polos. Na verdade, a maior parte das teorias sociais, econômicas e políticas, apesar de terem sido elaboradas de forma ligada às condições particulares dos países desenvolvidos do Atlântico Norte, as tomava como tendo validade universal. Assim, o marxismo, a teoria da modernização e a economia neoclássica tendiam a considerar que os mesmos caminhos seguidos pelas sociedades em que foram formulados teriam que ser trilhados pelo resto do mundo, "atrasado".

O MOMENTO CEPALINO

Já em 1948, o primeiro secretário executivo da CEPAL, o economista argentino Raúl Prebisch, se insurge contra o que chama de "falso sentido de universalidade" da teoria econômica quando "contemplada da periferia".

Antes da CEPAL, a economia latino-americana era entendida principalmente em referência à teoria das vantagens comparativas, elaborada por David Ricardo. Segundo esse economista clássico inglês, haveria uma especialização de cada país na produção de determinadas mercadorias, o que refletira a disponibilidade dos fatores produtivos no seu interior. Em consequência, se criaria uma divisão internacional do trabalho, com os países latino-americanos possuindo uma verdadeira "vocação agrícola", devido à sua disponibilidade de terras. Segundo esse modelo, era comum considerar que, na região, a indústria seria "artificial", já que não correspondia às suas "vantagens comparativas".

Numa outra orientação, Prebisch sustenta que a propagação do progresso técnico não seria homogênea. Como resultado, se formariam o centro industrial e a "vasta e heterogênea" periferia da economia mundial. Mais especificamente, na periferia o progresso técnico se limitaria a incidir sobre os setores que produziriam alimentos e matérias-primas para o centro. Portanto, junto com o setor da economia voltado para a produção para fora, apareceria outro, de subsistência, que se poderia considerar como pré-capitalista. Em outras palavras, a economia da periferia seria heterogênea e desintegrada, o que contrastaria com o centro, que possuiria uma economia homogênea e integrada.

Além do mais, a periferia transferiria para o centro parte do resultado de seu progresso técnico. Isso ocorreria já que, nas fases decrescentes do ciclo econômico, os preços dos produtos industriais do centro decresceriam menos do que os dos produtos primários da periferia. Dessa maneira, se teria o que o economista argentino chamou de deterioração dos termos de intercâmbio.

Por sua vez, o economista brasileiro Celso Furtado, partindo de referências cepalinas, leva bem mais longe a análise sugerida por Prebisch. Mantém, porém, a inspiração da agência, ao procurar entender a situação específica dos países periféricos, o que deveria abrir caminho para um esforço autônomo de elaboração teórica.

Em *Desenvolvimento e subdesenvolvimento*, livro de 1961, Furtado radicaliza o argumento sobre a relação entre centro e periferia, sugerindo a vinculação indissociável entre subdesenvolvimento e desenvolvimento. Com base nessas referências, propõe uma nova maneira de compreender o subdesenvolvimento, não como tinha sugerido a teoria da modernização, como uma etapa pela qual todas as economias teriam que passar, mas como um processo particular, derivado da penetração de modernas empresas capitalistas em estruturas arcaicas.

O subdesenvolvimento, caracterizado por uma economia dual, corresponderia, em outras palavras, a "um processo histórico autônomo". Ou seja, o subdesenvolvimento não deveria ser tomado como fase em direção ao desenvolvimento, mas como resultado da própria expansão da economia industrial.

No entanto, nem todas as economias subdesenvolvidas seriam iguais. Além daquelas caracterizadas pelo dualismo a que se fez alusão, nas quais coexistiriam um núcleo voltado para o mercado externo e um setor de subsistência, com baixa monetarização, teria surgido uma estrutura mais complexa. Nela, além dos outros dois setores, apareceria mais um, também voltado para o mercado interno, mas monetarizado.

Como o autor já havia apontado, ao estudar o Brasil da grande Depressão dos anos 1930, se criariam, nas fases decrescentes do ciclo, condições favoráveis para as atividades voltadas para o mercado interno, inclusive as industriais. Mas se na fase inicial do "desenvolvimento de dentro para fora" o dinamismo se daria pelo lado da oferta, no "desenvolvimento de fora para dentro" o fator dinâmico se encontraria na procura, já que ela não poderia ser atendida pela oferta externa.

Em outros termos, se teria uma modalidade particular de industrialização, que ficou conhecida como de "substituição de importações". Mais importante, nas estruturas subdesenvolvidas mais complexas, em que já existiria uma indústria que produziria para o mercado interno, se abriria caminho para transformações estruturais do sistema. Muitos governos latino-americanos, boa parte deles identificados com o que foi chamado de populismo, favoreceram tal orientação econômica, buscando industrializar seus países.

AS TEORIAS DA DEPENDÊNCIA

Por outro lado, desde o golpe militar no Brasil, em 1964, o ambiente político parecia já não favorecer políticas desse tipo. Outros golpes logo se sucederam pela América Latina, espalhando o autoritarismo pela região.

Foi como funcionários de uma organização ligada à CEPAL, o Instituto Latino-Americano para o Planejamento Econômico e Social (ILPES), criado em 1962, que o sociólogo brasileiro exilado no Chile, Fernando Henrique Cardoso, e o sociólogo chileno Enzo Faletto escreveram o manuscrito do texto que foi publicado, em 1969, com o título *Dependência e desenvolvimento na América Latina*. O trabalho procura entender os golpes de Estado que proliferam então pelo subcontinente.

Para tanto, Cardoso e Faletto buscam realizar uma "análise integrada" do desenvolvimento, que, para além da economia, como tinha feito a CEPAL, levasse em conta também seus aspectos sociais e políticos. Quanto ao primeiro fator, argumentam que "o desenvolvimento é, em si mesmo, um processo social". Nesses termos, o desenvolvimento não deveria ser interpretado de forma neutra, como um simples processo cumulativo, mas como o resultado de conflitos entre diferentes grupos, forças e classes sociais, que procurariam impor sua dominação.

Além do mais, ao se buscar a dimensão social e política do desenvolvimento, seria indicado que ele não ocorre em termos deterministas, nem de forma voluntarista. Esse aspecto é central para a análise. Até porque o que se está defendendo é que haveria certa margem de manobra para as diferentes classes, grupos e forças sociais agirem, a partir dos limites estruturais nos quais se encontram. Portanto, a superação das "barreiras estruturais" ao desenvolvimento dependeria principalmente da ação política. Ou seja, a margem de manobra para o desenvolvimento seria representada pela política.

De maneira complementar, a análise procura principalmente as conexões entre os determinantes internos e externos, o que implicaria não pensar numa relação mecânica entre os dois polos. Mais particularmente, o externo se manifestaria principalmente na relação entre grupos e classes no âmbito nacional.

Cardoso e Faletto não foram, entretanto, os únicos autores identificados com a teoria da dependência. Além deles, que desenvolveram sua crítica à CEPAL a partir da própria agência, apareceram outros autores, como André Gunder Frank, Ruy Mauro Marini e Theotônio dos Santos, com postura explicitamente marxista. A maior parte deles esteve ligada ao Centro de Estudos Socioeconômicos (Ceso) da Universidade do Chile.

No entanto, apesar da maior distância em relação à CEPAL, muitas das formulações desses autores, como a oposição "metrópole x satélite", são derivadas da antítese cepalina entre centro e periferia da economia capitalista. Além da própria CEPAL, também as teses do neomarxista norte-americano Paul Baran influenciaram os dependentistas "marxistas", em especial aquela segundo a qual, num processo mundial de acumulação, o capitalismo produz tanto desenvolvimento em certas regiões como subdesenvolvimento em outras.

As implicações políticas que os dependentistas "marxistas" retiram de sua análise são bastante distintas das indicadas por Cardoso e Faletto. Como Furtado e outros, eles consideram que, conjuntamente à fase de aprofundamento da industrialização por substituição de importações, que coincide com a proliferação de golpes militares pela América Latina, haveria uma estagnação da economia da região. Isso ocorreria em razão de o mercado interno ser pequeno para garantir a economia de escala exigida pelas indústrias intermediárias e de bens de capital. Assim, diversamente das várias possibilidades abertas à ação política enxergadas por Cardoso e Faletto, consideram que haveria uma só opção à estagnação: o socialismo.

A principal tese do mais conhecido dos dependentistas "marxistas", a de Gunder Frank, está resumida no título de seu livro mais conhecido: *Desenvolvimento do subdesenvolvimento*, de 1964. Baran argumenta que foi o desenvolvimento dos países atualmente desenvolvidos que produziu o subdesenvolvimento dos países hoje subdesenvolvidos. Isto é, a estrutura econômica, social e política de países satélites, como os da América Latina, seria um reflexo das determinações vindas das metrópoles imperialistas.

O argumento de Frank, de que a América Latina seria capitalista desde a colonização, provocou intensa polêmica, estimulando o que ficou conhecido como o debate sobre o modo de produção. A crítica com maior repercussão foi formulada pelo teórico argentino Ernesto Laclau. Sua principal tese é que Frank dava prioridade às relações comerciais que ligam a América Latina à Europa, e não às relações de produção presentes nas formações sociais da região, como seria próprio da teoria marxista.

IMPASSES E NOVAS POSSIBILIDADES

Têm crescido, nos últimos anos, críticas de outra natureza às análises que ressaltam a relação entre "centro" e "periferia". Aponta-se, por exemplo, para o fato de que essas interpretações, apesar da perspectiva crítica que adotam em relação à teoria da modernização, mantêm muitos dos seus pressupostos, como a busca pelo crescimento econômico, a industrialização e a centralidade atribuídos ao Estado. Mais ainda, ao se enfatizar o peso das estruturas sociais, se perderia de vista o papel da agência humana.

Certos críticos pós-estruturalistas chegam a questionar a própria noção de "centro" e "periferia", defendendo que essas posições não sugeririam perspectivas particulares. Ao contrário, argumentam que todas as sociedades teriam que enfrentar basicamente as mesmas questões. Tal postura, ao cancelar as diferenças, traz, entretanto, certas implicações. Não percebe, em especial, que "centro" e "periferia", apesar de ligados, se encontram em situações desiguais no interior do capitalismo.

No entanto, possibilidades bastante interessantes e não evidentes para uma análise "centro" e "periferia" são indicadas quando se estende esse tipo de investigação para além de seus domínios tradicionais, como a economia, a sociologia e a política. Especialmente sugestiva é a interpretação de Roberto Schwarz sobre Machado de Assis, cujos primeiros trabalhos apareceram já na década de 1970.

O crítico literário mostra que a obra do romancista, ao mesmo tempo que incorpora uma dada realidade social do capitalismo periférico, também faz parte de um conjunto de trabalhos que pretendem criar a literatura brasileira. Os dois desenvolvimentos são, até certo ponto, complementares. De início, é bastante comum, em literaturas que experimentam situações similares à brasileira, traduzir obras europeias, ou então decalcar, sem maiores cuidados, seus enredos em um novo cenário.

É preciso, portanto, esperar algum tempo para que as condições brasileiras sejam internalizadas na nossa literatura, não mais como exotismo forçado e reprodução de fórmulas prestigiosas. Nos romances em questão, isso ocorreria quando a voz narrativa é assumida pelo senhor de escravos, que tenta se passar por civilizado, o que estaria ligado à própria situação do país no capitalismo internacional.

Paradoxalmente, nessa espécie de "torção", operada na periferia, haveria a aproximação à verdade do centro capitalista. Até porque muito do que é encoberto no centro poderia ser revelado, sem maiores subterfúgios, na periferia. Tal situação ajudaria a explicar boa parte das realizações da literatura russa, assim como as de um autor como Machado de Assis, "mestre na periferia do capitalismo".

Em outras palavras, a perspectiva de análise "centro" e "periferia" não deixa, com ironia, de criar possibilidades inusitadas para a América Latina. Não por acaso, se normalmente a região é vista como consumidora de ideias e não como produtora, a elaboração teórica empreendida desde a criação da CEPAL destoa dessa presumida tendência, com repercussão mundial.

SUGESTÕES DE LEITURA

BIELCHOWSKY, Ricardo (org.). *Cinquenta anos de pensamento na CEPAL*. Rio de Janeiro, Record, 2000.

CARDOSO, Fernando Henrique e FALETTO, Enzo. *Dependencia y desarrollo en América Latina*. México, D.F., Siglo Veintiuno, 1988.

FRANK, André Gunder. *Capitalismo y subdesarrollo en América Latina*. Buenos Aires, Ediciones Signos, 1970.

FURTADO, Celso. *Desenvolvimento e subdesenvolvimento*. Rio de Janeiro, Fundo de Cultura, 1961.

SCHWARZ, Roberto. *Ao vencedor as batatas*. São Paulo, Duas Cidades, 1992.

CIDADANIA E DIREITOS

Maria Alice Rezende de Carvalho

Na mídia em geral, nos discursos políticos, em mensagens publicitárias, na fala de diferentes atores sociais, enfim, nos diversos contextos em que a comunicação se faz presente, deparamo-nos repetidas vezes com a palavra cidadania. Esse largo uso, porém, não torna seu significado evidente. Ao contrário, o fato de admitir vários empregos deprecia seu valor conceitual, isto é, sua capacidade de nos fazer compreender certa ordem de eventos. Assim, pode-se dizer que, contemporaneamente, a palavra cidadania atende bastante bem a um dos usos possíveis da linguagem, a comunicação, mas caminha em sentido inverso quando se trata da cognição, do uso cognitivo da linguagem. Por que, então, a palavra cidadania é constantemente evocada, se o seu significado é tão pouco esclarecido?

Uma resposta possível a essa indagação começaria por reconhecer que há considerável avanço da agenda igualitária no mundo e, decorrente disso, a valorização sem precedentes da ideia de direitos. De fato, tornou-se impossível conceber formas contemporâneas de interação entre indivíduos ou grupos sem que a referência a direitos esteja pressuposta ou mesmo vocalizada. Direitos, por isso, sustentam uma espécie de argumentação pública permanente, a partir da qual os atores sociais agenciam suas identidades e tentam ampliar o escopo da política de modo a abarcar suas questões. Tais atores constroem-se, portanto, em público, pressionando o sistema político a reconhecer direitos que julgam possuir e a incorporá-los à agenda governamental.

O fenômeno é mundial, afeta de modos e em graus distintos todas as sociedades e aponta para uma democratização progressiva e sustentada das repúblicas — mesmo daquelas de longa tradição democrática. Aponta também para passagens contínuas da condição de indivíduo à de cidadão, na medida em que temas do domínio privado, que por sua incidência e relevância sejam amplamente debatidos na esfera pública, podem influenciar o sistema político a torná-los matéria de interesse geral e, no limite, direitos positivados.

No Brasil, exemplo eloquente dessa possibilidade é a Lei 11.340/2006, conhecida como Lei Maria da Penha, que tipificou e definiu a violência doméstica e familiar contra a mulher, após anos de luta da farmacêutica cearense Maria da Penha Maia Fernandes junto a entidades nacionais e internacionais de proteção aos direitos humanos.

Em suma, reconhecer a centralidade que assumiu o debate sobre direitos ajuda a entender a atual onipresença da palavra cidadania. Mas avançar na elucidação desse fenômeno impõe perceber que, ao lado da valorização dos direitos, se desenvolve igualmente a crença em que o caminho para efetivá-los é a mobilização pública do sentimento de justiça, e não a ativação de métodos personalistas de acesso a eles. Em outras palavras, considera-se cada vez mais importante que os direitos estejam fortemente conectados com a plena autonomia política dos indivíduos, a fim de que não sejam vividos como "favores" concedidos por governantes, filantropos, patronos ou equivalentes.

Portanto, a força da palavra cidadania nesse começo do século XXI decorre da conjugação de dois movimentos, que nem sempre caminham juntos: a democratização social e a democratização das instituições republicanas, o que pode ser comprovado pelo fato de que, em todo o mundo, as lutas recentes por integração a comunidades políticas têm ocorrido em escala compatível com as alargadas demandas por igualdade social. Ilustra tal afirmação o ativismo de jovens das periferias das grandes cidades. Nesse tipo de ativismo, a inovação cultural, o protesto e a violência são indícios de que nas margens das megalópoles contemporâneas, de Paris a São Paulo e a Mumbai, não estão presentes apenas expectativas de natureza securitária, mas também o desejo de cidade, a luta por reconhecimento e autonomia.

Em resumo, a moderna história da cidadania no Ocidente é uma história de lutas atinentes a diferentes processos nacionais de construção e democratização de estados de direito. A despeito dessas diferenças, pode-se dizer que até meados do século XX tais lutas compreenderam duas florações de direitos individuais. A primeira é a que concerne à segurança e propriedade do indivíduo, bem como à sua integração à comunidade política. Emerge de um sistema de leis universais e abstratas emanadas do Estado, cuja legitimação decorre dessa racionalidade jurídico-formal. Porém, à medida que crescem as pressões sociais por justiça material, o direito estatal se torna menos formalista e abstrato, assumindo um caráter socialmente integrador. Chamam-se, então, direitos (individuais) de segunda geração os que concernem à participação dos cidadãos na riqueza coletiva. São eles, entre outros, o direito à moradia, à saúde e à educação básica — este último, o principal bem social, na medida em que favorece a conquista e/ou fruição dos demais direitos.

Assim, até o segundo pós-guerra, a cidadania descansou sobre uma concepção de igual valor dos indivíduos, concebidos como partícipes de um patrimônio civilizatório comum. E um dos mentores dessa narrativa foi o sociólogo inglês T. H. Marshall, no livro *Citizenship and social class*, publicado em 1950, no qual se lê que a institucionalização dos direitos civis, políticos e sociais resume o andamento das conquistas cidadãs, no período compreendido entre os séculos XVIII e XX. Trata-se, evidentemente, de uma descrição evolucionária do processo de modernização na Inglaterra, que costuma ser apreendida normativamente, isto é, como receita para todos os contextos nacionais — o que não era a intenção do autor. No Brasil, um dos trabalhos de referência sobre o tema é o de José Murilo de Carvalho, intitulado *Cidadania no Brasil — o longo caminho*, que apresenta a história da afirmação da cidadania entre nós, chamando a atenção para o presente esforço de construção da consciência social sobre as liberdades civis e políticas, a partir da Constituição de 1988.

Críticas mais recentes ao trabalho de Marshall enfatizam a tendência do autor em tomar a comunidade nacional como um status autoevidente, conferindo pouca importância a princípios e instituições transnacionais, que, na conjuntura em que foi publicado seu livro, jogaram papel relevante no debate sobre direitos. Exemplo disso é a entrada em vigor da Convenção Europeia sobre Direitos Humanos — CEDH —, em 1950, e os dois acordos internacionais sobre Direitos Civis e Políticos e sobre Direitos Econômicos, Sociais e Culturais (ambos em 1966), que permitiram que grupos de não cidadãos em território nacional reivindicassem direitos incluídos em tais convenções.

Assim, em meados dos anos 1960 e principalmente na década seguinte, a história da cidadania no Ocidente conhecerá importante mutação. Entrava em cena uma terceira onda de direitos, que, contudo, não mais se refere exclusivamente a indivíduos, podendo abranger grupos, etnias, nações e a própria humanidade, em seu direito a um meio ambiente equilibrado, à paz ou à transmissão do patrimônio ecológico e/ou cultural às gerações futuras, isto é, aos cidadãos que ainda virão. A emergência de tais direitos, ditos genericamente coletivos, coincide com mudanças institucionais e culturais profundas no mundo ocidental.

Em primeiro lugar, no plano institucional, as Constituições que se seguiram à Segunda Guerra Mundial, bem como as que sucederam os regimes autoritários dos anos 1970 na América do Sul, passaram a explicitar, em seus preâmbulos, direitos e valores que podem ser evocados em defesa de indivíduos e grupos que se sintam lesados por leis derivadas da vontade da maioria. São Constituições, portanto, que internalizaram uma concepção do justo e que, para a sua consecução, não podem prescindir de um Poder Judiciário autônomo e ativo. Na Constituição brasileira de 1988, por exemplo, encontra-se a afirmação de que um dos fundamentos do Estado brasileiro é a dignidade da pessoa humana, o que significa que o princípio da dignidade deverá informar o sistema legal do país. Caso isso não ocorra, ou haja disputas quanto ao sentido atribuído à noção de dignidade, o Supremo Tribunal Federal poderá ser mobilizado a se pronunciar, como órgão da razão pública. Diz-se, afinal, que a Carta de 1988 é cidadã exatamente porque, dentre outros dispositivos, adotou uma concepção de direitos e um controle de constitucionalidade de grande valor para a promoção da cidadania.

Além disso, como os sistemas legais não podem pretender regular a totalidade das experiências sociais, principalmente no ritmo requerido pelas transformações culturais em curso, delegaram-se atribuições do Poder Legislativo ao Judiciário, ou, mais precisamente, do legislador ao juiz, o qual, atuando na ponta do sistema, "cria" normas para casos concretos. No Brasil, esse fenômeno pode ser mais facilmente notado em matérias que costumam envolver altos custos eleitorais e que, por isso, durante anos, permanecem carentes de regulamentação pelo Poder Legislativo, como é o caso da questão do aborto, das pesquisas com células-tronco, do reconhecimento de direitos previdenciários a companheiros homossexuais etc. Em suma, institucionalmente, observa-se o avanço do Poder Judiciário sobre quase todos os temas e dimensões da vida social. E esse avanço é a grande marca das democracias ocidentais nesse começo de século.

No plano sociocultural, a complexa estratificação do mundo pós-fordista, que aprofunda a segmentação dos trabalhadores e, consequentemente, distancia seus respectivos interesses, que corrói o sentimento de identidade de classe, tal como ela existiu no século XIX, é, por outro lado, o cenário em que também surgem novas identificações entre humanos e possibilidades inéditas de coesão em torno da defesa de recursos naturais ou dos direitos do consumidor — apenas para mencionarmos algumas das frentes em que se organiza a cidadania. O resultado, contrariando expectativas pessimistas e previsões apocalípticas, tem sido a ampliação do espectro de lutas coletivas, que, contudo, deixa de ter como eixo os interesses de classe, substituindo-os pelos *interesses da cidadania.*

Em suma, esse é um mundo novo, em que se ensaiam inéditas possibilidades de atuação sobre ele. Por ora, os institutos jurídicos, se comparados com os do início do século XX, ganharam extraordinária robustez, e tendem a ser mobilizados em defesa da cidadania. Em todo o mundo, porém, milhões de indivíduos e grupos ainda lutam por ingressar no universo dos direitos e das liberdades.

SUGESTÕES DE LEITURA

CARVALHO, J. M. *Cidadania no Brasil — o longo caminho*. 3ª ed. Rio de Janeiro, Civilização Brasileira, 2002.

CITTADINO, G. "Igualdade e 'invisibilidade'". *Revista Ciência Hoje*, Rio de Janeiro, Instituto Ciência Hoje, vol. 37, nº 221, nov., 2005.

MARSHALL, T. H., *Citizenship and social class*. Cambridge, Cambridge University Press, 1950.

WERNECK Vianna, L. *et al*. *A judicialização da política e das relações sociais no Brasil*. Rio de Janeiro, Revan, 1999.

CIÊNCIA & TECNOLOGIA NO BRASIL: UM TEMA SEMPRE ATUAL

Silvia Figueirôa

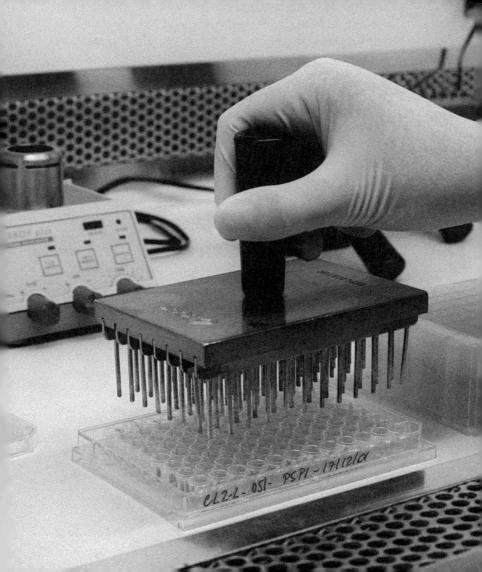

A inclusão de um verbete dedicado ao tema da ciência e tecnologia neste livro, por si só, já diz muito sobre as mudanças ocorridas na produção acadêmica em Ciências Humanas e Sociais no Brasil, pois há cerca de duas décadas ainda era corrente a visão de que não houve atividades científicas e tecnológicas dignas de nota em nosso passado — até porque universidades não surgiram aqui antes do século XX, malgrado a existência de instituições de ensino superior, como as Faculdades de Medicina da Bahia e do Rio de Janeiro ou a Academia Real Militar (para a formação de engenheiros), por exemplo. A alteração de perspectiva deve ser creditada aos novos aportes dos chamados Estudos Sociais das Ciências, que implicam, sobretudo, a História das Ciências (isto é, como o conhecimento científico e tecnológico se desenvolve no tempo) e a Sociologia das Ciências (ou seja, quais normas e condutas guiam o empreendimento científico e/ou tecnológico) e, em menor escala, a Antropologia das Ciências (como o conhecimento científico e tecnológico se constitui enquanto cultura própria e como se dá seu fazer, na prática, pela "tribo" dos cientistas). Essa produção renovada, cujo caminho foi aberto pelos trabalhos pioneiros de Maria Amélia Dantes na virada para os anos 1980, tem recusado os marcos teóricos pensados no Hemisfério Norte, sobretudo na Europa e nos Estados Unidos — e adequados, portanto, a realidades distintas —, os quais não permitiram identificar e reconhecer a legitimidade da ciência e da tecnologia feitas nos trópicos. Hoje vigorosa, essa produção acadêmica conta dezenas de autores que não serão explicitamente citados aqui, pelo risco (humano) de esquecimento, mas as sugestões de leitura ao final deste texto, ao priorizarem obras coletivas e revistas da área, visam contemplá-los em sua grande maioria.

A noção de que o Brasil foi um deserto para assuntos e práticas científicas foi construída a partir das análises, originais e inovadoras para a época, desenvolvidas por Fer-

112

nando de Azevedo (1894-1974) em seu trabalho seminal *A cultura brasileira*, de 1943, que conheceu uma edição em inglês logo em 1950 (vinda à luz em Nova York, pela Macmillan). A tese central do capítulo sobre a cultura científica presente no livro de 1943 é a de que as ciências se desenvolvem apenas em sociedades industrializadas e urbanizadas. Assim sendo, o atraso científico e tecnológico brasileiro resultaria da combinação de políticas coloniais obscurantistas, que teriam, pura e simplesmente, estimulado a exploração econômica, aliadas à presença dominante da Igreja católica e do ensino concentrado em suas mãos. Tal noção foi reforçada nos dois volumes da obra coletiva *As ciências no Brasil*, por ele organizada em 1955. Essa é uma tese que soa familiar mesmo aos leigos e que não ficou restrita à História das Ciências, como se pode ver na História da Educação no Brasil, por exemplo.

As críticas a essa concepção — e a substituição da mesma — começaram a aparecer com força nos anos 1980, valendo-se, de um lado, de um movimento mais amplo de renovação na História e Sociologia das Ciências e, de outro, de um "redescobrimento" da América Latina também nesses campos. As (nem tão) novas abordagens do binômio Ciência e Tecnologia (muitas vezes sintetizado pela sigla C & T) preocupam-se mais em analisar os processos de construção do conhecimento do que somente seus produtos finais. Por outro lado, procuram demonstrar que as afirmações científicas que se assumem como "verdadeiras" derivam de processos sociais — isto é, são produtos de negociações, disputas e consensos dentro de uma comunidade, e não apenas reflexos diretos e objetivos da Natureza. A produção do consenso científico implica diversos fatores, como diferentes concepções e modos de ver o mundo, diferentes universos sociais e culturais, fidelidade a determinadas teorias ou correntes de pensamento, compromissos políticos, institucionais e mesmo pessoais, quantidade e origem do financiamento à pesquisa, envolvimento do público e da mídia, relações de poder, dentre outros. Os estudos de controvérsias científicas, bastante frequentes nos anos 1970-80, mas ainda presentes na atualidade, foram precursores na revelação dessa trama, inextricável e complexa, de fatores relevantes à construção do conhecimento em C & T.

Esse processo de repensar a Ciência e a Tecnologia acabou por redescobrir o Brasil desse ponto de vista, focando o olhar nas suas instituições, práticas e personagens, desde os tempos coloniais. No bojo dessas discussões, a ideia de que a ciência seria universal passou a ser fortemente questionada. A "ciência universal" era vista sempre como ciência europeia, daí as tentativas fracassadas de encontrar fora dessa região a mesma ciência tal como ali era praticada. Para enfrentar essa quase ideologia, buscaram-se alternativas para o estudo da C & T no contexto real da América Latina. Nessa renovação, a ênfase recaiu no historiar as práticas científicas concretas que encontraram abrigo nas instituições locais, foram por elas produzidas e, nessa dinâmica, ajudaram a produzir as próprias instituições.

Então, quais as características (e os limites) dessa prática científica em terras brasileiras? Uma das constatações importantes das pesquisas que se vêm acumulando há pelo menos duas décadas é a de que a ciência que se desenvolve e se pratica no Brasil, em linhas gerais, é antes a continuidade de um processo, e não sua ruptura. Isto é, aos espaços institucionais já existentes desde a colônia — dos quais muitos ainda seguem atuantes, com maiores ou menores modificações — somaram-se constantemente novos locais para as atividades científicas. E por "espaços institucionais" pretende-se conceber as instituições científicas como algo mais abrangente, ou seja: produtos de processos de implantação, desenvolvimento e consolidação de atividades científicas num determinado espaço-tempo histórico.

Os espaços institucionais onde se praticava e por meio dos quais se comunicava ciência foram, em grande parte, criados após a transferência da corte para o Brasil em 1808. *Grosso modo*, podem ser subdivididos em alguns grupos: escolas profissionais, associações científicas, museus, jardins botânicos, observatórios astronômicos, comissões científicas e periódicos. Em relação às escolas profissionais, podemos citar as que seguiam desde a colônia, embora tenham vindo a sofrer modificações significativas no Império e na República: escolas de Medicina da Bahia e do Rio de Janeiro e, para a engenharia, a Academia Real Militar (depois sucessivamente transformada em Escola Militar, Escola Central e Escola Politécnica do Rio de Janeiro). Devem ser somadas a Escola de Minas de Ouro Preto, a Escola Politécnica de São Paulo e as diversas escolas de engenharia que se espalharam pelo Brasil a partir do século XX. Já as primeiras universidades só viriam a surgir na década de 1920, no Rio de Janeiro, e em 1934 em São Paulo, instalando um novo paradigma que, ao aliar a pesquisa ao ensino superior, foi progressivamente deslocando para essas instituições o *locus* privilegiado da pesquisa e da reflexão inovadoras.

Quanto aos museus, destaca-se quase solitário o Museu Nacional, um dos locais privilegiados para a pesquisa em ciências naturais e guarda de coleções de produtos da História Natural do Brasil (que não se dissociava de aspectos da Etnografia e Arqueologia locais). A ele seguiram-se o Museu Goeldi e o Paulista (originalmente dedicado à História Natural, sobretudo Zoologia), dentre outros, que atravessaram o século XX e seguem até hoje em grande atividade.

Pensando nas associações científicas, essa nova produção acadêmica como que descobriu os Institutos Históricos e Geográficos como locais de ciência sintonizados com a modernidade da época, particularmente o Brasileiro (IHGB), o mais antigo de todos (fundado em 1838) e situado no Rio de Janeiro. O IHGB brilhou sozinho, durante décadas, a partir da corte e, devido ao próprio contexto de sua criação (que não cabe aqui detalhar), sempre recebeu a proteção imperial direta, inclusive com a presença constante do monarca d. Pedro II, que se fez bem mais presente nessa instituição do que em outras. Além dos Institutos Históricos e Geográficos, associações até então quase desconhecidas, como a "Sociedade Vellosiana" ou a "Palestra Científica", emergiram desse passado obscuro. Tais associações, assim como o Museu Nacional, a Sociedade Auxiliadora da Indústria Nacional, entre outros, publicaram periódicos que fizeram circular saberes localmente produzidos ao lado de críticas, opiniões e divulgação de conhecimento estrangeiro. Já nas últimas décadas do século XIX começam a surgir associações que mesclavam questões técnico-científicas e profissionais, como no caso dos engenheiros, que se congregaram no Instituto Politécnico Brasileiro e no Club de Engenharia, por exemplo, a fim de discutir desde temas como as secas do Nordeste brasileiro até ações para valorização social e profissional da categoria. Essas associações pavimentaram o caminho para o que viria a ser a marca do século XX nesse âmbito: ao lado da Academia Brasileira de Ciências (ABC, surgida em 1916, como Sociedade Brasileira de Ciências) e da Sociedade Brasileira para o Progresso da Ciência (SBPC, fundada em 1948), proliferaram um sem-número de associações cada vez mais específicas, inclusive para a própria História das Ciências e da Tecnologia (SBHC, 1983).

Não se pode esquecer, sem dúvida, das relações com o público, leigo ou especializado, as quais, num nível mais geral, se intensificaram e se transformaram desde os primórdios da Ciência Moderna no século XVI. A partir da fundação da Imprensa Régia, em 1808, ao lado da publicação de leis e decretos encontramos livros-texto de conteúdo científico para a educação superior, dentre outros materiais de cunho científico. Um bom exemplo é o periódico *O Pa-*

triota — jornal literário, político, mercantil etc., cujas páginas estamparam várias "Memórias", originais ou transcritas, sobre temas científicos e técnicos de interesse. Na área médica, proliferaram os periódicos — não necessariamente atrelados a instituições oficiais —, tornando-se vitais nas disputas entre diferentes correntes da Medicina brasileira nos séculos XIX e XX. Mas merecem destaque também a *Revista Brazileira*, de matiz menos especializado, que casava divulgação científica e literatura, e os periódicos de instituições e associações especificamente científicas — do Museu Nacional, de Manguinhos, além de muitos outros que surgirão ao longo do século XX, sobre temáticas cada vez mais circunscritas. Acompanhando o movimento internacional das Exposições Universais — já apropriadamente qualificadas de "vitrines do progresso" pela historiografia —, nossas elites promoveram a participação do Brasil nesses fóruns a partir da década de 1860, capitaneadas pela Sociedade Auxiliadora da Indústria Nacional, que organizava exposições regionais e nacionais.

Sobre as comissões científicas, pode-se mencionar desde aquelas de escopo mais abrangente, como a Comissão Científica de Exploração — também conhecida como "Comissão das Borboletas" —, que funcionou de 1859 a 61, até as de recorte temático um tanto mais restrito, como a Comissão Geológica do Império do Brasil (1875-77) ou a Comissão Geográfica e Geológica de São Paulo (1886-1931), sem falar das diversas comissões de levantamentos de terras e mapas do Império. Tais comissões foram a base institucional para o Serviço Geológico e Mineralógico do Brasil (1907), posteriormente transformado no Departamento Nacional da Produção Mineral (1934). Foi também nos anos 1930 que se criou o Instituto Brasileiro de Geografia e Estatística (IBGE), numa chave teórica e institucional complementar, que visava subsidiar o governo federal com dados para a formulação e implantação de políticas de Estado.

A partir da fundação das primeiras universidades — a saber, Universidade de São Paulo (1934), Universidade do Distrito Federal (1935) e Universidade do Brasil (1937) —, a educação superior passa a crescer dentro desse novo modelo, que agregava as tradicionais escolas superiores preexistentes, como as Faculdades de Medicina, Direito, Farmácia e Engenharia. Por exemplo, a Universidade do Rio de Janeiro foi criada pela união de várias faculdades já existentes em 7 de setembro de 1920, pelo então presidente Epitácio Pessoa, e mais tarde seria rebatizada como Universidade do Brasil, passando à atual denominação Universidade Federal do Rio de Janeiro (UFRJ) em 1965. O mesmo modelo foi utilizado para a Universidade de Minas Gerais, criada em 1927.

Em meados do século XX, a comunidade científica já merecia essa denominação, sem aspas, e já havia se expandido significativamente. A atuação das universidades já era perceptível, em especial no desenvolvimento de pesquisas científicas não automaticamente aplicadas, o que viabilizou investigações em áreas de ponta, cujo exemplo é o caso emblemático da Física brasileira, com as investigações atômicas onde pontificou, dentre outros, César Lattes. Reflexo ainda desse cenário foi a institucionalização do fomento estatal à C & T, consubstanciado na criação do Conselho Nacional de Pesquisas (CNPq), hoje Conselho Nacional de Desenvolvimento Científico e Tecnológico em 1951, da Fundação de Amparo à Pesquisa do Estado de São Paulo (FAPESP) em 1960 (com início de funcionamento em 1962), seguidos da Financiadora de Estudos e Projetos (Finep), em 1967, e das Fundações de Amparo à Pesquisa estaduais (FAPs).

Claro está que se poderia seguir enumerando instituições científicas e culturais, e personagens conexos. No entanto, vale mais a pena direcionar o restante do texto para comentar traços que perpassam essas atividades científicas e conferem características comuns à ciência produzida no Brasil até hoje. Um aspecto marcante, particularmente entre as décadas de 1840 e 1870, é o esforço de associação entre a natureza brasileira, as investigações em ciências naturais e a construção da nacionalidade e do "nacional". Um conceito de "nacional" que se constituía em tensão permanente com o "regional" e a predominância de certas províncias e oligarquias locais no cenário geral brasileiro. Esse aspecto vai marcar, em boa medida, a distribuição desigual das atividades científicas no território, que até a atualidade ainda se concentram no eixo Sudeste-Sul, malgrado os esforços recentes das agências de fomento para equilibrá-la.

Seguindo a linha do tempo até o presente, é notável o crescimento quantitativo e a continuidade temporal, assim como a especialização dos espaços institucionais, responsáveis não só pela multiplicação, mas também pelas muitas reformas nas instituições preexistentes, as quais repassaram às novas instituições diversas de suas funções e atribuições anteriores, num processo de reordenação interna para acompanhar a profissionalização e a especialização científicas crescentes, que se impunham mundialmente. A especialização das instituições ao longo dos séculos XIX e XX foi acompanhada, de perto, por um processo de especialização profissional, que tanto aqui como na Europa ou Estados Unidos fez surgir a figura do cientista profissionalizado, em oposição à multiplicidade de papéis exercidos por aqueles, seus predecessores, que se dedicavam à Ciência e à Tecnologia. Com esse entendimento, não causa mais espanto a variedade de temas, de funções e de atividades desenvolvidos por intelectuais de perfil múltiplo, mais presentes até as primeiras décadas do século XX.

Para encerrar esta caracterização, sem, entretanto, esgotar o tema, cabe destacar ainda, como elementos constitutivos, os intercâmbios científicos realizados, consciente e escrupulosamente, pelas instituições e pelos protagonistas da Ciência e Tecnologia brasileiras, quer no âmbito nacional, quer no internacional, dos quais são testemunho relevante, por exemplo, os congressos científicos dos quais participaram ou que aqui organizaram.

Portanto, como foi antecipado no início deste texto, o quadro atual sobre a Ciência e Tecnologia no Brasil produzido pelo campo dos Estudos Sociais das Ciências diverge diametralmente daquele que vigorou até meados dos anos 1980. A partir dos exaustivos trabalhos de pesquisa empírica de fontes, aliados a um novo referencial teórico, foi possível contrapor um panorama bem mais rico e vigoroso do desenvolvimento de C & T em nosso passado, identificando e ajudando a construir uma tradição, dentro de seus limites espaço temporais. E é gratificante perceber que esse mapa dos conhecimentos científicos e tecnológicos no Brasil dialoga — e ganha novo e mais amplo sentido — com conclusões de trabalhos de áreas distintas. Nesse diálogo com áreas afins reside, acredito, um novo horizonte de pesquisas sobre Ciência e Tecnologia no Brasil, integrando em definitivo esse tema na cultura e no pensamento social brasileiros.

SUGESTÕES DE LEITURA

DANTES, Maria Amélia Mascarenhas (org.). *Espaços da ciência no Brasil (1800-1930)*. Rio de Janeiro, Fiocruz, 2001.

HEIZER, Alda e VIDEIRA, Antonio Augusto Passos (orgs.). *Ciência, civilização e império nos trópicos*. Rio de Janeiro, Access, 2001.

_____. (orgs.). *Ciência, civilização e República nos trópicos*. Rio de Janeiro, Mauad X, 2010.

KURY, Lorelay Brilhante *et al. Comissão das borboletas*. Rio de Janeiro, Andréa Jakobsson Studio Editorial, 2009.

Revista Brasileira de História da Ciência, disponível em http://www.sbhc. org.br/revistas_anteriores.php.

Revista Manguinhos — História, Ciências, Saúde, disponível em http:// www.coc.fiocruz.br/hscience ou http://www.scielo.br/hcsm.

CINEMA BRASILEIRO CONTEMPORÂNEO: PENSAR A CONJUNTURA E VIVER IMPASSES NA SOCIEDADE DO ESPETÁCULO

Ismail Xavier

O CIRCUITO DAS IMAGENS: NOTA POLÍTICO-ECONÔMICA

"Cinema brasileiro contemporâneo" se refere aqui ao processo que, a partir de 1994, revigorou a produção de longas-metragens depois da crise aguda gerada pelas medidas do governo Collor que, em 1990, fragmentou o quadro institucional da área da cultura, extinguindo, entre outros órgãos, a Embrafilme. As bases para a retomada foram criadas no governo Itamar Franco através da Lei do Audiovisual, esquema de isenção fiscal que faculta às empresas um gesto de patrocínio feito com dinheiro público. O sistema de produção amparado na lei conecta cineastas às grandes empresas. Estas decidem onde praticar esse mecenato peculiar sem ônus, havendo uma concentração de recursos nos projetos com maior potencial no mercado, em especial os que buscam parceria com a televisão (Globo Filmes). A associação, para fins de produção e comércio, entre cinema e TV chegou tarde ao Brasil. As corporações que controlam a circulação das imagens no planeta já há tempo adotam fórmulas multimídia, e a conquista de um lugar neste jogo é complexa. Depende, entre outros fatores, de como é gerida a política da comunicação em cada país. O cinema já não é a experiência central da cultura de massa, porém continua um foco poderoso na produção de imaginário e de capital simbólico, ainda de feição nacional, num mundo em que a globalização acentua a crise das identidades gerada pelo novo fluxo de imagens sem fronteiras.

Como parte da indústria cultural, o cinema é uma questão de Estado, sempre objeto de um debate sobre políticas públicas aptas a regular a batalha da construção de imagem e o balanço dos poderes na mídia, para além da avaliação estética dos projetos e da análise do pensamento dos cineastas. No Brasil, tal debate se concentra no campo da produção mais visível ao grande público, uma vez que a legitimidade política da lei de incentivo ao cinema depende da penetração social dos filmes (o dinheiro público do subsídio deve ter efeito mensurável). Vem daí a pressão para que os cineastas alcancem sucesso no mercado. O comércio tem suas regras, a audiência suas demandas. Uma parcela dos cineastas opta por ajustar-se a elas, adotando convenções assimiladas, sejam as do "filme de ação" que focaliza a violência urbana, sejam as da comédia que, entre 1995 e 2010, confirmou sua vocação de produto mais popular. *Carlota Joaquina*, de Carla Camurati, foi o filme-símbolo da retomada em 1995, e filmes de Daniel Filho, Guel Arraes e Sandra Werneck, entre outros, marcaram a estabilidade do gênero em meio às oscilações na receita de um cinema que teve um momento de euforia em 2003, quando atingiu seu melhor desempenho no mercado, criando expectativas de uma decolagem que não ocorreu. Prevaleceu a repetição do padrão histórico: espasmos de sucesso a pontuar uma resposta de público abaixo do desejável.

O quadro acima esboçado diz respeito a um segmento da produção, o de longas-metragens, único em foco neste breve texto. Seria impossível incluir todo o dinamismo cultural da esfera do curta-metragem.

OPÇÕES: O CINEASTA E SEU DRAMA

Reconheço certa aridez em começar pela economia política do cinema, mas é dentro de seus parâmetros que o cineasta vem atuar e expressar seu pensamento. A cada novo projeto ele deve decidir o tema, a forma e o modo de inserção de seu filme no arco da produção. Se resolver atuar no campo da comunicação em grande escala, será pressionado a adotar fórmulas já testadas e aceitas. Se optar por uma independência maior, seu filme será de "baixo orçamento" e estará inserido no circuito de "cinema de arte" (para simplificar, uso a velha sigla). Nesse dilema, o que para uns é abertura, para outros é limite, seja de invenção estética, seja de alcance de público, e a história dos sucessos de mercado confirma a convergência das mídias como fator decisivo, como se vê pelo papel da Globo Filmes nos casos de cineastas muito diferentes, como Fernando Meirelles, Hector Babenco, Bruno Barreto, Andrucha Waddington e Breno Silveira. Em descompasso com esse setor mais visível, temos o amplo elenco de autores de distintas gerações que compõem uma dissidência feita de dramaturgias alternativas: Júlio Bressane, Paulo Cesar Saraceni, Carlos Reichenbach, Domingos de Oliveira, Murilo Salles, Ana Carolina, Ugo Giorgetti, Lúcia Murat, Beto Brant, Sérgio Bianchi, Karim Aïnouz, Cláudio Assis, Edgar Navarro, Rubens Rewald e José Eduardo Belmonte, entre outros.

Hoje, a mobilização política na área cultural é menor do que, por exemplo, no período de resistência à ditadura (1964--84); o cineasta fala em seu nome, não havendo movimentos aglutinadores como o Cinema Novo nos anos 1960. O campo de escolhas já não traz as balizas de décadas anteriores, quando o cineasta estava convicto de sua condição de porta-voz da comunidade imaginada (a nação), supostamente mais coesa do que a realidade viria mostrar. Os rumos da cultura e da política minaram essa ideia do "mandato popular" e suscitaram uma nova postura que valoriza o pragmatismo (como ocorre também na vida política) e uma nova forma de interação com os grupos sociais. Um exemplo disso é o recente *remake* de *5 vezes favela*, coordenado por Carlos Diegues: a pedagogia política dos cineastas autores de 1962 é substituída pelo dar voz e câmera aos favelados para filmar suas próprias histórias, gesto que, em outra moldura, Paulo Sacramento adotou em *O prisioneiro da grade de ferro* (2004), documentário originado num curso-oficina para detentos do Carandiru.

Esse gesto de "dar voz" tem sido recorrente nos documentários. Eduardo Coutinho, João Moreira Salles, Evaldo Mocarzel, Eduardo Escorel, José Joffily e outros cineastas despertaram uma adensada discussão estética com filmes voltados para a "construção de sujeitos" (os entrevistados) na interação com o cinema, sejam eles o favelado, o morador de rua, os inquilinos de um edifício, o candidato à Presidência ou os jovens aspirantes a vereadores. Essa postura dominante não exclui outras opções de um cinema político centrado na questão da terra (Tetê Moraes), na experiência do indígena (Andrea Tonacci), nos rituais da Justiça (Maria Augusta Ramos) e na memória do regime militar (Sílvio Da-Rin). No entanto, dissolveu-se aquele senso de urgência histórica que alimentava o Cinema Novo. O cineasta agora aguça o seu olhar para o terreno das contingências e dos indivíduos singulares, com menor ênfase para personagens-tipo que representam uma classe social ou condensam um problema (aqui, há exceções, como *Ônibus 174*, de José Padilha).

O TEOR DAS EXPERIÊNCIAS EM FOCO: DOIS MOTIVOS RECORRENTES

O cinema de ficção tem focalizado a violência urbana de distintas formas, e dois filmes de muito sucesso evidenciam um contraste: *Cidade de Deus* (Meirelles, 2002) expressa uma não rara afinidade do cinema com a política de inclusão social das ONGs, que acentua a oposição entre violência e cultura (arte) na observação no drama vivido pelos jovens; *Tropa de elite* (Padilha, 2007) desautoriza grupos mediadores (caricaturados) e vê como inexorável uma polarização vista da ótica dos policiais. Nos dois casos, o jogo montado privilegia o espetáculo, e seu enfoque naturalista não reclama um debate sobre aspectos estruturais da questão. Instâncias maiores de poder permanecem fora desse território do ressentimento e guerra total.

Esse é um traço que levou à ideia, algo exagerada, de um cinema brasileiro que dissolveria a política porque apoiado demais na mediação de gêneros clássicos de ficção. Se há filmes que esquematizam os conflitos na encenação da vida social, há, em contrapartida, um leque mais amplo de visões menos espetaculares dos problemas, e o conjunto da produção sem dúvida compõe um quadro revelador de pontos críticos da sociedade: o colapso do sistema carcerário (*Carandiru*, Babenco, 2003); a violência dos pobres entre si como sintoma de um quadro em que o crime organizado controla territórios (*Como nascem os anjos*, Murilo Salles, 1996, e *Cidade de Deus*); jogos de poder, na esfera do sexo e da família, que expõem a crise da figura masculina, em distintas regiões e classes sociais, como em *Um céu de estrelas* (Tata Amaral, 1997), *Um copo de cólera* (Aluízio Abranches, 1999), *Latitude zero* (Toni Venturi, 2002), *A ostra e o vento* (Walter Lima Jr.*, 1997), *Bicho de sete cabeças* (Laís Bodanski, 2001), *Garotas do ABC* (Reichenbach, 2004), *Contra todos* (Roberto Moreira, 2004), *Redentor* (Cláudio Torres, 2004), *A casa de Alice* (Chico Teixeira, 2007) e *Os inquilinos* (Bianchi, 2010).

No cômputo geral, são variados os temas e os cenários dos conflitos, mas a configuração dos dramas tem destacado o motivo do ressentimento. Este não se reduz às praças de guerra aberta; tempera a frustração amorosa e atravessa o tecido social em seus pontos tensionados pela distância entre desejos de consumo, aspirações e condição efetiva de vida. A falta de opção num ambiente adverso gera ou o senso de impotência ou a explosão em cadeias de vingança autofágicas e sem controle, na vida doméstica ou na arena pública. Claro que há exceções a essa regra, filmes que oferecem saídas mais construtivas diante de situações variadas; nessa linha, um conjunto significativo de obras afirma um outro motivo recorrente: o da viagem como autossuperação (ou tentativa de).

Central do Brasil (Walter Salles Jr., 1997), o exemplo mais conhecido dessa vertente, é uma narrativa de redenção que se completa, ao contrário do que acontece em *Terra estrangeira* (Walter Salles Jr., 1994), *Dois perdidos na noite suja* (Joffily, 2003) e *Deserto feliz* (Paulo Caldas, 2007), que invertem o sentido clássico das migrações, focalizando brasileiros que deixam o país. Outros viajantes retomam a travessia que documenta espaços já antes trilhados pelo Cinema Novo, como o sertão árido. Este adquire uma feição nova como palco de encontros singulares envolvendo estrangeiros, como em *Baile perfumado* (Paulo Caldas e Lírio Ferreira, 1997) ou *Cinema, aspirinas, urubus* (Marcelo Gomes, 2006). E as estradas do Nordeste ensejam a típica jornada de autossuperação em *O céu de Suely* (Aïnouz, 2006) e *Viajo porque preciso, volto porque te amo* (Aïnouz e Gomes, 2010). Nesses casos, tal como em filmes urbanos como *Cidade baixa* (Sérgio Machado, 2005), *Cão sem dono* (Brant, 2007) e *Linha de passe* (Walter Salles, 2008), são frequentes os finais "em suspenso", que deixam interrogações próprias a um cinema que não quer consolar mas também não quer apenas reiterar o fracasso e a impotência. Emerge uma tonalidade *pop* de leve ironia onde o Cinema Novo acentuava o drama social num quadro em que a migração dos pobres era compulsória, ao contrário das migrações escolhidas, tão frequentes no cinema atual.

A CONVERGÊNCIA DAS MÍDIAS

A assimetria de nosso regime de visibilidade mantém a linha divisória entre o grande espetáculo para milhões e outras formas audiovisuais quase ocultas, como é o caso de obras notáveis criadas na fronteira entre o cinema e a videoarte (Arthur Omar, Cao Guimarães, Carlos Nader). Há, porém, um fluxo subterrâneo que às vezes liga os dois polos. Um exemplo: o documentário para a TV a cabo *Notícia de uma guerra particular* (João Salles, 1998) trouxe a palavra de Paulo Lins e percepções novas da violência que foram apropriadas, a seu modo, por *Cidade de Deus* e *Tropa de elite*.

A convergência das mídias faz mais intenso algo que não é novo mas se transformou em paradigma no circuito das imagens e dos textos. O livro de Paulo Lins vira filme que vira série de TV, mudando de foco a cada etapa. *Guerra de Ca-*

nudos (Sérgio Resende), *O auto da compadecida* (Guel Arraes) e *Antônia* (Tata Amaral) trazem experiências distintas dessas passagens. Um certo padrão de comédia inspirada em autores clássicos da literatura, como Ariano Suassuna, Osman Lins e Jorge Amado, sela a afinidade entre a teleficção e o filme de sucesso, atualizando uma estratégia de valorização da cultura popular que já teve empenhos políticos mais incisivos, mas agora compõe um gênero da indústria que podemos chamar de nacional-popular de mercado, próprio aos novos tempos em que a ideia de mandato recebido da nação se desloca para a retórica da Rede Globo.

Invertendo essa tendência de industrialização dos estilos, Luiz Fernando Carvalho traz uma estética barroca e operística para a teleficção (*Os Maias, Capitu*); no cinema, dirige *Lavoura arcaica* (2001), livro de Raduan Nassar. O circuito das adaptações literárias conduz um diálogo intenso com autores contemporâneos, como Autran Dourado, Sérgio Santana, Lourenço Mutarelli, Lusa Silvestre e Daniel Galera, entre outros. Tal diálogo sugere sintonias no plano temático e formal — *Estorvo* (2000, Ruy Guerra/Chico Buarque) — ou afinidades de espírito que se traduzem na diferença estética — *Hotel Atlântico* (2008, Suzana Amaral/João Gilberto Noll). Há casos em que a parceria se afina e gera o diálogo de mão dupla, como acontece com Beto Brant e Marçal Aquino, num percurso que adensou a observação de comportamentos de classe em *O invasor* (2001), a partir do gênero policial. Esse é um setor rentável na indústria do livro e encorajou a transposição de obras de vários autores, entre eles Rubem Fonseca, Patrícia Melo, Garcia-Roza e Tony Belotto. No diálogo com escritores clássicos, vale o destaque a *Mutum* (2007, Sandra Kogut/Guimarães Rosa) e a *A erva do rato* (2009, Júlio Bressane/Machado de Assis).

Esse encontro de textos (vozes) e imagens no cinema brasileiro tem reiterado um forte traço formal, quase um marco de época: a presença da voz que narra em primeira pessoa sobrepondo seu comentário à cena visível. Esse realce da voz ocorre na comédia, no filme de ação, no drama do sujeito em crise, envolve adaptações literárias e filmes de roteiro original, trazendo um sugestivo contraste com a citada "construção do sujeito" no documentário. Este expulsa a voz explicativa do locutor-narrador e valoriza a palavra do entrevistado, ou seja, do personagem que o olhar da câmera faz personagem, seja em performances *solo* ou num coral de vozes autoafirmativas que tornam o documentário um contraponto ao coro dos ressentidos que apontei na ficção.

TEATRALIDADES

O resumo aqui feito dá sinais da resposta do cinema à sociedade do espetáculo, ao grande teatro cotidiano administrado pela mídia que tem gerado um senso de que as representações estão saturadas, sendo quase impossível a operação de "tornar visível", pois está tudo à vista e ao mesmo tempo enevoado pelos protocolos habituais e regras de gênero. Estas, o cinema não deixou de abraçar, às vezes retocando a sua sintaxe para comentar o grande teatro em seu próprio terreno, como bem o fazem Guel Arraes e Jorge Furtado.

Conforme sua relação com uma cultura do dinheiro, o cinema deu respostas antagônicas ao problema da representação. Ora prevalece a adesão sem mais à fórmula, esteja em foco a história, a política, o drama doméstico ou a violência social. Ora prevalece um impulso de problematizar a experiência que pede um novo realismo cujas formas é preciso inventar, e o modo como cada filme pensa essa invenção compõe distintas teatralidades. A opção desse novo realismo pode ser a de expor o grande teatro da mídia como tema, em vez de praticá-lo, e buscar a fresta da experiência que ganha efeito realista (*Sábado*, Giorgetti, 1995); ou também de armar a cena para expor a operação das novas mídias na formação das subjetividades (*Nome próprio*, Murilo Salles, 2008). Ao expor o teatro dos outros, pode-se ser mais provocativo, compor mosaicos que explicitam o mal-estar no agreste (*O baixio das bestas*, Cláudio Assis, 2006), na cidade grande (*Subterrâneos*, J. E. Belmonte, 2003) e em toda parte (*Cronicamente inviável*, Bianchi, 2000). Sob esse ângulo, uma tensão de grande interesse faz dos documentários já citados uma experiência singular na atual conjuntura. No limite, eles enfrentam e às vezes confessam este reencontro com o teatro no momento em que parecem abraçar o real, lograr o acesso ao mundo vivido.

Na varredura desse espectro, trata-se da mesma questão: a teatralidade *elidida* porque convencional (a rentabilidade plena do espetáculo), *tematizada* (o meu pequeno teatro despojado denuncia o grande teatro dos outros), *minimizada* (contenção, tempos mortos, a distensão da viagem, suspensão do desfecho) ou *reencontrada* (o efeito câmera enseja o teatro quando se espera o contrário). Depois de tanto jogar nessa fronteira, Eduardo Coutinho explicitou o seu (e de quase todos) *Jogo de cena* (2007).

Nos diferentes pontos do espectro, a presença dessa teatralidade constitutiva não afasta grandes temas sociais nem um diagnóstico do presente. Afinal, um estado de coisas se configura a partir dessas mediações, seja no "filme de ação", no drama realista, no melodrama, na comédia popular, no *road-movie*, no documentário. Em todos os casos, trata-se do desafio de pensar a cena, enquadrar a performance de um mundo onde se faz rara a transparência dos gestos e das fisionomias. O cinema brasileiro tem feito suas escolhas e lançado, nos melhores casos, uma interrogação que nos faz pensar melhor nossa condição social e histórica. E a tônica reflexiva de certas obras evidencia uma nítida mudança na forma de se entender o papel do cinema e da televisão na formação do sujeito e na forma de conceber o jogo de poder dentro do qual os produtores de imagem estão inseridos, numa postura distinta da assumida pelo cinema moderno que, entre 1954 e 1984, desenvolveu formas próprias de lidar com as distintas conjunturas que enfrentou.

132

SUGESTÕES DE LEITURA

BUTCHER, Pedro. *Cinema brasileiro hoje*. São Paulo, Publifolha, 2005.

DANIEL, Caetano (org.). *Cinema brasileiro 1995-2005: ensaios sobre uma década*. Rio de Janeiro, Azougue, 2005.

LINS, Consuelo e MESQUITA, Cláudia. *Filmar o real: sobre o documentário brasileiro contemporâneo*. Rio de Janeiro, Zahar, 2008.

MENDES, Adilson (org.). *Ismail Xavier — encontros*. Rio de Janeiro, Azougue, 2009.

NAGIB, Lúcia (org.). *The New Brazilian cinema*. Londres, I. B. Tauris & The Centre for Brazilian Studies, University of Oxford, 2003.

ORICHIO, Luiz Zanin. *Cinemadenovo: um balanço crítico da retomada*. São Paulo, Estação Liberdade, 2003.

CULTURAS POPULARES: PATRIMÔNIO E AUTENTICIDADE

José Reginaldo Santos Gonçalves

Há um comentário que podemos encontrar com facilidade nos meios de comunicação ou mesmo conversando cotidianamente com nossos amigos: "O carnaval de hoje já não é o mesmo. Transformou-se em um grande empreendimento turístico, dominado por interesses econômicos que nada têm a ver com a verdadeira cultura popular. Perdeu a autenticidade". Em seu sentido amplo, esse comentário se aplica a diversas modalidades de cultura popular: não só às festas, mas também ao artesanato, à música, à dança, à culinária, à chamada medicina popular. Ele pode ser expresso na forma de um lamento e de um incontido sentimento de nostalgia ("Como eram bons e autênticos os carnavais de antigamente"); ou, de modo complementar, na forma de uma atitude crítica e de denúncia social e política ("Essa festa atualmente está dominada por interesses políticos e do mercado").

Em outras palavras, circula de modo amplo e difuso em nosso cotidiano uma perspectiva sobre as culturas populares na qual estas são apresentadas necessariamente sob o signo da perda. Supõe-se que elas conheceram em sua longa história um momento no qual teriam florescido na sua forma mais autêntica e mais próxima às experiências daqueles que as produzem. Esse momento extraordinário se perde na noite dos tempos e nunca se sabe precisar exatamente quando e nem onde ele teria ocorrido. Mas desde então, como consequência das transformações históricas e em especial da chamada modernização, essas formas socioculturais teriam cada vez mais perdido seus atributos definidores. O que vemos hoje, supostamente, seriam os fragmentos ou as sobrevivências daquela idade de ouro. Diante de tal situação "de perda", caberia às pessoas de bom senso e de boa vontade recolher, identificar e preservar esses fragmentos, salvando-os do seu provável aniquilamento.

Essa narrativa é seguramente poderosa e tem notável capacidade de convencimento. O próprio encanto das diversas formas de cultura popular confunde-se com essa situação supostamente catastrófica em que se encontram no mundo contemporâneo. É como se, diante das festas do Divino Espírito Santo, das festas de Reis, dos artesanatos regionais, das lendas populares, dos tantos objetos materiais, práticas e formas de conhecimento popular, víssemos o brilho de uma estrela já extinta, mas cuja luz ainda encanta nossos olhos.

No entanto, um fantasma ronda os estudos sobre as culturas populares. Elas não desapareceram; persistem; continuam a existir e se reproduzir de modos altamente diversificados e, muitas vezes, com força extraordinária. Podemos trazer alguns exemplos: as festas populares de dimensões nacionais como o carnaval em diversas cidades do país; ou regionais como o bumba meu boi do Maranhão e de Parintins; as festas do Divino Espírito Santo em Pirenópolis, Goiás; as festas de Reis em diversas áreas regionais do Brasil; os maracatus do Recife; as festas e procissões religiosas a santos de devoção popular como santo Antônio, são João, são Pedro e tantos outros; o artesanato em cerâmica produzido em Minas Gerais, no vale do Jequitinhonha, para ficarmos em apenas um exemplo; as diversas modalidades de música popular ou música folclórica produzidas em diversas localidades e regiões do Brasil. Os exemplos podem se estender facilmente. O que importa assinalar, no entanto, é que essas várias formas de cultura popular continuam a ser produzidas no tempo presente e de modo criativo; e não parecem indicar, ao contrário do que se afirma obsessivamente, que estejam em processo de desaparecimento.

Como entender o fato flagrante de que afinal não desapareceram e continuam a se reproduzir de forma enérgica e criativa?

O problema evidentemente não está nas culturas populares, mas naquelas perspectivas que postulam a sua existência arcaica e seu inevitável desaparecimento. Trata-se de um fantasma produzido por aqueles que se recusam a reconhecer que essas formas socioculturais na verdade expressam visões de mundo diferentes. Em termos mais diretos, trata-se de um ponto de vista etnocêntrico, a partir do qual as perspectivas presentes nessas formas de cultura são identificadas a modalidades "primitivas" de pensamento e condenadas a ficar estacionadas. Enquanto tais, essas formas expressariam visões de mundo marcadas pela ingenuidade, pela espontaneidade, pela rusticidade e pela precária razão que presidiria a sua produção. Esses atributos evidentemente podem aparecer com sinal positivo ou negativo. Quando aparecem com sinal negativo, indicariam o suposto fato de que os indivíduos e as coletividades envolvidos nessa produção operam de modo pré-lógico, o que seria característico de estágios supostamente primitivos de evolução mental da humanidade. E quando aparecem com sinal positivo, indicariam a natureza "autêntica" de uma experiência, de um modo de vida que os chamados civilizados teriam lamentavelmente perdido. Muitas vezes, essas formas socioculturais estão associadas à oposição entre um mundo rural estável e harmônico e um mundo urbano industrializado, desarmônico e "inautêntico". O primeiro seria o *locus* por excelência de florescimento das culturas populares; o segundo seria o caminho incontornável de sua perda.

No entanto, as pesquisas de antropologia social ou cultural já demonstraram que as culturas populares, estejam elas situadas no mundo rural ou nas grandes cidades, desempenham na verdade funções sociais e simbólicas que são fundamentais para sua persistência e sua reprodução no contexto contemporâneo. Ou seja, elas existem a partir de um diálogo intenso e constante com os contextos sociais e culturais onde se reproduzem. Desse modo, festas, artesanatos, lendas, formas musicais, danças, culinárias articulam simbolicamente concepções coletivas de sociedade, de pessoa, de tempo, de espaço, entre outras categorias. Diferentemente do que supõem os pontos de vista etnocêntricos sobre as culturas populares, estas não se constituem em agregados de traços culturais passíveis de serem inventariados. Elas consistem efetivamente em sistemas de categorias e de práticas sociais, onde se reconhecem formas diferenciadas de imaginar o universo e a sociedade. Festas, objetos materiais, sistemas de crenças e ritos, formas musicais são maneiras de se estabelecer mediações entre aquelas categorias, tornando-as concretas e perceptíveis.

Para que essas mediações sejam eficazes, foi necessário um esforço social e intelectual constante, intenso, baseado em patrimônios milenares, os quais vêm a ser necessariamente recriados por esse esforço realizado no presente. Tomemos como exemplo as festas do Divino Espírito Santo no Brasil: são realizadas seja por diversos segmentos da população brasileira, seja por imigrantes açorianos que a trouxeram para o país ainda no século XVIII. Elas existem na Europa desde a Idade Média e, apesar do seu declínio no continente europeu a partir do século XIX, vieram a se expandir e se reproduzir até os dias presentes no arquipélago dos Açores, no Brasil e em diversos países que receberam a emigração açoriana, notadamente os Estados Unidos e o Canadá. O núcleo dessas festas é uma relação vitalícia de dádiva e contradádiva entre os devotos e o Espírito Santo, relação celebrada num ciclo festivo que se estende desde o domingo de Páscoa até o domingo de Pentecostes. As festas estabelecem mediações entre o Divino e os seres humanos, entre pobres e ricos, mas também entre passado e presente. Marcadas por uma notável ênfase na comensalidade (consomem-se coletivamente durante as festas vastas quantidades de comida e bebida), elas desenvolvem uma reflexão sistemática sobre a condição humana e especificamente sobre oposições importantes como aquela entre a escassez e a fartura. Desse modo, a festa inventa simbolicamente e celebra um mundo feito de fartura, em contraposição a um mundo cotidiano assombrado pela escassez. Observe-se ainda que tais categorias, do ponto de vista dos devotos, têm uma dimensão total, apresentando simultaneamente vários significados: econômicos, jurídicos, estéticos, sociais, morais, culinários, mágico-religiosos etc. Daí o fascínio que exerce para os devotos a comida e a bebida: elas evocam uma fartura cósmica, trazendo a saúde, o sucesso no trabalho, a felicidade, a fertilidade etc.

Homens e mulheres dedicados a celebrar esse pacto com o Divino Espírito Santo imaginam coletivamente, a partir de um enquadramento proporcionado pelo tempo festivo, um mundo alternativo ao cotidiano dominado pelas relações mercantis e políticas, ambas definidas pelo interesse e pelo cálculo gerados pela escassez; imaginam um mundo criado pelas relações de reciprocidade, pelos sentimentos de generosidade e pela fartura. Esse mundo simbolicamente constituído, de duração cíclica, renovado a cada ano, promove uma visão coletiva renovada da existência, tornando menos estáveis as categorias e as relações sociais do cotidiano.

Os historiadores registram a ocorrência dessas festas na Europa desde o século XIV. As razões de sua persistência ao longo de séculos não são encontradas, evidentemente, em nenhuma forma arcaica, que não estaria situada em nenhum tempo ou espaço específicos; sua presença na contemporaneidade não se deve tampouco ao acaso, à contingência histórica, que exibiria as supostas sobrevivências de uma forma que um dia foi perfeita, autêntica; sua atualidade se deve, na verdade, ao fato de que elas oferecem os recursos simbólicos por meio dos quais indivíduos e coletividades pensam o seu cotidiano, os seus dilemas, contradições, paradoxos, resultantes de sua inserção no mundo contemporâneo. Nesse sentido, as festas não existem para expressar identidades ou para assegurar um suposto equilíbrio social, como se fossem uma espécie de válvulas de escape para as insatisfações coletivas; na verdade, as festas são boas para pensar e recriar o mundo.

O que acabamos de afirmar em relação às festas do Divino Espírito Santo, poderíamos estender, sem exagero, às diversas formas assumidas pelas culturas populares, sejam objetos materiais, sejam práticas sociais, mitos, criações musicais. Essas formas constituem modos de operar criativamente as diversas passagens entre o mundo natural e o mundo cultural, o passado e o presente, o presente e o futuro, os mortos e os vivos, os seres humanos e os deuses, homens e mulheres, ricos e pobres etc. É por meio desses processos simbólicos de mediação que indivíduos e coletividades constituem-se a si mesmos e ao mundo em que vivem.

Os comentários usuais sobre uma suposta perda de autenticidade, que afetariam as culturas populares no mundo contemporâneo, esquecem que elas não são o espelho de nossas categorias e classificações; o que elas oferecem de mais interessante não é nem o testemunho de um passado remoto, nem a catástrofe de seu desaparecimento, nem a revelação de identidades coletivas, mas invenções alternativas e atuais dos modos humanos de estar no mundo.

SUGESTÕES DE LEITURA

BURKE, Peter. *A cultura popular na Idade Moderna*. São Paulo, Companhia das Letras, 1989.

CASCUDO, Luís da Câmara. *Dicionário de folclore brasileiro*. 5ª ed. Belo Horizonte, Itatiaia, 1984.

CAVALCANTI, Maria Laura e GONÇALVES, José Reginaldo. *As festas e os dias. Ritual e sociabilidades*. Rio de Janeiro, Contracapa, 2009.

DAMATTA, Roberto. *Carnavais, malandros e heróis*. Rio de Janeiro, Zahar, 1979.

VILHENA, Luís Rodolfo. *Projeto e missão: o movimento folclórico brasileiro (1947-1964)*. Rio de Janeiro, Funarte/Fundação Getulio Vargas, 1997.

DEMOCRACIA: ORIGENS E PRESENÇA NO PENSAMENTO BRASILEIRO

Bolívar Lamounier

Este texto trata da democracia no sentido hoje geralmente aceito do termo: um sistema no qual o acesso legítimo a posições de autoridade pública se dá mediante eleições periódicas, limpas e livres, e os governos governam e se mantêm responsabilizáveis — *accountable,* para lembrar a rica expressão em inglês — graças a restrições constitucionais.

Essa definição faz referência à democracia tal como a conhecemos na realidade histórica, não a doutrinas concernentes a sociedades ideais (utopias); tampouco a regimes populistas ou "movimentistas" que se apresentem como democráticos — fato comum na América Latina —; e muito menos às chamadas "democracias populares", termo pelo qual se autodesignavam os regimes totalitários de partido único da URSS e do Leste europeu.

DUAS VERTENTES

Intelectualmente, a democracia procede de duas vertentes principais. Uma, originária do filósofo francês Montesquieu (1689-1755), é a ideia de democracia como um arcabouço ou sistema institucional para a competição política pacífica. Refiro-me aqui à democracia representativa, às vezes também denominada, com certa redundância, democracia de instituições. Nessa perspectiva, a ênfase recai sobre os *checks and balances,* freios e contrapesos, para usar outra expressão norte-americana. Arquitetados para moderar conflitos entre partidos, entre os três ramos do governo ou entre os estados que compõem a federação, tais freios devem ser também entendidos como parte de uma concepção mais ampla das relações entre Estado e sociedade: o ideal da auto(de)limitação da política como um subsistema que não se deixa absorver nem absorve os outros subsistemas (econômico, cultural etc.).

A segunda vertente provém de outro filósofo, o genebrino Jean-Jacques Rousseau (1712-78): é o ideal da democracia direta, do contrato igualitário de todos com todos, numa espécie de assembleia permanente. O *rousseauísmo*, como diversos intérpretes têm assinalado, é um plebiscitarismo, uma crença na viabilidade e na superioridade ética de um governo continuamente dependente de legitimação pela massa dos cidadãos. Como modelo de organização política, trata-se de um ideal não apenas utópico, mas com forte viés autoritário. Legítimo, para ele, é apenas o todo, a manifestação unânime, não restando praticamente espaço para a minoria ou para a dissidência individual. Não obstante, a evolução histórica da democracia representativa nos últimos dois séculos assimilou dois valores de procedência rousseauísta: o dos grandes eleitorados nacionais, fruto de sucessivas ampliações do sufrágio, e o da *accountability*, vale dizer, os deveres do representante em relação ao representado, a obrigação do governante de prestar contas de suas ações à sociedade.

Cabe lembrar aqui o conceito de cidadania. A concepção do indivíduo na ética democrática remonta à Antiguidade, mas o ponto decisivo para o nosso estudo é o século XVIII, devido ao Iluminismo, à Revolução Francesa, à Independência dos Estados Unidos e a outros processos correlatos, dos quais emerge a figura do *citoyen* e a do homem com um direito natural à busca da felicidade ("*the pursuit of happiness*", primeira referência ao "direito" à felicidade, na Declaração da Independência americana, 1776). De fato, histórica e conceitualmente, a figura do "cidadão" aparece com a emancipação do indivíduo (súdito) diante da rigidez da sociedade estamental, que definia por toda a vida a "*station in life*" de cada um. Prefigura-se então na filosofia política um tipo de sistema político (uma "politeia") no qual o súdito haverá de ser tratado como um "fim em si mesmo" (como então postulava o filósofo alemão Immanuel Kant [1724-1804]), e não como um "meio" ou uma peça de uma engrenagem.

A "SOCIEDADE CIVIL"

À parte regras constitucionais, que são conscientemente engendradas, outro ponto importante para a reflexão na linha de Montesquieu é a emergência da diversidade social, econômica e política — vale dizer, da "sociedade civil". O alemão Otto Hintze (1861-1940), autor de estudos clássicos sobre a formação da democracia na Europa, conferiu grande destaque a esse ponto, ao comparar a formação feudal do Ocidente europeu com os antigos impérios teocráticos. De fato, no Ocidente europeu havia, desde logo, a dualidade monarquia/Igreja, nenhum dos dois monopolizando a soberania estatal; havia os estamentos (nobreza, clero, povo), esferas diferenciadas, que usufruíam de privilégios e prerrogativas em troca de contribuições financeiras, tributárias e militares; e havia os feudos propriamente ditos, formando um intricado painel de poderes descentralizados.

Ao contrário do que postulava Rousseau — e, com ele, toda a tradição plebiscitária de inspiração francesa —, democracia não é só expansão e autonomia decisória do "demos". É também balizamento dos comportamentos sociais por instituições. Estas não são somente as do Estado e do regime, mas também as instituições econômicas que conformam o mercado e instituições sociais *latu sensu*, ou seja, associações dos mais variados tipos, com valores, interesses e padrões de comportamento bem estabelecidos.

O INSTITUCIONAL E O SUBSTANTIVO

Outra questão importante — implícita na distinção entre as duas vertentes intelectuais acima mencionadas — é a relação entre os sentidos *institucional* e *substantivo* do conceito de democracia. Na literatura internacional da Ciência Política, é hoje dominante o entendimento de que democracia é um arcabouço institucional para a pacificação das lutas inerentes à conquista e ao exercício do poder, não um padrão de sociedade fundado na igualdade socioeconômica substantiva. A democracia surge historicamente em sociedades com profunda desigualdade, estratificadas, sendo muito mais causa que consequência da redução das desigualdades sociais.

De fato, certa tensão entre os conceitos institucional e substantivo da democracia existe por toda parte, mas articula-se de maneira específica e com diferentes graus de impacto no pensamento de cada país. No pensamento político brasileiro, a referida distinção raramente foi feita com o necessário rigor. Durante todo o século XX, a avaliação de que a democracia só é "autêntica" quando estreitamente associada a avanços no plano da igualdade ("voto não enche barriga") foi compartilhada por correntes ideológicas diversas, em especial por amplas parcelas do clero e da esquerda, por um lado, e por antigos setores de direita aparentados ao fascismo, por outro.

Endossar o conceito analítico da democracia como um arcabouço político-institucional, a meu ver correto, não significa que o *corpo de hipóteses* históricas e empíricas que explica a consolidação da democracia como sistema em casos concretos possa passar ao largo das desigualdades sociais e dos obstáculos culturais delas decorrentes. Como processo histórico, a evolução da democracia representativa deve ser compreendida como resultante de dois vetores, ou conjuntos de causas. De um lado, a formação de uma autoridade central capaz de arbitrar as disputas de poder, inclusive mediante a elaboração de uma complexa aparelhagem eleitoral. De outro, o crescimento econômico, com tudo o que ele implica de elevação do piso de bem-estar e desconcentração das posições de privilégio e status; num período dilatado de tempo, tal processo propicia efetiva redistribuição de renda e riqueza, facilita o surgimento econômico e político de uma classe média e torna mais provável o fortalecimento da "sociedade civil", ou seja, do pluralismo social e organizacional.

Durante o último meio século, desde a Segunda Grande Guerra, o principal determinante da estabilidade democrática foi o crescimento econômico. Mesmo democracias que no início pareciam débeis foram se robustecendo à medida que ascendiam a níveis mais altos de renda *per capita*, melhoravam seus níveis educacionais e conseguiam atender as demandas básicas da população. Mas nada assegura que a configuração de fatores relevantes para a estabilidade permanecerá a mesma até, digamos, a metade do presente século. Na América Latina, o regime democrático sabidamente convive com níveis infamantes de desigualdade social, corrupção e criminalidade (agravada pelo tráfico e disseminação de drogas) e outras graves mazelas, e se beneficia cada vez menos da força moderadora de valores e instituições "tradicionais". Assim, até onde a vista alcança, a estabilidade e o vigor da democracia dependerão muito do desempenho do sistema político e do aprimoramento moral da vida pública.

CONSTRUÇÃO DO ESTADO E DAS INSTITUIÇÕES DA DEMOCRACIA

Numa perspectiva de longo prazo, como já se indicou, a evolução do sistema democrático-representativo pode ser compreendida como a resultante de dois vetores: o crescimento econômico e a desconcentração das condições de vida, por um lado, e a construção de uma autoridade central, inclusive instituições eleitorais, por outro.

Para bem entender o segundo vetor — a construção do Estado —, é preciso inicialmente esclarecer uma questão quase óbvia. Conceitualmente, democracia *não* é o mesmo que "anarquia" (ausência de poder); é antes *poliarquia* (coexistência competitiva entre múltiplos polos de poder). Como qualquer outro tipo de Estado, o Estado democrático exerce o poder e emprega, quando necessário, a força; a diferença é que o faz dentro de restrições constitucionais, políticas e de cultura política em geral severas. Onde não há um poder central organizado e efetivo, capaz, desde logo, de arbitrar as contendas, dificilmente haverá democracia.

Entendida como um processo, a política democrática tem como fundamento a competição eleitoral pacífica entre partidos políticos. O poder é exercido pelos vencedores, mas os perdedores têm garantias asseguradas pela Constituição e por uma imprensa livre, entre outros mecanismos, para o cumprimento de seu papel e para se preparar para contestar de novo os incumbentes em futuras eleições.

Nessa mesma linha de raciocínio, os cientistas políticos americanos Morris Janowitz e Dwaine Marvick (ver obra citada) postulam quatro requisitos para um sistema político ser considerado democrático:

1) as autoridades (tomadores de decisões) são escolhidas por meio de um processo competitivo e formalizado (eleições);

2) o exercício do poder é constantemente condicionado e restringido por pressões competitivas; partidos políticos e grupos de interesse atuam sem cessar no sentido de influenciar a formulação e a implementação das políticas públicas;

3) a legitimidade do poder depende de certo grau de consentimento, formalmente evidenciado pela aprovação de um parlamento e pela atuação desimpedida de partidos de oposição;

4) existem restrições institucionais (Constituição, império da lei) em efetivo funcionamento com a finalidade de proteger a integridade e os interesses de indivíduos e minorias, bem como de organizações e grupos privados.

Portanto, além da construção do Estado no sentido de uma autoridade central capaz de arbitrar disputas, a construção da democracia envolve a elaboração de um conjunto de mecanismos e procedimentos referidos especificamente aos enfrentamentos eleitorais, a saber:

1) a progressiva ampliação do corpo de votantes, para remover discriminações que o sentimento moral da sociedade passe a considerar injustificáveis e para que o simples volume

numérico torne os resultados eleitorais fundamentalmente incertos (isto é, insuscetíveis de controle mediante ações clientelistas privadas ou públicas ou qualquer outra forma de cabal determinação por qualquer dos contendores);

2) o mútuo reconhecimento de sua legitimidade pelos principais contendores: vale dizer, o surgimento da oposição legítima como um traço duradouro da cultura política;

3) a aceitação pelos mesmos contendores da competição eleitoral como única via legítima para a conquista do poder; isto significa que a "competição eleitoral" só se configura plenamente onde exista um "espaço" regulamentado de luta política, isto é, um *subsistema representativo*, compreendendo procedimentos de alistamento, de votação, de contagem dos votos, de conversão dos mesmos em cadeiras e de diplomação dos eleitos, bem como definição de regras para a formação e atuação dos partidos; trata-se portanto de um processo histórico extenso e nada trivial;

4) a formação de um nível adequado de apoio na opinião pública às instituições e às regras do jogo democrático enquanto tais, e não apenas quando pareçam aptas a produzir resultados substantivos tidos como desejáveis pela maioria ou por qualquer grupo social.

A DEMOCRACIA NO PENSAMENTO POLÍTICO BRASILEIRO

Para bem apreciar numa visão de conjunto o pensamento democrático brasileiro, é mister levar em conta a peculiar contradição que marca a nossa evolução política desde os primórdios do Império. De um lado, a adoção, em 1824, de uma Constituição bastante avançada para a época, com clara opção, no ponto que ora nos ocupa, pelo sepultamento do absolutismo e a consequente entronização do princípio representativo. De outro, um tenaz combate ao sistema liberal-representativo por uma parte substancial das elites, combate que perdurou durante todo o século XX e contou com o clero, intelectuais e estudantes entre seus principais protagonistas.

De fato, o desenvolvimento histórico da democracia, entendida aqui como sistema político e não apenas como corrente de ideias, tem como cerne a progressiva diferenciação e autonomização de um *subsistema representativo*, isto é, de um conjunto de procedimentos eleitorais, parlamentares e partidários que regulam a investidura de pessoas privadas em posições de autoridade pública. A autonomia dessa órbita obviamente nunca será absoluta — ela deve corresponder a (representar) interesses e anseios sociais, e deve ser razoavelmente legitimada pela cultura política —, mas sua institucionalização é *a* questão-chave na evolução da democracia moderna. Não por acaso, foi em torno dela que gravitou grande parte da reflexão política brasileira, mesmo no século passado e na primeira metade *deste*, quando o foco era a construção do Estado. O otimismo ou pessimismo sobre o futuro democrático dos diferentes autores se exprimiu quase sempre sob esta forma: em que medida a *pólis* poderia de fato se destacar do *oikos*, contrapor-se a este e eventualmente subordiná-lo como principal referência normativa no comportamento político.

Nas primeiras décadas do século XX, a contestação à democracia representativa teve muito a ver com a difusão entre nós do ideário fascista, mas não pode ser reduzida a esse fato. Decorreu também ou sobretudo de preocupações genuínas com a construção do Estado nacional. No contexto de Estados frágeis, temia-se que a ideia de um sistema em que o poder é distribuído e constantemente fiscalizado se antepusesse à constituição de um poder central suficientemente forte. Esse foi o argumento de alguns dos mais importantes escritores brasileiros da primeira metade do século XX, como Alberto Torres, Oliveira Vianna e Azevedo Amaral, e os dois últimos tornaram-se enfáticos defensores da ditadura getulista.

Na segunda fase, que começa com o fim da Segunda Guerra Mundial, o foco se desloca para a questão da industrialização, vista como requisito da autonomia nacional. O tema fundamental, nesse período, é a mudança estrutural da economia e da sociedade. O que se discute é como transformar o surto de industrialização que ocorrera de forma reflexa em um projeto deliberado e consistente de crescimento econômico. Nesse quadro, ganhava relevo, como não podia deixar de ser, a questão das relações de tal projeto com a mudança social em geral, e no limite até com a formação de uma identidade nacional mais "autêntica". Aqui a referência obrigatória é ao Instituto Superior de Estudos Brasileiros (ISEB) e a autores como Celso Furtado, Hélio Jaguaribe e Guerreiro Ramos. Seria obviamente temerário tentar resumir nesse curto espaço uma época tão rica em debates e marcada por conflitos políticos tão complexos. Somente como hipótese de estudo, sugiro que a questão democrática ficou em segundo plano; nessa linha, as reflexões do período ter-se-iam pautado mais pela ideia de "requisitos políticos do desenvolvimento econômico" que pela de requisitos institucionais e político-comportamentais específicos à preservação e aprimoramento do regime democrático.

Cumpre aliás recordar que, mesmo na Ciência Política do Primeiro Mundo, trabalhava-se nos anos 1960 com a ideia de uma pluralidade de vias para o pleno desenvolvimento político, e não especificamente com a questão democrática. Foram os numerosos golpes militares e a posterior preocupação com a redemocratização e a consolidação das novas democracias que levaram à modificação daquela ótica. No Brasil, onde a Ciência Política acadêmica apenas engatinhava, a ênfase do debate público recaía muito mais sobre a construção do Estado e a transformação estrutural da sociedade (por meio da industrialização) que propriamente sobre a construção da democracia. Nos anos 1950 e 1960, até o golpe militar de 1964, o tema dos "obstáculos" políticos ao crescimento econômico preponderava sobre o da consolidação e da boa ordenação de um sistema político democrático, entendido este como valor independente.

Uma terceira fase, agora centrada na questão democrática, começa a se tornar perceptível nos anos 1970, uma década após a intervenção militar de 1964. Duas décadas sob regime militar levaram a maioria dos intelectuais brasileiros a uma visão mais positiva a respeito da necessidade e das chances da democracia. O colapso do chamado "socialismo real" e o consequente abalo do marxismo como teoria, a fragilidade "reducionista" de boa parte da sociologia latino-americana, que há tempos se evidenciava, e o próprio avanço da Ciência Política no último quartel do século XX recolocaram em pauta os chamados "formalismos" da democracia, com toda a sua riqueza analítica.

Num primeiro momento as atenções dos estudiosos se voltam não apenas para as lutas imediatas pela redemocratização, mas também para os chamados "grilhões do passado" — ou seja, para as raízes históricas distantes do autoritarismo e da democracia, o caráter democrático ou não da cultura política, passando paulatinamente, nos anos 1980, para a inquirição a respeito das formas institucionais mais apropriadas à consolidação da democracia no país, como foi o caso do debate entre parlamentarismo e presidencialismo.

SUGESTÕES DE LEITURA

HOFSTADTER, Richard. *The idea of a party system — the rise of legitimate opposition in the United States, 1780-1840*. Berkeley, University of California Press, 1969.

JANOWITZ, Morris e MARVICK, Dwaine. "Competitive pressure and democratic consent". *Public Opinion Quarterly*, vol. 19, nº 4, pp. 381-400, 1955.

LAMOUNIER, Bolívar. *Da Independência a Lula: dois séculos de política brasileira*. São Paulo, Augurium, 2005.

_____. *Rui Barbosa e a construção institucional da democracia brasileira*. Rio de Janeiro, Nova Fronteira, 1999.

LEAL, Victor Nunes. *Coronelismo, enxada e voto*. São Paulo, Alfa-Omega, 1986.

DESENVOLVIMENTO E SUBDESENVOLVIMENTO NO BRASIL

Luiz Carlos Bresser-Pereira

Hoje não podemos mais pensar o Brasil como um país "pobre". O Brasil já é um país de renda média, que realizou sua revolução capitalista. É uma sociedade na qual a apropriação do excedente econômico não mais se realiza através do controle direto do Estado, mas por meio dos lucros realizados no mercado pelos empresários; é uma sociedade capitalista tecnoburocrática porque a classe profissional se tornou igualmente importante na partilha do excedente econômico, sob a forma de ordenados elevados. Entretanto, não obstante o razoável grau de desenvolvimento econômico que já alcançou, o Brasil é ainda um país subdesenvolvido. Não porque sua renda por habitante seja muito baixa, mas porque continua a ser um país dual — um país que até hoje não logrou integrar toda a sua população no mercado de trabalho. A análise clássica da "dualidade básica" da economia brasileira foi realizada por Ignácio Rangel em 1957. O país já conta com um setor capitalista industrializado e tecnologicamente sofisticado, mas esse setor ainda não foi capaz de absorver toda a mão de obra disponível, de forma que uma parte dela se mantém mal empregada ou subempregada. O segundo setor não pode ser chamado "tradicional" porque está ligado ao sistema capitalista e é funcional para ele. Mas é um país no qual a desigualdade econômica continua elevada, ainda que tenha se reduzido desde a transição democrática de 1985, e principalmente porque sua sociedade ainda está marcada por uma heterogeneidade estrutural.

Enquanto o setor capitalista não for capaz de absorver toda a "oferta ilimitada de trabalho" existente no Brasil, o país continuará dual. As transferências de renda para os pobres, que vêm sendo efetivas em reduzir a desigualdade, integraram uma massa de cidadãos no mercado de consumo capitalista, mas não os integraram ainda no mercado de trabalho.

O Brasil continua, portanto, injusto e subdesenvolvido. A "cura" para esse duplo mal (pobreza e desigualdade) é o desenvolvimento econômico, que ocorreu de maneira muito forte entre 1930 e 1980, quando o país realizou sua revolução nacional e industrial — os dois componentes da revolução capitalista. O desenvolvimento econômico é um processo histórico de crescimento da produtividade e dos padrões de vida da população causado pela sistemática utilização do excedente econômico na acumulação de capital e no progresso técnico. Ocorre a partir da revolução capitalista, porque foi só a partir dela que o reinvestimento do excedente econômico (a produção que excede o consumo necessário) na produção e a incorporação sistemática do progresso técnico tornaram-se realidades históricas. Essa foi a experiência de todos os países hoje considerados desenvolvidos ou ricos. Apoiadas em duas ideologias — o nacionalismo e o liberalismo —, suas elites burguesas se associaram ao monarca absoluto, já no século XVI, construíram sua nação, dotaram-na de um território e de um Estado, e definiram as regras de um mercado nacional amplo e competitivo. O nacionalismo do século XIX foi a ideologia da formação do Estado nacional — uma instituição imprescindível para o desenvolvimento econômico —; o liberalismo foi a ideologia das liberdades civis e da construção social do mercado.

Além da dualidade social existe outro fator a determinar o subdesenvolvimento de um país: sua dependência formal ou informal em relação aos grandes países industrializados. Essa foi uma das contribuições mais interessantes que o economista Celso Furtado deu à teoria do desenvolvimento. Como o desenvolvimento econômico é um processo histórico que ocorre a partir da revolução capitalista, também o subdesenvolvimento tem essa característica. Um país subdesenvolvido não é apenas um país "atrasado" em termos econômicos porque realizou sua revolução nacional e capitalista depois de os países ricos a terem feito. É também um país cujas elites aceitam a subordinação

157

a uma potência imperial. É praticamente impossível alcançar o desenvolvimento econômico em uma situação colonial formal ou mesmo de mera dependência, porque os países ricos estão sempre agindo de forma imperial em relação a eles, estão sempre "chutando a escada" para que os que vêm atrás não consigam também chegar ao seu próprio nível. Essa expressão foi criada em 1846 por um economista alemão, Friedrich List, para descrever o que a Inglaterra estava tentando fazer com a Alemanha na primeira metade do século XIX, com seus conselhos para que não se industrializasse. Grandes países asiáticos, como China e Índia, foram subdesenvolvidos enquanto eram parte de impérios industriais, mas no momento em que obtiveram sua independência deixaram de ser subdesenvolvidos, porque seu povo e suas elites mostraram-se nacionalistas e passaram a adotar suas respectivas estratégias nacionais de desenvolvimento. Já os países da América Latina libertaram-se politicamente no início do século XIX, mas suas elites continuaram cronicamente dependentes, considerando-se "europeias", e por isso os países continuaram subdesenvolvidos, incapazes de realizar sua revolução capitalista. No caso do Brasil, foi apenas a partir da Revolução de 1930, quando uma elite nacionalista assumiu o comando do país, que o desenvolvimento industrial foi desencadeado.

O desenvolvimento de um país retardatário e dependente passa geralmente por três etapas: acumulação primitiva primário-exportadora, revolução nacional e industrial, e desenvolvimento sustentado. Na primeira fase, o país geralmente aproveita um ou mais recursos naturais para exportar e, assim, dar origem aos quatro elementos fundamentais para a revolução capitalista: um mercado interno, um Estado organizado, um estoque inicial de capital e um conjunto de empresários capazes de obter crédito no mercado interno, inovar e investir. É a fase mais difícil porque esses quatro fatores estão ainda ausentes e não há uma forma clara de fazê-los surgir. E é problemática, porque a *commodity* que o país exporta geralmente provoca uma sobreapreciação permanente da moeda do país, denominada *doença holandesa*, que impede sua industrialização. Em consequência, o país passa a ter duas taxas de câmbio de equilíbrio: a de equilíbrio "corrente" ou de mercado, determinada pela *commodity* que utiliza os recursos naturais abundantes e baratos do país, e a taxa de câmbio de equilíbrio "industrial" — a taxa que é necessária para que outras indústrias eficientes, que utilizam tecnologia no estado da arte mundial, sejam competitivas internacionalmente. Para se industrializar veremos que a condição número um é neutralizar a doença holandesa.

A segunda fase — a da revolução nacional e industrial — só é lograda quando o país consegue neutralizar sua doença holandesa, eliminando a sobreapreciação crônica da moeda local ou, em outras palavras, deslocando a taxa de câmbio do equilíbrio corrente para a de equilíbrio industrial. Enquanto os economistas não souberam o que era a doença holandesa, a forma de neutralizá-la foi intuitiva e apenas do lado das importações: o governo estabelecia tarifas elevadas de importação de bens industrializados, o que equivalia à depreciação da moeda local para efeitos de importação — viabilizando os investimentos na indústria manufatureira. Mas se tratava de um modelo limitado de crescimento interno — o modelo de industrialização substitutiva de importações — que muitos países subdesenvolvidos adotaram. Por um breve tempo deu bons resultados, mas, em seguida, quando se tornou necessário também exportar bens manufaturados para continuar o desenvolvimento econômico, transformou-se em um obstáculo a esse mesmo desenvolvimento.

Para completar a revolução industrial e entrar na terceira fase — a do desenvolvimento autossustentável —, os países subdesenvolvidos precisam neutralizar de maneira mais clara e definitiva sua doença holandesa e passar a exportar manufaturados, aproveitando, assim, sua vantagem sobre os países ricos concorrentes (sua mão de obra barata). A solução tecnicamente correta é impor um imposto sobre a exportação das *commodities* que dão origem à doença holandesa, e, assim, deslocar a taxa de câmbio para o equilíbrio industrial, que é o equilíbrio competitivo do país. Foi o que o Brasil fez entre 1968 e 1990, através do "confisco cambial". Um imposto de exportação, sobre as *commodities* agropecuárias e principalmente minerais, estabelecido no nível correto (e variando conforme os preços internacionais da *commodity*) torna a taxa de câmbio de equilíbrio corrente igual à taxa de câmbio de equilíbrio industrial — a taxa necessária para a exportação dos demais bens produzidos eficientemente no país. Por exemplo, imaginemos um país em que há uma *commodity*, a soja, que é especialmente produtiva devido aos recursos naturais, e por essa razão, dado o preço internacional da soja, seus produtores locais estão satisfeitos com uma taxa de câmbio de #2,00 "leves" (a moeda local) por dólar (a única moeda reserva). Como os produtores de soja conseguem produzir bens mais baratos do que as empresas, a taxa de câmbio de "equilíbrio corrente" (que equilibra intertemporalmente a conta-corrente do país) será determinada por eles em #2,00 leves. Entretanto, apesar de ser uma bênção ter recursos naturais abundantes e baratos, esse país sofre da doença holandesa, porque sua taxa de câmbio é determinada pela soja — pela *commodity* excepcionalmente barata existente no país. E é uma taxa sobreapreciada: as demais empresas que produzem outros bens de forma eficiente ficam sem capacidade de concorrer internacionalmente. Para que se tornassem competitivas, suponhamos que necessitassem de uma taxa de câmbio de #2,50 leves por dólar; essa é a taxa de câmbio de "equilíbrio industrial" para essa economia. Que fazer nesse caso? Se o Estado impuser à soja um imposto de #0,50 leves por dólar, a taxa de câmbio de equilíbrio corrente se deslocará para cima, de #2,00 para #2,50 leves por dólar, ficando igual à taxa de equilíbrio industrial, porque, devido a esse imposto, os produtores de soja só estarão dispostos a continuar a produzir e exportar a essa taxa mais elevada (depreciada). E, assim, a doença holandesa estará neutralizada: os produtores de soja continuarão a ter o mesmo lucro e a exportar satisfeitos, porque o imposto foi compensado pela depreciação, enquanto os demais produtores eficientes poderão exportar para todo o mercado internacional de forma competitiva. A partir desse momento, o desenvolvimento do país será "autossustentado", não do ponto de vista ambiental (esse é outro problema, como também é o do desenvolvimento com distribuição de renda), mas no sentido econômico. Agora o produto nacional do país crescerá regularmente graças ao reinvestimento dos lucros com incorporação de progresso técnico. O Brasil atingiu esse estágio no início dos anos 1970, quando completou sua revolução industrial e a apropriação do excedente econômico deixou de depender do controle do Estado para ocorrer no mercado. Entretanto, depois de uma grave crise da dívida externa — da tentativa equivocada de crescer com poupança externa —, nos anos 1990 o país deixou de ter uma estratégia nacional de desenvolvimento, deixou de neutralizar sua doença holandesa, e seu crescimento passou a ser muito menor do que o dos países asiáticos dinâmicos. Não parou de crescer simplesmente porque a doença holandesa não é tão grave como é em países exportadores de petróleo. No Brasil, um imposto em torno de 30% do valor das exportações é geralmente suficiente, enquanto em países como a Venezuela ou a Arábia Saudita esse imposto precisaria estar próximo de 90%.

Os economistas "ortodoxos" não aceitam que exista uma tendência à sobreapreciação da taxa de câmbio que precisa ser neutralizada, e continuam a recomendar que o país aproveite suas "vantagens comparativas", sem perceber que são elas, ou, mais precisamente, a sobreapreciação da taxa de câmbio dos recursos naturais a ela associados que dá origem à doença holandesa. Não percebem que as recomendações dos "livre-cambistas" (que rejeitam a possibilidade de se administrar a taxa de câmbio) são uma forma clássica de "chutar a escada" dos países com menor nível de renda. Não concordam também que haja necessidade de industrialização para que aumente a produtividade por trabalhador e ocorra o desenvolvimento econômico. Para eles não há diferença entre produzir batatas e computadores. Ignoram, assim, as consequências para o desenvolvimento de dois fatos correlacionados: nem o nível da produtividade, nem a taxa de crescimento da produtividade são iguais em todos os setores. O aumento da renda por habitante é, principalmente, o resultado da transferência de mão de obra de setores com baixo valor adicionado *per capita*, baixa tecnologia e baixos salários, para setores com maior valor adicionado *per capita*, tecnologia mais sofisticada e salários médios mais altos. Por isso a industrialização foi sempre um caminho inicial do desenvolvimento econômico.

A causa fundamental e imediata do desenvolvimento econômico é a acumulação de capital ou o investimento com incorporação de progresso técnico. Não é a poupança, porque, como ensinou John Maynard Keynes em 1936, em uma economia monetária não há necessidade de poupança prévia para se realizarem investimentos. O que é necessário, conforme havia mostrado anteriormente, em 1911, outro grande economista, Joseph Schumpeter, é garantir crédito para os empresários inovadores. A taxa de investimento, por sua vez, depende da capacidade do Estado de fazer investimentos em infraestrutura, e principalmente dos investimentos dos empresários privados. Estes, por sua vez, investem quando se oferecem a eles oportunidades de investimento lucrativo, ou, em outras palavras, quando existe demanda agregada para seus bens e serviços. Naturalmente, o desenvolvimento depende também de fatores do lado da oferta. O nível de educação, o desenvolvimento tecnológico e científico, boas instituições, uma boa infraestrutura de energia, transportes e comunicações são naturalmente importantes. Mas mais importante é o lado da demanda, porque de nada adiantarão os esforços do lado da oferta se os empresários não tiverem estímulo para investir.

Os economistas ortodoxos acreditam que essas oportunidades sempre existem no mercado desde que as instituições garantam a propriedade e os contratos. Há, porém, duas tendências estruturais que limitam a demanda nos países em desenvolvimento: a tendência de os salários crescerem a uma taxa menor do que a produtividade devido à oferta ilimitada de mão de obra (o que limita a demanda do mercado interno), e a tendência cíclica à apreciação da taxa de câmbio em decorrência da doença holandesa e da política de crescimento com poupança externa. Ora, uma taxa de câmbio sobreapreciada torna a demanda externa indisponível para as empresas nacionais, independentemente da eficiência dessas empresas, além de tornar o mercado interno vulnerável à concorrência estrangeira. Por isso uma estratégia nacional de desenvolvimento ou uma estratégia nacional de competição é tão importante para os países em desenvolvimento. Não me refiro a um plano, mas a um conjunto de instituições (valores, leis, políticas, acordos, entendimentos tácitos) que neutralize essas duas tendências estruturais e, assim, crie oportunidades de investimento lucrativo para os empresários. É claro que também é aconselhável garantir a propriedade e os contratos, mas colocar essas duas condições como suficientes para o desenvolvimento não faz sentido. Não apenas devido às tendências estruturais reduzindo a demanda, mas também porque essa visão revela entendimento equivocado do que sejam os empresários. Eles não são o cauteloso terceiro porquinho da estória infantil, mas homens e mulheres ambiciosos e dispostos a incorrer em riscos, são indivíduos que têm grande necessidade de realização pessoal e inovam para obter lucros elevados e assim expandir sua empresa — seu "império" pessoal.

Nesse processo de desenvolvimento, o papel do Estado muda de fase para fase, e é sempre estratégico, porque o Estado deve sempre regular os mercados. Estes são uma instituição insubstituível na coordenação de sistemas econômicos complexos, mas a ação suplementar do Estado é especialmente importante na segunda fase — a da revolução industrial. Nesse momento, é comum vermos o Estado realizar grandes investimentos em infraestrutura e em certos setores industriais básicos, porque o setor privado não dispõe ainda de capital e de crédito suficiente para isso. Depois, o Estado normalmente se retira dos setores competitivos da economia, porque neles o setor privado é mais eficiente. Mas o Estado, como instrumento por excelência de ação coletiva da nação, continua a ter o papel estratégico: garantir a competitividade e induzir o desenvolvimento econômico.

SUGESTÕES DE LEITURA

BRESSER-PEREIRA, Luiz Carlos. *Desenvolvimento e crise no Brasil*. 5ª ed. São Paulo, Editora 34, 2003.

_____. *Globalização e competição*. Rio de Janeiro, Elsevier-Campus, 2009.

FURTADO, Celso. *Formação econômica do Brasil*. São Paulo, Companhia das Letras, 2008.

_____. *Desenvolvimento e subdesenvolvimento*. Rio de Janeiro, Contraponto, 2009.

KEYNES, John Maynard. *The general theory of employment, interest and money*. Londres, Macmillan, 1936.

RANGEL, Ignácio M. "A dualidade básica da economia brasileira". *In*: BENJAMIN, César (org.). *Ignácio Rangel: obras reunidas*. Rio de Janeiro, Contraponto, 2005, vol. 1, pp. 285-354.

SCHUMPETER, Joseph A. *The development economics*. Oxford, Oxford University Press, 1961.

DESIGUALDADE
E DIVERSIDADE:
OS SENTIDOS
CONTRÁRIOS
DA AÇÃO

Antonio Sérgio Alfredo Guimarães

As sociedades modernas da Europa ocidental, ou dos continentes e espaços colonizados ou profundamente influenciados por ela, que hoje abrangem quase todo o globo terrestre, podem ser descritas sucintamente por alguns traços gerais: o Estado-nação, o capitalismo, a forma industrial de organização da produção; a convivência e sociabilidade urbanas; e os valores jurídicos constitucionais de liberdade e igualdade. Tais traços, por si sós, entretanto, não eliminaram seus contrários — solidariedades étnicas, formas pré-capitalistas de produção, a vida rural ou as hierarquias sociais. A novidade moderna consiste, antes, na rearticulação, em todos os planos, das formas e relações sociais antigas sob a égide desses novos traços.

Assim, no que diz respeito à organização social, as hierarquias, os privilégios, as deferências e os outros modos de expressão das desigualdades entre os seres humanos passaram, para serem aceitos, a depender de outras lógicas de construção e justificação. Tornaram-se, do mesmo modo, fontes permanentes de contestação, propiciadoras de lutas libertárias de emancipação e fermento de novas identidades sociais.

Como conciliar a igualdade e a liberdade jurídicas constitucionais das sociedades modernas com as desigualdades naturais entre os seres humanos? Todas as respostas dadas, seja no nível teórico, seja no nível prático, consistem em distinguir o indivíduo do coletivo, a desigualdade natural da social. Neste artigo, em vez de tentar um voo sobre reflexões filosóficas ou das ciências naturais, mantenho-me restrito ao âmbito das teorias sociológicas.

As desigualdades que interessam à sociologia — que conformam o seu objeto de pesquisa e de teorização — não são aquelas constituídas por diferenças individuais ou que se restringem à distribuição passageira de recursos e de bens materiais ou espirituais como consequência de ações individuais. São, ao contrário, aquelas que, por estarem inscritas numa dada estrutura, ordem ou organização sociais, se reproduzem de modo duradouro. Charles Tilly (1998) as chamou de *desigualdades duradouras*, baseadas em pares de categorias binárias de oposição, sustentadas por mecanismos de reprodução tais como a *exploração*, as *barreiras de controle*, a *emulação* e a *adaptação*. Exemplos de pares categoriais que sustentam desigualdades sociais duradouras, ou seja, que se assentam sobre estruturas sociais que se reproduzem a partir dos mecanismos citados, são: branco/negro; homem/mulher; cristãos/judeus; nacional/estrangeiro; heterossexual/homossexual etc.

Frise-se, mais uma vez, que, seguindo, os valores modernos, toda desigualdade que se origine e que possa ser atribuída apenas ao desempenho individual diferencial é considerada legítima desde que não ameace os princípios de segurança e dignidade da vida humana. Assim, por exemplo, no pensamento liberal, as diferenças de classe são legítimas desde que o princípio de igualdade de oportunidades seja respeitado. Ou seja, desde que a distribuição de riquezas não possa ser atribuída a uma estrutura de oportunidades que restrinja as possibilidades de desempenho de indivíduos pertencentes a certos grupos ou inseridos em certas redes de relações sociais.

A justificativa para todas as lutas contestatórias da ordem social, no mundo moderno, pode ser reduzida, portanto, à argumentação de que mecanismos como *exploração* ou *barreiras de controle* deturpam ou neutralizam as políticas que visam garantir a igualdade de oportunidades e de tratamento. *Ações afirmativas*, por exemplo, são reivindicadas como modo de corrigir tais deturpações ou reequilibrar a igualdade através da criação de contrabarreiras, revoluções como modo de instituir ordens mais igualitárias que anulem a exploração ou as políticas de *diversidade* como maneiras de impedir que diferenças culturais sirvam para reproduzir categorias binárias de oposição.

Entre os que se opõem a tais lutas contestatórias, mas que reafirmam os valores modernos de igualdade e liberdade, duas estratégias alternativas são propostas. A primeira, que se baseia numa compreensão individualista das desigualdades sociais, consiste em propor mudanças das atitudes e das opiniões que nutrem estereótipos e preconceitos. Nessa concepção, os preconceitos orientam o comportamento humano, geram discriminações e tratamento desigual, dando origem às desigualdades sociais. A segunda, argumentando que ações afirmativas ou políticas de diversidade apenas reproduzem os mesmos pares binários categoriais usados na organização social das desigualdades, propõe que se elaborem políticas ou se busquem inovações organizacionais a partir de outros princípios — geralmente características individuais (renda) ou localizações geográficas (local de residência).

As nações modernas, do mesmo modo, procuraram, pela educação formal obrigatória, homogeneizar culturalmente os seus cidadãos, promovendo a sua unificação linguística, religiosa e de costumes, e criando direitos exclusivos, símbolos e rituais que os identificassem como membros de uma só nação. Muitas vezes, entretanto, as nações modernas tiveram que se adaptar a diferenças culturais ou de costumes persistentes, aceitando em seu seio, por exemplo, diferenças linguísticas, religiosas e mesmo raciais (como os Estados Unidos). A aceitação e o convívio pacífico, sob a égide dos mesmos direitos cidadãos, entre diferenças culturais ou comportamentos heterodoxos é o que passou a ser chamado de *diversidade*.

Mas a igualdade de tratamento não foi, do mesmo modo, principalmente no passado recente, garantida sem custos. Para que as desigualdades inevitáveis não se expressassem na esfera pública, os Estados modernos reservavam a expressão e a construção de diferenças culturais à esfera da vida privada (a família, as igrejas, os grupos secundários). Apenas grupos que se formassem em mercados teriam garantida sua expressão pública, tais como sindicatos e outras

Joaquim Nabuco (1883) lembra que "o modo liberal pelo qual o Senado assentiu à elegibilidade dos libertos, isto é, ao apagamento do último vestígio de *desigualdade* da condição anterior, mostra que a cor no Brasil não é, como nos Estados Unidos, um preconceito social contra cuja obstinação pouco pode o caráter, o talento e o mérito de quem incorre nele".

Gilberto Freyre foi, da geração de intelectuais do pós--guerra, o que mais enfaticamente argumentou pela reconstrução da identidade nacional brasileira em torno dos ideais de homogeneidade cultural, racial e linguística, vendo na mestiçagem o seu principal promotor nos três planos já mencionados. As desigualdades raciais no Brasil, portanto, tenderam a ser vistas pelos sociólogos dos anos 1950 e 1960 como situações passageiras da perspectiva individual, ou apenas relativamente duradoura, da perspectiva estrutural, posto que dependeriam basicamente do avanço do nosso desenvolvimento econômico, ou do resultado dos conflitos das classes sociais (Fernandes, 1965).

Foi principalmente na geração seguinte, já no final dos anos 1970, que se generalizou em nossa sociologia o argumento de que as desigualdades de renda e de bem-estar entre os autodeclarados brancos e negros podiam ser explicadas pela operação de mecanismos de exploração e de barreiras de oportunidades — isto é, que existia vínculos causais ligando a pobreza da maioria dos negros à riqueza e ao bem-estar da maioria dos brancos, e que a fortuna do Brasil moderno representada pelos imigrantes europeus se devia, em grande parte, a barreiras e reservas no mercado de trabalho, construídas por eles e reforçadas pela ideologia racial brasileira. A reconstrução democrática dos anos 1980 e 1990 assistiu, também, ao ressurgimento de novos movimentos sociais negros que recusaram o ideal de *democracia racial* abraçado pela geração anterior, acusando-o de ser um modo de acomodação inaceitável, posto que impedia o avanço de políticas antirracistas mais eficazes. A reconstrução da identidade racial negra, a recriação de símbolos e valores culturais étnicos, a defesa da diversidade cultural dos negros e o seu direito a políticas públicas diferenciadas têm servido de bandeira a esses movimentos. O mais importante, contudo, é que tais movimentos e reivindicações encontraram ambientes políticos interno e externo favoráveis ao amadurecimento de suas demandas. Internamente, contou, em primeiro lugar, com a solidariedade de outros movimentos sociais de minorias, tais como os movimentos de mulheres, de indígenas, de homossexuais, de moradores de periferia, dos sem-terra etc.; em segundo lugar, com a apatia ou lentidão governamental para responder a tais demandas. Apenas neste século XXI o governo federal brasileiro, por exemplo, tem construído políticas sociais eficazes de combate às desigualdades. Externamente, o paradigma de respeito à diversidade cultural acabou por firmar-se internacionalmente como o mais eficiente para a acomodação da realidade atual de intensa imigração internacional de mão de obra e de ausência de direitos de cidadania que defendam minimamente a humanidade desses imigrantes.

É justamente porque, no mundo atual, os conflitos redistributivos têm se travestido em exclusão social dos imigrantes, e a diferença cultural, principalmente religiosa e linguística, tem encontrado resistências nacionalistas, que o ideal de modernidade tem se cristalizado em torno do combate às desigualdades sociais e no reconhecimento da diversidade étnica, racial, religiosa, linguística, sexual etc., dos grupos sociais que compõem as nações modernas.

SUGESTÕES DE LEITURA

FERNANDES, Florestan. *A integração do negro na sociedade de classes.* São Paulo, Dominus, 1965.

HASENBALG, Carlos. *Discriminação e desigualdades raciais no Brasil.* Rio de Janeiro, Graal, 1979.

NABUCO, Joaquim. *O abolicionismo.* Londres, Abraham Kingdon, 1883.

NOGUEIRA, Oracy. *Preconceito de marca: as relações raciais em Itapetininga.* São Paulo, Edusp, 1998.

SCHWARCZ, Lilia Moritz. *O espetáculo das raças: cientistas, instituições e questões raciais no Brasil (1870-1930).* São Paulo, Companhia das Letras, 1993.

TILLY, Charles. *Durable inequality.* Berkeley, University of California Press, 1998.

EDUCAÇÃO NO BRASIL

Dalila Andrade Oliveira

Abordar um tema tão amplo como a educação no Brasil não é tarefa fácil, pois exige que conceituemos educação em sentido geral e depois busquemos identificar as especificidades que tal conceito (ou processo) abarca no caso brasileiro. Esse será meu intento nestas poucas páginas.

Foi em torno dos problemas ligados à expansão escolar e às desigualdades sociais diante da escola que se estruturou a sociologia da educação contemporânea. Os fundamentos sobre a ordem social e a evolução das sociedades e o significado dessa evolução na história da humanidade foram objeto das primeiras reflexões propriamente sociológicas sobre a educação. Isso porque a educação é processo social, resultado do desenvolvimento histórico e, como tal, deve ser compreendida e interpretada. Émile Durkheim definiu a educação como processo de socialização pelo qual valores, normas e costumes de uma sociedade são passados de geração em geração. Para esse autor, a educação é o processo que transforma os homens em seres humanos. Sendo assim, é possível considerar que é por meio da educação que nos transformamos em sujeitos históricos portadores de cultura.

Ainda que tenha sido a Igreja, sobretudo as religiões monoteístas, a pioneira em fornecer os primeiros instrumentos para a expansão da educação, exercendo influência decisiva na ampliação social e homogeneização da mensagem intergeracional, o desenvolvimento da educação de massa e os sistemas educativos nacionais como conhecemos hoje são essencialmente obra do Estado-nação. Apesar de terem sido desenvolvidos de diferentes maneiras e em distintos períodos históricos, nos países ocidentais, os sistemas educativos se constituíram por meio da ação do Estado, e tais processos convergiram, de uma maneira geral, durante o intervalo de tempo do final do século XIX até meados do século XX. Tão logo o Estado foi se separando da religião, constituindo-se em Estado moderno, organizado de forma racional, com base no direito legal, reivindicou para si a instrução pública, considerando de sua competência instruir seus cidadãos, fundamentando-se na ideia de que toda nação tem o direito inalienável de instruir seus membros. No Estado moderno, os sistemas escolares foram instituídos com a função de manter a ordem social, por meio da difusão de valores que se pretendiam comuns e universais, essenciais à integração nacional. Contudo, para os indivíduos em particular, a função social da escola seria a promoção de justiça social, possibilitando que os mesmos, por meio da instrução pública, pudessem se capacitar para o trabalho e assim obter mobilidade social. Ancorado na noção de uma ética coletiva concorrente à ética religiosa, o Estado passou a defender a noção de uma educação comum, em que ele atuasse como organizador do discurso pedagógico para que o sistema escolar pudesse formar os cidadãos republicanos e democráticos.

A educação foi chamada a construir a subjetividade da cidadania, justificando as maneiras do Estado junto aos indivíduos e os deveres dos indivíduos em relação ao Estado. Assim, os sistemas escolares se constituíram tendo como suporte ideológico o liberalismo e o republicanismo, resultando em conceitos de comum e de universal, evocados por tais sistemas, que deixavam de fora camadas expressivas da população. Os sistemas educativos, na maioria dos casos, foram desenvolvidos de cima para baixo e, em algumas raras circunstâncias, com apoio popular.

Desde o princípio da organização dos sistemas escolares, o ensino público teve como objetivo a instrução dos cidadãos em relação aos conhecimentos dos novos direitos e deveres individuais, assim como a transmissão de novos valores que deviam contribuir para a criação de uma consciência nacional e de um novo imaginário coletivo. O próprio Durkheim identificava os professores como os militantes dessa nova ordem. O princípio da igualdade dos cidadãos pressupunha a concepção de um sistema escolar em que todos teriam direito ao acesso e cuja possibilidade estaria garantida pelo Estado. Por sua vez, esses sistemas escolares seriam importantes agentes de difusão dos valores nacionais, os quais deveriam contribuir para a integração da sociedade em torno de uma identidade comum. O ideal de igualdade de oportunidades, fundado na possibilidade de os indivíduos ascenderem a posições sociais de maior prestígio por seus valores pessoais, e não por herança ou dinheiro, constitui uma matriz normativa importante dos sistemas escolares. Contudo, esse sustentáculo, baseado no princípio de igualdade, nunca passou de um enunciado teórico e formal.

As redes nacionais de escolas foram consolidadas com a ajuda do Estado, e progressivamente as leis sobre a gratuidade do ensino e a obrigatoriedade escolar foram garantindo a participação universal das crianças e jovens nas escolas. À medida que as escolas públicas aumentaram e predominaram sobre as instituições privadas e voluntárias, os governos cresceram em sua influência no domínio da educação, por meio de uma autoridade central ou local. O Estado aumentou seu controle sobre a educação através da alocação de recursos, da autorização e inspeção de escolas, do recrutamento, da formação e da certificação dos docentes.

A educação profissional proliferou-se com o desenvolvimento industrial, e alguns sistemas escolares nacionais buscaram responder diretamente às demandas do setor produtivo, ainda que financiados por recursos públicos. Como observam Martin Carnoy e Henry Levin em seu livro *Escola e trabalho no Estado capitalista*, a educação no capitalismo se constitui como parte das funções do Estado e, por isso mesmo, é campo de conflito social. O Estado nas democracias capitalistas é responsável pela promoção da justiça e da igualdade, devendo compensar as desigualdades que emergem do sistema social e econômico. A educação é vista, então, como o processo que permite melhorar a posição social dos grupos carentes, dispondo a seu alcance os conhecimentos e o credenciamento para que possam participar da vida social. Assim, o Estado capitalista e seu sistema educacional devem reproduzir as relações capitalistas de produção, entre as quais a divisão do trabalho e as relações de classe.

Os anos 1960 trouxeram uma forte crítica aos sistemas educacionais estatais e ao princípio de justiça que fundamenta tal sistema, ou seja, o ideal de igualdade de oportunidade. As análises críticas daquele momento buscavam demonstrar o papel reprodutor das relações sociais desempenhado pelo sistema escolar, identificando as instituições educacionais como reprodutoras das concepções da classe dominante. Destacam-se, nessas críticas, a obra de Christian Baudelot e Roger Establet, *A escola capitalista*; e Pierre Bourdieu e Jean-Claude Passeron, com *A reprodução*. Para Martin Carnoy e Henry Levin, essas análises ignoram o fato de que as escolas públicas refletem também as demandas sociais, pois são as reivindicações sociais que acabam por moldar o Estado e a educação. Os autores consideram ainda que a educação pública não é inteiramente obediente às imposições do capitalismo, e pode não colaborar da maneira mais favorável para a criação de uma força de trabalho que contribua para uma tranquila acumulação de capital. Os sistemas escolares, ainda que se tenham constituído com vistas à formação de força de trabalho para o desenvolvimento capitalista, baseado na indústria moderna e no urbanismo, acabaram por se expandir para além dessas funções imediatas, passando a possibilidade de acesso à educação a representar um direito inalienável dos cidadãos modernos.

A história dos sistemas escolares no Brasil e na América Latina foi, nos seus primórdios, dirigida aos filhos das elites brancas, deixando de fora os nativos, os negros, os considerados selvagens. Assim, nossas repúblicas geraram sistemas injustos de distribuição dos bens e do acesso aos direitos que proclamavam as revoluções liberais. E, ainda mais, como nossos sistemas educativos se desenvolveram adotando como modelo os sistemas europeus ou o norte--americano, o direito à educação dos nossos povos se reduzia muitas vezes à substituição das próprias culturas pela cultura dominante.

Como afirma Adriana Puiggrós em recente artigo intitulado "Avatares y resignificaciones del derecho a la educación en América Latina", publicado na revista *Docência* do Colégio de Professores do Chile, em quase todos os países latino--americanos foi triunfando a atuação central do Estado na educação, reconhecendo-se nele o único capaz de garantir o direito à ilustração. Nesse processo, em que o Estado assume papel protagonista, é possível distinguir períodos com características comuns para toda a região latino-americana, ainda que seus limites cronológicos sejam necessariamente flexíveis e tenham em conta diversos ritmos e distintos elementos que condicionaram a evolução de cada país.

Os sistemas educacionais nos países latino-americanos tiveram processos de constituição bastante desiguais. No Brasil, tal processo pode ser considerado tardio, se comparado à maioria de seus vizinhos, o que o tornou bastante devedor aos seus cidadãos. De acordo com Carlos Roberto Jamil Cury, a legislação educacional, no Brasil, como nação independente, tem seu início na Constituição Imperial de 1824, que continha um artigo sobre educação escolar gratuita reservada exclusivamente aos considerados cidadãos. O que corrobora a afirmação de Puiggrós, no mesmo artigo já citado acima, de que a própria educação tem sido cúmplice da escravidão, da persistência da desigualdade de direitos e de um sem-número de discriminações. Os índios, os negros, os pobres encontravam-se distantes do acesso a esse direito, quer pelas dificuldades próprias de um país vasto em terras e pouco populoso, quer pelas características da sociedade colonial brasileira. A primeira lei nacional (imperial) dedicada à educação e datada de 1827 regulava o mencionado artigo da gratuidade, contudo, como afirma o mesmo Cury, "as distâncias, as dificuldades, os preconceitos farão dos lares senhoriais o espaço em que os filhos das elites iniciar-se-ão na leitura e na escrita. Essa realidade será incorporada a toda a legislação existente no país, mesmo quando a educação escolar se torna obrigatória na Constituição de 1934".

Um grande obstáculo à constituição de um sistema nacional de educação democrático no país reside nas relações próprias do federalismo brasileiro. As difíceis relações entre província e império, e depois, com a República, entre poder federal e poder estadual/municipal no que se refere às competências relativas ao atendimento dos diferentes níveis de ensino apresentaram-se como fortes entraves à constituição de um sistema nacional de educação como um direito isonômico aos cidadãos brasileiros. Relação que persiste até os dias de hoje, com o novo pacto federativo firmado na Constituição Federal de 1988 e a distribuição de responsabilidades e competências que obriga a um regime de colaboração entre União, estados e municípios, ainda bastante precário e exigente de revisão.

A primeira Lei de Diretrizes e Bases da Educação Nacional, Lei 4024, anseio antigo dos educadores brasileiros, só foi possível em 1961. A aprovação da referida lei se deu no contexto de tentativa de adequação da educação às exigências do nacional-desenvolvimentismo, o que indicava a necessidade de ampliar o acesso à escolaridade sob o argumento de que a educação era o principal meio de mobilidade social individual e o caminho para os países subdesenvolvidos ou em desenvolvimento atingirem novos patamares econômicos. A educação estava orientada pela necessidade de políticas redistributivas, como mecanismo de redução das desigualdades sociais e ainda como investimento econômico, justificada pela teoria do capital humano, segundo a qual a maior contribuição da educação é melhorar a capacidade dos indivíduos de utilizar os recursos disponíveis para produzir bens e serviços. A teoria do capital humano chegou ao Brasil em um contexto marcado pela ideologia nacional-desenvolvimentista. A tradução dos escritos de Theodore Schultz, prêmio Nobel de Economia em 1979, influenciou fortemente os estudos na área de educação e economia.

A década de 1960 representou para um grande número de países da América Latina um período de reorganização de seus sistemas educacionais no sentido de perseguirem a expansão da educação básica. No caso brasileiro, tais reformas não foram suficientes para garantir a universalização da educação, nem mesmo no nível mais elementar, apesar da ampliação do direito à educação, de quatro para oito anos, trazida pela Constituição Federal de 1967 e pela Lei 5692 de 1971. Essas reformas tiveram também como orientação, trazida dos organismos internacionais, em especial a CEPAL, a descentralização da administração escolar, o que, devido ao fato de estarmos em pleno governo militar, acabou por assumir caráter bastante contraditório presente no Decreto 200 de 1967.

Durante a década de 1990, a América Latina voltou a viver uma nova onda de reformas na educação combinadas com reformas no âmbito do Estado. Muitos governos implantaram reformas nos seus sistemas educacionais, visando assimilar uma lógica de mercado, buscando flexibilizar a gestão educacional, delegando, inclusive, poder e responsabilidades em matéria de financiamento às autoridades locais e, em alguns casos, às próprias escolas. Essas mudanças contribuíram também para maior segmentação do sistema educativo, sobretudo na educação superior, em que a matrícula no setor privado cresceu significativamente na referida década. Na Sinopse da Educação Superior de 2006 (INEP/MEC), observa-se que 95,7% das instituições de educação superior do Brasil eram privadas (2270) e que apenas 248 eram públicas. Do contingente de 4 679 646 matrículas em ensino superior no Brasil, 74,1% eram em instituições privadas. O crescimento do setor privado na educação brasileira ocorreu em um contexto de mudanças na educação nacional em seu conjunto, quando se observa maior expansão desse nível de ensino. Entretanto, o acesso à educação superior no Brasil ainda é muito restrito, menos de 13% dos jovens em idade regular, isto é, entre dezoito e 24 anos, encontram-se matriculados na educação superior.

Na educação básica, observamos o predomínio da matrícula em estabelecimentos públicos. As redes públicas são responsáveis por cerca de 87% da matrícula nesse nível de ensino, compreendendo a educação infantil, o ensino fundamental e o ensino médio; aos municípios cabe a responsabilidade prioritária pelo ensino fundamental e a educação infantil, e aos estados, pelo ensino médio.

Considerando que a educação é um direito público assegurado a todos os cidadãos brasileiros e que, para tanto, o Estado deverá organizá-la no sentido de melhor atender a exigência legal, podemos avaliar que é obrigação do poder público não só criar meios para oferecer educação, como também controlar a sua oferta no setor privado.

Com os processos de globalização, os sistemas educativos passam a ser cada vez mais variados e diversificados, e a defesa da educação ao longo da vida, difundida pelo Relatório da Unesco para a Educação no Século XXI, tem ensejado grande número de experiências educativas não formais e institucionais, o que tem refletido em processos de mudanças externas e internas à escola. A crise da escola como instituição moderna e das políticas educativas pelo esgotamento do modelo de igualdade de oportunidades põe em xeque a função social da escola e sua institucionalidade. É nesse contexto que emergem novas demandas para a educação. Os sistemas escolares organizados sob a lógica distributiva veem-

-se obrigados a contemplar outras formas de justiça calcadas no reconhecimento. A forma institucional assumida pela escola moderna é dotada da expectativa de que deveria constituir-se em um espaço público onde se articula o comum e são tratadas as diferenças.

Assim, podemos considerar que as mudanças ocorridas nos sistemas escolares nos últimos anos, mesmo que determinadas por uma dinâmica mais ampla, tanto do ponto de vista econômico e social quanto cultural, não ocorrem segundo uma lógica única e linear, mas refletem conflitos de interesses, divergências e convergências. Os sistemas escolares se ampliaram no mundo, muito mais como uma demanda dos movimentos organizados em defesa do acesso à educação pública do que por medidas estatais inspiradas por interesses empresariais. Tais processos refletem a importância que a educação tem nas sociedades atuais, ainda que a centralidade da sua forma escolar tenha sido bastante criticada nos últimos tempos. No caso brasileiro, pelas razões já mencionadas, estamos distantes de alcançar o ideal republicano da escola pública, gratuita, laica e de qualidade para todos, pois, apesar de ocupar lugar de destaque econômico no contexto latino-americano, o Brasil é portador ainda de grandes iniquidades refletidas nos seus indicadores sociais, com altos índices de analfabetismo e baixas taxas de conclusão da educação básica.

SUGESTÕES DE LEITURA

BOURDIEU, Pierre e PASSERON, Jean-Claude. *A reprodução: elementos para uma teoria do sistema de ensino.* 3ª ed. Rio de Janeiro, Francisco Alves, 1992.

CUNHA, Luiz A. *Educação e desenvolvimento social no Brasil.* 6ª ed. Rio de Janeiro, Francisco Alves, 1980, cap. 1.

OLIVEIRA, Dalila A. *Educação básica: gestão do trabalho e da pobreza.* Petrópolis, Vozes, 2000.

PEREIRA, Luiz e FORACCHI, Marialice M. *Educação e sociedade: leituras de sociologia da educação.* 13ª ed. São Paulo, Nacional, 1987.

ROMANELLI, Otaíza O. *História da educação no Brasil.* 24ª ed. Petrópolis, Vozes, 2000.

ESTADO E SOCIEDADE: UMA RELAÇÃO PROBLEMÁTICA

Brasilio Sallum Jr.

Dificilmente haverá um tema mais clássico na sociologia do que este. De fato, ele remonta aos primórdios da disciplina. Costuma-se afirmar que naquela conjuntura a sociologia identificou um novo continente a explorar na fronteira do Estado: a "sociedade". Um exame mais atento da gênese da disciplina mostra que raramente ela foi considerada pelos primeiros artífices da nova ciência um continente autônomo e separado do Estado. Ao contrário, a sociologia inicialmente procurou romper com as limitações que a filosofia política impunha à compreensão do Estado, ao não perceber que ele se enraizava em uma realidade social que não emanava dele, mas, ao contrário, era essencial para analisá-lo. Por essa via, a sociologia foi de início, em grande medida, sociologia política.

Esse entendimento *não* levou, porém, à construção de uma *tradição sociológica uniforme* no que diz respeito ao modo de conceber a articulação entre sociedade e Estado.

O sociólogo holandês Dick Pels argumenta de forma convincente que a ciência social surgiu de várias fontes, conformando pelo menos *três correntes de pensamento* com interpretações divergentes sobre o "social e sobre a articulação Estado/sociedade". A sociologia teria surgido em um espaço discursivo tripartite, com um centro, ocupado pela tradição positivista francesa, e duas periferias, a ocidental, que acomodava a tradição liberal-utilitária dos anglo-saxões, e a tradição estatista do Leste e Sul da Europa.

A teoria marxiana da sociedade ocupa, como mostra Pels, uma posição singular entre essas correntes sociológicas. Ela acentua, como a liberal, a dimensão econômica da vida social, mas conserva parte da ênfase dada ao Estado pela tradição do Norte e Sul da Europa. Para Marx e Engels, os modos de produção são o núcleo da vida social e se sucedem na história até chegar ao capitalismo. Cada modo de produção estrutura relações de exploração entre classes sociais e distintas formas de Estado. A luta entre as classes é o motor da transformação histórica. Na época capitalista, burgueses e proletários são os polos antagônicos da "sociedade civil". A burguesia explora o sobretrabalho do proletariado, classe destituída de meios de produção. O Estado ocupa papel relevante, mas secundário, na medida em que pode garantir, pela coerção, o domínio da burguesia e de seu sistema de exploração. O proletariado é identificado como o sujeito da história, sua força revolucionária. Essa orientação teórica geral, exposta de forma bastante esquemática, permitiu a Marx fazer análises muito nuançadas e de grande valor cognitivo de conjunturas políticas específicas, como, por exemplo, a da França no período 1848-52. Com poucas exceções, porém, elas não deram lugar no interior do marxismo a uma reflexão mais elaborada e sistemática sobre a política.

Na vertente ocidental da sociologia, centrada na Inglaterra, predominou uma concepção do social baseada no mercado, nos interesses dos indivíduos, funcionando com grande autonomia em relação ao Estado. Na sociologia de Spencer, por exemplo, tal como nas demais vertentes, entende-se o Estado como parte da estrutura social mais ampla, mas seu papel no conjunto seria secundário. Para Spencer, as sociedades tenderiam a evoluir principalmente por diferenciação, sendo as de tipo "militar" sucedidas pelas de tipo "industrial". Estas, porém, só conseguiriam desenvolver-se adequadamente se o Estado tivesse suas funções limitadas, pois os princípios de organização dessas sociedades passariam de hierárquicos para contratuais, de políticos para econômicos. Assim, no universo intelectual anglo-saxão, predominou uma sociologia que entendia o social de forma próxima à perspectiva da economia política, mantendo maior distância da filosofia política, que percebia a sociedade em termos do poder soberano.

Na tradição positivista, predominante na França, a sociologia tenta demarcar uma posição mediana entre a filosofia política e a economia, entre a perspectiva do Estado e a do mercado. Tomemos a principal expressão dessa corrente, Émile Durkheim. Para ele a sociedade é um ser singular, *sui generis*, não redutível aos indivíduos, e o Estado nada mais é do que um órgão surgido do processo de diferenciação social, um grupo de funcionários da coletividade. Metaforicamente, ele é o cérebro do organismo social. É o órgão *reflexivo* e responsável pela *disciplina moral* da sociedade. O Estado não absorve, porém, toda a vida política. Esta, ao contrário, é inerente à sociedade, que produz as regras que definem o que é lícito, legítimo, ou o que é proibido, e as preserva como condição de sua continuidade.

Assim, nas sociedades diferenciadas e com Estado, a política é uma atividade plural, concentrada no Estado e difusa na sociedade. Esta, porém, tem precedência sobre aquele. O Estado apenas codifica, dá clareza e consistência às representações coletivas, além de adaptá-las às novas circunstâncias emergentes na vida social. Não importa que o Estado amplie suas atividades à medida que a sociedade se diferencia, sua autoridade continuará sendo derivada da sociedade.

Esse entendimento, entretanto, é resultado da análise do sociólogo; mas não predomina na consciência pública. À medida que o Estado cresce em atribuições, se fortalece como organização e se torna titular de poder repressivo, dá lugar à ideia de que ele possui vontade própria, independência em relação à sociedade. Isso provém do desconhecimento de sua gênese e se reforça com os intercâmbios entre governantes e governados.

O Estado ganhou mais relevo na teoria social na Alemanha e na Itália, entre o final do século XIX e o começo do XX. Era aí mais forte a crença na maleabilidade da sociedade diante da intervenção consciente do Estado. Ganhou destaque dentro dessa orientação geral a sociologia de Max Weber. Como os economistas liberais, Weber entende que a vida social se desenvolve em meio à escassez de bens e que os agentes sociais lutam por sua apropriação; por isso, a estabilidade das relações sociais depende de se constituírem relações de dominação entre os agentes. A apropriação desigual de bens materiais, por exemplo, só ganharia estabilidade na medida em que fosse sancionada por relações jurídicas, convertendo a apropriação de fato em propriedade juridicamente garantida. A escassez, porém, não se limita aos bens materiais; atinge também bens simbólicos valorizados em um círculo de agentes sociais (por exemplo, a graça divina entre fiéis). Em todas as esferas da vida social — parentesco, religião, política — as relações sociais são de disputa e, por isso, têm maior probabilidade de se manter caso surjam relações de dominação entre os agentes.

Como se percebe, a sociologia weberiana tem em seu núcleo o conceito de dominação. Trata-se de uma forma especial de poder, em que o mando se ancora na aceitação do dominado, seja em função de seu interesse próprio, seja no seu sentimento de dever (do fiel em relação à Igreja, por exemplo). Sublinhe-se que esse reconhecimento da autoridade de quem manda depende da assimilação pelos dominados das ideias e valores do dominante. Sem isso, como aceitar que a graça divina é um bem escasso? Ou que a Igreja tem o direito de controlar sua distribuição aos fiéis? E que a honra (estamental) é para poucos?

As relações de dominação, particularmente, são concebidas de forma dupla, envolvendo interesses e ideias: o exercício da autoridade envolve imposição baseada no interesse próprio — mas nem sempre violência física — e algum consenso em torno das ideias-valores que fundamentam o mando. Em um círculo de crentes, a fé assegura o dever de obedecer e a excomunhão costuma ser ameaça bastante para preservar a obediência.

Embora a dominação seja chave na sua concepção de vida social, Weber a distinguia claramente da dominação política e, especialmente, do Estado. O Estado moderno é uma relação de dominação entre os homens cuja singularidade é reivindicar para si (com êxito) o *monopólio* da violência física *legítima* dentro de determinado *território*. Exercer a coação física é seu *direito*; as demais associações só podem exercê-la na medida que o Estado o permita. A violência física é o *meio específico* — mas não o único — permitido ao Estado para impor seus mandatos, se necessário.

Weber diferencia as formas políticas de dominação em função das crenças que tornam legítima, aos olhos dos dominados, a autoridade de quem manda. Ele distinguiu três crenças básicas pelas quais os dominados poderiam sentir--se no dever de obedecer: por acreditarem que a tradição, o carisma ou a legalidade dá autoridade, legitimidade, a quem manda. Com base nelas, Weber constrói três tipos puros de dominação: a tradicional, a carismática e a racional-legal. A crença na legitimidade não é suficiente, porém, para manter a estabilidade de uma relação de dominação política. Ela requer, também, recursos materiais e um quadro administrativo, quer dizer, um conjunto de agentes para auxiliar na coação física e demais tarefas necessárias à dominação. A obediência do quadro administrativo à autoridade não descansa apenas na crença em sua legitimidade; seus membros, ademais, recebem recompensas materiais e/ou honra social. No Estado moderno, racional-legal, a dominação sustenta--se na crença na legalidade de seus estatutos e procedimentos. Quem manda, exerce o poder em virtude de estatuto legal. E o quadro administrativo é constituído por servidores públicos, civis e militares, que não têm a propriedade dos meios de administração.

Note-se que, ao contrário de Durkheim ou Marx, que entendiam o Estado como dependente da sociedade — seja de suas representações coletivas, seja de suas relações de produção —, Weber o entendia como autônomo em relação às outras relações sociais existentes em seu território, inclusive as econômicas. De modo similar, ao passo que Durkheim e Marx entendiam ter o Estado uma finalidade definida, ou a disciplina moral ou o interesse da classe dominante, Weber julgava que suas finalidades eram variadas, podendo ser definido apenas pelo seu meio característico, a coação física.

194

Seria um equívoco, porém, interpretar a autonomia do político no pensamento de Weber de forma extremada: ela se refere apenas à existência de uma legalidade própria da esfera política; ou seja, as relações sociais aí obedecem a regras específicas. Isso não significa que relações sociais com diferentes conteúdos (econômico, religioso etc.), presentes nas distintas esferas da vida social, deixem de produzir efeitos sobre a esfera política ou não sejam afetados por ela. Cada esfera pode, em situações particulares, *sobredeterminar* a outra. Foi o caso da esfera religiosa em relação à econômica nos inícios do capitalismo, como mostrou Weber. O importante é que uma esfera afeta a outra *por meio de agentes sociais*. E que os recursos materiais e os agentes de uma esfera qualquer que afetam a outra — a política, por exemplo — o fazem em geral obedecendo ao molde da legalidade própria desta última esfera. Assim, classes sociais e grupos de status são formas de distribuição do poder nas ordens econômica e social, e seus membros podem tentar conquistar o poder de Estado, manter o controle sobre suas políticas ou, pelo menos, afetar o seu conteúdo. Só o farão, porém, por meio de partidos, grupos de interesse, movimentos sociais ou mesmo ações de massa (votação em massa da maioria de membros de uma classe, por exemplo). Quer dizer, classes e grupos de status participam, sim, da vida política, mas sempre por meio de associações e/ou ações sociais pertinentes a essa esfera, conforme e/ou contra as regras institucionais de tal ou qual Estado. Cabe ao analista identificar as conexões — quase nunca óbvias — entre tal ou qual interesse de classe ou grupo de status e os agentes sociais que lutam diretamente pelo poder político.

A concepção de que há autonomia e sobredeterminação entre as esferas sociais não deve obscurecer a centralidade que tem a dominação política em geral e o Estado no pensamento de Weber. A autoridade política fixa as condições gerais de dominação e pode intervir em quaisquer relações sociais que se desenvolvem em seu território — economia, saúde, educação etc. Ademais, a proeminência do Estado em relação às várias esferas sociais decorre também de ele desenvolver relações com outros Estados. Com efeito, Weber vincula a legitimidade também à posição do Estado na arena internacional. Mais especificamente, o argumento vincula nacionalismo e legitimidade em termos dinâmicos, relacionando as oscilações do sentimento nacional com o aumento ou a redução da legitimidade emprestada à dominação.

Como se vê, as relações entre o Estado e a sociedade são problemáticas. Não há critério que permita decidir de forma neutra, ou absoluta, qual das correntes da sociologia clássica encontrou a melhor *solução* para a questão. Ainda assim, deve-se reconhecer que a resposta weberiana tem sido a mais inspiradora para os cientistas sociais do presente.

Mas o tema das relações Estado/sociedade não é apenas um clássico da sociologia; ele tem sido central para caracterizar o que o cientista político Gildo Marçal Brandão denomina "linhagens do pensamento político e social brasileiro", quer dizer, as distintas "famílias" de intelectuais que fizeram reflexões de conjunto sobre a sociedade brasileira. Com efeito, ao identificar as mais antigas dessas linhagens — a dos *idealistas orgânicos* e a dos *idealistas constitucionais* —, o jurista e ensaísta Oliveira Vianna tinha em vista fundamentalmente o modo como concebiam as relações Estado/sociedade no Brasil. Para os primeiros, a sociedade brasileira é fragmentada e com tendências anárquicas, e só um Estado forte pode mantê--la unida e mesmo transformá-la. Para os últimos, ao contrário, o Estado é uma entidade opressiva que sufoca e inviabiliza a articulação e a expressão própria da sociedade brasileira. Dentre os idealistas orgânicos, destacam-se o político do Império Paulino Soares de Sousa, o visconde do Uruguai, e os ensaístas e homens públicos que ganharam relevância depois da Revolução de 1930, como o próprio Oliveira Vianna e Azevedo Amaral. Dentre os idealistas constitucionais, destacam-

-se Tavares Bastos, na época do Império, Rui Barbosa, na Primeira República, e, mais recentemente, Raymundo Faoro.

Vejamos mais de perto as perspectivas dos intelectuais das duas linhagens. Para os idealistas orgânicos, as instituições políticas teriam que ser estudadas a partir das condições brasileiras e não tendo em vista as realidades europeia e norte-americana. O Estado teria que se ajustar aos padrões *singulares* da vida social brasileira, ser o órgão de articulação e autoridade em relação a ela, sob pena de a sociedade se fragmentar. Assim, para Oliveira Vianna, desde o período colonial a sociedade teria sido marcada pela grande propriedade territorial, onde prevalecia a escravidão como elemento disciplinador da mão de obra e que dependia muito pouco do mundo exterior. Dominavam aí padrões patriarcais de mando, sendo o proprietário o chefe supremo, chefe de clã. O homem comum só podia conservar alguma garantia de vida e liberdade se estivesse a serviço de algum desses poderosos. Dessa aristocracia da terra não poderia surgir a solidariedade para formar a nação. Segundo Vianna, ela teve que vir de fora, da Coroa. Esta, depois da independência, teria selecionado dentre os nobres da terra os elementos capazes de manter a unidade nacional, preservando no plano político os antigos valores patriarcais. Como não havia sentimento nacional propriamente dito, a lealdade ao imperador é que teria evitado, de início, a fragmentação. A grande tarefa do Império, realizada graças a instituições como o Senado vitalício, o Conselho de Estado e o Poder Moderador, teria sido manter a unidade nacional contra o particularismo dos chefes de clãs, a que denominava caudilhos. A autoridade do poder central não seria, como se poderia pensar, inimiga das liberdades locais, pois, nas condições da sociedade brasileira, dominada pela política de facção, a autoridade do Estado seria a garantia das liberdades locais contra a ação dos caudilhos. Isso lembra o ponto de vista de Durkheim, para quem a autonomia dos indivíduos dependia do contraponto entre poder central e grupos intermediários. É por isso que Vianna julgava serem ilusórias as ideias dos liberais; a democracia ou a descentralização políticas constituiriam meros transplantes institucionais dos Estados Unidos ou da Europa, que só tornariam o Estado prisioneiro dos coronéis do interior e dos interesses privados. Daí sua crítica à Constituição de 1889 e à Primeira República; daí ter se tornado adepto e conselheiro do regime político centralizador que se implanta a partir da Revolução de 1930.

Fazendo contraponto a isso, a "família" dos intérpretes liberais da sociedade brasileira a vê como sufocada e fragmentada pelo Estado. Dessa perspectiva, o Estado não é a solução para a inorganicidade da sociedade, mas o problema a resolver com reformas institucionais que permitissem à sociedade tornar-se autônoma, florescendo o associativismo, a liberdade individual, a representação política de cidadãos livres e a opinião pública. É bem próprio dessa linhagem a crença no poder da *reforma institucional*, da boa lei, para remediar os problemas nacionais. Raymundo Faoro, em *Os donos do poder* (1958), deu a versão intelectual mais clara dessa linhagem. O Estado brasileiro seria uma herança de Portugal, que nos teria legado um Estado de tipo patrimonial, uma das modalidades de dominação tradicional construídas por Max Weber. No patrimonialismo, o soberano, isto é, quem domina, o faz com o auxílio de um quadro administrativo de servidores que são seus dependentes e/ou favoritos, que exercem suas funções em troca de rendas ou vantagens concedidas pelo dominante e com recursos a ele pertencentes. Tais recursos provêm das atividades econômicas do senhor e da sua participação nas rendas derivadas das atividades autorizadas dos súditos. Note-se que nessa forma de domínio político as atividades econômicas são entendidas sempre como concessões do Estado e sujeitas às suas necessidades. Daí que, quando muito, essa forma de domínio político é compatível com um capitalismo politicamente orientado, dependente de concessões e/ou proteção política. A associação entre a Coroa portuguesa e a burguesia comercial teria permitido uma burocratização limitada do quadro administrativo e a constituição, já no final do século XIV, de uma comunidade de mando entre esse quadro e a alta direção do Estado, o "estamento burocrático, o verdadeiro soberano português — que esteve à frente das grandes navegações, da colonização do Brasil e da transferência da corte para o Rio de Janeiro. Ao contrário dos que entendem a colonização do Brasil como fruto do esforço privado, dada a aparente ausência da Coroa portuguesa, Faoro vê donatários de capitanias, proprietários territoriais e bandeirantes como agentes, embora não "funcionários", da Coroa. O estamento burocrático teria sempre privilegiado, durante a colônia, os comerciantes em detrimento dos proprietários territoriais, tendo em vista o enriquecimento do Estado. Os grandes proprietários só saíram de seu isolamento a partir da presença da corte no Brasil, tornando-se os principais responsáveis pela independência, ao vencer funcionários e comerciantes portugueses. A partir da Constituição de 1824, porém, o Poder Executivo voltaria a dominar o Legislativo, através do Senado vitalício, do Conselho de Estado e Poder Moderador da Coroa, configurando no Brasil independente o domínio do estamento burocrático. Com breves interrupções, como na independência (1822-24), no período regencial (1931-37) e na Primeira República, quando a vontade da nação teria parcialmente se manifestado, no Império e no Estado pós-1930 o estamento burocrático teria dado as cartas, sufocando a nação, pelo bloqueio à constituição de um capitalismo industrial autônomo e pelo controle das forças sociais, seja por organizá-las em corporações (como sindicatos operários e empresariais), seja cooptando suas lideranças, atrelando-as ao Estado. Como se pode ver, idealistas orgânicos e constitucionais têm perspectivas opostas, de sinal contrário, mas uma percepção similar — na maior parte da história do Brasil independente eles veem o Estado como o condutor da sociedade.

Essas duas correntes, com efeito, superestimam a capacidade de ação autônoma do Estado sobre a sociedade. Faoro, por exemplo, além de atribuir ao estamento burocrático o comando quase ininterrupto da história brasileira, entende que o seu poder é tal que suprime a legalidade própria das esferas não políticas da vida social, contrariando as concepções de seu inspirador declarado, Max Weber.

Há, porém, interpretações que, sob inspiração de Weber e Marx, acentuam a relevância da estrutura econômica e social e dos agrupamentos aí enraizados para a vida política e o Estado. Florestan Fernandes, por exemplo, embora concorde que o Estado imperial brasileiro era de tipo patrimonialista, mostra que suas estruturas e orientação dependiam das possibilidades fixadas pela estrutura econômica e pelo tipo de estratificação social vigente. A economia escravista herdada da colônia sustentava uma sociedade senhorial estratificada (em grupos de status de fronteiras mais ou menos rígidas) e, depois da independência, foi comandada por um Estado senhorial escravista que representava apenas a aristocracia agrária e seus associados. Isso significa que essa forma de Estado, como quaisquer outras, incorporava um viés societário e fixava normas e valores de inclusão/exclusão política, quer dizer, definia quem podia dominar, com quais aliados e sobre quais dominados. Essas formas políticas não são dedutíveis da economia ou da sociedade; são concebidas como resultantes e objetos de disputa política, para mantê-las ou transformá-las. Em outras palavras, nesse tipo de sociologia política, são as disputas entre atores políticos — conectados às classes e/ou grupos de status definidos no plano estrutural — que fixarão, por vezes com a participação de segmentos da burocracia estatal, as formas de Estado e sua orientação política. Essa perspectiva é estimulante, mas, muitas vezes, tende a subestimar a autonomia do político, suprimindo as diferenças entre os atores políticos e as classes em que se enraízam.

200

SUGESTÕES DE LEITURA

COHN, Gabriel. *Crítica e resignação — fundamentos de sociologia de Max Weber.* São Paulo, WMF Martins Fontes, 2003.

DURKHEIM, Émile. *Lições de sociologia.* São Paulo, Martins Fontes, 2001.

IANNI, Octavio (org.). *Marx (Sociologia).* São Paulo, Ática, 1979.

_____ (org.). *Florestan Fernandes (Sociologia).* São Paulo, Ática, 1986.

RICUPERO, Bernardo. *Sete lições sobre as interpretações do Brasil.* São Paulo, Alameda, 2007.

FICÇÃO
BRASILEIRA
2.0

Wander Melo Miranda

Quando a literatura brasileira deixa de ser uma alegoria do nacional? Mais precisamente, quando a narrativa do destino individual privado não é um construto alegórico da situação conflituosa da cultura e da sociedade, refém de toda sorte de nacionalismos? Ainda em outros termos, em que momento a literatura passa a não exercer entre nós a função de mediadora privilegiada entre a sociedade e o Estado-nação, papel que dos primeiros românticos aos modernistas desempenhou com força artística persuasiva e impulso ideológico decisivo?

Pensar a questão nos dias atuais supõe o fim do paradigma moderno que atrelava o novo ao nacional, considerados fatores prioritários na definição do cânone literário do país. Requer, em consequência, que o texto assuma como espaço de enunciação um entrelugar discursivo, formado pelo diálogo da literatura com outras artes e linguagens, em vista disso propício a novas formas de articulação estética e política. Tem-se, então, um objeto literário híbrido em sua configuração e heterogêneo quanto ao seu lugar na ordem dos discursos. É o caso dos textos de expoentes de gerações anteriores à atual, como Dalton Trevisan, Rubem Fonseca, Silviano Santiago, Sérgio Sant'Anna e João Gilberto Noll, que continuam a publicar regularmente.

Para a nova situação, foram determinantes as transformações ocorridas no campo das artes em virtude da globalização, plenamente atuante nos últimos decênios do século xx, a ponto de tornar evidente a necessidade de romper hierarquias discursivas e redimensionar escalas de valor. Surgem ou se afirmam novos mecanismos de legitimação do trabalho do escritor, dependente cada vez mais do mercado (grandes grupos editoriais), do marketing cultural (valiosos prêmios e prestigiosas festas literárias), das novas mídias (blogs, Twitter), além de bolsas concedidas por instituições nacionais e internacionais.

Até que ponto a ficção brasileira recente incorporou esses fatores, deu-lhes forma e linguagem literárias, não é possível ainda medir com rigor. Nem demarcar limites rígidos entre os escritores da chamada "geração 90" — como Marçal Aquino, Marcelino Freire, Nelson de Oliveira — e os atuais. Mesmo porque alguns traços distintivos permanecem na passagem de um milênio a outro: temática urbana, subjetividades em conflito, dicção hiper-realista, reflexão intimista, viés ensaístico e metaficcional da escrita. Cabe apenas ressaltar o que de mais significativo constitui a produção literária recente, sua razão de existência e da tarefa do escritor, velha questão que retorna sem a "ansiedade da influência" em relação aos mestres do passado.

O escritor argentino Ricardo Piglia prefere chamar de "famílias literárias" o modo contemporâneo de afiliação de textos, menos neurótico diante da tradição nacional e mais condizente com as formas de apropriação que diferenciam e ao mesmo tempo aproximam um escritor de outro. Esse modo possibilita a associação em rede, em última instância, transnacional, que opera com a desconstrução de estereótipos culturais e de convenções ideológicas, numa concepção de história para a qual convergem temporalidades distintas e simultâneas. De modo geral, essa concepção revela projeções de alteridade, nascidas do encontro de povos, costumes e civilizações, que o texto coloca em xeque como forma de atestar sua validade enquanto realização artística e cultural, a exemplo de *Dois irmãos* (2000), de Milton Hatoum, e de duas obras publicadas no ano de 2003: *Mongólia*, de Bernardo Carvalho, e *Budapeste*, de Chico Buarque.

O romance de Milton Hatoum retoma o mito dos irmãos inimigos para narrar a história de uma família de imigrantes libaneses em Manaus. À maneira de *Relato de um certo Oriente* (1989), seu livro de estreia, o autor dedica-se a recompor vozes silenciadas, gestos apenas esboçados, objetos em vias do desaparecimento ou perdidos para sempre. Instaura formas de identificação marcadas por pequenos eventos do cotidiano e pelo recurso à reminiscência — "horizonte aquático, brumoso e ensolarado" da escrita.

A condição de filho bastardo do narrador é uma forma oblíqua de tratar os conflitos familiares e culturais sem reduzi-los ao exotismo de posições preconcebidas. Assume a busca da origem como uma falta que não se consegue sanar, a não ser pela invenção ficcional que se revela por movimentos quase imperceptíveis de passagem do factual ao mítico, como variante textual de um processo mais geral de confronto entre identidades.

O romance de Bernardo Carvalho é um sofisticado relato de viagem e de investigação em que se procura um fotógrafo brasileiro desaparecido na Mongólia, acentuando ao máximo a tensão inerente ao contato entre sujeitos e culturas, que a epígrafe do livro reveste de tons kafkianos. Obra de um diplomata aposentado que resolve dedicar-se tardiamente à escrita, ciente de que para ele "a literatura já não tem importância", o texto mescla o caso narrado a trechos do diário de outro diplomata que parte em busca do desaparecido e a fragmentos dos diários deste último.

O deslocamento do sujeito confere à narrativa a mobilidade própria do espaço que insiste em traduzir, pois "num país de nômades, por definição, as pessoas nunca estão no mesmo lugar". O emprego da técnica da montagem, em tudo distinta da *fotografia* referencial, põe em confronto diferentes registros do percurso por um território estrangeiro — o mesmo percorrido por Bernardo Carvalho para cumprir o projeto de elaboração do livro —, numa busca que se mostra, afinal, como busca de si, esse outro familiar e estranho que o nomadismo dos personagens revela como num espelho invertido.

Para dar conta desses movimentos de passagem, *Budapeste* opta pela figura do *ghostwriter*, o narrador José Costa (ou Zsoze Kósta), que na volta de um congresso de autores anônimos é obrigado a fazer uma escala imprevista na cidade título do romance, o que desencadeia uma série de peripécias que irão constituir a matéria narrativa: casado com Vanda, telejornalista que mora no Brasil, Costa conhece

Kriska na Hungria e com ela aprende húngaro. Nas idas e vindas entre Budapeste e Rio de Janeiro, o narrador mergulha num mundo de réplicas, onde tudo parece duplicar-se e inverter-se no infinito de um jogo especular. Desdobra-se, por meio do trânsito entre linguagens, no transe identitário que acomete os personagens. É como se Costa/Kósta, Vanda/Kriska e Brasil/Hungria fossem o palco de um constante vir a ser outro ou o mesmo, que repete, a seu modo, a situação do "escritor" que simula um papel narrativo, como um ator que dramatiza um saber globalizado.

O hibridismo formal desses textos, em que a trama narrativa é a mola propulsora da autorreflexão, pode alcançar, em outras realizações, um teor mais acentuadamente ensaístico, como no originalíssimo *Ó* (2008), de Nuno Ramos, artista plástico renomado que já publicara antes *Cujo* (1993) e o surpreendente *O pão do corvo* (2001). São livros de alta carga poética, portadores de revelações inesperadas, nascidas de aproximações da literatura com a filosofia e as artes em geral, num embate cerrado com a linguagem.

Ó pertence a uma estirpe rara na literatura brasileira, na linha de *Água viva* (1973), de Clarice Lispector, livros que ousam implodir os limites da representação e a retórica do lugar, que se abrem livremente a correspondências entre as formas sensíveis da matéria e a escrita do mundo. O texto funciona por analogia, como "um sistema de encaixe que ainda não compreendemos" e no qual "tudo se conecta": os mortos e os vivos, a carne e o tempo, os pássaros e os loucos, as bonecas russas e o silêncio, a infância e a TV, e assim ao infinito.

A meditação exacerbada e a vertigem da linguagem levam a momentos epifânicos em que conhecimento e criação poética se confundem na revelação do "patrimônio selvagem do sujeito". E como "todo conhecimento vem do corpo", dele irradiam as redes de sentido que dão massa e volume aos blocos textuais — *corpus* erótico — em que a palavra se abisma. Para Nuno Ramos, a *de*formidade que constitui o saber contemporâneo parece ser fruto desse enfrentamento das palavras e das coisas, levado ao extremo da tagarelice ou do silêncio.

Outro é o projeto de *A passagem tensa dos corpos* (2009), de Carlos de Britto e Melo. Aqui um narrador-fantasma transita por pequenas cidades mineiras em busca do registro de mortes recentes. Com elas elabora uma listagem inusitada, não isenta de boa dose de humor negro, que se dissemina pelo livro em pequenos "capítulos" intercalares à história da família que, numa cidade não nomeada, mantém um cadáver insepulto e segue vivendo como se nada tivesse acontecido. A presença meio irônica e absurda desse estranho personagem *C.* resume a questão que a narrativa se coloca — "não saber o que fazer com o que morreu" — e se expressa pelo incômodo de dar forma à falta de sentido que o texto arrasta como uma assombração. A letra *C.* é corpo e cadáver de uma cidade de mortos, uma comunidade arruinada onde "não cabe mais a palavra" e uma língua a ser compartilhada.

O ponto extremo dessa *pólis* destruída apresenta-se em *As sementes de Flowerville* (2006), de Sérgio Rodrigues, sob a forma do arremedo de vida e do "projeto pós-urbano" que são os condomínios de luxo. Nesse espaço blindado, sem marcas temporais identificáveis e mantido à distância do "lixão transbordante do mundo", a costumeira trama de negociatas e sexo, alta tecnologia, resquícios da ditadura e poder sem limites se desenrola sob o comando de Victorino Peçanha. A "Fórmula da Sociedade Ideal", que ele visa alcançar e de que Flowerville é um esboço, vai sendo rasurada pela ironia desconcertante do narrador e pela dicção satírica que a narrativa assume.

Na contracorrente dessas propostas, o "resgate" da cidade provém de espaços físicos e lugares de enunciação que ela costuma excluir e manter em silêncio. São textos que optam por um brutalismo temático e formal, propositalmente a serviço de um projeto estético e político bem definido, como ocorre nas realizações do que se convencionou chamar "literatura marginal". Dentre eles, destacam-se *Capão pecado* (2000) e *Manual prático do ódio* (2003), de Ferréz; *Vão* (2005) e *Da cabula* (2006), de Allan Santos da Rosa, além dos autores reunidos por Ferréz em *Literatura marginal: talentos da escrita periférica* (2005).

Fora do circuito habitual de produção e recepção textuais, apresentam-se como manifestações de linguagem, ao lado do movimento *hip-hop,* que sustentam a formação de identidades grupais que, mediante seu poder de articulação e contestação, lutam pela participação da periferia na esfera pública da cidade. Levantam indagações relacionadas ao questionamento da *natureza* do texto, de seu processo de *legitimação* pela crítica letrada e do *valor cultural* de que são portadores como algo anômalo dentro da literatura.

Na maioria das vezes adotam uma linguagem baseada em conhecidos parâmetros realistas na abordagem da experiência do grupo comunitário e uma concepção essencialista de identidade, como forma de atuação contra a exclusão e o poder. Alguns de seus melhores escritores, caso de Allan Santos da Rosa, superam tais limitações e conseguem, fazendo confluir poesia, prosa e fotografia, transfigurar a realidade imediata, como explicita em *Imaginário, corpo e caneta* (2009): "O corpo como um todo oferece, pralém do monopólio da mente, essa que é dádiva e sanha nossa, mas juntando o namoro dela com os sentidos, com a mitologia, com a experiência".

A "literatura marginal" parece hoje encerrar um ciclo. Mas outro continua aberto e com ele dialoga. Trata-se da literatura de minorias, que em Conceição Evaristo tem uma representante singular. Afrodescendente, nascida numa favela em Belo Horizonte, se graduou e pós-graduou em Letras no Rio de Janeiro, tendo publicado, em 2003, o livro que a tornou conhecida aqui e no exterior — *Ponciá Vicêncio.* Não se trata de um fenômeno isolado e passageiro, como foi o de Carolina Maria de Jesus na década de 1960, pois Conceição Evaristo tem publicado regularmente desde a década de 1990 nos *Ca-*

dernos Negros, do grupo Quilombhoje, de São Paulo, e tem outro romance editado, *Beco da memória* (2006).

A escritora retoma com sutileza incomum o ato ancestral de contar histórias para narrar a vida de privações de Ponciá Vicêncio, que se tece de crueldade e pequenas alegrias. A assimetria das relações sociais — que tem origem no confronto surdo entre senhores e escravos — é a causa principal do roteiro de perdas e espoliações que o personagem sofre desde menina até a alienação extrema de si. Mas é também essa situação em princípio sem saída que impulsiona a mobilização de forças de resistência que permitem aos laços de identidade familiar e étnica serem restaurados e com eles as sementes da transformação. Nas mãos de uma escritora menos hábil, tudo poderia resultar no velho panfleto das surradas palavras de ordem; em Conceição Evaristo, como no personagem que dá título a seu romance, "suas mãos seguiam reinventando sempre e sempre. E quando quase interrompia o manuseio da arte, era como se perseguisse o manuseio da vida, buscando fundir tudo num ato só, igualando as faces da moeda".

Essa fusão a rigor impossível é o horizonte da escrita *feminina*. Mobiliza de maneiras diferentes *Azul e dura* (2002), de Beatriz Bracher; *A chave de casa* (2007), de Tatiana Salem Levy; *Por que sou gorda, mamãe?* (2006), de Cíntia Moscovich; *Algum lugar* (2009), de Paloma Vidal; *Sinfonia em branco* (2001), de Adriana Lisboa; *Minha ficção daria uma vida* (2010), de Ruth Silviano Brandão; *Toda terça* (2007), de Carola Saavedra. Pode encaminhar-se para a autoficção ou para o texto de cunho autobiográfico, apropriar-se de experiências alheias ou inventá-las a ponto de subverter até mesmo a noção de "gênero" (*gender*) que a identifica, como em *Não falei* (2004), de Beatriz Bracher, em que o livro é narrado por uma voz masculina, um professor às voltas com seu passado.

A questão das subjetividades contemporâneas, que a literatura feminina traduz a seu modo, elege a cidade como foro privilegiado de discussão *literária*. A temática urbana impõe-se atualmente não só da perspectiva da violência e do tráfico de drogas, em décadas anteriores adotada à exaustão, mas pelo prisma conflituoso das relações privadas, que são uma espécie de arremedo de formas de sociabilidade já no limite de seu esfacelamento.

É o que se observa em livros que, em sua diversidade, configuram um amplo painel do sujeito e da cidade: *Eles eram muitos cavalos* (2001), de Luiz Ruffato; *O segundo tempo* (2006), de Michel Laub; *O dia Mastroianni* (2007), de João Paulo Cuenca; *Feriado de mim mesmo* (2005), de Santiago Nazarian; *Até o dia em que o cão morreu* (2003) e *Mãos de cavalo* (2006), de Daniel Galera; *O azul do filho morto* (2002) e *Bangalô* (2003), de Marcelo Mirisola; *Vista do Rio* (2004), de Rodrigo Lacerda; *O livro dos mandarins* (2009), de Ricardo Lísias; *As cinco estações do amor* (2001), de João Almino; *A arte de produzir efeito sem causa* (2008), de Lourenço Mutarelli; *O filho eterno* (2007), de Cristovão Tezza, autor cuja obra se firma nos anos 1990, mas que tem no livro citado seu maior sucesso de crítica e público, ganhador de vários prêmios literários.

Dentre os mais originais e contundentes vale destacar *Eles eram muitos cavalos* (2001), de Luiz Ruffato. Microrrelatos, anúncios publicitários, horóscopos, orações religiosas, listagens variadas, diálogos teatrais, flagrantes escatológicos e enumerações caóticas são ruínas discursivas de que o escritor se vale para traçar instantâneos de vidas que surgem e logo desaparecem nos desvãos da cidade e nas páginas do livro — "são paulo relâmpagos/(são paulo é o lá fora? é o aqui dentro?)".

O gesto de embaralhar e sobrepor planos espaciais — o dentro e o fora do texto — cria zonas de contágio e atrito que se revelam por cortes e interrupções narrativas, como se por elas entrasse a vida. Esse mecanismo ficcional ("como se...") distancia *Eles eram muitos cavalos* da reprodução "realista", tornando o leitor ativo, essa variante literária do indivíduo e do cidadão, um parceiro indispensável no corpo a corpo com o mundo e a linguagem.

Essa predisposição ética para a fala *subalterna* diz muito da tarefa a que se entrega o narrador da ficção brasileira recente. Exige deslocar-se de seu lugar de enunciação, marcado por posições de classe, etnia e gênero, sem paradoxalmente deixar de afirmá-lo, para que se possa estabelecer uma relação interlocutória em que a atenção crítica e a capacidade reflexiva sejam predominantes. Pois é esse processo de *suspensão de valores* que especifica a ficção como possibilidade de emergência de um saber novo.

O romance *Outra vida* (2009), de Rodrigo Lacerda, transcorre na rodoviária de uma metrópole brasileira não identificada. Como espaço de trânsito, provisório e efêmero, pertence à categoria do "não lugar", que acentua a perda do vínculo social e das marcas identitárias e históricas. É nele, contudo, que marido, mulher e filha esperam o ônibus que vai levá-los de volta à cidadezinha de origem, após envolvimento do marido num escândalo de corrupção.

Com apuro linguístico e cuidado extremado na apreensão dos movimentos mais simples dos personagens, o narrador vai aos poucos aumentando a carga emocional do conflito familiar, que termina por explodir de modo dramático. Os ponteiros do relógio e breves incursões no passado demarcam um andamento temporal arrastado, em contraste com a expectativa que a narrativa vai criando. Estranhamente e apesar de tudo, a relação com o mundo parece ter ficado lá fora, se reduz à forma "espetacular" que a tela da TV, num canto da parede, lhe empresta: a cidade como que desaparece e assume definitiva e irremediavelmente sua condição de "não lugar". Mas a história oferece uma alternativa quando a mãe resolve ficar e a filha parte com o pai — "Terminando de despedir, a menina joga o cabelo para trás, num gesto idêntico ao da mãe e da avó".

A repetição acena para o fim da promessa de felicidade que a *história* deixa no ar. A piscadela irônica do narrador, no entanto, devolve ao texto e à leitura sua potência *ficcional*, seu desdobrar-se na utopia ainda que vacilante de *outra vida*.

No que pese a diversidade de cada um, parece ser esse o horizonte dos textos atuais, ao insistirem na capacidade da literatura de oferecer, em meio à parafernália de mídias e linguagens eletrônicas, uma forma específica de conhecimento, ampla e generosa o suficiente para enfrentar a opacidade — ou a transparência excessiva — do mundo que nos cerca.

SUGESTÕES DE LEITURA

CARNEIRO, Flávio. *No país do presente — ficção brasileira no início do século XXI.* Rio de Janeiro: Rocco, 2005.

PINTO, Manuel da Costa. *Literatura brasileira hoje.* São Paulo, Publifolha, 2004.

RESENDE, Beatriz (org.). *Contemporâneos — expressões da literatura brasileira no século XXI.* Rio de Janeiro, Casa da Palavra, 2008.

SÁ, Sérgio de. *A reinvenção do escritor — literatura e mass media.* Belo Horizonte: Editora UFMG, 2010.

SCHOLLHAMMER, Karl Erik. *Ficção brasileira contemporânea.* Rio de Janeiro, Civilização Brasileira, 2009.

FUTEBOL, METÁFORA DA VIDA

Eduardo Gonçalves Andrade, Tostão

O futebol pode ser visto, analisado, admirado e imaginado de diferentes maneiras. Essa multiplicidade de olhares, a beleza do jogo e a presença marcante e frequente do imponderável fazem do futebol o esporte mais popular, mais emocionante e mais surpreendente do mundo.

Pode ser visto como um jogo de habilidade, de criatividade e de fantasia; um jogo técnico, científico, pragmático e planejado; uma disputa corporal e de força física; um balé; uma metáfora da vida, com seus dramas, dualidades e emoções; um grande negócio (cada vez mais); um entretenimento; uma catarse para os torcedores; uma manifestação cultural, política e sociológica; de todas essas formas e de outras que se possa imaginar.

O futebol chegou ao Brasil em 1894, trazido por Charles Miller, filho de um inglês com uma brasileira. No início, era jogado somente pelos ricos e brancos. Não daria certo. Na década de 1920, o Vasco foi o primeiro clube brasileiro a contratar negros. Tudo mudou. A miscigenação do povo brasileiro foi um fator decisivo para o crescimento técnico do futebol e para o surgimento do estilo habilidoso e criativo. Nascia o futebol-arte, tão admirado em todo o mundo.

A profissionalização do futebol começou em 1933. Apesar de ser hoje um grande negócio, o futebol brasileiro ainda tem muito de amadorismo e de improvisação. Muitos torcedores não aceitam também as mudanças. Sonham com um time de jogadores apaixonados e com uma longa carreira em seus clubes.

Desde menino, ouço que o Brasil é o país do futuro, e que o futebol brasileiro é desorganizado fora de campo. O futuro ainda não chegou, e os clubes continuam desorganizados, administrados por pessoas incompetentes e oportunistas.

Dentro de campo, o futebol brasileiro é o grande destaque mundial, e o Brasil o país que mais forma jogadores. Para ser um atleta excepcional, um craque, é preciso ter, em alto nível e em proporções variáveis para cada jogador, muita habilidade, criatividade, técnica, além de ótimas condições físicas e emocionais. O talento é a união de tudo isso.

A habilidade é a intimidade com a bola, a capacidade de colá-la nos pés, não perdê-la, mesmo diante de um adversário. Assim como a criatividade, a habilidade surge na infância, nas brincadeiras, sem regras e sem professores.

Dos fundamentos técnicos (passe, drible, finalização, desarme), o drible é o mais representativo da habilidade. A finta é o drible de corpo, sem tocar na bola. O drible, característica do futebol brasileiro, tem muito a ver com a ginga, com a dança e com nossa origem multirracial. Ele é o fundamento técnico mais lúdico e o mais importante para ultrapassar uma forte defesa. O drible tem sido cada dia mais substituído pelo passe, tecnicamente correto, sem risco. Os dois fundamentos são essenciais. O passe é o fundamento técnico mais representativo do jogo coletivo e planejado.

A criatividade é a antevisão do lance e a jogada surpreendente. Antes de a bola chegar, o craque, em uma fração de segundos, mapeia tudo o que está à sua volta, percebe a movimentação dos jogadores e calcula a velocidade da bola, dos companheiros e dos adversários.

Como ele sabe tudo isso? Sabendo. Sabe, mas não sabe que sabe. Existe um saber que antecede o raciocínio lógico. Alguns chamam isso de intuição, outros, de inteligência emocional, de inteligência inconsciente. Os especialistas médicos falam de inteligência cinestésica.

As escolinhas de futebol, particulares ou de clubes profissionais, estão invertendo o aprendizado e o desenvolvimento das crianças. Em vez de brincar com a bola, durante a primeira infância, os meninos, muito cedo, estão aprendendo a técnica, as regras e os conhecimentos táticos. Tudo isso deve ser aprendido na adolescência, nas categorias de base dos clubes, depois que os meninos desenvolverem a habilidade e a fantasia na infância.

O Brasil se tornou um grande exportador de jogadores, para todos os lugares do mundo. Há mercado para os craques, para os bons e para os medíocres.

O sonho dos treinadores, de todo o mundo, de parte da imprensa e de todos os pragmáticos e apaixonados pelo cientificismo, é transformar o futebol em um esporte cada vez mais técnico, programado, racional, de jogadas ensaiadas e repetidas, como o vôlei e outros esportes. Ficaria mais fácil de ser analisado.

A Seleção brasileira de 1970, campeã do mundo, considerada a melhor ou uma das melhores da história, pelo jogo eficiente e bonito, foi, paradoxalmente, também o marco, o início, no Brasil, do futebol mais tático e organizado, dentro e fora de campo. Por causa do excelente planejamento feito pelo Brasil, na Copa de 1970, todos os grandes times brasileiros passaram a valorizar mais a parte física e tática, muitas vezes em detrimento da habilidade, da fantasia e da improvisação.

Hoje, com a globalização e a valorização do futebol técnico e programado, há, cada vez menos, diferença entre o estilo brasileiro e sul-americano e o estilo europeu. Os brasileiros copiaram o pragmatismo europeu, e estes aprenderam com a fantasia e a criatividade do brasileiro. Levaram vantagem.

A diferença ainda existe porque, de vez em quando, surge, no Brasil, jogadores como Ronaldinho, Robinho e outros, que são mais raros na Europa. Já Kaká, um dos melhores jogadores do mundo, tem um estilo mais parecido com o dos europeus do que dos brasileiros. Kaká se destaca muito mais pela técnica, pela velocidade, pela força física e pela disciplina. Já Robinho e Ronaldinho se destacam mais pela fantasia e improvisação. Isso não significa que Kaká não seja habilidoso nem que Ronaldinho e Robinho não tenham excelente técnica. A técnica é a execução dos fundamentos básicos para o jogador de uma posição. Existe técnica sem arte, mas não existe arte sem técnica.

Por mais que o futebol se torne pragmático e programado, ele nunca estará livre do imponderável. Esse fator é determinante no resultado das partidas entre dois times do mesmo nível. O imponderável não tem nada a ver com o mistério e com o estranho. É a presença marcante e frequente de fatos comuns, que não sabemos onde e quando vão acontecer. O imponderável não torce nem é justo. Acontece.

A rotina, os rituais, as repetições e os esquemas táticos dos treinadores são tentativas sem êxito de controlar as sombras do imponderável, do que não tem regras nem nunca terá, como disse a belíssima música de Chico Buarque.

O imponderável é também determinante em nossas vidas. Temos a ilusão de que podemos programar e racionalizar tudo e, de repente, somos surpreendidos pelo imponderável. "A vida dá muitas voltas; a vida nem é da gente" (João Guimarães Rosa).

Existe, progressivamente, uma grande mudança na maneira de se ver o futebol. Por causa de grandes interesses econômicos, da violência e do desconforto dos estádios brasileiros, o futebol está sendo transportado para as salas de televisão. A análise dos árbitros, jogadores e esquemas táticos é feita muito mais pelo olhar da TV. Os editores, nas salas frias, repletas de computadores e de tira-teimas, são hoje mais importantes que os narradores e comentaristas. É o futebol virtual.

Apesar do desenvolvimento científico, o trabalho psicológico no futebol ainda não é bem-aceito. Isso ocorre por vários motivos. Existe um machismo no futebol. Os homens se acham poderosos, capazes de controlar suas emoções. Dirigentes, treinadores, membros da comissão técnica (até os médicos) são mal informados sobre o assunto. Acham que o trabalho dos psicólogos demora e/ou não dá resultados. Preferem as palestras óbvias e repetidas de motivação, de autoajuda, feitas principalmente antes dos grandes jogos.

No mundo do futebol, pragmático, operatório e utilitário, as emoções dos atletas são pouco valorizadas. Acham que o jogador é feito somente por músculos, ossos, tendões, cartilagens e outras estruturas anatômicas.

Muitos jovens, de grande talento, não se tornam craques porque não sabem conviver com as dificuldades, com as emoções, com o sucesso, com o fracasso, com a glória, com a fama e com o dinheiro. Muitos se perdem no meio do caminho. No meio do caminho, existe a vida.

Assim como em qualquer atividade, há atletas com as mais diversas características psicológicas. O mais comum é o atleta ter comportamentos contraditórios. A alma tem muitos mistérios.

Atletas introspectivos, tímidos e calados podem ser desinibidos dentro de campo. Já outros, brincalhões e falastrões, morrem de medo diante da responsabilidade. Existem os que crescem na adversidade. São os ambiciosos, perfeccionistas e determinados. Isso é fundamental para ser um craque. Outros, com baixa autoestima, se inibem quando são vaiados e criticados.

Há os que brilham somente se forem os craques do time. Necessitam ser mimados e elogiados todos os dias. Ao lado de outros craques, ficam retraídos. Existem também os que não querem ser destaque. São pouco ambiciosos. Preferem ser coadjuvantes. É mais fácil. São os obedientes e cumpridores dos esquemas táticos. São os mais comuns. Os técnicos adoram esses atletas.

Existem ainda os deslumbrados, narcisistas, sem autocrítica, que se acham melhores que são. Sentem-se sempre perseguidos pela imprensa, torcedores e técnicos.

O escritor e filósofo Alberto Camus, que foi goleiro, falou que aprendeu mais sobre os valores éticos e humanos no futebol que no restante de sua vida. Muitos dizem que o esporte humaniza e socializa as pessoas. Falam ainda que um jovem, ao praticar o esporte, esquece e sublima outros desejos que podem prejudicar e até destruir sua vida.

Tudo isso é verdade, mas nem sempre é assim, principalmente no esporte de alto rendimento, individual ou coletivo. Se as pessoas comuns, no cotidiano, não conseguem controlar e reprimir suas desmedidas ambições, agressividades e impulsos destrutivos, mesmo com tempo de pensar e assumir os riscos, imagine um atleta, na emoção da disputa de um título que vai lhe render muito dinheiro, fama e glória. Perder é morrer, já disse um campeão.

Se não houvesse exames antidoping de rotina, o número de atletas dopados seria muito maior. Mesmo correndo grandes riscos de serem flagrados, muitos não resistem.

Fora de campo, é a mesma coisa. Dirigentes costumam se utilizar de todas as estratégias, legais e ilegais, para seus clubes serem campeões. Isso representa prestígio e muito dinheiro. Treinadores, mesmo quando não têm consciência de suas atitudes e/ou não são explícitos, muitas vezes estimulam a violência e os valores antiéticos, com instruções do tipo: "Temos de ganhar de qualquer jeito". É a lei do mais esperto.

O esporte de alto rendimento, diferentemente do esporte que se pratica como lazer, não costuma ser um bom lugar para aprender e incorporar os valores éticos e morais. Obviamente, e felizmente, nem sempre é assim. Muitos jogadores, técnicos e dirigentes procuram fazer um jogo limpo. Há muitos profissionais conscientes e corretos.

Ser um bom profissional não é apenas cumprir obrigações e defender seus direitos. Para um atleta brilhar intensamente, ele precisa criar laços afetivos com o clube, com os torcedores e com os companheiros. No futebol atual, como é cada vez mais curto o tempo de um atleta em um clube, essa proximidade é cada vez menor.

O esporte de alto rendimento, principalmente o futebol, se tornou um grande negócio. Segundo vários estudos, é uma das maneiras mais comuns de se "lavar" dinheiro. Cada vez mais, milionários compram clubes para ganhar e esconder dinheiro, e também para se divertir.

Os clubes, por preguiça, incompetência e outros interesses, não fazem uma transação sem um intermediário. É comum o mesmo empresário gerenciar as carreiras de um técnico e de um jogador de um mesmo clube. Isso é, no mínimo, uma pressão subliminar para o técnico escalar o jogador. Nem todos são honestos.

É também cada vez mais frequente um empresário ser parceiro de vários clubes que disputam a mesma competição. Quando um fica fora do título, corre-se o risco de ele não fazer grandes esforços para vencer o adversário que é gerenciado pelo mesmo empresário.

Como diz uma velhinha em uma propaganda comercial, "onde é que isso vai parar?".

Muitas pessoas já disseram que o futebol é a verdadeira linguagem universal do mundo, uma metáfora do comportamento e da dualidade humana. Os jogadores estão sempre divididos entre o desejo individual de ser o herói, ter fama e muito dinheiro, e o desejo de participar mais do jogo coletivo e reprimir suas desmedidas ambições.

Como na vida, há geralmente uma conciliação entre o princípio do prazer e o princípio da realidade, entre a ambição e o altruísmo. Além disso, os jogadores mais conscientes sabem que, para um atleta brilhar individualmente, ele precisa do conjunto. Nem os grandes craques fogem dessa realidade.

Há ainda o conflito entre ganhar de qualquer jeito e os valores éticos, legais e morais. O resultado é novamente a conciliação, seguida muitas vezes de reparação, pelo sentimento de culpa, real ou imaginário.

Os atletas e treinadores estão quase sempre divididos entre a ousadia e a segurança. Querem arriscar, procurar mais o gol e, ao mesmo tempo, sabem que precisam correr menos riscos. Assim é também na vida.

O sonho de todos os treinadores é ter uma equipe equilibrada entre a defesa e o ataque. Como os atletas são imperfeitos e instáveis emocionalmente, como todos os humanos, o perfeito equilíbrio nunca será alcançado. O equilíbrio é importante, em qualquer atividade, mas, quando sua busca é obsessiva, doentia, retira a paixão, o prazer e a beleza das coisas.

Existe um lugar-comum que afirma que esporte é cultura. Não é o que vejo na prática, na maioria das vezes. Pelo contrário, o esporte é visto com preconceito por muitos intelectuais, como uma atividade menor, quase que somente física e corporal, com pouca participação do intelecto e da razão.

A linguagem corporal está muito mais próxima da emoção e do inconsciente. Isso é tão importante quanto a linguagem consciente e racional. O corpo fala primeiro. O corpo não mente. "O corpo é a sombra da alma" (Clarice Lispector).

SUGESTÕES DE LEITURA

FILHO, Mário. *O negro no futebol brasileiro*. Rio de Janeiro, Mauad X, 1947.

KFOURI, Juca. *Por que não desisto: futebol, dinheiro e política*. Porto Alegre, Disal, 2009.

RODRIGUES, Nelson. *À sombra das chuteiras imortais — Crônicas de futebol*. São Paulo, Companhia das Letras, 1993.

SALDANHA, João. *Futebol e outras histórias*. Rio de Janeiro, Record, 1988.

WISNIK, José Miguel. *Veneno remédio — O futebol e o Brasil*. São Paulo, Companhia das Letras, 2008.

GÊNERO, OU A PULSEIRA DE JOAQUIM NABUCO

Mariza Correa

Joaquim Nabuco é um dos meus "pensadores sociais" favoritos: bela estampa, uma integridade a toda prova e um português sem jaça nos seus escritos. E não isento das contradições que nos assolam a todos — entre o que pensamos, racionalmente, e o que sentimos, como parte de nossa educação e de nossa época. Só o fato de ter sido um liberal monarquista já é um bom exemplo disso. Outro, é o de ter saído de seu lugar circunscrito pelo nascimento, a elite da época, e ter trabalhado junto com os movimentos sociais de seu tempo para agitar a causa da abolição nas ruas. Agitou-a também na Europa, tendo sido um participante assíduo das reuniões da Anti-Slavery Society de Londres — que sobrevive até hoje, agora como Anti-Slavery International — e, ainda que não fosse religioso na época, até conseguiu uma declaração do papa contra a escravidão, antes de ela ser abolida. Ele concentra, assim, de certo modo, as variadas contradições de um intelectual do seu tempo e em sua biografia se encontram também muitas pistas para entendermos as disputas da sociedade de então sobre o que significava ser homem e ser mulher na época, isto é, sobre como as relações de gênero eram vividas.

Ele é, ainda, um bom exemplo da *formação* dos homens públicos brasileiros no século XIX, cuidado por escravas na sua infância, como se vê por um trecho do capítulo mais bonito de *Minha formação*, no qual Nabuco relembra: "'O menino está mais satisfeito', escrevia a meu pai o amigo que devia levar-me [para o Rio de Janeiro] 'depois que eu lhe disse que a sua ama o acompanharia'". Sua ama, e sua madrinha, que o criou até os oito anos, são figuras presentes nessas memórias, quase sem referência a outras mulheres — nem sua mãe, nem sua esposa aparecem aqui. Talvez não por acaso, um dos juristas da época, Caetano Soares, propunha que as amas que tivessem dedicado sua vida a um senhor — será que também a uma senhora? — fossem consideradas livres.

Quando jovem, tendo aderido ao dandismo, uma moda bem espalhada no minúsculo grupo da elite brasileira, copiando a francesa, Nabuco usava roupas apuradas, cabelos frisados e brilhantina nos bigodes — e sua figura chegou a ser alvo da chacota de seus inimigos. Candidato a deputado, foi gozado em prosa e verso pelos jornais de oposição em Pernambuco, seu estado natal, como "o candidato da pulseira" — "coisas de senhora" — porque usava uma pulseira de ouro. Era também chamado de pavão, e o pai de uma de suas namoradas a advertia de que ele tinha "papelotes nas mangas" — seja lá o que for que isso quisesse dizer — e, além de tudo, foi apelidado de "Quincas, o Belo".

Se essa vinheta de sua biografia mostra como seus contemporâneos podiam utilizar os sinais típicos do masculino/feminino de maneira a redefinir politicamente esses sinais, um bom exemplo de utilização, no sentido inverso, pode ser visto na relação de Joaquim Nabuco com a noiva com a qual não se casou. Eufrásia Teixeira Leite, rica herdeira de fazendas de café em Vassouras, ficou órfã muito cedo e mudou-se com sua irmã para Paris, para escapar à tutela de parentes masculinos, na época obrigatória para mulheres sós. Lá, tornou-se provavelmente a primeira brasileira a ser uma mulher de negócios na cena internacional — aplicando na Bolsa de Valores, investindo suas ações em vários países e vivendo uma vida independente. Em suma, no século XIX, Eufrásia vivia como um homem rico de sua época viveria. E foi sua atuação "masculina" que fez com que seu romance com Nabuco fosse de vez por água abaixo — como a biógrafa dele comenta, parecendo, ela também, ter aderido aos "ares do tempo" sobre o que se esperava das relações entre homens e mulheres, sobre a oferta da noiva a um homem sempre endividado, a de criarem um jornal ou se associarem em algum negócio:

> Nabuco ficou ofendido. [...] Na sua virilidade, rebaixado da obrigação de provedor para o lugar feminino por excelência, de

dependente. Nessa inversão de papéis, viu pela primeira vez a noiva sem o véu romântico. Reconheceu a bem-sucedida mulher de negócios, preocupada em fazer dinheiro de dinheiro, pondo tudo em termos práticos, sem arroubos de ternura. A situação descortinava a superioridade material dela e escancarava o problema que ele escamoteava.

ESCRAVAS E SINHÁS

Em 2011, a chamada Lei do Ventre Livre, analisada no livro de Joaquim Nabuco — *Um estadista do Império* —, completará 140 anos. E o que é que isso tem a ver com gênero e pensamento social no Brasil? Muita coisa. A associação da maternidade à liberdade remete a uma discussão bem específica sobre o papel da mulher na escravidão. *Partus sequitur ventrem*, dizia a norma romana, adotada até pelos Estados Unidos, que, para assegurar o controle dos filhos das escravas, abandonara a consagrada tradição inglesa de que os filhos seguiam o estatuto do pai. A rigor, a discussão da lei que pretendia libertar os filhos de escravas era ociosa, já que, como Joaquim Nabuco bem mostrou em *O abolicionismo*, a maior parte das escravas em idade fértil no Brasil, em 1871, tinha sido escravizada ilegalmente, ou eram filhas de escravos ilegais, já que a lei que determinava o fim do tráfico (1831) — depois chamada de "lei para inglês ver" — determinava também que qualquer um que aqui chegasse como escravo seria imediatamente considerado livre.

Algumas das discussões em torno da lei proposta, no entanto, são interessantes para pensar: todas as análises sobre a história da escravidão mostram o que Joaquim Nabuco dizia em 1883, que as esperanças da continuidade da escravidão, depois da abolição do tráfico, estavam concentradas na *fecundidade da mulher escrava* — mas não necessariamente na existência de *famílias* escravas. A partir de quando a família escrava tinha sido aceita como existente pelos políticos que vão discutir essa lei é uma questão controversa: José de Alencar, notório antiabolicionista, quando ministro da Justiça promulgara uma lei que proibia a separação dos integrantes da família escrava (1869); Joaquim Nabuco vê em Silveira da Mota um precursor dessa lei, afirmando que ele *criou a família escrava* em 1862 — e cita ainda José Bonifácio como um precursor anterior. Mas é a seu pai, Nabuco de Araújo, a quem atribui a defesa da *integridade perpétua da família escrava*, com uma amplitude nunca vista antes. O interesse pelas escravas e sua prole, especialmente quando se tratava da prole nascida da *conjunção carnal* com o senhor da escrava, no entanto, não era novo: uma pesquisa sobre os juristas reunidos no Instituto dos Advogados mostra que eles debatiam o assunto, como um dos temas centrais da questão escrava no Brasil, desde 1840.

Seja como for, ao se instalar a discussão sobre a possibilidade da libertação dos escravos por nascer, instaura-se também a discussão sobre a posição de suas mães. Mães escravas de filhos livres? Isso não era uma mera possibilidade teórica: Robert Slenes dá o exemplo de um filho livre de escrava cujo primeiro ato ao atingir a maioridade foi libertar a mãe, escrava de seu pai, de quem a herdara. O debate duraria pelo menos quatro anos, à espera do final da Guerra do Paraguai, para que a discussão da *questão servil* não desmantelasse a *homogeneidade da nação*, conseguida com a guerra. Durante essa guerra, aliás, vários escravos brasileiros que dela participaram tinham sido alforriados, assim como todos os escravos paraguaios, quando o exército brasileiro invadiu aquele país. Mas já em 1867, ao discutir a alternativa de se libertar primeiro as escravas em idade fértil, Nabuco de Araújo, previa: "E as mulheres, que na escravidão trabalham, sob a liberdade tomariam os encargos domésticos".

Isto é, as mulheres escravas, que até então podiam ser vistas, implicitamente, como homens, já que trabalhavam, ao con-

229

trário das mulheres brancas, se libertadas certamente adotariam a norma social vigente — cuidar da casa e dos filhos — desde que sob a égide de um *pater familias*. Como um dos mais abalizados analistas da escravidão na época, Perdigão Malheiro explicita, em seu discurso como deputado, durante a discussão da Lei do Ventre Livre, ao falar sobre o perigo de tirar dos senhores de escravos o poder sobre eles, fazendo uma analogia com o direito doméstico: "Tirai ao pai este direito sobre o filho, tirai ao marido este direito sobre a mulher, proclamai a emancipação da mulher e dos filhos, onde irão parar as relações de família, a ordem social, e todas as suas consequências?".

A discussão sobre a lei parecia pôr a sociedade de cabeça para baixo — e não só porque estava abalando um dos pilares centrais da sociedade, a escravidão, como é a ênfase da maior parte dos historiadores que tratam do tema, mas porque estava pondo em xeque vários dos valores familiares daquela sociedade, um deles a subordinação das mulheres.

Ou seja, que o que se debatia quando se discutia a Lei do Ventre Livre ia muito além da possibilidade de libertação daqueles que iam nascer. De repente, convinha para a sociedade que existisse uma *família* escrava e que existisse uma *condição feminina*, dependente, das escravas, análogas ambas à das famílias e mulheres brancas.

Assim como os discursos políticos da sua época, registrados por Nabuco, mostravam como se estava tentando atribuir uma condição feminina às escravas — redefini-las como mulheres, parte de uma família, cujo único padrão na época era o de donas de casa, sujeitas ao seu marido —, havia também nas entrelinhas das relações pessoais e sociais dessa época uma disputa sobre o que significava ser homem e o que significava ser mulher na sociedade brasileira, que os debates sobre a Lei do Ventre Livre vão acirrar: afinal, uma escrava é uma mulher?, pareciam perguntar-se os políticos que participavam dessa discussão. De repente, parecia ficar claro que as escravas *trabalhavam*, e que o trabalho era o grande diferencial entre homens e mulheres naquela sociedade — e que o único modo de transformar uma escrava em mulher seria retirar-lhe essa possibilidade.

Muitas mulheres parecem ter feito rapidamente a analogia — são inúmeros os exemplos históricos de vinculação do movimento abolicionista com o movimento feminista na época, a começar pelas socialistas feministas russas e o movimento pela abolição dos servos naquele país, continuando com as íntimas relações entre o movimento abolicionista e as feministas na América do Norte e as várias feministas da Anti-Slavery Society, com quem Joaquim Nabuco deve ter convivido na Inglaterra. No Brasil, essa relação ainda está por ser mais bem estabelecida — o pouco que sabemos é que boa parte das feministas brasileiras da época eram abolicionistas: Nísia Floresta, Francisca Senhorinha da Motta Diniz, Júlia Lopes de Almeida, Chiquinha Gonzaga, Francisca Amélia de Assis Faria, Maria Firmina dos Reis, autora do primeiro romance abolicionista... E é fato bem conhecido a enorme participação de mulheres no movimento abolicionista brasileiro, em todas as províncias. A biógrafa de Joaquim Nabuco anota: "Mesmo sem voto, as mulheres ganharam destaque, com camarotes reservados no [teatro] Santa Isabel [no Recife] para ver Quincas, o Belo, de perto. Ele retribuiu em conferência exclusiva para as abolicionistas, congregadas na associação Ave Libertas".

GÊNERO

Como os leitores e leitoras já devem ter percebido, a noção de gênero não é propriamente um *tema* do pensamento social brasileiro — assunto deste artigo. É antes uma maneira de olhar, um olhar transversal, uma leitura de entrelinhas, que busca na análise das convenções vigentes um modo de entender como as diferentes sociedades atribuem características femininas ou masculinas aos seus integrantes — quais são suas contradições, os termos em disputa e, principalmente, as questões implícitas em todas essas atribuições. Um dos primeiros textos de discussão das questões de gênero — *The traffic in women*, de Gayle Rubin, até hoje retomado pelas analistas — emprestava seu título de um artigo com o mesmo nome, da anarquista e feminista Emma Goldman (de 1910). Emma criticava a hipocrisia do tratamento privilegiado dado ao chamado "tráfico de escravas brancas" — a prostituição exportada da Europa, especialmente de mulheres judias, para o resto do mundo —, já que ela considerava que todas as mulheres eram escravas. Emma não trata disso, mas podia ter tratado: o mesmo racismo que se aplicava ao tráfico de africanos se aplicava ao "tráfico" de judias: seres inferiores, "diferentes", aos quais se atribuía a *causa* de serem traficadas — como até hoje nas notícias dos jornais, nas falas de alguns políticos, na discussão sobre cotas para negros nas universidades, se atribui aos africanos a causa da sua escravidão.

A "questão de gênero" tem, assim, uma longa genealogia política — suas raízes estão na Revolução Francesa, no feminismo socialista, e anarquista, no feminismo associado ao abolicionismo norte-americano, no feminismo inglês, de luta pelo voto — e, no Brasil, apesar de terem uma história anterior, as feministas se definiram melhor durante a luta contra a ditadura militar. As várias tradições históricas dessa questão, que são também tradições nacionais — somadas às tradições disciplinares que as atravessam, da história, da antropologia, da teoria literária, da psicanálise etc. —, contam assim uma história bastante multifacetada dessa pergunta — do que se trata, quando se trata de gênero? Trata-se de várias coisas, dependendo do contexto, do momento histórico, da história que está sendo contada. A história acima é só um pequeno exemplo dos usos que podemos fazer da noção de gênero, ao ler os debates sobre um dos temas mais importantes do pensamento social no Brasil — o abolicionismo.

SUGESTÕES DE LEITURA

ALONSO, Ângela. *Joaquim Nabuco: os salões e as ruas*. São Paulo, Companhia das Letras, 2007.

GREGORI, M. F. "Estudos de gênero no Brasil: comentários críticos". *In*: MICELI, Sergio (org.). *O que ler na ciência social brasileira (1970-1995)*. São Paulo, Sumaré/Anpocs, 1999, pp. 223-35.

NABUCO, Joaquim. *Um estadista do Império*. Rio de Janeiro, Nova Aguilar, 1975.

PENA, Eduardo Spiller. *Pajens da casa imperial. Jurisconsultos, escravidão e a lei de 1871*. Campinas, Editora da Unicamp, 2001.

SLENES, Robert W. "Senhores e subalternos no oeste paulista". *In*: ALENCASTRO, Luiz Felipe de (org.). *História da vida privada no Brasil*, vol. II. São Paulo, Companhia das Letras, 2006, pp. 233-90.

SORJ, B. e HEILBORN, Maria Luiza. "Estudos de gênero no Brasil". *In*: MICELI, Sergio (org.). *O que ler na ciência social brasileira (1970-1995)*. São Paulo, Sumaré/Anpocs, 1999, pp. 183-221.

HOMOSSEXUALIDADE E MOVIMENTO LGBT: ESTIGMA, DIVERSIDADE, CIDADANIA

Júlio Assis Simões

Acostumamo-nos a ver, em várias cidades brasileiras, multidões de pessoas reunidas em manifestações organizadas para celebrar o "Orgulho LGBT", sigla que se refere a lésbicas, gays, bissexuais, travestis, transexuais, transgêneros. No Brasil, assim como em vários outros países, os modernos movimentos LGBT representam um desafio às formas de condenação e perseguição social contra desejos e comportamentos sexuais anticonvencionais associados à vergonha, imoralidade, pecado, degeneração, doença. Falar do movimento LGBT implica, portanto, chamar a atenção para a sexualidade como questão social e política, seja como fonte de estigmas, intolerância e opressão, seja como meio para expressar identidades e estilos de vida.

A sexualidade é uma referência privilegiada em muitas interpretações clássicas do Brasil. Sensualidade e luxúria, manifestadas como uma espécie de propensão coletiva à precocidade sexual e ao desregramento erótico, foram apontadas como traços importantes (ou mesmo definidores) da brasilidade, por autores tão diversos em contextos distintos como Nina Rodrigues (1862-1906), Paulo Prado (1869-1943) e Gilberto Freyre (1900-87). Deve-se observar que a visão do Brasil como terra do excesso sexual provinha já dos primeiros tempos da colonização, como sugerem os relatos de viajantes sobre práticas do "pecado nefando" entre os ameríndios e documentos sobre confissões e denúncias de sodomia durante a visitação do Santo Ofício, na Bahia e em Pernambuco, no final do século XVI e começo do XVII. Nas interpretações da formação social brasileira que se desenvolveram desde o final do século XIX até meados do XX, causas variadas foram propostas para explicar aquele pendor: a influência do calor tropical; a natureza supostamente mais excitável, ardente e descontrolada de africanos, ameríndios e portugueses; as condições sociais de desigualdade, violência e degradação moral forjadas na escravidão; ou, ainda, uma combinação de tudo isso. Diferenças de ênfase à parte, essas interpretações corroboraram a visão de um Brasil marcado por uma sexualidade excessiva, com sua busca de prazeres "perversos" de toda sorte, entre os quais se destacavam as relações entre pessoas do mesmo sexo.

Apesar da importância que vários autores clássicos do pensamento social brasileiro atribuíram à sexualidade, somente a partir dos anos 1970 o tema deixou de ser incidental e se tornou foco de pesquisa sistemática nas nossas ciências sociais. Isso se ligou, em boa parte, ao contexto de intensificação dos movimentos em defesa da liberdade sexual nos Estados Unidos e na Europa durante a chamada "contracultura" dos anos 1960, culminando com a famosa rebelião dos frequentadores homossexuais do clube Stonewall contra a polícia de Nova York, no começo do verão de 1969. Na cena norte-americana, palavras de ordem como "assumir-se" e "sair do armário" simbolizavam o anseio de tornar visível e fonte de orgulho o que até então era motivo de vergonha e vivido na clandestinidade.

No Brasil dos anos 1970, sob a ditadura militar, formas locais de desbunde e contestação cultural abriram brechas na repressão política. A androginia adquiria então um potencial subversivo. Em seu primeiro espetáculo no Brasil depois da volta do exílio na Inglaterra, em 1972, o cantor e compositor Caetano Veloso surpreendia o público ao usar batom e encenar maneirismos à moda de Carmen Miranda. Ao mesmo tempo, surgia o grupo teatral Dzi Croquettes, cujos componentes misturavam barbas, cílios postiços, peitos peludos, sutiãs, meiões de futebol e saltos altos em espetáculos de humor, canto e dança que percorriam o país com grande impacto. Os Dzi Croquettes buscavam vivenciar no cotidiano o que representavam no palco, mobilizando fãs ou "tietes" com quem formavam uma comunidade com múltiplas relações eróticas e afetivas. Essas intervenções artísticas e existenciais foram, em boa medida, precursoras e coprodutoras da "saída do armário" no Brasil. No final da década de 1970, em meio a um movimento crescente de oposição ao regime militar, emergiria um movimento homossexual no país, cujos marcos foram a criação do jornal *Lampião* e a fundação do grupo Somos de Afirmação Homossexual, ambas em 1978.

Também nesse momento os trabalhos do filósofo e historiador francês Michel Foucault (1926-84) sobre a produção histórica e social da loucura, do crime e da sexualidade foram introduzidos nos cursos de ciências humanas no Brasil. Em sua *História da sexualidade: a vontade de saber* (publicado na França em 1976 e traduzido no Brasil já no ano seguinte), Foucault argumentou que os especialistas médicos, desde a segunda metade do século XIX, em seus esforços de conhecer e prevenir tudo aquilo que poderia ameaçar a saúde do indivíduo e da nação, contribuíram decisivamente para estabelecer uma série de classificações de tipos humanos que deram corpo às sexualidades "marginais" ou "perversas". Dessa forma, os médicos ajudaram a promover uma nova forma de controle social, tendo a sexualidade como alvo, ao mesmo tempo que moldaram novos personagens sociais. Um exemplo seria a figura do "homossexual", que substituiu a figura do "sodomita" na linguagem da medicina e do direito. Na visão influenciada pela religião, o sodomita era um praticante eventual ou reincidente de relações sexuais ilícitas. Na visão dos especialistas médicos, o "homossexual" passava a ser um tipo de natureza física e psíquica singular, situada entre o masculino e o feminino, que se manifestaria em seu corpo, seu temperamento e sua conduta.

No âmbito do debate brasileiro dos anos 1970, cabe destacar o trabalho do antropólogo Peter Fry, por sua relevância para a configuração de uma área de estudos voltada às conexões entre homossexualidade, cultura e política, que também desenvolvia uma abordagem da sexualidade como produto histórico e social. Fry argumentou que no Brasil, na passagem do século XIX para o XX, também se elaborou uma compreensão do "homossexual" como um ser dotado de natureza singular. Nossos especialistas médicos não apenas codificaram e descreveram "anormalidades" sexuais, mas procuraram associá-las a explicações para degeneração, delinquência e loucura fundamentadas em diferentes versões do determinismo biológico e das teorias raciais em voga.

A visão médica da homossexualidade viria se contrapor a um modelo mais antigo e persistente de classificação de tipos sexuais, que Fry denominou de "hierárquico-popular". Nele, as categorias referidas às práticas homossexuais estão englobadas por uma hierarquia de gênero, distinguindo as figuras do "homem" e da "bicha" (ou "viado", "boiola", "xibungo" etc.), em termos de seu papel no ato sexual. Na lógica do modelo hierárquico-popular, os atos de penetrar e de ser penetrado adquirem os sentidos respectivos de dominação e submissão por meio das categorias de "ativo" e "passivo" (e várias outras expressões populares correspondentes, como "comer" e "dar", "ficar por cima" e "ficar por baixo", "meter" e "abrir as pernas" etc.). O parceiro ativo dominador conservaria sua masculinidade, enquanto o feminino é quem se entregaria de forma subalterna e servil. Seria possível conceber também uma versão desse modelo para as relações homossexuais femininas, com a figura do "sapatão" (ou "paraíba", "fancha", "mulher-macho" etc.), que desempenharia o papel "ativo" ao se relacionar com "mulheres".

Fry sugeriu que o modelo hierárquico-popular teria raízes históricas profundas, mas não seria uma peculiaridade brasileira. Distinções similares de "ativo" e "passivo" já constavam em cancioneiros medievais que mencionavam praticantes do coito anal. Recuando ainda mais no tempo, podemos encontrá-las na Roma antiga, onde o cidadão adulto que se deixasse penetrar em relações homossexuais era vilipendiado em sua honra viril, enquanto a passividade era adequada aos jovens escravos. Cabe lembrar que Gilberto Freyre, em *Casa-grande &*

senzala (1933), já havia equiparado o papel do moleque, como paciente do senhor moço entre as grandes famílias escravocratas do Brasil, ao do escravo púbere escolhido para companheiro do rapaz aristocrata no Império Romano, observando que, "através da submissão do moleque, seu companheiro de brinquedos e expressivamente chamado de "leva pancadas", iniciou-se muitas vezes o menino branco no amor físico".

Enquanto o modelo hierárquico-popular diz quem é masculino e quem é feminina, o modelo médico-psicológico insiste na distinção entre homossexualidade e heterossexualidade. Em um primeiro momento, os médicos incorporaram em suas classificações os princípios da hierarquia de gênero, dividindo os homossexuais em "ativos" e "passivos", parcialmente correspondendo a suas concepções de homossexualidade "adquirida" e "congênita". O modelo médico-psicológico se encaminharia depois para uma representação mais homogênea dos diferentes tipos, baseada em uma noção de orientação do desejo sexual. Assim, os homens que mantivessem relações sexuais com outros homens seriam considerados "homossexuais", não importando mais se é "ativo" ou "passivo".

Essa passagem é importante, pois permite a Fry argumentar que um modelo "igualitário-moderno" teria surgido como uma derivação do modelo médico-psicológico, mudando-se o valor social atribuído aos termos. Se "homossexual" apresenta conotações de patologia, perturbação e crime, termos como "gay" vêm substituí-lo para expressar literalmente uma pessoa "alegre" e "feliz". O modelo igualitário-moderno alargaria a visão de que a orientação do desejo sexual é o que importa para identificar os parceiros de uma relação homossexual, ao mesmo tempo que buscaria separar a homossexualidade da inversão de gênero. Se "bicha" ou "travesti" trazem as conotações de afeminação e espalhafato, termos como "entendido" ou "gay" vêm substituí-los para referir-se a rapazes que, mesmo "alegres", são discretos e viris.

É nesse terreno de convivência e disputa entre modelos concorrentes — com ênfase na igualdade de orientação sexual em contraposição à hierarquia de gênero — que Fry e outros pesquisadores situaram a emergência do movimento político em defesa dos direitos homossexuais no Brasil, no final dos anos 1970. Desde então, o movimento homossexual colaboraria de forma decisiva para a expansão do modelo igualitário-moderno, que se daria principalmente entre as classes médias urbanas, como também dependeria dessa expansão. As diferenças de valor entre "igualdade" e "hierarquia" nas relações homossexuais ajudariam a produzir uma hierarquia entre os próprios modelos, tornando-se assim um meio privilegiado de expressar e constituir distinções de classe. O emergente movimento político homossexual tenderia a incorporar a crítica aos papéis de gênero convencionais, formulada pelo feminismo. Desse modo, entraria em tensão crescente com os valores e comportamentos que prevaleceriam no universo "tradicional" e "atrasado" das "bichas", "sapatões" e travestis.

Algumas qualificações podem ser feitas acerca dessa influente leitura da estruturação da homossexualidade e do movimento homossexual no Brasil. Em primeiro lugar, ela sugere uma tendência geral de transição do modelo hierárquico para o igualitário, através da mediação do modelo médico, cuja realização histórica não pode nem deve ser entendida de forma linear. O historiador James Green mostrou evidências de identidades homossexuais masculinas que extrapolavam o binário ativo/passivo na cena urbana brasileira desde a virada do século XIX para o XX — contemporâneas, portanto, dos primeiros momentos de produção da visão médico-psicológica do "homossexual", e bem anteriores ao surgimento e popularização das categorias de "entendidos" e "gays".

Em segundo lugar, a insistência no termo "modelo" é crucial para definir com mais clareza o plano em que essa leitura se situa: isto é, das ideias, valores e suas conexões lógicas, por meio das quais comportamentos e identidades ganham inteligibilidade social, demarcam regras e contravenções. Em contrapartida estão os processos através dos quais indivíduos tornam-se sujeitos e agentes sociais, incorporando-se e reconhecendo-se em determinadas categorias; o que abre espaço para variações, deslocamentos e transformações nos próprios modelos. Assim, podemos encontrar rapazes que fazem sexo com outros homens por dinheiro ou alguma outra forma de recompensa, e que podem até desempenhar o papel "passivo" no ato sexual, mas que não deixam de se considerar e de ser considerados como "homens". Temos ainda as travestis, que adotam nomes e modos de tratamento no feminino, submetem-se a modificações corporais irreversíveis para adquirir vistosas formas femininas, mas não se acham necessariamente "mulheres" e, muitas vezes, desempenham o papel "ativo" no ato sexual. Além disso, podemos encontrar homens e mulheres que se dispõem à experimentação erótica com pessoas do mesmo sexo ou do sexo oposto, sem recorrer a identidades fixas de orientação sexual.

Essa dinâmica não deixou de repercutir na própria trajetória do movimento LGBT no Brasil. O antropólogo Edward MacRae, em seu trabalho sobre o Somos, de São Paulo, um dos primeiros grupos homossexuais formados no final dos anos 1970, mostra que já naquele momento os militantes se dividiam quanto a se constituir ou não em torno de uma identidade homossexual. Havia então uma grande inquietação quanto aos riscos de se cristalizar (ou "reificar", para usar uma expressão mais comum à época) a oposição entre hétero e homossexualidade, e daí promover novos rótulos e estigmas. MacRae registrou sua própria angústia de trabalhar com pressupostos analíticos (baseados na visão da homossexualidade como um papel social e historicamente construído) que se contrapunham a um princípio importante para a solidariedade do grupo, de que a homossexualidade seria uma característica interna e inescapável de cada pessoa.

242

Nos anos 1980 o cenário mudou. A eclosão da epidemia HIV-Aids trouxe de volta velhas associações entre homossexualidade e doença, enquanto a democratização acenava com a abertura de canais de comunicação com o Estado, especialmente com as autoridades de saúde envolvidas nas respostas sociais à Aids e com os novos partidos políticos. A partir de então, é possível observar também o desenvolvimento de um estilo de atuação política diferente, mais preocupado com aspectos formais de organização institucional e que buscava se organizar em torno de campanhas específicas, como a mobilização para incluir a proibição de discriminação por "orientação sexual" durante a Assembleia Constituinte. Embora não tenha atingido seu objetivo, essa campanha envolveu um significativo esforço pela produção de um consenso em torno da ideia de "orientação sexual". A pesquisa da antropóloga Cristina Câmara sobre o grupo Triângulo Rosa, do Rio de Janeiro, no final dos anos 1980, mostra como essa campanha mobilizou vários cientistas sociais brasileiros, que proferiram pareceres ressaltando vantagens da expressão "orientação sexual" como instrumento capaz de promover o direito individual à liberdade sexual e propiciar ao movimento maiores possibilidades de diálogo com a sociedade civil e com as diferenças.

Ao longo dos anos 1990, as parcerias com o Estado em torno do combate à Aids consolidaram-se e deram impulso à multiplicação de grupos ativistas, inclusive de lésbicas e de travestis, promovendo a diversificação e a incorporação dos vários sujeitos do movimento homossexual na atual sigla LGBT. Parte considerável das entidades de base do movimento aderiu ao formato de organizações não governamentais (ONGs), estabelecendo estruturas mais formais de organização interna, conduzindo uma rotina de elaboração de projetos e relatórios, preocupando-se com a "capacitação de quadros" para estabelecer relações duráveis com técnicos de agências governamentais e organismos internacionais. A pesquisa da antropóloga Regina Facchini mostra como esse processo se deu em um pequeno grupo de ativistas de São Paulo, na segunda metade dos anos 1990.

Nesse período mais recente, o movimento LGBT lança campanhas pelo reconhecimento legal dos relacionamentos homossexuais e pelo combate à discriminação e à violência contra homossexuais, que contribui para popularizar o termo "homofobia". É também o momento de emergência e consagração das Paradas do Orgulho LGBT, paralelamente ao crescimento de um mercado segmentado e à proliferação de diversos estilos de vida associados à homossexualidade, que acaba por refratar em múltiplas categorias e identidades.

Grande parte da visibilidade social e política alcançada pelo movimento LGBT deveu-se ao seu processo recente de institucionalização e estabelecimento de parcerias com o Estado. Nesse campo de relações, há vantagens, mas também riscos. Abrem-se novos canais para pressões vindas "de baixo" que, entretanto, podem também favorecer novas redes de clientela que amorteçam o potencial crítico do movimento. Sob esse aspecto, a trajetória do movimento LGBT recoloca de forma eloquente um fenômeno bastante conhecido e atual: a interpenetração e a porosidade entre Estado e sociedade civil no Brasil. Poderia ser diferente? Afinal, o movimento LGBT leva consigo as tramas e tensões da sociedade em que está enredado.

SUGESTÕES DE LEITURA

CÂMARA, Cristina. *Cidadania e orientação sexual: a trajetória do grupo Triângulo Rosa*. Rio de Janeiro, Academia Avançada, 2002.

FRY, Peter. "Da hierarquia à igualdade: a construção histórica da homossexualidade no Brasil". *In*: ____. *Para inglês ver: identidade e política na cultura brasileira*. Rio de Janeiro, Zahar, 1982, pp. 87-115.

GREEN, James. *Além do carnaval: a homossexualidade masculina no Brasil no século XX*. São Paulo, Editora da Unesp, 2000.

MACRAE, Edward. *A construção da igualdade: identidade sexual e política no Brasil da "abertura"*. Campinas, Editora da Unicamp, 1990.

SIMÕES, Júlio Assis e FACCHINI, Regina. *Na trilha do arco-íris: do movimento homossexual ao LGBT*. São Paulo, Fundação Perseu Abramo, 2010.

IBERISMO
E
AMERICANISMO

Luiz Werneck Vianna
Fernando Perlatto

Desde *A democracia na América* (1835), de Alexis de Tocqueville, tornou-se corrente comparar os Estados Unidos com a América ibérica, constituindo este exercício uma fonte de inspiração da imaginação social no continente. Nessa obra, a América do Sul é descrita como lugar em que a pujança da natureza debilitaria o homem, enquanto, na América do Norte, a natureza se revestiria de outro aspecto, onde tudo "era grave, sério, solene; dissera-se que fora criada para se tornar província da inteligência, enquanto a outra era a morada dos sentidos".

O caso bem-sucedido da América do Norte apontaria para um processo em que o atraso ibérico, sob o impacto das diferentes influências exercidas pelo seu vizinho anglo-americano, modernizar-se-ia, rompendo com os fundamentos da sua própria história.

A reflexão social latino-americana no século XIX, já testemunha dos sucessos econômicos e políticos dos Estados Unidos, tomou-os como um paradigma em sua luta orientada contra o que seria o seu atraso constitutivo, resultante do caudilhismo e do patrimonialismo vigentes em seus espaços nacionais. Entre tantos outros, os argentinos Sarmiento e Alberdi desenvolveram uma publicística centrada na comparação entre as duas Américas e o que nos cumpriria fazer para, livrando-nos dos nossos males históricos, lograrmos sucesso no ingresso ao mundo moderno. Na passagem para o século XX, especialmente a partir do clássico estudo do uruguaio José Enrique Rodó, *Ariel* (1900), a peça *A tempestade*, de William Shakespeare, com seus personagens Próspero, Caliban e Ariel, se constituiu na metáfora por excelência a aludir à forma de inscrição dos ibero-americanos em seu contexto continental, tendo como espelho a América do Norte.

No caso do Brasil, a comparação com os Estados Unidos também esteve presente ao longo da nossa história, influenciando diretamente os embates sobre o processo da modernização brasileira. Nossa herança ibérica, marcada por um Estado forte e pela valorização do público, seria compatível com os valores do mundo moderno então emergente? Ou, de forma alternativa, ela teria nos legado uma carga tão excessiva, cuja superação em direção à modernidade exigiria uma ruptura com esse passado? Desde já, é importante ressaltar que, ainda que os conceitos iberismo e americanismo tenham sido formulados *a posteriori*, não estando presentes no vocabulário dos autores consagrados como fundadores da tradição de interpretar o Brasil, eles fornecem uma chave interpretativa para o estudo do processo da nossa formação histórica.

A contraposição entre iberistas e americanistas não pretende enquadrar os argumentos dos autores das duas matrizes de forma estanque, mas apenas circunstanciá-los historicamente. De um lado, a matriz iberista seria identificada com processos que levariam à precedência do Estado em relação à sociedade civil, à prática da centralização política, ao primado do público sobre o privado e ao ideal da unidade nacional. De outro lado, a matriz americanista prescindiria de maiores mediações entre a política e a economia, que deveria ser emancipada de controles externos a ela, privilegiando-se a descentralização, a livre-iniciativa, o livre mercado e a abertura das fronteiras econômicas. Seu ideal de sociedade residiria no *self-government*, de onde deveria emergir naturalmente um indivíduo emancipado e uma cultura cívica.

No Império, esse embate entre iberistas e americanistas já se colocava de maneira evidente. Visconde do Uruguai, sobretudo em sua principal obra, *Ensaio sobre o direito administrativo* (1862), embora admitisse, em tese, a superioridade do autogoverno como garantidor da liberdade, pode ser tomado como um emblema do pensamento iberista no Império. Uruguai rejeitará a livre manifestação da esfera do interesse sem mediações, na medida em que, segundo ele, possuiríamos uma sociedade desorganizada e ameaçada pelos chefes do caudilhismo local. Em razão dessa debilidade que nos seria constitutiva, a obra da civilização brasileira exigiria o exercício do papel pedagógico de um Estado, fazendo com que a esfera do público viesse a se comportar como um instrumento da educação para os valores cívicos.

Embora a matriz iberista tenha se tornado hegemônica no processo de construção do Estado nacional, ela foi objeto de persistentes críticas por parte de alguns pensadores liberais. Talvez o contraponto mais forte nesse sentido tenha sido aquele realizado por Tavares Bastos, que buscará as bases do autoritarismo brasileiro na história da metrópole. Em sua obra, o autor denunciará a nossa herança ibérica, que teria como corolário um Estado absolutista de feição asiática, encarado como a origem de todos os nossos males. Ao contrário da centralização e do Estado como agente pedagógico no cultivo das virtudes da cidadania, o americanista Tavares Bastos propunha a liberalização das atividades econômicas e uma reforma capaz de promover a descentralização política, mas de tal forma que esta não viesse arriscar a unidade nacional, abrindo campo de ação para o caudilhismo de potentados locais e o retorno da sedição do período regencial.

Dessa forma, para os iberistas, os problemas do país estariam vinculados à própria natureza da sociedade, fragmentada, desarticulada e marcada pelo predomínio do poder pessoal e pelas políticas de clientela. Nesse cenário, a agenda americanista poderia até mesmo ser incorporada, desde que informada pela ação de um Estado civilizatório, intérprete da razão nacional e do bem comum. Já para os americanistas, a origem dos males encontrava-se no Estado herdado de Portugal, com suas instituições e com sua cultura política corrompidas. Nesse sentido, seria imperativa a realização de uma reforma política, para romper com a herança ibérica da nossa formação histórica, reduzindo o tamanho do Estado e sua capacidade de intervenção, de modo a deixar que o mercado e os interesses se manifestassem livremente na sociedade.

Na Primeira República, essa contraposição entre iberistas e americanistas permaneceu, ainda que sob o novo cenário emergente da Constituição de 1891, inspirada no modelo da Constituição dos Estados Unidos. Na esteira dos seus resultados, seu idealizador Rui Barbosa, ao lado de intelectuais como Paulo Prado, imputará à herança ibérica a causa principal do nosso atraso. Em contraposição a esses argumentos, autores como Eduardo Prado denunciarão as influências do mundo americano, criticando os abusos do capitalismo e a expansão dos valores do materialismo, do utilitarismo e do interesse privado, que haviam ganhado força a partir da Primeira República. Esses argumentos serão realçados por diversos intelectuais — como Alberto Torres, Azevedo Amaral, Francisco Campos e Oliveira Vianna — que, nas décadas de 1920 e 1930, ao criticarem o artificialismo da Constituição de 1891, vão se alinhar à matriz iberista como caminho capaz de promover uma ampliação, ainda que autoritária, da República brasileira.

Não obstante o quadro acima desenhado, será somente com a obra *Raízes do Brasil* (1936), de Sérgio Buarque de Holanda, que o debate entre iberistas e americanistas será colocado conceitualmente em termos mais nítidos. Escrito num contexto marcado pelo fortalecimento do Estado e pela expansão de regimes autoritários, esse livro exercerá enorme influência nas décadas seguintes, sobretudo como decorrência da demonstração da quase incompatibilidade entre a nossa tradição ibérica, herdada de Portugal, e os valores vinculados ao mundo moderno. Dessa perspectiva, nosso legado ibérico, relacionado à cultura da personalidade, à aventura, ao ruralismo e ao tradicionalismo, bem como à ausência do culto ao trabalho, mostrar-se-ia incompatível com a modernidade. Para Sérgio Buarque, apenas com a ruptura com essa tradição, em que a cordialidade mascararia as relações de dominação existentes, é que poderíamos alcançar uma moderna sociedade de classes, na qual os conflitos poderiam se manifestar sem a presença do Estado contendo a livre manifestação dos seus interesses.

Essa marcação presente em *Raízes do Brasil* terá desdobramentos importantes, influenciando diversas análises subsequentes que, a despeito das diferenças, tenderam a ver o legado ibérico como a principal fonte dos nossos males. A obra *Os donos do poder* (1958), de Raymundo Faoro, é exemplar nesse sentido, sobretudo em sua denúncia do papel desempenhado pelo Estado patrimonial na história brasileira, encarada como um contínuo reiterar, através dos tempos, da cultura da fundação. Essa interpretação de Faoro era acompanhada por um projeto normativo de modernização que, tendo como eixo uma ruptura institucional, conduzisse ao desmonte das relações patrimoniais e do poder do estamento burocrático, abrindo, dessa forma, novas possibilidades para liberar e emancipar a sociedade, a economia e a política do controle do Estado. O sociólogo Simon Schwartzman, em *Bases do autoritarismo brasileiro*, e, em certo sentido, o cientista político Francisco Weffort, com sua "teoria do populismo", além do antropólogo Roberto DaMatta, com seu *Carnavais, malandros e heróis*, também podem ser associados, de algum modo, a essa vertente interpretativa que atribui ao iberismo as origens do nosso patrimonialismo e autoritarismo na vida política e social.

A grande contraposição a essa forma negativa de interpretar a nossa herança ibérica partiu do brasilianista Richard Morse, em seu influente livro *O espelho de Próspero*, publicado originalmente no México em 1982 e no Brasil em 1988. Nessa obra, Morse, mobilizando os conceitos de Ibero-América e Anglo-América, enfatiza as potencialidades civilizatórias da "opção ibérica", devido às suas conotações organicistas e comunitárias, quando comparada com o mundo anglo-saxão. Para esse autor, essa vertente civilizatória caracterizar-se-ia pela sua porosidade à diversidade do gêne-

252

ro humano, pelo ideal rousseauniano de justiça e da vontade geral como instrumento político de construção de identidade e emancipação, pela crença em uma realidade social transcendente ao indivíduo, bem como pela valorização do mundo popular, fundamental para o desenvolvimento cultural e a improvisação social.

A obra de Richard Morse provocou diversas polêmicas, como o evidenciam os textos de José Guilherme Merquior ("O outro Ocidente"), Felipe Arocena ("Ariel, Caliban e Próspero: notas sobre a cultura latino-americana") e Otávio Velho ("O espelho de Morse e outros espelhos"), os dois primeiros publicados na revista *Presença*, em 1990, e o último na revista *Estudos Históricos*, em 1989. Contudo, o contraponto mais forte à interpretação positiva da nossa herança ibérica partiu de Simon Schwartzman, em textos publicados na revista *Novos Estudos Cebrap*, em 1988 e 1989, objeto de uma dura resposta do próprio Morse. Não temos espaço para mapear esse debate aqui, o que já foi, inclusive, muito bem-feito por Lucia Lippi Oliveira (1991). O que importa ressaltar é que, a partir dos textos de Morse e Schwartzman, a polêmica entre iberistas e americanistas ganhou novo capítulo importante.

Na bibliografia recente das ciências sociais brasileiras, a antinomia expressa nas categorias iberismo e americanismo passou a ter um destino singular, na medida em que o sentido da relação entre elas se tornou mais significativo do que o uso isolado de cada uma delas. A obra *A revolução passiva: iberismo e americanismo no Brasil*, do sociólogo Luiz Werneck Vianna, é um exemplo desse *tournant* interpretativo, uma vez que nela — sobretudo no artigo "Americanistas e iberistas: a polêmica de Oliveira Vianna e Tavares Bastos" — o autor apresenta as matrizes iberista e americanista não como antagônicas, mas complementares, destacando a possibilidade de uma síntese, na qual caberia à segunda interpelar e conduzir a primeira, sem destruí-la e anular sua identidade, de modo que as virtudes de ambas fossem incorporadas na constituição do moderno e da democracia no país.

Na mesma seara interpretativa de trabalhos produzidos com esse enfoque, podem ser aqui citados *O quinto século. André Rebouças e a construção do Brasil* (1998), de Maria Alice Rezende de Carvalho, *Tradição e artifício: iberismo e barroco na tradição americana* (2000), de Rubem Barbosa Filho, *Americanos — representações da identidade nacional no Brasil e nos EUA* (2000), de Lucia Lippi Oliveira, e o artigo "Autobiografia e nação: Henry Adams e Joaquim Nabuco" (1994), de Beatriz Jaguaribe. Em uma geração posterior, essa discussão teve desdobramentos importantes, exemplificados, entre outros, pelos trabalhos de Nísia Trindade Lima, *Um sertão chamado Brasil* (1999), de Robert Wegner, *A conquista do Oeste: a fronteira na obra de Sérgio Buarque de Holanda* (2000), e de João Marcelo Ehlert Maia, *A terra como invenção: o espaço no pensamento social brasileiro* (2008).

Essa forma de interpretação seguiu seu curso e alguns estudos mobilizaram os termos iberismo e americanismo, ou o fizeram *ad hoc*, embora influenciados por essas ideias. Exemplar, nesse sentido, é a obra de Jessé Souza, *A modernização seletiva* (2000), na qual o autor critica a nossa "sociologia da inautenticidade", que apontava para o fato de a modernização brasileira não ter ainda se processado como decorrência da nossa "herança ibérica". Dialogando criticamente com a obra de Gilberto Freyre, Souza procura demonstrar que as instituições fundamentais da modernidade, quais sejam, o Estado e o mercado, estariam presentes em nosso território, desde o século XIX, ainda que a incorporação dos seus mecanismos de integração social e política tenha se dado de maneira "seletiva", permanecendo a sociedade profundamente hierarquizada.

O que podemos reter dessa discussão é o fato de que as categorias iberismo e americanismo, quer sejam tratadas de modo relacional ou contrapondo-se uma à outra, permanecem atuais não apenas de uma perspectiva analítica, mas também normativa. A discussão sobre as duas matrizes permanece, porém não com a mesma contundência do enfrentamento de outrora, sobretudo após a Constituição de 1988, que, ao realizar uma releitura crítica da nossa tradição, expurgando-a de seus elementos autoritários, representou uma rearrumação das duas matrizes.

Nesse sentido, a filosofia política da Carta admitiu o que havia de virtude em ambas — em um caso, a valorização da dimensão do público e, em outro, a valorização de uma sociedade aberta à livre expressão dos interesses e institucionalmente dotada de meios para se organizar de modo autônomo, não significando isso, de modo algum, do ponto de vista dos atores envolvidos na política real, que a oposição entre as duas matrizes tenha perdido significado nas motivações que presidem as suas ações.

SUGESTÕES DE LEITURA

CARVALHO, Maria Alice Rezende. *O quinto século. André Rebouças e a construção do Brasil*. Rio de Janeiro, Revan, 1998.

HOLANDA, Sérgio Buarque. *Raízes do Brasil*. São Paulo, Companhia das Letras, 1999.

MORSE, Richard. *O espelho de Próspero: cultura e ideias nas Américas*. São Paulo, Companhia das Letras, 1988.

OLIVEIRA, Lucia Lippi. "Anotações sobre um debate". *Presença*, nº 16, abril, 1991, pp. 26-41.

WERNECK VIANNA, Luiz. *A revolução passiva: iberismo e americanismo no Brasil*. 2ª ed. Rio de Janeiro, Revan, 2004.

IDENTIDADE NACIONAL: CONSTRUINDO A BRASILIDADE

Ruben George Oliven

No Brasil, estamos sempre discutindo quem somos. Essa discussão passa inevitavelmente pelo debate sobre o que é a cultura brasileira e o que a diferencia de outras culturas. O tema da cultura e da identidade nacional é constantemente reatualizado e reposto no debate sobre nossa sociedade. Ele é discutido por intelectuais, artistas, políticos, e também pela população em geral, e se constitui numa forma de falar sobre o que a sociedade brasileira pensa sobre si mesma.

Identidades são construções sociais formuladas a partir de diferenças reais ou inventadas que operam como sinais diacríticos, isto é, sinais que conferem uma marca de distinção. Embora sejam entidades abstratas, as identidades — enquanto propriedades distintivas que diferenciam e especificam grupos sociais — são moldadas a partir de vivências cotidianas.

O tema da identidade está associado à formação da nação. A construção de uma nação pressupõe uma cultura que lhe dê suporte e, para isso, é preciso que haja intelectuais que ajudem a formulá-la. Essa cultura, em geral, faz referência a um passado comum, que seria único e contínuo, e a um povo que seria seu portador e, por conseguinte, a base da nação. A referência ao passado tem sua contrapartida na modernidade. Quem fala em nação refere-se a uma instituição relativamente nova, com pouco mais de dois séculos de existência. Ela baseia-se na ideia de um país formado por cidadãos com direitos iguais e no qual a sociedade civil, o Estado e a Igreja são instituições separadas.

No Brasil, como nos demais países da América Latina, em sua gênese, nação e modernidade caminham juntas. Entre nós, a modernidade frequentemente é vista como algo que vem de fora e que deve ser admirado e adotado, ou, ao contrário, encarado com cautela tanto pelas elites quanto pelo povo. A importação implica intelectuais que se inspiram em países mais adiantados para buscar as ideias e os modelos lá vigentes; ela implica igualmente fazer aclimatar essas ideias num novo solo que é a sociedade brasileira.

O pensamento da intelectualidade brasileira tem oscilado no que diz respeito a essas questões. Assim, em alguns momentos, a cultura brasileira é desvalorizada pelas elites, tomando-se em seu lugar a cultura europeia ou, mais recentemente, a norte-americana, como modelo de modernidade a ser alcançado. Em outros momentos certas manifestações culturais brasileiras passam a ser valorizadas, exaltando-se símbolos como Macunaíma, a figura do malandro, o carnaval, o samba, o futebol etc.

A Semana Modernista de 1922 (ano do centenário da Independência), com toda sua complexidade e diferenciação ideológica, representa um divisor de águas nesse processo. O movimento modernista significa, por um lado, a reatualização do Brasil em relação aos movimentos culturais e artísticos que ocorrem no exterior. Por outro lado, implica também buscar nossas raízes nacionais, valorizando o que haveria de mais autêntico no Brasil.

Uma das contribuições do movimento consiste em ter colocado tanto a questão da atualização artístico-cultural quanto a problemática da nacionalidade. Nesse sentido, a partir da segunda fase do modernismo (1924 em diante), o ataque ao passadismo é substituído pela ênfase na elaboração de uma cultura nacional, ocorrendo uma redescoberta do Brasil pelos brasileiros. Os modernistas acreditavam que era através do nacional que se chegaria ao universal. É o que fica claro numa carta que Mário de Andrade, um dos expoentes do modernismo, enviou em 1924 ao poeta Carlos Drummond de Andrade: "Nós só seremos civilizados em relação às civilizações o dia em que criarmos o ideal, a orientação brasileira. Então passaremos do mimetismo para a fase da criação. E então seremos universais, porque nacionais". Coerente com essa postura, Mário transformou-se num autodenominado "turista aprendiz", desenvolvendo uma intensa atividade de pesquisa e viagens, visando estudar os elementos que compõem a cultura brasileira.

Em 1928, Oswald de Andrade, outro representante da Semana Modernista, lançou o *Manifesto Antropófago*, que ele datou como sendo do Ano 374 da Deglutição do Bispo Sardinha, numa referência ao prelado português que naufragou na costa do Brasil e foi comido pelos indígenas em 1554. O que está sendo proposto no *Manifesto Antropófago* é uma modernidade brasileira que se caracterizaria por saber ingerir e digerir criativamente o que vem de fora. Mais do que isso, o que Oswald argumenta é que os brasileiros se dedicaram a essa prática desde o começo de sua história. E de uma maneira alegre e intuitiva.

É da República Velha (1889-1930) a tendência de intelectuais pensarem o Brasil e discutirem a viabilidade de haver uma civilização nos trópicos. Dois seriam os obstáculos a esse projeto: raça e clima. Intelectuais como Silvio Romero, Euclides da Cunha, Nina Rodrigues, Oliveira Vianna e Artur Ramos, preocupados em explicar a sociedade brasileira através da interação da raça e do meio geográfico, eram pessimistas e preconceituosos em relação ao brasileiro, caracterizado como apático e indolente, e à nossa vida intelectual, vista como destituída de filosofia e ciência, e eivada de um lirismo subjetivista e mórbido. A única solução visualizada era o embranquecimento da população através da vinda de imigrantes europeus.

É na década de 1930, sobretudo com Gilberto Freyre, que se criará uma nova imagem em que o país será visto como uma civilização tropical de características únicas, com a mestiçagem e a construção de uma democracia racial. Na visão de Freyre, a mistura racial não é um problema, mas uma vantagem que teríamos em relação a outras nações. A ideologia da "democracia racial" é tão arraigada por aqui que permeia parte do pensamento sociológico e o senso comum brasileiro de parcelas de nossa população.

Na primeira metade do século XX, a maior parte dos brasileiros morava no campo. Isso fez com que vários pensadores acreditassem que o país tivesse uma "vocação agrária". Essa ideia era prevalente na República Velha. Mas naquele período, o Brasil experimentou importantes transformações que assumiram uma dimensão mais ampla a partir de 1930 e com a Era Vargas. Entre elas, estavam a criação de uma indústria de substituição de bens não duráveis, o crescimento das cidades que eram capitais de mercados regionais, a crise do café e a crise do sistema baseado em combinações políticas entre as oligarquias agrárias, e o surgimento de revoltas sociais e militares que começaram na década de 1920 e culminaram com a Revolução de 1930.

A partir da década de 1930, um aparelho de Estado mais centralizado é criado e o poder se desloca crescentemente do âmbito regional para o nacional. O país experimenta um processo de consolidação política e econômica e terá que enfrentar as consequências da crise de 1929 e da Segunda Guerra Mundial. É preciso repensar o país, que era até então muito pouco articulado e que passa por um processo de centralização. O nacionalismo ganha ímpeto e o Estado se firma. É ele que toma para si a tarefa de construir a identidade nacional, o que se traduz no conceito de *brasilidade*: o sentimento de pertencer ao Brasil. Caberia ao recém-criado Ministério da Educação e da Cultura um papel fundamental na constituição da identidade nacional, o que deveria ser feito através da impressão de um conteúdo nacional à educação veiculada pelas escolas, da padronização do sistema educacional e do enfraquecimento da cultura das minorias étnicas.

Essa tendência se acentua durante a ditadura do Estado Novo (1937-45), ocasião em que aumenta a centralização política e administrativa. Menos de um mês após a implantação do novo regime foi realizada no Rio de Janeiro a cerimônia da queima das bandeiras estaduais, ao som do Hino Nacional tocado por várias bandas e cantado por milhares de colegiais, sob a regência do compositor Heitor Villa-Lobos, um dos participantes da Semana Modernista de 1922. A partir de então foram proibidos os hinos e bandeiras estaduais, assim como o ensino em línguas estrangeiras e seu uso em espaços públicos. A incineração das bandeiras pode ser vista como um ritual de unificação da nação sob a égide do Estado. No plano da cultura e da ideologia, além dessas medidas, a introdução da disciplina de Moral e Cívica e a criação do Departamento de Imprensa e Propaganda (que tinha a seu cargo, além da censura, a exaltação das virtudes do trabalho) procuram criar um modelo de identidade nacional.

Esse também é um período em que começa a se constituir uma incipiente indústria cultural. O rádio, que havia entrado no Brasil na década de 1920, passa a ser um veículo de integração cultural. É nessa época também que se desenvolve a Música Popular Brasileira, tendo como gênero principal o samba, que é transmitido em todo o Brasil, tanto pelo rádio como pela indústria fonográfica.

Várias manifestações populares foram integradas, a partir de então, à imagem que dá forma à identidade nacional. Algumas tiveram origem nas elites, como o carnaval e o futebol. Outras, nas classes populares, como o samba e a feijoada. Mas elas têm em comum o fato de serem expressões inicialmente restritas a certos grupos, que depois foram apropriadas e reelaboradas pelo resto da sociedade e transformadas em símbolos de identidade nacional.

O modelo de identidade que se criou no Brasil é fortemente influenciado pelo ideário modernista. Ele está baseado na ideia de que somos uma nação mestiça, fruto da mistura de três diferentes raças, que vivem num país tropical de dimensões continentais e com uma natureza generosa e abundante. Nossa herança africana seria fundamental nesse processo. Vários elementos contribuíram para essa imagem. Eles fazem parte tanto do imaginário popular quanto do erudito. Trata-se da ideia de um país marcado pela diversidade, mas cujas várias partes formam um todo coerente e coeso. A ideia de mistura racial se associa à de sincretismo cultural. A cultura e a identidade brasileira seriam criações híbridas e únicas.

Se foi na década de 1930 que o processo de construção do Brasil-nação começou a tomar corpo, o modelo de identidade nacional que está na sua base atravessou quase todo o século e segue fazendo parte do senso comum brasileiro.

Na segunda metade do século XX passamos por um intenso processo de urbanização e o país se industrializou e modernizou muito do ponto de vista tecnológico. Na virada daquele século, o Brasil era uma nação predominantemente urbana e com uma grande integração econômica, de meios de transporte e de meios de comunicação. O sentimento de brasilidade já estava fortemente arraigado no país.

O papel do Estado variou, dependendo do grau de abertura política. Assim, no período de 1946 a 1964, a questão da identidade nacional é retomada com intensos debates dos quais são exemplos eloquentes o Instituto Superior de Estudos Brasileiros (ISEB), órgão criado pelo presidente Kubitschek no final dos anos 1950 e que tinha uma orientação nacionalista, e o Centro Popular de Cultura (CPC), movimento ligado à União Nacional de Estudantes que pretendia a conscientização das massas populares através de peças teatrais e outras formas artísticas. Naquela época, uma das acusações que pairavam em relação aos intelectuais brasileiros era a de que seriam colonizados e contribuíam para criar uma cultura alienada, resultado de nossa situação de dependência. Daí a necessidade de uma vanguarda para ajudar a produzir uma "autêntica cultura nacional" para o povo, categoria que continuava um tanto vaga.

A partir de 1964, com a tomada do poder pelos militares, há uma crescente centralização política, econômica e administrativa, através da integração do mercado nacional, da implantação de redes de estradas, de telefonia e de comunicação de massa. Houve uma nova substituição de importações, passando a se produzir quase todos os bens de consumo dentro das fronteiras nacionais, vários sendo inclusive exportados; entre eles, os bens simbólicos.

O Estado não era apenas o agente da repressão e da censura, mas também o incentivador da produção cultural e, acima de tudo, o criador de uma imagem integrada do Brasil, que tentava se apropriar do monopólio da identidade nacional. De fato, o Estado teve papel fundamental em relação à cultura. Por um lado, proibiu e censurou. Por outro, favoreceu a criação de novas redes de comunicação e criou uma série de instituições ligadas ao desenvolvimento das artes. Esse é um período de grande desenvolvimento dos meios de comunicação, os quais, principalmente a televisão, ajudam a integrar o país do ponto de vista cultural. O modelo da nação que era proposto partia do Estado como criador e bastião da identidade nacional, e criador de uma imagem integrada do Brasil.

Com a abertura política que marcou o final do ciclo militar (1964-85), houve um intenso processo de constituição de novos atores sociais, e novas identidades sociais começaram a ser criadas. Na medida em que identidades são construídas a partir de oposições ou contrastes, o que se buscava eram justamente as diferenças na área da cultura. Houve, assim, uma redescoberta do Brasil.

Uma das ideias que passaram a ser questionadas é justamente o caráter mestiço de nossa identidade. Vários grupos de afrodescendentes argumentam que, se por um lado o processo de mestiçagem valorizou a herança africana do Brasil, por outro tornou pouco visível a identidade negra. Não somente os afrodescendentes teriam os piores indicadores de qualidade de vida, mas também teriam seus traços culturais próprios esmaecidos no processo de mestiçagem.

Hoje, a realidade atual do Brasil é bem mais complexa do que no passado. O país alcançou a modernidade tecnológica, mas existem imensas desigualdades sociais e econômicas. O processo de globalização pelo qual o mundo está passando nas últimas décadas também afeta nosso país. Hoje em dia, somos vistos como uma potência emergente que pretende se transformar num ator político mundial. O Brasil, que antigamente importava bens de consumo e recebia imigrantes do exterior, passou a ser um exportador de mercadorias e um fornecedor de emigrantes que se dirigem a outros países. Além de produtos manufaturados, exportamos bens culturais como músicas, filmes, programas de televisão, cultos religiosos. Alguns desses produtos têm características novas, como é o caso das gravações de músicos brasileiros que compõem rock com letra em inglês. É natural que no futuro isso vá se refletir em diferentes formulações da identidade nacional.

SUGESTÕES DE LEITURA

CARVALHO, José Murilo de. *A formação das almas. O imaginário da República*. São Paulo, Companhia das Letras, 1990.

OLIVEN, Ruben George. *A parte e o todo. A diversidade cultural no Brasil-nação*. Petrópolis, Vozes, 2006.

ORTIZ, Renato. *Cultura brasileira e identidade nacional*. São Paulo, Brasiliense, 1985.

SCHWARCZ, Lilia Moritz. *O espetáculo das raças: cientistas, instituições e pensamento racial no Brasil (1870-1930)*. São Paulo, Companhia das Letras, 1993.

A IMPRENSA BRASILEIRA: SEU TEMPO, SEU LUGAR E SUA LIBERDADE – E A IDEIA QUE (MAL) FAZEMOS DELA

Eugênio Bucci

Sem quase nada de anedótico, é possível dizer que a imprensa brasileira nasceu de atravessado: fora de sede e fora de tempo. O primeiro jornal independente da nossa história — o *Correio Braziliense* — foi gestado e impresso longe daqui. Só conseguia alcançar leitores brasileiros graças aos préstimos do contrabando, pois logo após seu lançamento foi proibido por aqui. Mal nasceu, o *Correio* deu de cara com a censura, que já estava pronta e atuante. Contrariando a lógica da ação e reação, o Brasil tem no seu passado esse capricho de ter instalado a censura (a reação) antes de hospedar a imprensa livre (a ação). Nosso jornalismo nasceu marcado por duas inversões simbólicas: além de fora de sede, fora de tempo.

É sabido que d. João, ao fugir de Napoleão em 1808, trouxe para o Rio de Janeiro uma tipografia completa. Além de livros, mandou imprimir, a partir de setembro daquele ano, um diário oficial, a *Gazeta do Rio de Janeiro*. Mas, sob controle estrito do poder, sua *Gazeta* não merece ser tomada por marco inaugural da nossa imprensa. Bem distante disso — política e geograficamente —, as primeiras linhas do jornalismo digno desse nome passaram a ser impressas, em português, na cidade de Londres, em junho de 1808. O *Correio Braziliense*, dirigido por Hipólito José da Costa (1774--1823), surgiu e viveu ali, no exílio. Até 1822, saíram 175 edições do mensário, que só circulou no Brasil, como aponta Alberto Dines, estudioso da obra de Hipólito da Costa, na malha da clandestinidade. Estava censurado.

O professor de biblioteconomia Luís Milanesi anotou com precisão, em seu pequeno livro *O que é biblioteca*, lançado pela Brasiliense em 1983: "A imprensa no Brasil nasceu depois da censura". Ele recorda que, "desde 1536, qualquer impressão de livro passava por três censuras: o Santo Ofício e o Ordinário (da Igreja Católica) e o Desembargo do Paço (poder civil)". Em 1768, o marquês de Pombal unificou as três na Real Mesa Censória. Essa seria dissolvida em 1794, para a volta das três censuras anteriores, conforme documentou Lilia Schwarcz em *A longa viagem da biblioteca dos reis: do terremoto de Lisboa à independência do Brasil* (com Paulo Cesar de Azevedo e Angela Marques da Costa), publicado em 2002 pela Companhia das Letras (p. 180). A despeito de mudanças de forma, a vigilância das leis da Coroa permaneceu inabalável, tanto que viajou junto com a corte — e sua tipografia — de Lisboa para o Rio de Janeiro.

Milanesi conta que, até 1822, foram editados 1154 títulos, todos sob fiscalização do corpo censório. A Impressão Régia, quando instalada, ficou subordinada à Secretaria dos Negócios Estrangeiros e da Guerra, com a atribuição clara de fazer propaganda de Estado. Tudo que contrariasse o governo, a religião e os bons costumes seria oficialmente vetado. "Era a censura colada à Real Tipografia", observam os autores de *A longa viagem da biblioteca dos reis* (p. 250). Em setembro de 1808, outra mudança de forma que não afetou o conteúdo: o Desembargo do Paço seria convertido em organismo censor do Brasil.

Muito já se falou sobre as consequências culturais do transplante literal da corte portuguesa de Portugal para o Brasil, em 1808. O aparelho de Estado português cruzou o Atlântico nas mesmas embarcações e, uma vez implantado no Rio de Janeiro, deu início a um modo de vida marcado por inversões históricas de largo alcance, como o gigantismo relativo da máquina pública, as elites parasitárias em simbiose com subalternos dependentes do "contracheque", a inibição da livre-iniciativa e os patrimonialismos de muitos graus nas práticas econômicas e políticas.

O presente artigo não pretende mergulhar nessa discussão, que não se relaciona diretamente com seu tema central. Apenas não pode deixar de registrar que, no que se refere à instituição da imprensa, subsiste essa marca de nascença: no Brasil, a censura precede a imprensa. Ainda que possa ser interpretada como simbólica, mais do que prática ou material, eis aí uma inversão que até hoje lança seus efeitos sobre a cultura.

Os sintomas são inúmeros. Um deles, dos mais frequentes, é a naturalidade com que as instituições nacionais lidam com a incidência da censura. Resiste entre nós a crença de que o Estado e a lei devem lançar medidas preventivas (como era preventiva, a propósito, a censura de d. João) que mantenham os jornalistas sob controle. É possível que a nação brasileira não tenha vivido, de modo estável, contínuo e prolongado, a experiência social de aprender o sentido da democracia por meio do exercício da liberdade de imprensa. Nossos períodos democráticos transcorreram aos soluços, intercalados por intervalos de exceção de tipos diversos.

Pode-se mesmo dizer que a tradição brasileira não se imbuiu da ideia de que, assim como não há Estado sem o monopólio da força, não há democracia se o Estado exerce controle prévio sobre o fluxo das informações e das ideias na sociedade. Assim como o Estado só existe quando, a favor dele, os cidadãos renunciam ao uso da força — noção que foi tão bem demonstrada por Weber, que partiu de uma declaração de Trotsky ("Todo Estado se funda na força") —, a democracia só existe quando, a favor dos cidadãos, o Estado renuncia à tentação de interferir sobre a formação, a manifestação e o trânsito das opiniões e das informações. Essas duas renúncias, se é que podemos chamá-las assim, são essenciais uma à outra. Julgar que o Estado pode editar o debate público equivale a julgar, no limite, que o pensamento se resolve na força sobre a qual se funda o próprio Estado. Não obstante, esse modo de julgar mora conosco, corroendo as melhores aspirações democráticas.

É verdade que, atualmente, a lei brasileira afirma esse compromisso com a liberdade de imprensa. A partir de 1988 (180 anos depois do desembarque da corte do príncipe regente d. João), a censura foi rechaçada na Constituição: a Carta assegura que é "livre a expressão da atividade intelectual, artística, científica e de comunicação, independentemente de censura ou licença" (artigo 5º, inciso IX), e veda "toda e qualquer censura de natureza política, ideológica e

270

artística" (artigo 220, § 2º). Porém, na contramão da lei constitucional, a interpretação da norma ainda flerta com a mão bruta. Basta ver que, na primeira década do século XXI, uma escalada de investidas contra o direito à informação foi perpetrada por ninguém menos que o Poder Judiciário.

Até o início de 2010, medidas judiciais que restringiam a liberdade vitimavam dezenas de veículos, entre eles *O Estado de S. Paulo* e *O Diário do Grande ABC*. O caso de *O Estado de S. Paulo* talvez seja o mais dramático, aquele que mais encarnou a mentalidade autoritária que, ora com dissimulação, ora com a mais ostensiva contundência, não cessa de aparecer. Vale relembrar os elementos mais significativos desse capítulo da história recente da imprensa brasileira.

No início de 2009, em reportagens de Rosa Costa, Leandro Colon e Rodrigo Rangel, o jornal *O Estado de S. Paulo* revelou indícios de nepotismo e de irregularidades que beneficiavam familiares ou amigos de familiares do presidente do Senado, José Sarney. Em junho do mesmo ano, os repórteres descortinaram em primeira mão o escândalo dos chamados "atos secretos" dessa casa: centenas de medidas administrativas que, sem aparecer no *Diário Oficial* (contrariando o princípio legal da publicidade, portanto), promoviam efeitos jurídicos, como contratações e aumentos salariais. Pouco adiante, no dia 22 de julho, outro furo jornalístico assinado por Rodrigo Rangel trouxe transcrições de conversas telefônicas do empresário Fernando Sarney. Os diálogos tinham sido gravados durante uma investigação da Polícia Federal, com autorização judicial, para apurar atividades financeiras do empresário, filho de José Sarney, e suas relações com órgãos estatais.

Os efeitos das reportagens logo viriam. Uma ira cívica de exótica extração tomou conta de José Sarney, que chegou a declarar que "a mídia passou a ser uma inimiga do Congresso, uma inimiga das instituições representativas" (palavras que apareceram na primeira página de *O Estado de S. Paulo* em 16 de setembro de 2009). Além dessa declaração pouco amistosa, o diário paulistano colheu outros dois reconhecimentos: o Prêmio Esso de Reportagem de 2009 para seus três repórteres e a censura prévia imposta pelo Poder Judiciário, que proibiu o jornal de publicar informações sobre as investigações da Polícia Federal sobre Fernando Sarney, posto que corriam sob sigilo de Justiça.

Até julho de 2010, quando este artigo foi finalizado, a censura persistia. As duas principais justificativas para a decisão judicial foram a proteção da intimidade familiar do empresário investigado e a alegação de que um processo que tramita sob sigilo de Justiça não pode ser objeto de reportagem.

Vejamos os fundamentos da primeira justificativa. Segundo a tese que a estrutura, o direito à privacidade da família e a liberdade de expressão estão no mesmo nível e ambos encontram abrigo na Constituição. Assim sendo, deveríamos concluir que a liberdade dos jornais termina no ponto exato em que começa o recôndito do lar de quem quer que seja, mesmo na hipótese — na *hipótese,* registre-se bem — de esse lar, em particular, servir de esconderijo para negócios ilícitos com o dinheiro público.

A tese é bastante esquisita, com efeito. Para sorte do direito à informação, ela não é unânime. Prova de que há pensamento diverso é o acórdão redigido pelo ministro do Supremo Tribunal Federal Carlos Ayres Britto, publicado no *Diário de Justiça* de 6 de novembro de 2009, que relatou a decisão da corte, que declarou inconstitucional a Lei de Imprensa (Lei Federal 5250, de 9 de fevereiro de 1967), herdada à ditadura militar. O acórdão diz com clareza irrefutável que os direitos de imprensa *precedem* aqueles da vida privada. Diz mais: que os primeiros são *"superiores"* em relação aos segundos:

> As relações de imprensa e as relações de intimidade, vida privada, imagem e honra são de mútua excludência, no sentido de que *as primeiras se antecipam, no tempo,* às segundas; ou seja, antes

de tudo prevalecem as relações de imprensa como *superiores* bens jurídicos e natural forma de controle social sobre o poder do Estado, sobrevindo as demais relações como eventual responsabilização ou consequência do pleno gozo das primeiras.

[...]

Primeiramente, assegura-se o gozo dos *sobredireitos* de personalidade em que se traduz a "livre" e "plena" manifestação do pensamento, da criação e da informação. *Somente depois é que se passa a cobrar do titular de tais situações jurídicas ativas um eventual desrespeito a direitos constitucionais alheios,* ainda que também densificadores da personalidade humana.

Há quem se abespinhe com tamanha defesa da liberdade de imprensa, dizendo que instaura a impunidade em prol dos jornalistas. Nada mais insidioso. Nada mais intolerante. Na verdade, todo excesso ou abuso cometido por jornalistas é — e deve ser — passível de ações judiciais. O profissional da imprensa responde — e deve responder — pelos abusos que praticar. Mas — e aqui está o que é fundamental — ele responde *a posteriori,* e não por antecipação.

No mais, como fica demonstrado no acórdão, não há como acreditar que a imprensa, encarregada de fiscalizar o Estado, poderia sofrer restrições legais ou judiciais com base na mera alegação da intimidade. Isso seria matar o exercício do jornalismo. Aliás, não houve invasão de privacidade nesse caso. Nenhuma reportagem de *O Estado de S. Paulo* sobre essa matéria expôs aspectos íntimos da vida familiar dos Sarney ou de quaisquer outros.

Examinemos agora a segunda justificativa da censura judicial: a alegação de que a figura processual do sigilo de Justiça deveria impor aos jornalistas, que não integram o Poder Judiciário, o dever de manter a sete chaves um segredo que não é deles, mas do Poder Judiciário. Vale perguntar: de que modo poderia a imprensa exercer sua função se estivesse proibida, por antecipação, de publicar aquilo que o

Estado — em qualquer um de seus três poderes — chama de sigilo? Se os jornalistas forem postos no dever de guardar sigilos que devem ser guardados pelas autoridades, como poderiam os jornalistas fiscalizar as autoridades? Paremos um minuto para refletir: o que é a notícia senão um segredo revelado?

Os fundamentos da democracia apontam justamente no sentido oposto àquele adotado pelos magistrados que impuseram a censura ao jornal: se há uma investigação ou um processo que correm sob sigilo de Justiça, o dever de guardá-lo bem guardado cabe à Justiça; à imprensa cabe avaliar, uma vez tendo descoberto o segredo, a decisão de publicá-lo, pois *seu compromisso de lealdade não é com o Poder Judiciário, mas com o direito à informação do cidadão*. Há milhares de exemplos de excelência jornalística nos quais as redações decidiram dar a público uma informação que alguma autoridade insistia em sonegar. É para isso que servem os jornalistas. De outro lado, inexistem bons exemplos de jornalismo nos quais os conselhos ou os vetos das autoridades tenham prevalecido sobre o interesse público.

Mesmo assim, a censura ainda está presente.

Um dado curioso: na formação do pensamento sobre imprensa no Brasil — formação que ainda não foi devidamente estudada —, o autoritarismo estatizante dos conservadores recebeu algum combate da tradição liberal e quase nenhum da cultura de esquerda. Quanto a esta, em geral, acalentou um ideal de imprensa controlada pelo Estado ou pelo partido, no que se aproximou dos conservadores autoritários.

Rui Barbosa compreendeu melhor o sentido da liberdade do que muitos socialistas de proa. Em *A imprensa e o dever da verdade*, de 1920, o controverso jurista baiano afirmou que "a imprensa é a vista da nação". Em seu estilo peculiar, advertiu que "um país de imprensa degenerada ou degenerescente é, portanto, um país cego e um país miasmado, um país de ideias falsas e sentimentos pervertidos, um país que, explorado na sua consciência, não poderá lutar com os vícios, que lhe exploram as instituições".

Nesse quesito, a esquerda, em sua maioria, ficou aquém de Rui Barbosa. Em lugar de radicalizar a defesa da liberdade, propondo a extensão das conquistas liberais (entre elas a liberdade de expressão) a todos os homens, independentemente de suas condições econômicas, ela, em geral, contentou-se em denunciar a liberdade de imprensa como privilégio de classe (no plano dos fatos) e pura demagogia (no plano do discurso), criada para acalentar esperanças vãs nos oprimidos silenciados pelo jugo do capital.

Desse modo, formou-se entre nós um senso comum suprapartidário, segundo o qual a imprensa existe para servir a uma classe, não ao público. Esse senso comum não admite na instituição da imprensa as contradições que lhe são próprias, constitutivas; não admite dentro dela os conflitos de sentido, a disputa política. O senso comum não entendeu que a imprensa não é — nem poderia ser — um veículo "do Estado" contra a sociedade, mas da sociedade sobre o Estado, uma vez que ou ela se situa além do alcance dos tentáculos estatais ou não pode ser chamada de imprensa. Para aqueles cuja consciência se deixou formatar pelas entranhas da máquina do Estado, é difícil compreender, mas a liberdade de imprensa só é sólida quando desmancha no ar, o ar que a sociedade respira. Por isso é que se diz, com razão, que, sem a imprensa, a sociedade não fiscaliza o Estado. Na democracia saudável, ele não tem como alcançá-la, pois ela, aos seus sentidos de Estado, é como se fosse imaterial.

A instituição da imprensa é tecida de contradições e conflitos. Mesmo quando ideologicamente distorcida a favor de um segmento ou de uma classe — e esse desvio ocorre com frequência —, suas distorções são menores e menos nefastas do que os "antídotos" implementados pelo aparelho de Estado. Apesar das evidências, muitos almejam como ideal o controle dos jornais pelas autoridades. Muitos de direita e muitos de esquerda.

Em 1990, Jacob Gorender contou um episódio bastante ilustrativo numa entrevista que concedeu a Alípio Freire e Paulo de Tarso Venceslau, da revista trimestral *Teoria & Debate* (edição número 11). Quando os relatórios sobre os crimes de Stalin foram publicados pela imprensa brasileira, em 1956, os comunistas daqui acusaram os jornais de falsificação. Depois, os representantes do Brasil ao Congresso do PCUS daquele ano retornaram ao país e confirmaram as denúncias, que haviam sido divulgadas antes pelo próprio *Pravda*. Na cultura dos comunistas daqueles tempos, não havia possibilidade de que um jornal burguês estivesse publicando os fatos com fidedignidade. Para eles, o jornal burguês era apenas um porta-voz da classe.

Essa insistência — reincidente e obsessiva — em diagnosticar a imprensa apenas e simplesmente como um posto avançado das "ideologias dominantes" denota a incapacidade de vislumbrar o jornalismo como algo que se posiciona além do Estado e, portanto, além das planificações e dos controles. Não que jornais, revistas e emissoras de rádio e televisão não se prestem à propaganda de classe: eles se prestam a isso também, no que corrompem suas próprias bases, mas a sua natureza vai além desse uso instrumental e, acima disso, é definida pela disputa política e pelo conflito dos sentidos.

Não obstante, a visão dos jornais como instrumentos — úteis ou nefastos — unificou esquerdistas e conservadores na formação do pensamento médio no Brasil. Um dos resultados disso é que a cultura de esquerda também não produziu uma crítica madura da ortodoxia ultraliberal, para quem não há imprensa livre que não seja privada. Como não vislumbraram, entre o Estado e a imprensa, a presença da sociedade, nem a esquerda nem a ortodoxia ultraliberal no Brasil compreenderam a essencialidade da função pública (além da função comercial) que é exercida pelo jornalismo. Nesse sentido, nenhum dos dois lados sabe explicar o êxito de veículos públicos, como a BBC, entre outros, que não exploram o comércio da notícia e tampouco se abrigam no seio da máquina estatal.

E assim vamos nós. Até este início de século XXI, governantes de esquerda e de direita têm em comum essa percepção dos meios de comunicação como ferramentas para moldar a opinião pública — e não como instâncias de debate e de diálogo. Assim é que, ao mesmo tempo que convive com a censura, a nossa sociedade convive também com outras formas de pressão do Estado sobre a comunicação social. A propaganda de governo — no nível federal, estadual ou municipal — nos meios privados, paga com dinheiro público, é uma dessas formas. O Estado se tornou um dos maiores anunciantes do mercado publicitário no Brasil. Inventamos mais essa figura: o Estado-anunciante, que se agiganta à medida que abusa de seu imenso poder econômico.

Falar de imprensa no Brasil é um pouco isso: é falar de abusos — não dos jornalistas, mas do poder.

SUGESTÕES DE LEITURA

ABRAMO, Cláudio. *A regra do jogo*. São Paulo, Companhia das Letras, 1988.

ABRAMO, Perseu. *Padrões de manipulação na grande imprensa*. São Paulo, Fundação Perseu Abramo, 2003.

CONTI, Mario Sergio. *Notícias do Planalto*. São Paulo, Companhia das Letras, 1999.

COSTA PEREIRA FURTADO DE MENDONÇA, Hipólito José da. *Correio Braziliense ou Armazém Litterario*. Londres, W. Lewis Paternoster, 1808-22. Edição fac-similar organizada por Alberto Dines em 31 volumes. Brasília/São Paulo, Correio Braziliense/Imprensa Oficial, 2001.

MORAIS, Fernando. *Chatô, o rei do Brasil*. São Paulo, Companhia das Letras, 1994.

WAINER, Samuel (com organização editorial de Augusto Nunes). *Minha razão de viver*. 2ª ed. Rio de Janeiro, Record, 1988.

ÍNDIOS
COMO TEMA
DO PENSAMENTO
SOCIAL
NO BRASIL

Manuela Carneiro da Cunha

Até hoje se ouvem algumas concepções surpreendentes sobre os índios no Brasil. Se são ou não um estorvo ao desenvolvimento, um risco para a segurança nacional, se devem ter direito a territórios, se são grandes crianças, se devem se fundir na massa da população, se estão destinados a desaparecer e até se são mesmo índios. Tentarei neste verbete explicitar a história e as teorias em que se gestaram esses preconceitos. Ficar-se-á devendo a recíproca, que é igualmente interessante: as teorias indígenas sobre o Brasil.

O GRANDE SÉCULO XVI. ESCRAVIDÃO E BOM SELVAGEM

Em que fontes se pode achar, ao longo da história, teoria social sobre os índios do Brasil? Explícita, ela aparece sobretudo no século XVI, com versões extremamente diferentes.

Uma versão é a da filosofia política francesa, alimentada pelos testemunhos de viajantes, por visitas de tupinambás à França e por uma curiosidade filosófica, encarnada principalmente por Montaigne, e consagra a figura do bom selvagem que terá desdobramentos importantes na filosofia política. O bom selvagem é o homem, independente e sem artifícios, despido de ambições materiais, que não se preocupa em acumular riquezas ou mesmo entesourar para necessidades futuras. Essa versão terá impacto na Revolução Francesa e, por tabela, no romantismo brasileiro do século XIX.

Outras são as versões que se forjaram na própria colonização do que viria a ser o Brasil. Desdobram-se por sua vez em teorias da Igreja, teorias do governo e teorias dos colonos. Todas, em alguma medida, refletem interesses pragmáticos, mas cada qual com seu tipo próprio de reflexão.

Os índios seriam por natureza escravos? Formariam sociedades civis? Formariam sociedades políticas? Teriam domínio sobre suas terras? Essas foram as primeiras controvérsias que agitaram os juristas da península Ibérica no século XVI. É notável que essa foi a época em que mais livre e criativamente se discutiram o direito de escravizar os índios e a justiça de se apossar de seus territórios.

Assim, debates teológico-jurídicos sobre os índios do Novo Mundo travam-se até meados do século XVI, inicialmente sobretudo na Espanha. O dominicano Francisco de Vitória, jurista considerado pai do direito internacional moderno, afirma em 1532 a liberdade dos índios e o domínio deles sobre suas terras. Em 1537, o papa Paulo III reitera essa posição na bula Veritas Ipsa. Mas em 1550 e 1551, o debate é reaberto, dessa vez opondo outro dominicano, Bartolomé de las Casas, a Juan Ginés de Sepúlveda. Sepúlveda defendia os interesses dos colonos espanhóis e afirmava a natureza servil dos índios, que os destinaria "naturalmente" à escravidão. Acaba por prevalecer em larga medida a teoria social de Vitória sobre os índios americanos, que afirma sua liberdade original e a legitimidade de seus títulos de domínio sobre suas terras.

O Brasil colonial, sequioso de mão de obra, vê a questão indígena sob o prisma da escravidão. Secundária é nessa época a questão da terra, que predominará a partir do século XIX.

Se os índios não eram "por natureza" escravos, havia no entanto circunstâncias em que podiam ser legalmente escravizados. É assim que muitas Cartas Régias no período colonial, embora comecem por afirmar a liberdade dos índios, abrem exceções que permitirão toda sorte de abuso. A Guerra Justa, instituição herdada das Cruzadas, e os chamados "resgates" autorizam, por exemplo, a escravização de índios. Resgatavam-se mediante mercadorias os prisioneiros de outros índios, que por definição se supunham destinados a ser devorados. Isso suscitou evidentemente uma escalada de guerras entre sociedades indígenas, no afã de fazer prisioneiros que seriam vendidos aos portugueses.

Quanto aos índios que de própria vontade se haviam estabelecido nos aldeamentos coloniais, embora legalmente livres, eram obrigados a serviço compulsório. A demarcação na prática entre índios escravos e índios forros, ou seja, livres, era tão tênue que os paulistas dos séculos XVI e XVII chegavam a legar seus forros aos herdeiros.

O Estado também se valia das populações indígenas dos aldeamentos para obras públicas, como remeiros, como abastecedores. Usava-as ainda para garantir suas fronteiras, estabelecendo-os em torno de fortes, como o de São Joaquim, na atual Roraima. Os índios, que algumas teorias de segurança nacional colocam sob suspeita por estarem em regiões de fronteiras, ou foram fixados lá pelo Estado ou estão em áreas remotas que até recentemente não interessavam a ninguém.

DIREITOS SOBRE TERRAS

Os índios tinham domínio de suas terras: Cartas Régias o afirmam repetidamente, sendo que o Alvará de 1º de abril de 1680 chama os índios de "primários e naturais senhores [das terras]" e afirma que seus direitos deveriam prevalecer até sobre os das sesmarias concedidas pela Coroa. Em meados do século XVIII, essas mesmas formulação e disposições aparecem na legislação pombalina, e em particular no Diretório dos Índios de 1758. É essa a tradição que é retomada por José Bonifácio, que nos chama de usurpadores e propõe uma política baseada na "Justiça, não esbulhando os índios pela força das terras que ainda lhes restam, e de que são legítimos senhores". É essa também a posição dos positivistas no final do século XIX. E é isso, por fim, que afirma com força o grande jurista João Mendes Jr. em 1912, quando escreve que os direitos originários dos índios decorrem do indigenato, o mais fundamental dos títulos à terra e que precede o próprio Estado. Essa concepção foi explicitamente adotada na Constituição de 1988, mas já todas as Constituições brasileiras desde 1934 garantiam as terras indígenas.

Essa é a doutrina e essa a legislação. Mas nem doutrina nem legislação foram suficientes para conter na prática o esbulho das terras indígenas. Se olharmos para um mapa das terras indígenas, hoje, fica clara a razão histórica de sua distribuição. Nas áreas de colonização antiga, são diminutas. Nas áreas mais desprezadas economicamente, são maiores. Isso fica particularmente claro na Amazônia, onde se encontram as maiores terras indígenas. Mas no Acre, por exemplo, onde a exploração da borracha teve enorme força no final do século XIX e comecinho do XX, as áreas indígenas são de tamanho muito mais modesto. Ou seja, os índios conseguiram manter suas terras nas regiões em que elas não foram ainda cobiçadas.

A história parece continuar na mesma rota e na mesma lógica. As perspectivas de mineração que se abriram na Amazônia a partir da década de 1970 puseram em perigo essas terras até então mais resguardadas. O fato novo, no entanto, é a mobilização muito mais eficiente dos índios e da opinião pública, que resistem a esses avanços. Quanto aos interesses contrários, chegam a invocar conspirações internacionais. E, no entanto, a Confederação Nacional dos Geólogos do Brasil tinha defendido na Constituinte de 1988 a indisponibilidade da mineração em terras indígenas por considerá-la — opondo-se nisso às mineradoras transnacionais — de interesse estratégico nacional.

Desde a Constituição de 1967, embora as terras indígenas continuem de posse e usufruto exclusivo dos índios, a propriedade delas é da União. A questão da segurança nacional, evocada frequentemente e nem sempre de boa-fé, não procede: afinal, na fronteira, o Estado pode ter muito mais presença nessas terras do que em terras privadas.

CIVILIZAÇÃO

Em meados do século XVIII, o marquês de Pombal revoluciona a política indigenista com um projeto de constituir uma população livre propriamente brasileira pela miscigenação de índios com portugueses. É a primeira vez que um projeto de miscigenação, cujo prestígio sobreviverá a mais de dois séculos, se torna uma política de Estado. Mas não é de uma miscigenação geral que se trata: para Pombal, como mais tarde para José Bonifácio, o que se preconiza é a criação de um povo livre, mestiço de portugueses e índios, à exclusão de negros. Os jesuítas são expulsos, os índios mais uma vez declarados livres, os aldeamentos indígenas alçados a vilas, e os portugueses que casarem com índias e seus descendentes não perdem sua pureza de sangue, permanecendo habilitados a títulos e privilégios. Embora apenas nominalmente — já que um diretor de índios é quem exerce de fato a administração —, é notável que o sistema de governo indígena seja nesse momento explicitamente reconhecido: é admitir que os índios formam sociedades civis.

Pode-se dizer que é em meados do século XVIII e com a política pombalina que o Iluminismo entra no pensamento social sobre os índios. O efeito mais patente dessa mudança de paradigma é a substituição (sempre parcial e incompleta) da ideia da catequese pela de civilização. Não se trata mais tanto de trazer os índios ao regaço da cristandade, mas de fazê-los constituir sociedades civis, ou seja, "civilizá-los". A falta de ambições materiais e de acumulação, que gerou a imagem do bom selvagem na França, aparece aos colonos portugueses como aversão ao trabalho, imprevidência e preguiça. Essa visão irá perdurar no Brasil, e uma das principais tarefas da chamada civilização será a de inculcar nos índios o valor e a importância do trabalho.

Instaura-se no século XIX uma nova controvérsia, sobre se os índios são ou não passíveis de serem civilizados. Se não são, como afirma por exemplo o historiador Varnhagen, devem ser sumariamente exterminados. Se o são, o debate se desdobra: devem ser civilizados por meios brandos e pacíficos — posição de José Bonifácio e Teófilo Ottoni, por exemplo — ou coagidos pela força?

OS DOIS ÍNDIOS DO ROMANTISMO

Os índios, após a Independência, estão em situação paradoxal. Alçados a símbolo da nova nação, nunca se falou tanto deles. O Instituto Histórico e Geográfico Brasileiro, sediado no Rio de Janeiro, que cumpre o papel de elaborar a consciência histórica oficial do Brasil, lhes dedica uma atenção especial. Mas há uma dissociação radical entre o índio de carne e osso e o índio simbólico. Não se põem em cena na literatura índios contemporâneos, e isso de Gonçalves de Magalhães, com sua Confederação dos Tamoios, a José de Alencar e seus romances indianistas. Nem sequer Gonçalves Dias, maranhense e que tinha viajado pelo rio Negro, descreve os índios que conheceu. O mito oficial acaba por ser resumido no índio Peri, do romance *O Guarani*, que voluntariamente se sacrifica em prol de uma nação brasileira. E embora Gonçalves Dias e Teixeira e Sousa contestem esse mito, seus personagens não deixam de ser situados na época colonial e todos eles moldados nos Tupi. É o caso do mais famoso de todos os poemas de Gonçalves Dias, "I-Juca Pirama", em que os Timbira, que são Jê, são retratados com os sinais culturais tupi. Essa dissociação constante entre os índios presentes no século XIX e o índio colonial, exaltado na formação da nacionalidade, permite e explica o paradoxo da influência de Rousseau e da tradição francesa do bom selvagem no romantismo brasileiro. O índio da literatura indianista do século XIX, por mais que pusesse em cena tupis coloniais, tem pouco ou nada a ver com o pensamento social colonial: veio-nos na maior parte da tradição francesa, que ironicamente havia sido gestada a partir de índios brasileiros do século XVI.

A política indigenista era outros quinhentos. Durante boa parte do período colonial, os jesuítas, os colonos e a Coroa não coincidiam em suas visões e políticas sobre os índios, o que propiciava uma margem, restrita, é verdade, mas ainda assim uma margem de debate. Com a Independência, a arena em que se trava a política indigenista se estreita. Os mandantes provinciais e locais são francamente hostis aos índios e acabam favorecidos pela descentralização do poder. Os capuchinhos italianos introduzidos em 1845 para "cuidar" dos índios não têm nem o preparo intelectual nem aquela relativa independência política dos jesuítas coloniais, até sua expulsão em 1759. Basta lembrar que um desses capuchinhos mais elogiado "civilizou" os índios de seu aldeamento no Paraná pondo-os a produzir aguardente.

Nesse século, a questão indígena vai deixando de se centrar na escravidão e passa a ser essencialmente uma questão de terras. "Desinfestam-se os sertões" do vale do rio Doce e do Mucuri, por exemplo, para permitir a ocupação dessas regiões. Assentam-se índios em terras reservadas de aldeamentos e algum tempo mais tarde extinguem-se esses aldeamentos a pretexto de que os índios estão já "confundidos com a massa da população". Inaugura-se uma prática que subsiste até hoje e que nega a condição de índios para se apropriar de suas terras: exige-se dos índios que se pareçam com a imagem que se forjou deles, a do século XVI, como se a história, a eles, não os tivesse atingido. Embora a cultura de cada povo seja dinâmica, embora os brasileiros de hoje não se vistam, não se alimentem, não escrevam nem falem como os brasileiros de outrora, não se põe em dúvida a existência da sociedade brasileira. Só às minorias se pede que exibam os traços culturais que se espera delas, e que são no mais das vezes estereótipos congelados. Mas sociedades indígenas são aquelas que, com todas as mudanças trazidas pela história, têm consciência de seu vínculo histórico com sociedades que aqui estavam antes da colônia, como nós temos consciência de nossos vínculos históricos com a sociedade brasileira. E do mesmo modo que é o Brasil que determina quem é e quem não é cidadão brasileiro, cabe a essas sociedades indígenas dizer quem é e quem não é seu membro.

Diante de uma legislação que, embora burlada, tem uma tradição de respeito aos direitos indígenas, é conveniente negar a existência de sujeitos desses direitos. Se não se reconhecem as sociedades indígenas, suas terras ficam liberadas.

EVOLUCIONISMO SOCIAL E SUA EXTINÇÃO

Com o início de programas de imigração europeia e particularmente diante das denúncias de que os colonos alemães estariam dizimando os Botocudo em Santa Catarina, uma onda de indignação ao mesmo tempo humanitária e nacionalista levou à criação em 1910 do Serviço de Proteção aos Índios, o SPI, do qual o marechal Rondon foi a emblemática figura. Inspirado nos princípios do positivismo, cuja influência na passagem para o regime republicano é bem conhecida, teve importância fundamental no tratamento da questão indígena. Por um lado, os positivistas acreditavam, como quase todos os seus contemporâneos, em estágios de evolução humana, mas, à diferença da maioria, achavam que essas etapas deviam ser percorridas por cada sociedade em seu próprio ritmo. Isso eliminava um programa de "civilização" na sua forma clássica.

Desde o final do século XVIII, europeus começaram a comparar e assimilar os "primitivos" aos seus próprios antepassados remotos e a classificar os povos e civilizações em estágios de desenvolvimento, o desenvolvimento de um ser humano passando a ser a metáfora da história da humanidade. Em suma, os que eram antes chamados de bárbaros ou selvagens passaram a ser "primitivos" e entendidos como estando na infância da humanidade.

É essa uma das fontes da ideia de que os índios são "grandes crianças". A outra resulta de um entendimento errado da tutela dos índios. O marquês de Pombal, em meados do século XVIII, ao declarar (mais uma vez) os índios livres, colocou-os sob a proteção de juízes de órfãos, que deveriam velar para que não fossem espoliados. Essa tutela se extinguiu oficialmente em 1798. Quando João Mendes Jr. elaborou seu Código Civil em 1916, achou que, com os índios tendo seu próprio direito civil, o Código não devia legislar sobre eles. No entanto, durante os debates legislativos, uma emenda de última hora, e um tanto capenga, foi acrescentada para proteger os índios de serem enganados em seus negócios: ficaram equiparados a jovens de dezesseis a 21 anos e, na época, a mulheres casadas. Por mais que deixe a desejar a figura da tutela, com a dificuldade que tem ainda o senso comum de reconhecer os índios que não usem arco e flechas e que não andem nus, ela tem assegurado uma proteção importante para que não se extingam com uma penada os sujeitos dos direitos indígenas.

O evolucionismo social, que ganhou novo e formidável impulso com o sucesso do evolucionismo biológico, contaminou todas as teorias sociais da segunda metade do século XIX até pelo menos meados do século XX, e ainda encontra ecos hoje em dia, por exemplo na afirmação de que os índios seriam extintos pela marcha inelutável da história ou do desenvolvimento. A vantagem evidente dessa formulação é culpar as leis da história e desculpar as ações humanas e escolhas políticas. Ainda há pouco tempo um eminente sociólogo brasileiro afirmava que não haveria índios no século XXI, e que era cruel "congelar o homem no estado primário de sua evolução". Todos os prognósticos, mesmo daqueles que as defendiam, como Darcy Ribeiro, foram, até os anos

1970, pessimistas quanto à perspectiva de sobrevivência das sociedades indígenas. Boa parte da esquerda brasileira até os anos 1970 também preconizava que as sociedades indígenas deveriam desaparecer, seja por *motu proprio*, seja pelas leis da história materialista, e se incorporar em uma classe social revolucionária. Mas mais uma vez a prática desmentiu a teoria: a dissolução das diferenças em culturas majoritárias, que se anunciava não só como desejável mas também como inexorável, não chegou a seu termo. Para isso concorreu a crise da teoria do desenvolvimento.

Entre os vários fatores que levaram a essa crise, destaca-se o advento de uma consciência de sustentabilidade ambiental e de justiça social. O Produto Interno Bruto deixou de ser a medida por excelência do desenvolvimento, e critérios como Índice de Desenvolvimento Humano e taxa de mortalidade infantil, entre outros, passaram a ser significativos. A ideia de etnodesenvolvimento, ou seja, de desenvolvimento adequado para as aspirações e valores de etnias minoritárias, foi lançada já na década de 1980, com participação importante de antropólogos brasileiros como Pedro Agostinho e Roberto Cardoso de Oliveira. Os índios e populações tradicionais em geral ganharam destaque a partir sobretudo da Convenção da Diversidade Biológica das Nações Unidas de 1992, como detentores de conhecimentos ecológicos importantes e pelo seu papel na conservação da biodiversidade.

Catequese, civilização, miscigenação, progresso, desenvolvimento, assimilação, superação do atraso, integração: o vocabulário da política indigenista variou ao longo dos séculos, mas seus pressupostos sempre foram o da superioridade do sistema cultural ocidental, cujo dever moral seria alçar o resto do mundo a seu nível. Ficou patente, no entanto, que o que ocorreu em consequência desses altos ideais foi, quando não o extermínio puro e simples, a destruição de muitas sociedades indígenas e a inserção dos índios "assimilados" entre os cidadãos de terceira classe.

Ao pôr em causa esse resquício de um evolucionismo social, ao afirmar que a diversidade das sociedades não é redutível a um estágio na evolução humana, a perspectiva muda. A partir do último quartel do século XX, a diversidade passou a ser um valor em si e está hoje inscrita tanto na legislação internacional quanto na brasileira. A diversidade das mais de duzentas sociedades indígenas, suas línguas, suas tradições, seus sistemas de conhecimento passam a ser pensados como uma riqueza e uma fonte de orgulho.

SUGESTÕES DE LEITURA

CARNEIRO DA CUNHA, Manuela (org.). *História dos índios no Brasil.* São Paulo, Fapesp/Companhia das Letras, 1992.

INSTITUTO SOCIOAMBIENTAL. *Povos indígenas no Brasil.* http://pib.socioambiental.org/pt.

MENDES JR., João. *Os indígenas do Brasil, seus direitos individuaes e políticos.* Ed. fac-similar. São Paulo, Comissão Pró-Índio, 1980.

TREECE, David. *Exilados, aliados, rebeldes. O movimento indianista, a política indigenista e o Estado-nação imperial.* São Paulo, Nankin/Edusp, 2008.

INDÚSTRIA CULTURAL: DA ERA DO RÁDIO À ERA DA INFORMÁTICA NO BRASIL

Marcelo Ridenti

O conceito de indústria cultural foi criado por Adorno e Horkheimer, dois dos principais integrantes da Escola de Frankfurt, célebre por elaborar uma teoria crítica da sociedade, inspirando-se em Marx, Weber, Freud e outros autores clássicos. Em seu livro de 1947, *Dialética do esclarecimento*, eles conceberam o conceito a fim de pensar a questão da cultura no capitalismo recente. Na época, estavam impactados pela experiência no país cuja indústria cultural era a mais avançada, os Estados Unidos, local onde os dois pensadores alemães refugiaram-se durante a Segunda Guerra.

Segundo os autores, a cultura contemporânea estaria submetida ao poder do capital, constituindo-se num sistema que englobaria o rádio, o cinema, as revistas e outros meios — como a televisão, a novidade daquele momento —, que tenderia a conferir a todos os produtos culturais um formato semelhante, padronizado, num mundo em que tudo se transformava em mercadoria descartável, até mesmo a arte, que assim se desqualificaria como tal. Surgiria uma cultura de massas que não precisaria mais se apresentar como arte, pois seria caracterizada como um negócio de produção em série de mercadorias culturais de baixa qualidade. Não que a cultura de massa fosse necessariamente igual para todos os estratos sociais, haveria tipos diferentes de produtos de massa para consumidores de cada nível socioeconômico, conforme indicações de pesquisas de mercado.

Até mesmo no lazer as pessoas estariam submetidas à unidade da produção, a impor seus ritmos, que levariam toda a gente a aceitar a rotina da realidade existente, como se ela fosse um dado natural, não uma construção social. A imaginação e a espontaneidade do consumidor cultural seriam atrofiadas. Cada expressão da indústria cultural reproduziria as pessoas tais como foram modeladas pela indústria na sua totalidade. A cultura passaria ao domínio da racionalidade administrativa, com o fim de preencher todo o tempo e os sentidos dos trabalhadores de modo útil ao capital.

O controle sobre os consumidores seria mediado pela diversão, cuja repetição de fórmulas faria dela um prolongamento do trabalho no capitalismo tardio. Trabalhadores, empregados, lavradores e pequeno-burgueses estariam submetidos de corpo e alma à produção capitalista, sucumbiriam sem resistência ao que lhes é oferecido pela indústria cultural, a prometer como paraíso a reprodução do mesmo cotidiano. A diversão, supostamente um escape da realidade, favoreceria a resignação diante dela. A indústria cultural produziria, dirigiria e disciplinaria as necessidades dos consumidores na era da propaganda universal, convertendo-se em instrumento de controle social no processo de uniformização das consciências.

Muito já se polemizou acerca dessa análise, que tenderia a estreitar demais o campo de possibilidades de mudança em sociedades compostas por consumidores supostamente resignados. O próprio Adorno chegou a matizá-la depois. Mas o conceito passou a ser muito utilizado, até mesmo por quem diverge de sua formulação original. Poucos hoje discordariam de que o mundo todo passa pelo "filtro da indústria cultural", no sentido de que se pode constatar a existência de uma vasta produção de mercadorias culturais por setores especializados da indústria, seja qual for o sentido que se atribua a essa constatação. Como sistema mundial, a indústria da cultura não se restringe ao centro, ela se impõe também na periferia, em sociedades como a brasileira.

Contudo, se a indústria cultural é a forma própria da cultura no capitalismo avançado, ela não poderia se estabelecer senão de modo parcial e incompleto em países com desenvolvimento desigual e combinado, de industrialização recente, onde as novas relações sociais são indissociáveis da persistência de relações sociais pré-capitalistas, em que o "atraso" é estruturalmente inseparável do "progresso", o "arcaico" indissociável do "moderno". Então, a história da indústria cultural confunde-se com a da própria implantação tardia da indústria e do capitalismo numa sociedade como a brasileira.

Como país integrado ao mercado cultural mundial, o Brasil recebeu desde logo a influência da indústria cultural internacional, em especial do cinema de Hollywood, que era exibido em larga escala nas décadas de 1940 e 1950. Nesse mesmo período, começou a esboçar-se a imposição da lógica tipicamente capitalista na esfera da cultura produzida no país, em especial no rádio, em novelas, programas de auditório e noticiários de grande audiência, criando-se um sistema de comunicação de massas liderado pela Rádio Nacional do Rio de Janeiro. Entretanto, esse sistema tinha base regional, de alcance limitado tecnicamente. Por exemplo, quase não se ouvia a Rádio Nacional em São Paulo, onde era difícil sintonizá-la, e emissoras locais dominavam o mercado.

Também a indústria voltada a publicações expandia-se naquele contexto, com revistas ilustradas, jornais, fotonovelas, sem contar o setor livreiro, que encontrava certa dificuldade para crescer após a expansão nos anos 1940, que só seria retomada a partir do fim da década seguinte. Houve tentativas de industrialização ainda no cinema, caso da constituição da Companhia Atlântida no Rio de Janeiro, que surgiu em 1941 como produtora sobretudo de chanchadas, e da Vera Cruz em São Paulo, criada em 1949 e que viria a falir em 1954. Por sua vez, a fundação do Teatro Brasileiro de Comédia (TBC) seria um marco em seu campo, pela qualidade não só técnica e artística, mas também empresarial, como possibilidade de autonomização de carreiras artísticas.

É sabido que o Brasil foi país pioneiro ao implantar a televisão, primeiro em São Paulo, em 1950, logo depois no Rio de Janeiro, em 1951. Mas na década de 1950 a tecnologia televisiva ainda era pouco elaborada e o universo de telespectadores bem restrito, dado o preço elevado de televisores, importados na maior parte. Tampouco se firmara plenamente uma racionalidade comercial nas empresas televisivas, cuja mentalidade gerencial não era das mais desenvolvidas, com pouco profissionalismo no uso do tempo, nas técnicas de propaganda e na aferição da audiência, por exemplo. A programação era variada, do teleteatro voltado a um público seleto até os programas de auditório e telenovelas, mais marcados pelo caráter de cultura de massa. Também não se consolidara o hábito de assistir televisão.

Nos anos 1940 e 1950, as condições materiais que poderiam permitir o pleno desenvolvimento da indústria cultural ainda eram escassas, embora a situação começasse a mudar rapidamente. Havia dificuldade para formar um público tanto para as artes como para o consumo cultural. A escolarização era precária: na ponta de baixo, havia alto índice de analfabetismo, que chegava a cerca de 56% da população no censo de 1940, caindo para 39% em 1960, número ainda elevado, apesar da melhoria sensível. A escolaridade média da população também era baixa. Até o fim do Estado Novo, o governo oferecia no máximo as primeiras letras e uns poucos anos de escola primária à maioria da população. Entretanto, o crescimento também seria rápido: o número de matrículas no ensino médio no Brasil, de 1940 a 1950, saltou de 260 202 para 477 434 jovens, segundo dados do Instituto Brasileiro de Geografia e Estatística (IBGE). Na ponta educacional de cima, pouquíssimos conseguiam chegar ao ensino superior. Ademais, ele era estruturado em faculdades isoladas pelo menos até os anos 1930, como os tradicionais cursos de Direito de São Paulo e do Recife. Um sistema universitário compatível com a modernização da sociedade só começou a esboçar-se na década de 1940, a partir da criação da Universidade de São Paulo, em 1934.

Além da precariedade da educação, outra condição material limitadora à expansão da indústria cultural era a predominância da população rural, que constituía ampla maioria até 1950, quando chegava a quase 64%. Não obstante, a sociedade brasileira viveu um processo de urbanização acelerado: em 1970, o percentual de habitantes das cidades chegaria praticamente a 56%, segundo o censo do IBGE. O período que vai de 1950 a 1970 marcou o momento fundamental do processo de urbanização, industrialização e modernização, que daria as bases para a efetivação de uma indústria cultural plenamente desenvolvida no Brasil.

Outras condições limitadoras, pelo menos até a década de 1950, eram as dificuldades de comunicação entre cidades e estados, não só quanto ao deslocamento físico de pessoas e bens, mas também às telecomunicações, o que levava a uma baixa integração cultural em âmbito nacional. Ademais, a sociedade carecia de uma composição que universalizasse a racionalidade capitalista; a mentalidade gerencial ainda não se formara por completo. Os limites ao desenvolvimento social, econômico e cultural mais generalizado também geravam dificuldades para os artistas viverem de sua profissão.

Em suma, nos anos 1940 e 1950 ainda não se consolidara um mercado de bens culturais na sociedade brasileira, necessário ao pleno estabelecimento da indústria cultural. Este só viria a dar-se a partir de meados da década de 1960, no momento em que se instaurava uma ditadura militar. Como se sabe, a constituição da modernidade no país foi um processo que se consagrou ao longo do século XX, notadamente a partir de 1930, com a industrialização e a urbanização, o implante do complexo industrial-financeiro, o aumento das classes médias, o crescimento do trabalho assalariado e da racionalidade capitalista também no campo. O movimento de 1964 implementou a modernização conservadora, associada ao capital internacional, com investimentos de um Estado forte que cerceava direitos aos trabalhadores, realizando a modernização com especificidade autoritária.

Durante a ditadura, conforme demonstrou Renato Ortiz em *A moderna tradição brasileira*, de 1987, foi criada uma indústria cultural merecedora desse nome, beneficiando-se de políticas de Estado. Disseminavam-se rapidamente não só a indústria televisiva, mas também a fonográfica e outras, como a editorial — a publicar jornais, revistas, fascículos, livros e uma série de produtos. As agências de publicidade cresciam em ritmo acelerado e sofisticavam suas técnicas a partir dos anos 1960. O governo também passou a ser um dos principais anunciantes no florescente negócio dos meios de comunicação de massa, geridos cada vez mais conforme padrões internacionais de racionalidade empresarial.

Concomitante à repressão política e à censura, evidenciou-se o esforço modernizador dos governos militares nas áreas de cultura e de comunicação, a estimular a iniciativa privada ou atuando diretamente. As grandes redes de televisão, em particular a Globo, surgiam com programação em âmbito nacional, possibilitada pela fundação da Embratel e do Ministério das Comunicações, respectivamente em 1965 e 1967, e outros aportes governamentais em telecomunicações, que pretendiam a integração e a segurança do território nacional. Destacavam-se instituições estatais de incremento à cultura, como o Conselho Federal de Cultura, a Funarte, a Embrafilme, o Serviço Nacional de Teatro e o Instituto Nacional do Livro. Não foi à toa que, na década de 1970, o pensamento social brasileiro começou a voltar-se para compreender a indústria cultural e sua inserção no país, por exemplo em trabalhos pioneiros do sociólogo Gabriel Cohn e de alguns de seus orientandos.

Apesar do aprofundamento das desigualdades sociais e da repressão aos adversários, a modernização autoritária conseguia formar um público para o consumo cultural, notadamente com a expansão das classes médias, com poder aquisitivo para comprar toda sorte de mercadoria, criando-se até um nicho de mercado para a produção cultural engajada, que frequentemente escapava à vigilância da censura. Afrouxavam-se os limites materiais para o desenvolvimento da indústria cultural como um sistema: a economia brasileira crescia, diversificava-se e racionalizava-se, a sociedade urbanizava-se, aumentava o número de pessoas com acesso à escolaridade, a universidade expandia-se, ampliava-se o sistema viário e de telecomunicações, profissionalizava-se crescentemente o meio intelectual e artístico. O caráter integrador que generalizava a racionalidade capitalista já estava consolidado no retorno à democracia nos anos 1980, quando o mercado de bens culturais atingiria considerável volume de produção, distribuição e consumo em âmbito nacional.

Na atual era da informática, o uso de computadores pessoais, da internet e de todo tipo de recurso interativo levanta novas questões para a indústria cultural que se estabeleceu com enorme poder e importância na sociedade brasileira. Ela já encontrara sua Hollywood não no cinema, mas na televisão, com a Rede Globo, atuante também na imprensa, no rádio, na produção musical e de filmes, posteriormente na internet e em outros negócios culturais.

Feita a constatação da amplitude alcançada pela indústria cultural contemporânea, são várias as possibilidades de interpretá-la, com maior ou menor aproximação da análise fundadora de Adorno e Horkheimer, como se pode constatar em um amplo balanço bibliográfico comentado por Esther Hamburger, de 2002. Há estudos que enfatizam o caráter alienante das consciências imposto pela lógica capitalista no âmbito da cultura, a difundir padrões culturais hegemônicos. Outros destacam as tentativas de resistir a esses padrões no interior da própria indústria cultural. Terceiros veriam o tema de outro ângulo, menos interessados em conteúdos discursivos e mais nas relações entre produtores e consumidores.

Alguns detectam na indústria cultural a tendência à homogeneização e integração social, na tradição de Adorno, outros apontam para tendência oposta, alegando que seria possível afirmar subjetividades e diferenças, por exemplo, na programação televisiva. Há os que acentuam a produção industrial da cultura, outros que frisam o aspecto da recepção do espectador que poderia interpretar criativamente — e não de modo resignado — as mensagens que lhe seriam passadas, ademais, de modo não unívoco, mas com multiplicidades possíveis de sentido. Para além do pressuposto estabelecido da emissão, da mensagem e da recepção como fases distintas da comunicação, pode-se formular o tema a partir da constituição de redes, interações e interlocuções. Enfim, a questão da indústria cultural continua atual e polêmica para compreender as sociedades contemporâneas, em particular a brasileira.

SUGESTÃO DE LEITURA

ADORNO, Theodor e HORKHEIMER, Max. "A indústria cultural: o esclarecimento como mistificação das massas". *In:*____. *Dialética do esclarecimento — fragmentos filosóficos.* Rio de Janeiro, Zahar, 1985, pp. 113-56.

COHN, Gabriel. *Sociologia da comunicação — teoria e ideologia.* São Paulo, Pioneira, 1973.

HAMBURGER, Esther. "Indústria cultural brasileira (vista daqui e de fora)". *In:* MICELI, Sergio (org.). *O que ler na ciência social brasileira (1970--2002).* São Paulo, Sumaré/Anpocs, 2002, pp. 53-84.

ORTIZ, Renato. *A moderna tradição brasileira — cultura brasileira e indústria cultural.* São Paulo, Brasiliense, 2009 (1ª ed. 1987).

SCHWARZ, Roberto. "Cultura e política, 1964-1969". *In:*____. *O pai de família e outros estudos.* Rio de Janeiro, Paz e Terra, 1978, pp. 61-92.

INTELECTUAIS: PERFIL DE GRUPO E ESBOÇO DE DEFINIÇÃO

Fernando Antonio Pinheiro Filho

Tal como o usamos na linguagem de senso comum, a expressão "intelectual" denota uma qualidade. Um bom exemplo dessa acepção adjetivada do termo pode ser encontrada neste trecho de um dos primeiros estudos sobre o tema, escrito pelo filólogo Augustin Cartault em 1914, que se refere à qualificação em termos ainda bastante familiares: "Quando o aplicamos a outro, o fazemos por vezes com uma certa ironia; no entanto, experimentamos certa humilhação ao vê-lo recusado a nós mesmos e, se não o assumimos muito abertamente, é por medo de ser acusado de vaidade" (citado por Ory e Sirinelli, 2004). A obra de Cartault intitula-se *O intelectual — um estudo psicológico e moral*, de um lado aludindo a uma categoria social substantiva, de par com os estudos modernos; de outro, sugerindo compreendê-la a partir de seus atributos subjetivos. Para melhor esboçar uma definição que aprofunde esse primeiro aspecto, acompanharemos algumas análises produzidas pelas ciências humanas ao longo dos últimos cem anos, que permitem delinear melhor essa figura eivada de muitas ambivalências; ou, explicitando já uma delas, esse estatuto reivindicado por muitos inteiramente alheios a ele e recusado por outros tantos que no ato mesmo da recusa provam possuí-lo.

Antes de mais nada, vale assinalar que a alusão a cem anos de estudos sobre os intelectuais não é arbitrária, coincidindo parcialmente com a data de nascimento do grupo ou ao menos de seu batismo: a palavra "intelectual" circula pela primeira vez como designação coletiva na imprensa francesa para referir-se aos apoiadores do texto que Émile Zola publica em 13 de janeiro de 1898, no jornal *L'Aurore*, reclamando a revisão do processo que havia condenado injustamente o capitão Alfred Dreyfus por espionagem. Os partidários de Dreyfus intervêm publicamente como portadores de um valor universal que querem promover, fazendo do saber que detêm a fonte exclusiva de sua autoridade moral. Mas, se essas circunstâncias — o apelo ao universal, a indignação moral, o envolvimento público numa causa, a ostentação do saber como forma de autoridade — servem como marco de uma primeira (auto)representação dos intelectuais, isso não quer dizer que a forma de vida, a relação especial com o mundo própria do grupo tenha surgido abruptamente a partir do caso Dreyfus. A esse respeito podemos lembrar, ainda, os letrados russos doutrinários de uma crítica radical, que assumem o lugar de porta-vozes do povo oprimido, e nos anos 1840 recebem o título de *intelligentsia*, termo logo exportado para o Ocidente pelos exilados. Ou acompanhar os esforços do sociólogo Max Weber, que em seus trabalhos dos anos 1910 busca nas religiões antigas a estrutura, o padrão mais geral da vida intelectual.

Weber nota que em muitas configurações do mundo pré-moderno o sacerdote e o profeta são detentores de um poder específico, que consiste na produção e administração de bens simbólicos visando à salvação. Esse poder cultural traduz-se na constituição de um ponto de vista legítimo, esteio de uma definição oficial da realidade aceita por todos. Um caso típico dessa formação social é o hinduísmo, base do sistema de castas na Índia. Os brâmanes, extrato mais alto da sociedade indiana, detêm o poder cultural graças à exclusividade do acesso aos textos sagrados, de modo que o monopólio do saber é a fonte de sua autoridade. O prestígio social de que gozam está em relação direta com o cuidado de distanciamento do "poder do dinheiro" típico de sua conduta: os "intelectuais" brâmanes não são homens de ação, mas de orientação contemplativa em relação à vida, de cujo sentido são os guardiões. Distantes em relação às questões mundanas, desinteressados pelos ganhos materiais, é na condição de especialistas no controle do tipo de conduta e relação com a vida capaz de garantir a salvação que se aproximam do poder político, fazendo valer o domínio que exercem sobre as castas inferiores. Ou seja, os grupos desfavorecidos aceitam seu destino porque reconhecem em seus superiores um tipo de autoridade ligada à posse de um saber a que não têm acesso. Seguindo Weber, fixemos dois eixos decisivos para a caracterização dos intelectuais: o registro político em que se inscrevem, como legitimadores de uma ordem, e a descrição de sua atividade de produção e difusão de bens simbólicos, marcada pela distância em relação às urgências do mundo.

O primeiro eixo mencionado é enfatizado nas interpretações vinculadas à tradição marxista que assimilam o intelectual ao ideólogo, ou seja, ao especialista na produção de armas na luta política de classes: representações que dissimulam o interesse particular da camada detentora do capital sob a forma de verdades universais, perpetuando a desigualdade. O filósofo político italiano Antonio Gramsci, em seus escritos dos anos 1930, pensou o domínio de uma classe sob a forma de "hegemonia", capacidade de direcionamento, de impor a submissão a um conjunto de valores, que quando se efetiva produz consenso no plano mais geral da cultura. Note-se que esse estágio é entendido como o termo provisório de uma disputa que tem por arena instituições como as escolas e os sindicatos, para mencionar dois exemplos estratégicos, e por protagonistas as frações intelectuais de cada classe social (que Gramsci chama de intelectuais orgânicos). Assim, o intelectual ganha a frente da cena política na disputa pela formação do consenso e conquista da hegemonia.

No mesmo período, dialogando com Weber e com a tradição marxista, Karl Mannheim propõe, em seu livro *Ideologia e utopia* (1936), uma nova chave para a análise dos intelectuais. Partindo da ideia, cara ao marxismo, de que o ponto de vista que os diversos grupos têm da realidade é função de sua posição social, institui uma divisão entre dominantes e dominados segundo suas necessidades simbólicas: aos primeiros interessa produzir ideologias legitimadoras de seu estatuto; aos segundos, versões contestatórias da ordem com orientação utópica. Os intelectuais se constituiriam então como "classe social flutuante", pelo apagamento de suas raízes sociais no exercício de uma síntese entre as diversas tendências ideológicas. Assim, ocupar o lugar de intelectual significa distanciar-se da ligação — seja de origem ou de eleição — com uma das classes antagônicas para tornar-se portador de uma missão, qual seja, a de defensor dos interesses do todo. E isso só seria possível na medida em que a perda do vínculo ideológico permitisse a crítica recíproca e o compromisso entre pontos de vista opostos, superando os particularismos de classe. É justamente a postulação de um "desligamento" dos intelectuais em relação aos interesses de classe que fará a teoria de Mannheim alvo de críticas que veem nesse aspecto falta de realismo. De modo mais geral, as análises sobre os intelectuais, a partir da segunda metade do século XX, tendem a procurar mediações entre o projeto pessoal e sua acomodação na sociedade. Assim, o sociólogo Pierre Bourdieu evita admitir na flutuação como apagamento da ligação social a marca singular do intelectual. Em relação ao sentido político da prática intelectual, a singularidade estaria antes na ambivalência da situação vivida pela categoria, que vale desenvolver.

Bourdieu entende as sociedades modernas, altamente diferenciadas, como formadas por um conjunto de microcosmos constituídos por um bem específico em disputa segundo regras próprias. A história de cada um desses *campos sociais* é a história de sua conquista de autonomia, sempre relativa, em relação às regras dos outros campos, em especial as do mundo da economia e da política. Pode-se pensar assim um *campo intelectual*, espaço de relação entre detentores de saberes diversos que se enfrentam em busca da autoridade legítima para impor uma visão de mundo. Em seu desenvolvimento, o campo intelectual produz suas instituições (a universidade torna-se seu espaço mais específico), seus mecanismos de consagração, suas hierarquias de prestígio — que tendem à independência em relação àquelas vigentes fora do campo. Por outro lado, a conquista desse *capital cultural*, condição para a entrada no jogo, exige o privilégio de certo afastamento das pressões materiais mais imediatas, e por isso o intelectual é com frequência integrante de uma elite. Mas a lógica de sua existência dá prioridade ao acúmulo de saber em relação ao ganho financeiro. Nos termos do autor, o intelectual pertence à fração dominada da elite econômica dominante. Depende em alguma medida dela, ao mesmo tempo que sua posição é simétrica à dos dominados economicamente de que se aproximaram tantas vezes ao longo da história como porta-vozes ou representantes. Se quisermos pensar essa situação em termos de paradoxos conexos, teríamos o seguinte. Primeiro, os intelectuais ostentam "interesse pelo desinteresse": o tipo de recompensa que lhes convém antes de todas tem caráter simbólico e não imediatamente material. Segundo, as infindáveis controvérsias que mantêm entre si, longe de apontar para a formação de sínteses entre interesses concorrentes, revelam uma cumplicidade subjacente aos antagonismos, consenso que reforça a unidade do campo; qual seja, a de que as razões da disputa valem a pena, ou, em outros termos, o interesse particular em jogo é legítimo.

Com base nesses apontamentos, podemos agora afinar melhor uma definição dos intelectuais. Pelo que vimos, eles não configuram uma classe social; tampouco correspondem exatamente a um grupo socioprofissional. O que os caracteriza é a relação com uma obra no plano da cultura, de caráter conceitual ou estética, de que são autores ou intermediários. Decorre do devotamento que essa obra exige um distanciamento da pressão mais imediata das necessidades materiais — o que constitui parte de seus privilégios, mas não os isenta da disputa por seus interesses próprios. Por outro lado, a resultante desses móveis tem destinação pública, e seus autores são agentes dos processos sociais e políticos de seu tempo ao interferir no debate sobre as questões da cidade, em diferentes graus de participação. Além disso, o intelectual pertence a um coletivo com certo padrão de ligações instrumentais e afetivas, e dispõe de um quadro institucional que lhe garante provimento material com diferentes margens de autonomia (a universidade, as mídias em geral, as editoras, os institutos de pesquisa acadêmica, as associações do mundo artístico). Note-se que esses aspectos já estão claros no momento simbólico de nascimento do intelectual moderno, que acompanhamos, e suas configurações sucessivas a partir de então como que acentuam ora um, ora outro entre eles.

O sociólogo Émile Durkheim, no texto em que toma partido pela revisão do processo Dreyfus, define assim o intelectual:

> O intelectual não é aquele que tem o monopólio da inteligência; não há funções sociais em que a inteligência não seja necessária. Mas há aquelas em que ela é, ao mesmo tempo, meio e fim, o instrumento e o objetivo; emprega-se a inteligência para alargar a inteligência, quer dizer, para enriquecê-la com conhecimentos, ideias ou sensações novas. Ela é portanto tudo para essas profissões (arte, ciência), e é para exprimir essa particularidade que se acabou naturalmente por chamar intelectual ao homem que a isso se dedica.

A manifestação de Durkheim exemplifica uma determinada versão, acentuando a dimensão ética do intelectual; herdeiro da ilustração e que se dirige ao público em geral em nome da razão. Distante do filósofo do século XVIII, de quem é o sucessor, seu espaço típico passou dos salões e círculos literários para a universidade e para a imprensa. Dentre as transformações mais amplas que moldam o estatuto dos intelectuais, vale a pena destacar, muito sucintamente, a especialização dos profissionais da cultura e a fragmentação correlata dos saberes; o desenvolvimento do mundo da edição e da imprensa, que dá forma à opinião pública; a consolidação da democracia liberal com a gestão do dissenso no debate público. Nessas novas circunstâncias, a versão anterior, algo idealizada, é contrastada por uma dinâmica de envolvimento com os problemas do presente que implica uma clivagem entre tomadas de posição marcadamente ideológicas a partir dos anos 1930, quadro que se perpetua no contexto da Guerra Fria. No pós-guerra, o engajamento torna-se algo como um dever do intelectual. Figura emblemática desse contexto é o filósofo Jean-Paul Sartre, que faz da militância permanente uma ética de mobilização para além das intervenções pontuais. Mais ainda, entende a própria obra como ferramenta de intervenção no tempo presente, e logra estabelecer seu sistema de pensamento, o existencialismo, como o que, ao lado do marxismo, forma a referência mais sólida no mundo intelectual do período. A partir dos anos 1960, com a voga do estruturalismo gestado na França, as ciências sociais ganham centralidade em relação aos sistemas filosóficos; e, a par do movimento de especialização mencionado, os pesquisadores em áreas restritas de competência ganham assento no mundo intelectual.

Os sistemas de referência se multiplicam a partir da década seguinte, e o malogro das tentativas de implementação do socialismo solapa a base do impulso crítico da maioria da intelectualidade, gerando uma crise em sua identidade contestadora. Nesse movimento, ganham espaço parcelas da intelectualidade mais voltadas para o aperfeiçoamento do sistema social vigente ou mais francamente comprometidas com a perpetuação das razões do mercado como única dimensão competente para a organização da vida. Trata-se de um redimensionamento (troca de hegemonia, diria Gramsci) interpretado como recolhimento dos intelectuais, que tem sua versão ideológica na denúncia de um suposto caráter deletério da crítica para a ordem social e sua versão analítica nos estudos que evidenciam as engrenagens do jogo social de que a *intelligentsia* participa.

Por fim, lembremos que a expansão e a diversificação das mídias, e o advento dos suportes digitais, abrem possibilidades novas de difusão do pensamento, gerando uma forma específica de notoriedade que se oferece também aos intelectuais, nem sempre convergente com a autoridade profissional diante de seus pares. Trata-se de uma nova figura, o "intelectual midiático", em geral visto pelos ocupantes do polo acadêmico como aquele que corteja a mídia obedecendo a suas demandas, ou gerenciando a oferta de seu engajamento. Ou que, de outro ponto de vista, usa a mídia como meio de visibilidade de sua produção, alçando-a para além das controvérsias que sem esse recurso estariam condenadas à esterilidade no interior dos muros da academia.

Até aqui, acompanhamos as propriedades mais gerais dos intelectuais como grupo social, centradas no modelo europeu. Resta pensar as notas específicas do caso brasileiro, assumindo que aquelas características já tratadas correspondem, guardadas as singularidades históricas, ao processo nacional de formação do sistema intelectual. Sem pretender uma reconstituição completa, que remeteria ao período colonial, podemos sincronizar o caso brasileiro com o período tratado como marco de nascimento do grupo.

Assim, a emergência de uma intelectualidade brasileira deve ser entendida sob a injunção das relações de dependência entre centro e periferia. Mais especificamente, é a construção da nova ordem pós-colonial que dá ensejo à acomodação das ideias produzidas na Europa e nos Estados Unidos por uma camada de letrados e publicistas diretamente voltados para a vida política. A chamada "geração 1870", formada por nomes como Joaquim Nabuco e Rui Barbosa, é expressiva nesse sentido por fazer de sua competência intelectual instrumento para compensar a desvantagem relativa de suas posições na luta política. Por muitas décadas as carreiras intelectuais permaneceriam atreladas às oportunidades geradas pelo Estado, de modo que a constituição de uma elite intelectual mais independente das elites políticas vai se efetivando em consonância com o surto de industrialização, que leva setores dessas mesmas elites a fomentar instituições capazes de formar quadros dirigentes capacitados — lembremos que a primeira universidade brasileira é inaugurada em São Paulo em 1934. Nesse período, o modernismo literário contribuía para estabelecer a figura do escritor e do artista como líder intelectual (o caso de Mário de Andrade é emblemático, nesse sentido).

Outra particularidade do caso brasileiro, em comum com a América Latina, é a centralidade das obras de interpretação nacional. Num primeiro momento, entre os anos 1930 e 1940, essa literatura é marcada pelo ensaísmo em torno do problema da formação da nação — vale citar aqui os clássicos de Gilberto Freyre (*Casa-grande & senzala*, 1933), Sérgio Buarque de Holanda (*Raízes do Brasil*, 1936) e Caio Prado Jr. (*Formação do Brasil contemporâneo*, 1942). Com o desenvolvimento da especialização profissional do intelectual acadêmico, há um deslocamento em direção a um tipo de produção mais balizada pelos métodos das ciências sociais, e vincada pela compreensão da modernização da sociedade brasileira — um bom exemplo disso são os trabalhos de Florestan Fernandes e seu grupo na Universidade de São Paulo a partir dos anos 1950. Esse período é marcado também pela urgência em alavancar o desenvolvimento social e econômico do país, tarefa prática que requer a análise teórica do modo de consolidação do capitalismo na América do Sul, levada adiante por organismos como a Comissão Econômica para a América Latina (CEPAL, fundada em 1949 no Chile), em que se destaca o trabalho do economista Celso Furtado, e o Instituto Superior de Estudos Brasileiros (ISEB, órgão do Ministério da Educação e Cultura fundado em 1955 no Rio de Janeiro), liderado pelo sociólogo Guerreiro Ramos.

Como se vê, a segunda metade do século XX assiste a uma forte dinâmica de institucionalização da vida intelectual, que não foi interrompida sequer pelo regime militar implantado em 1964 — a despeito de seu ímpeto persecutório, que atingiu fortemente acadêmicos e artistas, a ditadura expandiu o sistema de pós-graduação e ensejou a reunião de professores afastados por razões políticas em institutos de pesquisa como o Centro Brasileiro de Análise e Planejamento (Cebrap), fundado em 1969. A redemocratização do país, por fim, pode ser vista como o evento que produz uma reacomodação do mundo intelectual homóloga à que se dá em escala mundial nos anos 1980, marcada aqui por um retraimento da militância intelectual de esquerda paralelo à profissionalização do perfil do intelectual especialista em seu campo de estudos, ancorado pela robustez das instituições específicas e também pelos novos campos abertos pelo crescimento das diversas mídias.

SUGESTÕES DE LEITURA

ALONSO, Angela. *Ideias em movimento*. São Paulo, Paz e Terra, 2002.

BASTOS, Elide; ABRUCIO, Fernando; LOUREIRO, Maria Rita e REGO, José Marcio. *Conversas com sociólogos brasileiros*. São Paulo, Editora 34, 2006.

LEPENIES, Wolf. *As três culturas*. São Paulo, Edusp, 1996.

MICELI, Sergio. *Intelectuais à brasileira*. São Paulo, Companhia das Letras, 2001.

ORY, Pascal e SIRINELLI, Jean-François. *Les intellectuels en France*. Paris, Éditions Perrin, 2004.

RINGER, Fritz. *O declínio dos mandarins alemães*. São Paulo, Edusp, 2000.

INTERNET E INCLUSÃO DIGITAL: APROPRIANDO E TRADUZINDO TECNOLOGIAS

Hermano Vianna

O seminário "O software livre e o desenvolvimento do Brasil" foi realizado entre os dias 18 e 22 de agosto de 2003 em Brasília. Era o primeiro ano do governo Lula, resultado da primeira eleição presidencial do mundo feita inteiramente com urnas eletrônicas. A Sessão Solene de Abertura do seminário revelava convergência de ideias entre os Poderes Executivo e Legislativo. Estavam presentes os ministros Roberto Amaral, da Ciência e Tecnologia, e Gilberto Gil, da Cultura. José Dirceu, da Casa Civil, trouxe mensagem de apoio do presidente da República. Do Congresso Nacional, anfitrião do evento, falaram os presidentes do Senado, José Sarney, e da Câmara, João Paulo Cunha. Havia ainda dois convidados internacionais, expoentes de movimentos de inclusão digital: Miguel de Icaza, presidente da Gnome Foundation, e Richard Stallman, presidente da Free Software Foundation.

O texto do folder do seminário, assinado pelo Poder Legislativo brasileiro, era explícito sobre os motivos para reunir tantas autoridades: "O software livre representa a vanguarda da informática. Com seu código aberto e de uso coletivo, estimula a produção e a troca de conhecimento em todas as camadas da sociedade. Orienta-se para a liberdade do conhecimento e para o atendimento de necessidades específicas das comunidades, além de favorecer a inclusão digital". É preciso enfatizar: não era panfleto de extremistas, enunciado de fora do poder; era o próprio poder falando, de maneira oficial, com toda pompa e circunstância. Era também uma profissão de fé numa verdade aparentemente inquestionável: o software livre estava sendo apresentado como a vanguarda, e o Brasil seria também um país de vanguarda por legitimá-lo como foco das preocupações do Estado.

Richard Stallman, fundador do movimento do software livre, muitas vezes considerado militante radical (mesmo entre radicais), nunca tinha sido recebido de forma tão solene por nenhum outro governo. Mas, permanecendo fiel a ideais ciberanarquistas, não usava terno. No seu discurso não fez agradecimentos, nem se referiu ao inédito da situação: parecia que era a coisa mais natural do mundo estar entre poderosos que decidiam políticas públicas de seus países.

Gilberto Gil também teve performance memorável. Fez talvez seu discurso mais psicodélico, refletindo até sobre as conexões entre o LSD e o desenvolvimento da informática. Tudo isso dava ao acontecimento um ar de sonho, como se tivéssemos tomado um atalho para uma dimensão espaçotemporal alternativa, ou como se o centro do poder brasileiro tivesse sido contaminado por um vírus que reprogramou sua noção de realidade. Mesmo assim, como indicava a postura de Stallman, tudo parecia muito natural. Era tão natural ter um tropicalista no ministério, assim como era natural — nada surpreendente — chegar a Brasília para se deparar com um consenso sobre a necessidade imperativa do software livre. No governo federal recém-empossado, outros importantes militantes da liberdade informacional ocupavam cargos-chave. Por exemplo: Rogério Santanna, hoje presidente da Telebras, era secretário de Logística e Tecnologia da Informação do Ministério do Planejamento, e Sérgio Amadeu era presidente do Instituto de Tecnologia da Informação da Presidência da República. Estava tudo dominado? A imaginação estava no poder? Éramos um país divino e maravilhoso?

É importante tentar entender como tal sensação de naturalidade foi possível, ou construída. Em governos de muitos países, a posição pró-software proprietário é hegemônica. Como aqui foi diferente e em que isso modifica nossa visão sobre inclusão digital?

O Brasil entrou nos anos 1990 ainda com reserva de mercado de informática, consequência — transformada em lei em 1984 — da visão para esse setor desenvolvida pelos governos militares, onde a Secretaria Especial de Informática (SEI), criada em 1979, em substituição à Coordenação das

Atividades de Processamento Eletrônico, de 1972, era subordinada ao Conselho de Segurança Nacional. Também no início dos anos 1990, a única possibilidade de acesso à internet no Brasil, fora de alguns poucos órgãos do governo ou universidades, era através da conexão da ONG Ibase. Não havia portanto política oficial de inclusão digital no país. Pelo contrário: as iniciativas existentes pareciam querer afastar os brasileiros comuns do contato com computadores e da troca de informações via computadores.

Foi só durante a realização da ECO-92 que os usuários do Ibase (que tinha apenas oitocentos usuários — eu era um deles) descobriram que poderiam navegar em todos os serviços da internet, incluindo a novíssima World Wide Web. Essa abertura só aconteceu porque muitas das organizações que estavam acompanhando a conferência precisavam de modo eficiente de comunicação internacional, sem os entraves da precária telefonia brasileira da época. Por mais três anos, o Ibase, poucos BBSs (Bulletin Board System, rede local de computadores), além de universidades e órgãos governamentais conectados via RNP (Rede Nacional de Pesquisa, a construtora da espinha dorsal da rede brasileira, surgida em 1989, e que também só teve permissão governamental para ter conexão permanente com a internet com o empurrão da ECO-92), continuaram a ser as únicas portas para alguns serviços da internet. No início de 1995, a Embratel implantou um "projeto-piloto" (assim era descrito na correspondência que me enviou a senha de acesso) que provavelmente pretendia criar provedor único nacional/estatal.

Não conheço análise que explique a razão que levou o governo, ainda em 1995, a deixar de lado essa tentação estatizante, bem antes da privatização do Sistema Telebras, consolidada em 1998. De uma hora para outra, de forma surpreendente — até para as pessoas da RNP com quem eu tinha contato naquele momento — e aparentemente sem planejamento, surgiram vários provedores brasileiros de acesso comercial, começando com apenas catorze deles, enumerados no caderno de informática do jornal *O Globo*, em 16 de outubro de 1995.

Essa entrada do Brasil na internet não foi tão atrasada. Nos Estados Unidos, por exemplo, havia provedores comerciais desde o final dos anos 1980, mas a popularização da rede aconteceu mesmo em 1994-5. A carta que a Embratel enviou comunicando minha senha falava de 30 milhões de usuários em todo o mundo (em 1993 eram 15 milhões). Em 1994, a capa da revista *Time* (edição de 25 de julho de 1994) anunciava "The strange new world of the internet", e a *PC Magazine*, mesmo sendo destinada para aficionados em informática, publicou também em sua capa (11 de outubro de 1994) a reportagem didática: "Make the internet connection".

Até empresas como a Microsoft, que lançou seu browser Internet Explorer em 1995, só naquela época deram importância devida à internet. Bill Gates, em entrevista para a revista *Internet World* brasileira, declarou: "Não é uma área que tínhamos investido até agora" (*Internet World*, nº 1, setembro de 1995). Isso aponta para uma constatação: a rede, até aquele momento, estava tomada por um pensamento não comercial, em que os softwares mais populares eram livres e a grande maioria dos serviços era resultado de trabalhos voluntários, que buscavam socializar o acesso ao conhecimento. Esse espírito — "a informação quer ser livre" — marcou o DNA da rede, que ainda hoje tem capacidade renovada de derrubar muros que empresas comerciais tentam construir em torno de quaisquer tipos de conteúdo. A utilização também de softwares livres em servidores que atuam como os nós da rede e o sucesso cada vez maior do sistema operacional Linux, lançado em 1991, criaram uma aliança inevitável entre o conceito de liberdade proposto por desenvolvedores de código e a própria definição de inclusão digital.

Pois para a maioria dos formuladores de políticas de inclusão digital, não basta a pessoa ter computador e conexão com a internet para deixar de ser "excluída". O texto "Inclusão digital: discurso, práticas e um longo caminho a percorrer", de Cristina Mori e Rodrigo Assumpção, disponível em www.inclusaodigital.gov.br, resume a argumentação dominante no governo federal: "A apropriação das tecnologias de maneira autônoma e crítica, propiciando um uso qualificado e provido de sentido, dificilmente se dá de maneira automática, a partir da mera promoção de acesso aos equipamentos e à internet". Além disso, pregam-se "mudanças de paradigmas e atitude perante as tecnologias, para que não sejam meras ferramentas de acesso a informações, e sim instrumentos, meios e linguagens de afirmação de identidades culturais, valorização da diversidade, expressão de pontos de vista e de realidades a partir do recorte de quem as vive, e que potencializem ações transformadoras". A recomendação do uso do software livre aparece em seguida: "Esta apropriação da tecnologia não prescinde, mas se dinamiza a partir do uso de software livre nos projetos de inclusão digital". E ainda: "O principal ganho do software livre para a inclusão digital, contudo, é que a sua lógica colaborativa estende-se a outras formas de produção de conhecimento coletivo via rede".

A história do software livre no Brasil ainda está para ser escrita. Citarei apenas alguns poucos momentos (não necessariamente os mais importantes), começando — sem por isso insinuar que é marco fundador — em 1995 com a criação da empresa Conectiva, em Curitiba, responsável pela primeira distribuição Linux fora dos Estados Unidos e da Europa. Em 1999, a Conectiva lançou a *Revista do Linux*, que incluía a notícia de que o SUS, do Ministério da Saúde, havia adotado o Linux em seu banco de dados, o DataSUS, e trazia um anúncio de importantes consequências: o grupo de trabalho da Procergs (Companhia de Processamento de Dados do Estado do Rio Grande do Sul), no governo Olívio Dutra, queria transformar o software livre em base da sua política de informática e também estava organizando evento internacional que daria origem ao Fórum Internacional do Software Livre, hoje referência mundial e que, na sua décima edição, em 2009, contou com a abertura do presidente Lula. Outra conquista dessa iniciativa: a adoção do Linux pelo Banrisul (Banco do Estado do Rio Grande do Sul) em sua rede de caixas eletrônicos.

Também em 1999, mas em São Paulo, no Instituto de Políticas Públicas Florestan Fernandes, foi criado o projeto Sampa.org, que implantou os dez primeiros telecentros da capital paulista, durante a gestão da prefeita Marta Suplicy. Em 2000, o governo estadual de Mário Covas deu início às atividades do Acessa SP, que também oferece lugares de acesso gratuito a computadores e internet. Em 2003, com Lula na presidência, essas iniciativas convergiram para Brasília e de imediato produziram eventos como o seminário "O software livre e o desenvolvimento do Brasil", organizado pelo Congresso Nacional, além dos vários projetos de cultura digital do Ministério da Cultura, incluindo sua reflexão sobre a mudança da lei do direito autoral brasileiro, adequando-o aos desafios pós-internet. Mais recentemente, agora no final do segundo governo Lula, temos outros acontecimentos centrais para qualquer política de inclusão digital: o anteprojeto de lei do Marco Civil da Internet, proposto pelo Ministério da Justiça, esteve em consulta pública via internet, e foi lançado um plano nacional que pretende, em 2014, conectar 35 milhões de domicílios à internet com banda larga.

Isso tudo aconteceu na esfera governamental. Na sociedade civil as coisas andaram mais rápidas, desorganizadas e muitas vezes com características selvagemente comerciais, que afastaram ideólogos da inclusão digital governamental. A velocidade com que os brasileiros, no início das classes A e B, e mais recentemente também das classes C, D e E, se familiarizaram com a comunicação um dia chamada de telemática, e a popularizam, foi impressionante.

Em 1994, o caderno Informática do *Jornal do Brasil* (em 22 de novembro de 1994) contava "todos os www brasileiros": o resultado deu 28 — havia o Ibase, a Caixa, e o resto eram sites de universidades ou da RNP. Em 2006, pouco mais de dez anos da abertura comercial da internet por aqui, o brasileiro era o segundo povo que mais acessava o YouTube (serviço inaugurado um ano antes), a segunda comunidade de colaboradores do Yahoo! Grupos e Yahoo! Respostas, além de contabilizar mais de 21 milhões de usuários ativos no MSN e ter realizado uma "invasão" no Orkut, muito antes que a maioria da população de outros países descobrissem as redes sociais on-line (dados publicados no caderno Info etc., *O Globo*, 19 de setembro de 2006).

Hoje, segundo a pesquisa TIC Domicílios 2009 feita pelo Comitê Gestor da Internet (ver http://www.cetic.br/usuarios/tic/), 32% dos lares brasileiros possuem computador — o que dá um número de 18,3 milhões de domicílios com computador, mas 5 milhões deles sem acesso à internet; 53% da população brasileira dizem já ter utilizado computador; 45% já acessaram a internet. Entre esses últimos, também 45% utilizaram *lan-houses* (locais de acesso pago, muitos deles localizados em periferias e favelas) para navegar na rede mundial. Há cerca de 108 mil *lan-houses* no Brasil e apenas 1% delas têm alvará de funcionamento (revista *ARede*, nº 57, abril de 2010).

Cito todos esses números, de enfiada, para dar um panorama geral da voracidade/precariedade do lado comercial da "alfabetização" digital brasileira. Há um interesse enorme na utilização de novos serviços on-line, mas o acesso é realizado quase 50% das vezes em ambientes informais, para não dizer ilegais. Além disso, há uma quantidade cada vez maior de celulares, muitas vezes montados em fábricas de fundo de quintal da China (os MP10s, MP11s etc.), comprados pelas classes D e E, que em breve terão conexões velozes com a internet. Essa constatação traz talvez um veredito: as políticas governamentais estão defasadas diante da demanda popular, e acontecem de forma vagarosa e setorizada, mesmo em momentos de consenso entre poderes. Se não houver aliança entre os lados oficial e informal desse processo, a inclusão digital no Brasil vai dar resultados muito aquém das possibilidades. O que seria desapontador, pois os brasileiros já demonstraram ter enorme talento para os códigos abertos da vida on-line, e têm ainda no governo um momento muito favorável para grandes iniciativas inovadoras. Temos uma grande oportunidade, incluindo a rara conjunção de interesse popular em cibertecnologias e histórico de experiências políticas com ensinamentos importantes, para transformar o país num exemplo de inclusão digital para todo o mundo.

SUGESTÕES DE LEITURA

AMADEU DA SILVEIRA, Sérgio e CASSINO, João (orgs.). *Software livre e inclusão digital.* São Paulo, Conrad, 2003.

ARede — Tecnologia para Inclusão Social. http://www.arede.inf.br.

CHAHIN, Ali; CUNHA, Maria Alexandra; KNIGHT, Peter T. e PINTO, Solon Lemos. *e-gov.br.* São Paulo, Prentice Hall, 2004.

LEMOS, Ronaldo. *Direito, tecnologia e cultura.* Rio de Janeiro, Editora da FGV, 2005.

SORJ, Bernardo. *brasil@povo.com.* Rio de Janeiro, Zahar/Unesco, 2003.

JUSTIÇA E DIREITOS: A CONSTRUÇÃO DA IGUALDADE

Maria Tereza Aina Sadek

Justiça e direitos são dois termos intrinsecamente relacionados. Sem instituições de justiça, direitos não passam de quimera. A ausência de direitos, por sua vez, priva de sentido o trabalho da justiça.

Os direitos fornecem o conteúdo e os limites da igualdade, enquanto a justiça garante que esses parâmetros tenham validade e possam ser reclamados.

Embora a aspiração por justiça seja tão antiga quanto os primeiros agrupamentos sociais, seu significado sofreu profundas alterações no decorrer da história. Apesar das mudanças, um símbolo atravessou séculos — a deusa Têmis —, uma imponente figura feminina, com os olhos vendados e carregando em uma das mãos uma balança e na outra uma espada. Poucas divindades da mitologia grega sobreviveram tanto tempo. Mesmo sem saber seu nome ou mesmo todo o seu significado, poucos deixariam de reconhecer na imagem o símbolo da justiça.

A persistência da representação tem muito a ver com sua quase obrigatória utilização nos espaços designados para tribunais e também com a força da própria simbologia. A deusa traduz a ideia mais difundida de justiça. A venda significa a imparcialidade, o tratamento igual sem distinções perante a justiça, sejam ricos ou pobres, poderosos ou humildes. A espada exprime o poder, a força para fazer com que sua decisão seja cumprida. A balança, por sua vez, indica o equilíbrio, a equidade, a justeza das decisões orientadas pela lei.

Essa persistência esconde, contudo, importantes e mesmo radicais mudanças que ocorreram da Antiguidade grega até nossos dias, especialmente a partir da modernidade. Tanto os direitos quanto a justiça sofreram grandes transformações.

A moderna ideia de justiça e de direito é inerente ao conceito de indivíduo, um ente que tem valor em si mesmo, dotado de direitos naturais. Tal doutrina se contrapunha a uma concepção orgânica, segundo a qual a sociedade é um todo. A prevalência da matriz individualista significou que o indivíduo antecede o Estado e a sociedade. Assim, nenhum atributo externo a ele teria força para predeterminar qualquer distinção social. "Todos nascem livres e iguais" — é a máxima dessa era. Ou seja, o indivíduo é concebido como um ser de direitos, esses direitos antecedem a organização social e política e têm precedência sobre os deveres.

A liberdade, nesse novo paradigma, deixa de ser uma concessão ou uma característica de uma camada social ou de um estamento e converte-se em um atributo do próprio homem. Locke, no *Segundo tratado sobre o governo*, em 1690, afirmava: "O homem define-se por sua vida, sua liberdade e bens".

A crença de que os direitos do homem correspondiam a uma qualidade intrínseca ao próprio homem e que, como tal, nada se devia à sociedade nem às autoridades constituídas, implicou enquadrar a justiça em um outro paradigma. De fato, as elaborações teóricas jusnaturalistas, desenvolvidas nos séculos XVII e XVIII, apesar das diferenças entre os autores, têm em comum não apenas a caracterização dos homens como sujeitos, como portadores de direitos, como entes individuais autônomos, mas também a afirmação de que a realização dos direitos naturais e da lei universal exige que a administração da justiça seja feita por uma instituição pública independente.

O justo não é mais correspondente à função designada no corpo social, mas é um bem individual, identificado com a felicidade, com os direitos inatos.

Houve uma mudança de qualidade nos termos da discussão. Trata-se de uma revolução, tanto no que se refere à concepção sobre o homem quanto sobre a sociedade e o Estado.

Da igualdade nos direitos naturais derivava-se não só a liberdade, mas também as possibilidades de questionar a desigualdade entre os indivíduos e grupos, de definir o tipo de organização social e o direito à resistência. Toda e qualquer desigualdade passa a ser entendida como uma desigualdade provocada pelo arranjo social, pelo ordenamento estatal, pelo acordo realizado entre os indivíduos. Nesse paradigma, a sociedade e o Estado não são fenômenos dados, mas são engendrados pelo homem. São concebidos como criações humanas, resultantes de um pacto entre indivíduos. A desigualdade e o poder ilimitado deixam, pois, de ser justificados como naturais, isto é, como decorrentes da ordem natural das coisas, ou ainda como materializações de uma vontade extraterrena. Os arranjos sociais e políticos tornam-se, portanto, passíveis de contestação e sujeitos à intervenção.

Os preceitos filosóficos forneceram os fundamentos para uma nova arquitetura social. Esse arranjo encontra sua manifestação mais explícita na codificação da igualdade a partir de normas legais. A igualdade perante a lei, ou a formalização dos direitos, representa o reconhecimento de uma área de contestação da desigualdade e de privilégios. Prerrogativas são deslegitimadas, gerando espaço para direitos. Esses direitos constituem e delimitam a cidadania.

O processo de incorporação de direitos estabelece o rol de componentes que definirão a igualdade, produzindo consequências no cotidiano. Um dos mais importantes efeitos da admissão de direitos é a redução das distâncias entre indivíduos e grupos, tornando insustentáveis determinadas desigualdades. O conteúdo da igualdade e, consequentemente, a definição da cidadania sofreram importantes modificações no decorrer da história e nas diferentes sociedades, tanto do ponto de vista formal como concreto.

Com efeito, historicamente, o processo de ampliação dos direitos que compõem a cidadania representou uma expressiva redução nos níveis de exclusão social. O reconhecimento da igualdade perante a lei traduziu-se em um aumento das possibilidades de participar dos bens coletivos e usufruí-los. A igualdade prevista na lei tem, pois, condições de reduzir as desigualdades econômica e social e suas consequências.

A doutrina dos direitos do homem, concebida nos séculos XVII e XVIII, encontrou seu primeiro momento de eficácia na

328

Declaração de Independência dos Estados Unidos, em 1776, na Declaração dos Homens e do Cidadão de 1789 e especialmente nas constituições liberais que incorporaram os direitos. Mas de que direitos se tratava e, consequentemente, qual a concepção de igualdade?

Marshall, em seu estudo clássico sobre a cidadania, *Cidadania, classe social e status*, tomando como referência empírica o mundo europeu ou mais precisamente a Inglaterra, aponta a existência de três conjuntos distintos de direitos e, portanto, de diferentes significados da igualdade: os direitos civis, os direitos políticos e os direitos sociais. No caso inglês, esses direitos foram progressivamente conquistados, sendo possível estabelecer um período correspondente a cada um deles — os civis no século XVIII, os políticos no XIX e os sociais no XX.

A consagração em lei de cada um desses conjuntos de direitos provocou mudanças no *status quo*, que se traduziram na definição e na aceitação de uma área de igualdade. Assim, o reconhecimento dos direitos civis implica estabelecer que, a despeito de desigualdades econômicas e sociais, todos são iguais perante a lei, todos usufruem de igual liberdade de ir e vir, igual direito à segurança, à propriedade, à livre associação, à liberdade de crença, à escolha do trabalho, de não ser condenado sem o devido processo legal etc.

Da mesma forma, admitir os direitos políticos significa aceitar que, apesar das diferenças quanto à riqueza e/ou ao prestígio social, todos são iguais — têm o mesmo peso — no que diz respeito à participação no governo da sociedade e na escolha dos governantes, e que todos podem postular a posição de governante.

Os direitos sociais, por sua vez, têm por objetivo um padrão mínimo de igualdade no que se refere ao usufruto dos bens coletivos. Incluem-se nesse patamar, dentre outros, o direito à educação, à saúde, à moradia etc.

No século XX, sobretudo depois da Segunda Guerra Mundial, a concepção formal de igualdade foi questionada. A discussão punha em foco as consequências advindas da convivência entre, de um lado, a ideia de igualdade abstrata, expressa nas leis, e, de outro, a desigualdade real. As análises mais influentes apontavam para o fato de que as abismais distâncias econômicas e sociais entre os indivíduos tinham potencial de abalar a legitimidade dos fundamentos da igualdade expressa em leis e, nessa medida, poderiam pôr em risco a paz social. Ademais, julgava-se que o livre desenvolvimento das forças de mercado não seria capaz por si só de atenuar as desigualdades. Daí a necessidade de se abandonar práticas baseadas na ortodoxia liberal e conceber políticas afirmativas.

À lei igual para todos incorpora-se o princípio de que desiguais devem ser tratados de forma desigual. Cresce a força de movimentos segundo os quais a lei, para cumprir suas funções, deve ser desigual para indivíduos que são desiguais na vida real. Assim, passam a ser defendidas a elaboração e a adoção de políticas que tenham por finalidade diminuir a desigualdade. Políticas afirmativas traduzem a ideia de que cabe à lei e também ao poder público interferir na desigualdade concreta.

O reconhecimento e a efetivação dos direitos sociais significam uma revolução de magnitude semelhante àquela contida na concepção do indivíduo abstrato. Exigem que seja somada à noção de liberdades negativas a noção de liberdades positivas. Não se trata apenas de liberdades "de" — para as quais é importante que o poder público não atrapalhe ou que as grandes forças privadas não exerçam nenhum tipo de constrangimento —, mas igualmente de liberdades vistas como positivas, ou seja, as liberdades "para", cuja efetivação depende de ações afirmativas, deliberadas.

Os direitos civis e políticos têm por base o indivíduo, exigindo para a sua efetivação a limitação do poder público, um Estado mínimo. Já os direitos sociais, também denominados de direitos de segunda geração, requerem políticas públicas que, ao reconhecerem a exclusão, objetivem uma justiça distributiva. Ou seja, é necessário um Estado atuante, no sentido de providenciar a concretização dos direitos à saúde, ao trabalho, à educação, à moradia, à aposentadoria etc.

Os direitos civis, políticos e sociais não esgotam o rol de direitos que compõem a cidadania ou os conteúdos e limites da igualdade. Nas últimas décadas, a eles foram acrescidos os chamados direitos de terceira geração, referidos não mais a indivíduos, mas a grupos. São os direitos do consumidor, de crianças, de idosos, de minorias etc.

Nesse novo contexto, marcado pelos direitos sociais e pelo Estado do Bem-Estar Social, modifica-se inteiramente o perfil do poder público e também da justiça estatal. Trata-se, a partir de então, de garantir não apenas as liberdades negativas, mas também de assegurar as liberdades positivas.

Para a materialização de todos os direitos, sejam eles individuais ou supraindividuais, o acesso à justiça é requisito fundamental. Em outras palavras, o direito de acesso à justiça é o direito sem o qual nenhum dos demais se concretiza. Assim, qualquer óbice ao direito de acesso à justiça tem condições de provocar limitações ou mesmo de impossibilitar a efetivação dos demais direitos e, portanto, a concretização da cidadania, a realização da igualdade.

O Judiciário, segundo tais parâmetros, representa uma força de emancipação. É a instituição pública encarregada, por excelência, de fazer com que os preceitos da igualdade estabelecidos formalmente prevaleçam na realidade concreta. Assim, os supostos da modernidade, particularmente a liberdade e a igualdade, dependem, para se materializarem, da força do Judiciário, de um lado, e do acesso à justiça, das possibilidades reais de se ingressar em tribunais, de outro.

Embora se sublinhe o papel do Judiciário como responsável pela efetivação dos direitos, a instituição só cumpre o seu papel onde impera o Estado de Direito, isto é, onde a lei tem valor universal e prevalece sobre o arbítrio. Ademais, deve ser notado que o Judiciário apresenta características distintas nos diferentes sistemas de governo — presidencialista e parlamentarista — e nos diferentes sistemas jurídicos — *common law* e *statute law*. De forma bastante simplificada, o modelo presidencialista confere ao Judiciário o estatuto de poder de Estado. Suas atribuições extrapolam a distribuição de justiça para a solução de conflitos. O Judiciário possui uma face nitidamente política, proveniente de sua capacidade de exercer o controle da constitucionalidade de leis e atos originários do Executivo e do Legislativo. Nos sistemas parlamentaristas, o Judiciário exerce uma atribuição extremamente relevante, a garantia de direitos, mas não é um poder estatal. No que diz respeito aos sistemas jurídicos, a distinção básica está no fato de que os países que adotam a *common law* são regidos pela jurisprudência dos tribunais, por usos e costumes, enquanto os de *statute law* orientam-se predominantemente por leis escritas.

Deve igualmente ser registrado que a força das mudanças ocorridas nos últimos anos, graças à expansão do Estado de Bem-Estar Social e do robustecimento dos direitos sociais, impulsionou alterações nas instituições de justiça, independente do sistema de governo e do sistema jurídico. A presença pública dessas instituições foi significativamente ampliada. O Judiciário teve alargada sua margem de atuação, respondendo a crescentes atribuições, tornando-se coparticipante das ações afirmativas. Nesse sentido, as diferenças entre os Judiciários, ainda que permaneçam expressivas, tornaram-se menores do que as existentes no passado.

É imperioso ainda acrescentar que o Judiciário não é o único canal de realização da justiça. Diversas instituições estatais e sociais também atuam no sentido de assegurar direitos. Entre as organizações públicas estatais têm papel importante o Ministério Público, as Defensorias Públicas, as Delegacias de Polícia. No rol de instituições sociais, sobressaem entidades que exercem a advocacia *pro bono*, igrejas e uma série de associações não governamentais voltadas tanto para a educação em direitos como para a pacificação social.

Nos últimos tempos, houve uma significativa difusão de meios e de canais que buscam a garantia de direitos e de solução de conflitos a partir da composição e da mediação.

Para terminar, volto à deusa Têmis, que enfrentava no Olimpo o deus da guerra, Ares. Naquele embate, como hoje, duas armas se enfrentam: a violência, que destrói e vive da desigualdade, e a lei, que constrói e busca a igualdade.

SUGESTÕES DE LEITURA

BOBBIO, N. *A era dos direitos*. Rio de Janeiro, Campus, 1992.

CAPPELLETTI, Mauro e GARTH, Bryant. *Acesso à justiça*. Porto Alegre, Sergio Antonio Fabris, 1988.

_____. "Constitucionalismo moderno e o papel do Poder Judiciário na sociedade contemporânea". *Revista de Processo*, nº 60, out./dez. 1990, pp. 110-7.

CARVALHO, J. M. "Entre a liberdade dos antigos e a dos modernos: a República no Brasil". *Dados*, vol. 32, nº 3, 1989.

_____. *Cidadania no Brasil. O longo caminho*. Rio de Janeiro, Civilização Brasileira, 2005.

MARSHALL, T. H. *Cidadania, classe social e status*. Rio de Janeiro, Zahar, 1967.

MANDONISMO, CORONELISMO, CLIENTELISMO, REPÚBLICA

José Murilo de Carvalho

Todos já ouviram falar, ou já leram, sobre esses quatro conceitos. Mas talvez muitos não se deem conta da relação entre eles e de sua relevância para o entendimento da formação política do país. Dizer formação política é o mesmo que falar sobre a história das formas assumidas pelo exercício do poder no território nacional. O poder é um fenômeno universal, mas assume formas distintas de acordo com as condições históricas de cada sociedade. Em nosso caso, as condições variaram muito desde a colônia até os dias de hoje. Na colônia, enormes distâncias e comunicações precárias separavam o dono de terras e de escravos, no interior, do rei no além-mar. Entre eles, havia vários intermediários, como os capitães-mores, os juízes de fora, os capitães-generais, os vice-reis. No Império, eliminou-se apenas a corte ultramarina. Continuaram o rei no Rio de Janeiro e os mesmos donos de terra e escravos e os grandes comerciantes, mediados por uma precária burocracia, por oficiais da Guarda Nacional, pelos presidentes de província e pelo ministério. Na Primeira República, as comunicações tinham melhorado, mas a implantação do federalismo conferiu à geografia um peso político ainda maior. O poder fragmentou-se entre os proprietários nos municípios, os governadores nos estados e o presidente da República. Mesmo hoje, quando o país se acha integrado, as relações entre prefeitos, governadores e presidente da República continuam sendo matéria de conflito e debate.

A coisa leva às palavras, o fenômeno aos conceitos. Surgiram na linguagem comum palavras para descrever os principais agentes do poder gerados nessas circunstâncias e suas práticas. Mais além do vocabulário, analistas desenvolveram conceitos e teorias que buscavam explicar o fenômeno. Algumas dessas teorias tinham a ambição de decifrar a própria natureza da formação política do Brasil. Por limite de espaço, trato aqui apenas dos conceitos listados acima e de algumas teorias a eles vinculadas.

Começando de baixo para cima, a primeira base de poder era a grande propriedade, onde dominava o dono, fora do alcance das autoridades. Seus domínios eram pequenos estados onde mandavam sobre mulheres, escravos e dependentes. Eram os mandões, os mandachuvas, os caciques. Seu estilo de exercício do poder foi chamada de mandonismo. Com o fim da escravidão, o aumento das comunicações, o desdobramento da economia e do poder do Estado, eles foram perdendo terreno. Pode-se dizer que hoje só subsistem mandões nas regiões mais distantes do Norte do país.

Já no Império, a Guarda Nacional, criada em 1831, começou a disciplinar os mandões, que passaram a ser chamados de coronéis, graças ao fato de os fazendeiros mais influentes serem nomeados para o posto mais alto da Guarda Nacional. A introdução do federalismo pela Constituição de 1891 mudou ainda mais o panorama. Baseando-se nessa nova forma de governo, o presidente Campos Sales criou o que chamou de política dos estados. Essa política vinculou estreitamente os coronéis aos governadores e estes ao presidente da República. O que era antes uma relação um tanto frouxa entre os coronéis da Guarda e os governos provincial e geral transformou-se num sistema integrado de dominação. Quem percebeu com clareza a nova situação foi Victor Nunes Leal, professor da Faculdade Nacional de Filosofia, em livro de 1948. Ao novo sistema ele deu o nome de coronelismo. Com isso, distinguiu conceitualmente mandonismo de coronelismo. O primeiro seria um fenômeno local, o segundo um sistema nacional.

O mandonismo teve seu ponto alto durante o período colonial, seguido de queda ininterrupta. Pode-se ilustrá-lo com uma curva descendente. O coronelismo, como entendido por Victor Nunes Leal, teve percurso distinto, formou um ciclo: começou com a introdução do federalismo, subiu ao auge na Primeira República (1889-1930) e pode dizer-se que acabou durante a centralização política do Estado Novo (1937-45).

Pode ser representado por uma curva de tipo sino, que sobe e retorna à linha de partida. É certo que o conceito ainda é usado para descrever o estilo de dominação política exercido por certos chefes políticos. Mas não se trata mais do coronelismo sistêmico. Seria talvez uma nova forma de mandonismo? Também não é o caso. O mandão tradicional definia seu poder pela independência em relação ao Estado. O suposto mandão de hoje depende da distribuição de bens públicos para exercer sua influência.

O que alguns chamam hoje de coronelismo urbano é a formação de clientelas com o uso de recursos públicos. Trata-se de clientelismo, e não de mandonismo ou de coronelismo. Clientelismo é uma prática universal, presente no mandonismo, no coronelismo e mesmo em formas democráticas de exercício do poder. Ele foge ao condicionamento dos níveis de governo, tão visível no mandonismo e no coronelismo. É praticado de alto a baixo do sistema político. É um fenômeno muito mais amplo e muito mais atual. No mandonismo, o clientelismo era de natureza privada, isto é, o custo era bancado pelo patrão, como na antiga Roma, onde se originou a palavra. No coronelismo, usou-se cada vez mais o patrimônio público como instrumento de poder. Hoje, o clientelismo é todo baseado em recursos públicos, representando o Estado o papel de patrão e o eleitor, o de cliente. E, diferentemente do mandonismo e do coronelismo, ele só fez crescer com o tempo. Sua representação é uma curva ascendente.

Demos um passo à frente. Os fenômenos acima descritos representam distintas relações entre o Estado e o poder privado de indivíduos, grupos ou classes. Mandonismo, coronelismo, clientelismo distinguem-se pelo maior ou menor peso do Estado em relação ao poder privado e pela maneira como se inter-relacionam. Nessa perspectiva mais ampla e mais abstrata, esses conceitos podem incorporar-se, e foram incorporados, a teorias que ambicionam explicar as relações entre Estado e sociedade. Examinemos algumas das que foram usadas para explicar o caso do Brasil: feudalismo, patrimonialismo, representação de interesses.

Nas ciências sociais, a tentação das dicotomias é grande. Aqui também ela se manifestou. Simplificadamente, as teorias partem de duas hipóteses dicotômicas, posto que opostas, a do predomínio do Estado, de um lado, e a do predomínio do poder privado, de outro. A primeira é tributária do pensamento de Max Weber, sobretudo em seus estudos sobre o patrimonialismo; a segunda aproxima-se da concepção de luta de classes desenvolvida por Karl Marx. Simplificando de novo, poderíamos dizer que a primeira estabelece um parentesco entre patrimonialismo, cooptação política, clientelismo, populismo, autoritarismo. A segunda faz o mesmo entre feudalismo, capitalismo, representação de interesses, democracia liberal. A formulação mais contundente da tese feudal é de Nestor Duarte, em livro publicado em 1939, em pleno Estado Novo. Conhecedor do pensamento socialista, ele vê o feudalismo implantado entre nós já nas capitanias hereditárias. Desde então, o poder político teria sido monopolizado pela classe senhorial rural. O mandonismo adquire em seu pensamento contornos de classe social. O Estado, nessas circunstâncias, não passaria de um instrumento de poder da casa-grande. A tese oposta, a do patrimonialismo, foi exposta com igual contundência por Raymundo Faoro em 1958. Inspirado antes nas análises weberianas, Faoro inverteu a proposição de Nestor Duarte, negando qualquer presença de feudalismo no Brasil e afirmando, ao contrário, a dominância de um estamento burocrático, responsável pela implantação no país de um capitalismo mercantil de Estado que teria bloqueado a gestação de uma sociedade de mercado e, consequentemente, de uma democracia representativa.

A tese feudal teve também uma formulação marxista. O marxismo via no modo capitalista de produção uma sequência do modo feudal. A diferença dessa tese em relação à de Nestor Duarte, que buscava uma sociedade democrática, era que ela dava um passo à frente. A sociedade capitalista, em que o Estado representava os interesses da burguesia, seria, por sua vez, seguida pela sociedade socialista, e depois pela comunista. O Partido Comunista era coerente, embora pouco lúcido, ao adotar essa tese para o Brasil e defender a necessidade de uma revolução capitalista antes da socialista. Caio Prado, também marxista, divergiu dessa posição do partido no livro *A revolução brasileira*, publicado em 1966, já durante a ditadura militar. Mas sua divergência se referia apenas à parte empírica da tese. Como historiador, ele julgava que o Brasil já era capitalista e podia engajar-se logo numa revolução socialista.

Victor Nunes Leal tem a vantagem de fugir à dicotomia um tanto tosca das teses feudal e patrimonial. Ele o faz introduzindo a ideia de negociação, ou pacto, entre o poder privado dos coronéis e o poder público do Estado. Esse pacto teria ocorrido num momento em que os senhores de terra perdiam poder e se viam forçados a recorrer ao poder do Estado para sustentar seus interesses. Era consequência dinâmica da crescente fraqueza dos coronéis e do crescente poder do Estado. O sociólogo Simon Schwartzman, também próximo de Weber como Faoro, mas com visão mais refinada, fugiu da polarização em livro que publicou em 1982. Ele manteve a sequência feudalismo—representação de interesses e patrimonialismo—cooptação política, mas distinguiu entre as regiões brasileiras. São Paulo representaria a primeira sequência; o Nordeste e Minas Gerais seriam exemplos da segunda. De um lado, mais capitalismo, mais classe social, mais representação de interesses. Do outro, mais Estado, mais burocracia, mais cooptação, mais clientelismo.

Essas teorias incorporam, como se vê, os conceitos de mandonismo, coronelismo, clientelismo. Mas têm a vantagem de lhes conferir um alcance e um poder explicativo mais amplos. Mandonismo e coronelismo encaixam-se dentro da tradição analítica que acentua o feudalismo, a força do poder privado. Clientelismo filia-se antes à corrente patrimonialista, que vê o Estado como motor da dinâmica política nacional. Dos três conceitos, o de maior atualidade é sem dúvida o de clientelismo, pois, como vimos, mandonismo e coronelismo referem-se a fenômenos que já fazem parte da história. O clientelismo, isto é, o uso indevido de bens públicos na forma de empregos e favores de toda a natureza com a finalidade de criar lealdades e dependências políticas, é documentado diariamente nos jornais, na televisão, na internet. Ele tem como vizinhos próximos o nepotismo, isto é, o emprego de parentes, o filhotismo, isto é, o emprego de amigos, o corporativismo, o fisiologismo, o paternalismo, o assistencialismo. Além disso, é terreno fértil para a germinação de outras práticas que implicam desrespeito pela coisa pública, inclusive as ilegais, como furtos, desfalques, mensalões e assemelhadas.

A visibilidade do clientelismo confere maior força à tese patrimonialista de nossa política, sem eliminar, no entanto, a tese feudal, sobretudo em sua formulação marxista de luta de classes. O próprio autor deste trabalho registrou sua força ao cunhar a expressão de estadania, em contraste com a de cidadania, para marcar o peso do Estado em nossas relações políticas. Estadania seria um traço da cultura política que levaria as pessoas a buscarem a proteção do Estado, seja na expansão das políticas sociais, seja em benefícios mais imediatos como o emprego público. Ela contrasta com a cidadania, que implica ativismo e luta pela transformação do Estado, e não apenas pela inclusão em seu guarda-chuva protetor.

Mas uma coisa é registrar a tradição patrimonialista, outra é afirmar que ela seja má, boa ou neutra. Os adeptos da tese feudal, com seu desdobramento na sociedade capitalista e na democracia liberal, veem no patrimonialismo e suas derivações uma infelicidade, um obstáculo ao progresso democrático. No entanto, há quem veja méritos em certos aspectos do patrimonialismo em comparação com a alternativa liberal. Um historiador norte-americano, Richard Morse, em livro de 1988, intitulado *O espelho de Próspero*, ressaltou esses méritos, rebatizando a tradição patrimonialista com o nome de iberismo. Em sua visão, o iberismo reconheceria, sim, a importância do papel do Estado, mas lhe conferiria o sentido positivo de um Leviatã benevolente, paternal, preocupado com a incorporação social, com a regulação do mercado, com a promoção do desenvolvimento.

Há sem dúvida aspectos negativos e positivos nas duas tradições. Mas, se partirmos da premissa de que existe hoje um quase consenso em torno dos valores de uma república democrática, é necessário apontar possíveis obstáculos à realização desse objetivo. A democracia exige a inclusão de todos; a inclusão é mais bem acolhida dentro da tradição do Estado virtuoso. A república, por outro lado, requer a igualdade civil, a rejeição de privilégios e favoritismos, o bom governo, o respeito pela coisa pública. Ela se ajusta melhor ao cidadão virtuoso e é avessa a práticas clientelísticas. Na medida em que a inclusão inclui também tais práticas, ela entra em choque com valores republicanos, e democracia e república se estranham. Ao se estranharem, interrompem o círculo virtuoso de seu desenvolvimento combinado e frustram a construção de uma república democrática.

Fizemos longo percurso em escasso tempo e curto espaço. Concluímos que assim como passaram o mandonismo e o coronelismo, é hora de passar o clientelismo e seus anexos. Ele jamais desaparecerá completamente, pois parece inerente, em alguma medida, a todos os sistemas políticos, mesmo os mais republicanos. Mas nas repúblicas democráticas estáveis as práticas que envolvem malversação, desvio ou roubo de recursos públicos para proveito próprio ou de favoritos encontram pronta rejeição da opinião pública e punição da justiça. Já existe entre nós uma opinião pública que também as condena, mas a condenação ainda não se reflete no comportamento dos políticos nem na ação da justiça. Exigir ética e bom governo dos agentes políticos não é adotar uma posição moralista. É entender que sem elas as instituições da democracia representativa, o Executivo, o Legislativo, o Judiciário, se desmoralizam perante os cidadãos. Desmoralizadas as instituições, os alicerces do sistema ficam abalados. Para sobreviverem, a democracia, como inclusão social, tem que ser também uma república, e esta, como bom governo, tem que ser também uma democracia. Esse é um debate que se situa no centro de nossa agenda política atual.

SUGESTÕES DE LEITURA

CARVALHO, José Murilo de. "Mandonismo, coronelismo, clientelismo: uma discussão conceitual". *In:* ____. *Pontos e bordados: escritos de história e política.* Belo Horizonte, Editora da UFMG, 1999, pp. 130-53.

DUARTE, Nestor. *A ordem privada e a organização política nacional.* São Paulo, Nacional, 1939.

FAORO, Raymundo. *Os donos do poder. Formação do patronato político brasileiro.* Porto Alegre, Globo, 1958.

LEAL, Victor Nunes. *Coronelismo, enxada e voto.* Rio de Janeiro, Forense, 1948.

SCHWARTZMAN, Simon. *Bases do autoritarismo brasileiro.* Rio de Janeiro, Campus, 1982.

MEIO AMBIENTE NO BRASIL

Fabio Feldmann

Com um patrimônio natural único, no qual se incluem a maior porção da floresta tropical amazônica, 12% da água doce do planeta e cerca de 20% do total das espécies, o Brasil tem justos motivos para exercer papel de liderança na busca de propostas e soluções para a transição inescapável e urgente da humanidade na direção de padrões sustentáveis de desenvolvimento, em cujo cerne esteja a conservação ambiental.

Para entender as potencialidades e limitações do país neste começo do século XXI, para cumprir tal papel, é preciso situar sua trajetória no quadro das transformações pelas quais passou a questão ambiental no mundo, a partir de meados do século passado até o presente, marcado pelas mudanças climáticas, escassez de recursos hídricos e perda acelerada de biodiversidade.

Dois grandes eventos globais contribuíram sobremaneira para mudar significativamente a compreensão dos temas ambientais: as conferências da ONU conhecidas como Estocolmo-72 e Rio-92.

A partir da década de 1960, ganhou evidência, para além dos círculos especializados, a dimensão dos graves impactos causados pela humanidade no planeta. A crença na capacidade inesgotável de recuperação da natureza e no seu poder de assimilação de altas doses de poluição mostrou-se equivocada, segundo o alerta de estudos científicos repercutidos pela mídia e por um então incipiente movimento ecológico.

Em 1972 foi realizada em Estocolmo, na Suécia, a Conferência sobre Ambiente Humano, primeira conferência da ONU sobre meio ambiente. Aberta no dia 5 de junho, data que passou a ser comemorada como Dia Mundial do Meio Ambiente, foi ponto de inflexão histórico, catalisando o debate mundial sobre a necessidade de rever os padrões de produção e consumo que punham em risco a vida no planeta.

Muitos países defendiam em Estocolmo a tese da prioridade do desenvolvimento econômico sobre a proteção ambiental. Parte da delegação brasileira (em plena ditadura militar, no governo Médici) entendia que a proteção do meio ambiente não poderia ser empecilho ao progresso. Frases como "a pior poluição é a miséria", "primeiro é preciso desenvolver, para depois cuidar do meio ambiente" ou "poluição é sinal de progresso" eram comuns nos meios políticos, sindicais e empresariais.

A Declaração de Estocolmo já trazia as contradições e as disputas presentes até hoje nas negociações internacionais que envolvem meio ambiente, como se pode constatar no caso da Convenção da Biodiversidade. Em 1972 era possível antever as enormes dificuldades de concertar um esforço mundial para reverter a rota de alto risco ambiental. Os embates geopolíticos dominaram. Os países socialistas do Leste europeu boicotaram o encontro em solidariedade à Alemanha Oriental, cuja presença fora vetada pela ONU. E as nações chamadas subdesenvolvidas chegavam a ver na proteção ambiental apenas mais uma manobra dos países ricos para mantê-las em condição de subordinação, freando seu crescimento.

De qualquer forma, Estocolmo mudou a forma de entender o tema meio ambiente, até então associado quase só à preservação de fauna e flora, levando-o para o campo da economia, da política, da sociedade, da cultura, das empresas. Resultou também na criação do Programa das Nações Unidas para o Meio Ambiente, o PNUMA. E foi responsável pela notável institucionalização da proteção e da gestão ambiental, na maioria dos países, além de ter impulsionado a multiplicação de organizações não governamentais.

No Brasil, setores acadêmicos e ONGs pressionaram pela criação de uma área ambiental no governo federal, o que levou ao surgimento, em 1973, no Ministério do Interior, da Secretaria Especial de Meio Ambiente, a SEMA, que teve como primeiro dirigente o professor Paulo Nogueira Neto. A SEMA, apesar das limitações, transformou-se em interlocutora da sociedade dentro do governo e obteve vitórias na criação de novos instrumentos legais e de áreas protegidas. Em

1981, foi sancionada a Lei 6938, marco da legislação ambiental brasileira, que instituiu a política nacional de meio ambiente e o Sistema Nacional do Meio Ambiente, que tinha como órgão deliberativo — com poder de criar normas ambientais — o Conselho Nacional do Meio Ambiente, o Conama, com participação governamental e não governamental.

Os governos militares (1964 a 1985), contudo, mantiveram suas políticas centrais desenvolvimentistas, que, aliadas à doutrina de segurança nacional, levaram a uma tentativa social e ambientalmente desastrosa de ocupação da Amazônia. A pretexto de "ocupar os vazios" e "integrar para não entregar", megaprojetos foram iniciados na região, a exemplo da rodovia Transamazônica (1972), projetada para ligar o Norte ao Nordeste. A abertura de estradas fazia parte do pacote de estímulos à migração em massa de agricultores do Sul e do Sudeste, o que intensificou o desmatamento e teve forte impacto negativo sobre populações tradicionais e indígenas da região.

Nos vinte anos que separam Estocolmo-72 da Rio-92, o Brasil viveu intensas mudanças, com o fim da ditadura militar. O principal evento desse período foi a Assembleia Nacional Constituinte, que, de 1986 a 1988, quando foi promulgada a atual Constituição, mobilizou todos os setores e interesses da sociedade, grupos organizados e movimentos em defesa das mais diversas causas, na retomada democrática. O capítulo "Do meio ambiente" (artigo 225), com dispositivos embasados na responsabilidade compartilhada do poder público e da coletividade na defesa do meio ambiente e na sua preservação para as presentes e futuras gerações, abriu caminho para que o país possa hoje dar resposta adequada à maioria das novas questões ambientais.

A Constituição brasileira é considerada pioneira no trato moderno dos temas ambientais, a partir de conceitos tais como: meio ambiente saudável como direito humano fundamental; responsabilidade dos Estados em manter os ecossistemas e os processos naturais essenciais ao funcionamento da biosfera; direitos individuais e coletivos à informação e à defesa jurídica do meio ambiente; condicionantes ambientais à propriedade privada e à atividade econômica.

No final de 1988, foi assassinado no Acre o líder seringueiro Chico Mendes, conhecido internacionalmente pela sua luta em defesa da Amazônia e das populações extrativistas, ribeirinhas e indígenas que estavam sendo expulsas pela devastação da floresta. A repercussão da morte de Chico evidenciou as implicações sociais, culturais e econômicas da destruição ambiental, e os povos da floresta mostraram, com seu movimento, que o desenvolvimento da Amazônia tinha que ser discutido com base nas alternativas de convivência com a floresta e na exploração sustentável de suas riquezas, e não na sua destruição.

Em 1989, o governo José Sarney lançou o Programa Nossa Natureza, como reação às pressões internacionais de governos e ONGs em consequência da morte de Chico Mendes e da aceleração das queimadas na Amazônia. Apesar do caráter casuístico do Programa Nossa Natureza, ele teve impacto importante no crescimento institucional da área de meio ambiente, principalmente pela criação do Instituto Brasileiro do Meio Ambiente e dos Recursos Naturais Renováveis, o Ibama.

O período preparatório para a Rio-92 coincidiu com a ascensão ao governo de Fernando Collor de Mello. Durante a realização da conferência da ONU o país já estava imerso em grave crise política, que terminou com o *impeachment* do presidente alguns meses depois. A Rio-92 reuniu o maior número de chefes de Estado jamais visto num evento global e consagrou a participação da sociedade civil, mudando definitivamente o modelo das grandes conferências da ONU.

A Rio-92 foi um divisor de águas para a formulação e a implementação de políticas públicas, que passaram a ter forte interlocução com as ONGs. Também foi de grande importância o encontro de setores do movimento social, sindical, de organizações militantes das mais diversas causas, do setor empresarial, que não só explicitaram seus conflitos de interesse e ideológicos na inusitada e diversificada convivência durante a conferência, como saíram dela com novos e mais complexos alinhamentos, consolidando o que hoje chamamos de socioambientalismo.

O socioambientalismo é um conceito fundamental para entender os rumos da questão ambiental no Brasil. Na sua origem estão dois outros conceitos: o preservacionismo e o conservacionismo. O primeiro, uma corrente de pensamento ambientalista que vê na natureza um valor em si e, portanto, entende que ela deva ser protegida intocada, sem interferência humana. O conservacionismo vê o ambiental, o econômico e o social como faces de uma mesma questão, o que leva a defender a proteção da natureza por meio de práticas de manejo, a partir de critérios de uso controlado, atendendo também às necessidades humanas.

O socioambientalismo tem raízes no Brasil no movimento contra a poluição do Polo Petroquímico de Cubatão e, principalmente, no movimento de extrativistas liderado por Chico Mendes.

A Rio-92 teve resultados muito relevantes, para além dos documentos que aprovou: Agenda 21, Declaração do Rio, Declaração sobre Florestas e as duas Convenções, a de Diversidade Biológica e de Mudanças do Clima. As ONGs se consolidaram como atores políticos, os processos de negociação que envolvem questões ambientais passaram a ser mais plurais, dinamizou-se a formação de redes que buscam a integração de temas, numa visão mais sistêmica dos problemas e das soluções.

No final de 1992 foi criado o Ministério do Meio Ambiente, que passaria por duas mudanças de nome, para atender a razões conjunturais: em 1993, Ministério do Meio Ambiente e da Amazônia Legal; em 1995, Ministério do Meio Ambiente, dos Recursos Hídricos e da Amazônia Legal, retornando em 1999 à denominação Ministério do Meio Ambiente. Continua sendo, porém, uma espécie de corpo estranho no conjunto do governo federal. Não conseguiu dar o salto para a integração e a transversalidade das agendas setoriais, o que foi tentado pela ministra Marina Silva, a partir de 2003 até 2008, quando deixou o governo pela falta de apoio a seu programa de trabalho.

Nos anos que se seguiram à Rio-92, a política ambiental brasileira ganhou importantes instrumentos legais, a exemplo da lei que criou a Política Nacional dos Recursos Hídricos, estabelecendo um Sistema Nacional de Gerenciamento dos Recursos Hídricos, e da Lei de Crimes Ambientais. A Lei da Mata Atlântica foi aprovada em 2006, após catorze anos de espera. E permanece no Congresso Nacional, desde 1995, o projeto de lei que regula o acesso aos recursos da biodiversidade.

Hoje, tendo à frente desafios ambientais do porte das mudanças climáticas, vemos que os avanços são reais, mas tímidos diante da magnitude das transformações a serem alcançadas para que possamos efetivamente mudar de patamar na concepção de desenvolvimento.

As questões ambientais estão impressas em nosso cotidiano mesmo que nos passem despercebidas. Muitos não se dão conta, por exemplo, que seus hábitos de consumo estão diretamente vinculados à qualidade de vida de suas cidades ou a riscos planetários. Ou não identificam nos interesses imediatistas de parcelas reduzidas da população o boicote aos cuidados de longo prazo que deveriam garantir os direitos de nossos netos e bisnetos a uma vida saudável.

Apesar do conhecimento acumulado nas últimas décadas sobre o impacto da destruição ambiental, ainda é corrente a ideia de que a poluição ou os danos ambientais em geral são o preço a pagar pelo crescimento material. Também não é verdadeira a noção de que primeiro se deve cuidar da pobreza e resolver a desigualdade social para depois tratar de proteção ambiental. Ao contrário, cada vez mais constatamos o quanto os pobres são as principais vítimas do descuido com a natureza. A falta de boas condições ambientais é parte indissociável da injustiça social e da desigualdade. Basta lembrar quem são os primeiros atingidos pelo uso abusivo dos pesticidas, pela contaminação dos rios por efluentes industriais e esgotos, pelos deslizamentos de morros e encostas em áreas urbanas.

A dimensão planetária da questão ambiental, que se tornou visível com o aumento do buraco na camada de ozônio nos anos 1980 e hoje novamente aparece nos eventos climáticos extremos, mostra que os danos ambientais são reais, incontestáveis e exigem escolhas, desde o nível individual até o das grandes estruturas de decisão global.

No Brasil, se de um lado é inegável o avanço da incorporação desses temas na agenda nacional e no engajamento dos cidadãos, de outro há graves obstáculos. Ainda não é eficaz o combate ao desmatamento em todos os biomas, não há saneamento básico satisfatório na maioria das cidades e a contaminação do ar pela poluição dos automóveis aumenta. Nossa matriz energética, em lugar de incentivar fortemente o advento de energias renováveis, continua apostando nos combustíveis fósseis, os maiores vilões do aquecimento global.

O que efetivamente mudou foi a consciência das sociedades contemporâneas para os riscos ambientais. Mas essa consciência ainda é insuficiente para provocar mudanças políticas no plano da tomada de decisões na escala das nações e da comunidade internacional.

O cidadão terá que se repensar, inserindo em seu cotidiano atitudes novas em relação a descarte correto dos resíduos, reciclagem, valorização de empresas social e ambientalmente responsáveis, consumo de produtos certificados e de combustíveis e tecnologias limpas. Os países devem se preparar para as consequências dos fenômenos climáticos, tanto do ponto de vista tecnológico quanto econômico, político e cultural.

Retornamos, então, ao começo da conversa, ou seja, ao papel do Brasil nesse contexto. Sendo ao mesmo tempo o detentor de ativos ambientais incomparáveis e um dos principais emissores de gases do efeito estufa no mundo, em função do desmatamento e das queimadas da Amazônia, o protagonismo brasileiro é um fato. Está na hora de escolher que tipo de protagonismo queremos e começar a fazer as contas para saber qual será o custo da inação, de não assumir de fato a liderança na consolidação da economia pós-carbono.

SUGESTÕES DE LEITURA

DUBEUX, Carolina; MARCOVITCH, Jacques e MARGULIS, Sérgio (coords.). "Economia da mudança do clima no Brasil: custos e oportunidades — Resumo Executivo", www.economiadoclima.org.br/files/biblioteca/RESUMO_FINAL.pdf.

GEO Brasil 2002 — Perspectivas do meio ambiente no Brasil. Organizado por Thereza Cristina Carvalho Santos e João Batista Drummond Câmara. Brasília, Edições Ibama, 2002.

GEO Brasil — Recursos hídricos: componente da série de relatórios sobre o estado e perspectivas do meio ambiente no Brasil. Ministério do Meio Ambiente; Agência Nacional de Águas; Programa das Nações Unidas para o Meio Ambiente. Brasília, MMA/ANA, 2007.

Instituto Socioambiental (ISA). *Almanaque Brasil Socioambiental 2008*.

Mata Atlântica: patrimônio nacional dos brasileiros. Ministério do Meio Ambiente. Secretaria de Biodiversidade e Florestas. Núcleo Mata Atlântica e Pampa. Organizado por Maura Campanili [e] Wigold Bertoldo Schaffer. Brasília, MMA, 2010.

MILITARISMO, REPÚBLICA E NAÇÃO

Celso Castro

Fujamos de maiores discussões conceituais sobre o significado de "militarismo" para adotar uma definição mais simples: "militarismo" é a postura que defende a projeção de valores e práticas da instituição militar para a sociedade abrangente. Feita essa definição geral, é preciso atentar para alguns cuidados necessários. Em primeiro lugar, os militares não são necessariamente militaristas; civis também podem sê-lo. Em segundo lugar, mesmo nos momentos mais militaristas da instituição militar, há sempre algum grau de divergência e eventual disputa facciosa. Nesse sentido, apesar da aparência disciplinada com que as Forças Armadas geralmente se apresentam em público — quando a voz autorizada a falar em nome da instituição é, em princípio, aquela chancelada pela hierarquia —, não se deve supor que haja necessariamente consenso em seu interior. Além disso, apesar de cultivar uma imagem tradicional, a instituição militar, em qualquer país, também se transforma ao longo do tempo.

Comecemos pelo período final do Império, quando pela primeira vez em nossa história uma "classe militar" começou a se constituir com um claro projeto de (re)organizar politicamente a sociedade brasileira. Havia os militares de perfil mais *troupier*, preocupados com a carreira militar e em muitos casos advogando reformas na instituição militar. Insatisfeitos com os baixos orçamentos, as lentas promoções e um certo descaso por parte da elite civil, desenvolveram um ressentimento contra aqueles poderosos do Império, que oficiais como Deodoro da Fonseca e Floriano Peixoto chamavam de "casacas". Essa "classe militar", no entanto, não buscava o fim da monarquia, nem transformar a sociedade à sua imagem e semelhança. Uma pequena fração dela — não mais que meia dúzia de oficiais superiores — participou, no final de 1889, da conspiração que resultou num golpe de Estado vitorioso que pôs fim a 77 anos de monarquia no Brasil independente e instaurou a República. Esses militares não eram, no entanto, claramente republicanos; às vezes, muito pelo contrário. O pró-

356

prio chefe militar e oficial de maior patente no dia do golpe, o general Deodoro, que se tornaria o primeiro presidente republicano, havia escrito uma carta no ano anterior a seu sobrinho Clodoaldo, então estudante da Escola Militar de Porto Alegre, advertindo-o: "Não te metas em questões republicanas, porquanto República no Brasil e desgraça completa é a mesma coisa". Mesmo no dia do golpe vitorioso, Deodoro falou inicialmente em entender-se com o imperador para formar outro gabinete, e não em proclamar a República.

A República, por outro lado, era vista como a "terra da promissão" para um conjunto muito maior de estudantes e jovens oficiais oriundos da Escola Militar do Brasil, então localizada na praia Vermelha. Dias antes do golpe, e já em plena conspiração, foram eles que assinaram documentos que ficaram conhecidos como "pactos de sangue", entregues ao líder que elegeram para guiá-los: seu professor de matemática Benjamin Constant Botelho de Magalhães, a quem se comprometiam seguir no confronto contra o governo, até a morte. Benjamin era também militar, tenente-coronel, mas não assumira, até as vésperas do golpe, essa sua identidade como a principal. Ocupando sempre posições de ensino ou burocráticas — salvo por um ano na Guerra do Paraguai, entre 1866 e 1867, atuando na retaguarda —, pediu por duas vezes desligamento do Exército. Em seus títulos de eleitor registrava, no campo dedicado à profissão, a de magistério, não a de militar. Sua própria filha registra, em seu diário, que no dia 23 de outubro de 1889, após fazer um discurso público extremamente crítico do governo — o qual serviu de senha para o desfecho da conspiração republicana —, a família estava preocupada porque seu pai demorara a voltar para casa, e eles sabiam que ele não gostava de andar fardado...

A "mocidade militar" — para usar expressão da época — que apoiou Benjamin Constant tinha uma clara visão sobre o Brasil. Éramos uma nação pouco evoluída devido ao predomínio de valores e normas que privilegiavam o berço como definidor de possibilidades sociais e a existência de um pacto entre a Igreja católica e uma elite dominada por bacharéis em direito que impedia o uso da razão como instrumento de transformação social. Contra isso, defendiam o mérito individual e o poder da ciência. Não é por outro motivo que sua escola era por eles chamada de "Tabernáculo da Ciência". Lá se cultuava, mais do que o positivismo de Auguste Comte, geralmente destacado em nossa historiografia, um "cientificismo" que também incorporava autores mais recentes, como Herbert Spencer e Ernest Haeckel. Dessa mistura resultava a crença imperturbável no poder da ciência como guia para a reorganização da vida social.

A República era, nessa visão, a forma científica de governo, guiada pela ciência e pela adoção universal de princípios meritocráticos. Com isso, o Brasil evoluiria rapidamente do atraso em que se encontrava, passando a ocupar uma posição melhor no concerto das nações mais "desenvolvidas". Não havia, a rigor, um "projeto nacional", para esse grupo de soldados-cidadãos que conspiraram pela República: a simples adoção do regime republicano levaria à pronta renovação da sociedade brasileira, inserindo-a no grupo das nações mais avançadas. Se essa convicção, em sua simplicidade, facilitou a unidade de pensamento e a ação dos jovens conspiradores no final do Império, logo ajudaria a fragmentá-los na República que conseguiriam criar.

Feita a República, o "império das circunstâncias" se impôs e o peso da tradição monárquica deu o troco. Surgiram disputas tanto entre os próprios militares vitoriosos quanto entre eles e políticos civis. O ideal republicano ficou cada vez mais descaracterizado quando, logo após o golpe bem-sucedido, quase todos formalmente aderiram à República — embora os símbolos e a ideologia republicana só a muito custo fossem se impondo. Isso fez com que, passados poucos anos, o futuro luminoso da República já se tivesse transformado num passado em muitos aspectos similar, ou mesmo pior, àquele que haviam buscado superar. As oligarquias tradicionais retomaram o controle do poder político, cooptando ou derrotando os jovens militares mais exaltados. O mesmo ocorreu no interior da instituição militar, com o peso da hierarquia, da disciplina e da burocracia enquadrando ou expurgando os jovens mais exaltados que se envolveram em várias agitações políticas — o "primeiro tenentismo", na expressão de José Murilo de Carvalho. A última tentativa dessa geração de "refundar" a República que teria sido traída ocorreu em 1904, quando, no bojo de uma revolta mais ampla a pretexto da vacinação obrigatória, a "mocidade militar", liderada agora por Lauro Sodré, um ex-moço de 1889, tentou um novo golpe de Estado, dessa vez frustrado.

A Marinha, debilitada pela derrota na Revolta da Armada (1893-4), contra o governo de Floriano Peixoto, e posteriormente pelo efeito negativo da Revolta da Chibata (1910), deixou de ser uma força política importante e passou o século republicano à sombra ou a reboque do Exército. Por essa razão, quando falarmos em "instituição militar" neste verbete, é principalmente ao Exército que estamos nos referindo.

Durante a Primeira República, eclodiu um segundo ciclo militarista, que variou entre a defesa de reformas na instituição militar — lutando, acima de tudo, pela adoção do serviço militar obrigatório — e a defesa de transformações mais profundas na vida política e econômica do país, através de reformas políticas e da industrialização. No primeiro caso, a projeção de valores da caserna sobre a sociedade brasileira foi a tônica. O Exército aparecia como a "ossatura da nacionalidade"; única instituição capaz de pôr-se acima das disputas e divisões da sociedade. O duque de Caxias, transformado em "patrono" do Exército em 1926, passou cada vez mais a representar a face conservadora da República. Mas, para exercer em plenitude esse ideal militar, fazia-se necessária a passagem temporária dos jovens pela caserna, o que ajudaria, na expressão do poeta Olavo Bilac, a superar o "divórcio monstruoso" que ainda havia, em termos socioeconômicos, entre a nação e o Exército.

No segundo caso, desenvolveu-se uma série de levantes e revoltas "tenentistas" de diferentes matizes políticos, que culminou na chegada de um grupo de jovens oficiais ao poder, com a Revolução de 1930. Pilar do governo de Getulio Vargas, principalmente no período ditatorial do Estado Novo, esse grupo conseguiu expurgar ou neutralizar os militares dissidentes e impor-se através da liderança de dois personagens-chave: Eurico Gaspar Dutra e Góis Monteiro; foi deste último a famosa frase de que se devia combater a política *no* Exército para fazer a política *do* Exército.

Ganhou corpo, então, a ideologia que seria hegemônica por muitas décadas no interior da instituição militar: o anticomunismo. Para além do fato de ser *contra* o comunismo, essa ideologia desenvolveu uma visão da sociedade brasileira "infiltrada" por inimigos internos ou traidores da pátria, "a serviço de Moscou" (ou, mais tarde, de Pequim, de Havana ou de Tirana). Por mais que fosse exagerada, a percepção de uma "ameaça comunista" no Brasil não era, no entanto, apenas uma fantasmagoria: havia intenção real dos comunistas de chegar ao poder por meios revolucionários. Essa ideologia assumiu centralidade justamente a partir da fracassada tentativa de golpe comunista liderada pelo ex-tenente Luís Carlos Prestes em novembro de 1935 — a "Intentona", como passou a ser nomeada depreciativamente. Ela se fortaleceu, nos anos seguintes, num contexto nacional e internacional de crescimento de tendências autoritárias contrárias ao liberalismo político e à democracia representativa, tanto à esquerda quanto à direita. A descrença na democracia era algo cada vez mais generalizado.

A entrada do Brasil na Segunda Guerra ao lado dos aliados, contudo, fez com que vivêssemos uma contradição histórica: enquanto havia uma ditadura no Brasil, nossos "pracinhas" foram lutar na Itália contra o nazifascismo. Como resultado, contribuíram para o fim do Estado Novo. Em que pese a existência de um regime democrático (embora com várias limitações), nas duas décadas que se seguiram à queda do Estado Novo, a ideia de que as Forças Armadas deveriam permanecer vigilantes na defesa da pátria contra a ameaça comunista manteve-se dominante, vindo a recrudescer após o golpe de 1964, que derrubou o governo de João Goulart. Na visão dos militares golpistas, os comunistas teriam tentado uma nova investida que, à semelhança de 1935, fora impedida pela atuação vigilante das Forças Armadas. Portanto, o mesmo inimigo de três décadas antes ainda estava vivo e precisava ser combatido. A associação entre 1935 e 1964 fortaleceu o espírito anticomunista nas Forças Armadas e esteve na base da visão de que elas estavam acima das instituições políticas, como deixou claro o texto do Ato Institucional que inaugurou 21 anos de regime militar: a "Revolução vitoriosa legitima-se a si própria".

Os "anos de chumbo" que se seguiram conviveram com o ufanismo decorrente do "milagre econômico brasileiro", da concepção de um "Brasil Grande" que ninguém poderia segurar e da propaganda que ordenava aos que não amavam o país — e seu regime autoritário, é claro — que o deixassem. Ganhou então força uma "utopia autoritária" que defendia, no limite, a própria extinção da política, ficando a organização da sociedade mais bem resolvida com a transposição dos valores da instituição militar para a sociedade. Fazia-se necessário, no entanto, derrotar a "guerra revolucionária" mantida pelos inimigos internos, o que serviu de justificativa para a institucionalização dos métodos de combate mais radicais, como a tortura ou mesmo o simples extermínio de opositores. Por outro lado, no próprio interior da instituição militar desenvolveu-se também, em contraposição, o medo de que o longo e profundo envolvimento dos militares no controle do poder político pusesse em risco os pilares das Forças Armadas: a hierarquia e a disciplina. Essa tensão, aliada à perda de apoio político civil e à crescente força da oposição, levou a que um lento e controlado projeto de transição política fosse concertado entre o poder militar e a elite política.

As Forças Armadas saíram dessa longa experiência autoritária com garantias de que não haveria retaliação movida pelo "revanchismo" que atribuíam aos que foram contrários ao regime militar, porém que a ele sobreviveram e que agora chegavam ao poder. Os militares viram-se derrotados na memória histórica que se construiu sobre o regime militar, em crise de identidade pela perda de prestígio social e político e confusos quanto ao papel que deveriam exercer no novo mundo pós-redemocratização e, em breve, pós-Guerra Fria. O regime militar fez mal à instituição militar.

A ideologia anticomunista, que prevalecera por muitas décadas, cada vez mais perdeu sentido e força. Ao mesmo tempo, uma nova visão passou a ganhar importância: a necessidade de defender nossas riquezas e soberania (em especial, a Amazônia) da "cobiça internacional". Embora essa noção não fosse nova, nem de origem apenas militar, agora tornou-se simbolicamente muito mais adequada aos novos tempos. O Dia do Exército foi criado em 1994, adotando o dia 19 de abril de 1648, data da primeira Batalha dos Guararapes, momento-chave da expulsão dos invasores que tentaram conquistar nossas riquezas, mas foram derrotados pela união das "três raças" formadoras do povo brasileiro, valendo-se de táticas de emboscada e guerrilha autenticamente brasílicas. Na versão oficial do Exército, foi esse o momento de nascimento não só do Exército brasileiro como da própria ideia de nação no Brasil — as duas coisas passaram, portanto, a estar indissoluvelmente ligadas. A missão principal é agora alertar a sociedade quanto aos perigos que corremos e desenvolver uma estratégia de defesa adequada a um cenário adverso, no qual podemos ser confrontados por forças militares de nações mais poderosas: a "estratégia da resistência", adequada a uma "guerra assimétrica". O peso simbólico que a Amazônia assumiu ficou evidente quando a Marinha procurou chamar a atenção para a necessidade de também estar equipada para defender a "Amazônia Azul" — as riquezas de nosso mar territorial.

Ao encerrar-se a primeira década do século XXI, as Forças Armadas permanecem por 25 anos conformadas ao regime democrático — um feliz recorde na história republicana brasileira — e sem manifestar o desejo de reorganizar a sociedade à sua imagem e semelhança. Em todo o período republicano, para além das transformações na visão de mundo institucional, podemos no entanto perceber um elemento subjacente e estruturante que se buscou sempre reafirmar no plano simbólico, em diferentes contextos: a existência de vínculos indissolúveis das Forças Armadas com a nação brasileira, da qual devem ser os guardiões.

SUGESTÕES DE LEITURA

CARVALHO, José Murilo de. *Forças Armadas e política no Brasil*. Rio de Janeiro, Zahar, 2005.
CASTRO, Celso. *Os militares e a República*. Rio de Janeiro, Zahar, 1995.
____. *A invenção do Exército brasileiro*. Rio de Janeiro, Zahar, 2002.
MCCANN, Frank. *Soldados da pátria*. São Paulo, Companhia das Letras, 2007.

MÚSICA POPULAR BRASILEIRA: OUTRAS CONVERSAS SOBRE OS JEITOS DO BRASIL

Heloisa Maria Murgel Starling

Nos versos de "Qualquer canção", composta para o álbum *Vida*, lançado em 1980, Chico Buarque sustenta que a canção popular é uma forma de conhecimento mais ou menos enviesado sobre o que experimentamos no mundo e em nós. Mas trata-se de uma forma muito específica de conhecimento: dela não se deve esperar nem a disposição de representar fielmente a realidade do mundo, nem a capacidade de agir diretamente sobre essa realidade:

> Qualquer canção de amor
> É uma canção de amor
> Não faz brotar amor
> E amantes
> Porém, se essa canção
> Nos toca o coração
> O amor brota melhor
> E antes.

O compositor tem razão. Canções não resolvem nenhum problema nem aliviam qualquer sofrimento — elas não podem dominar o passado de uma vez por todas ou desfazê-lo em nenhuma de suas partes. Mas podem, à maneira de Homero, "endireitar a história com palavras mágicas para encantar os homens para sempre". E podem, muitas vezes, reconciliar cada um de nós com seu próprio passado, narrando-o a nós mesmos e a outros. A narrativa moldada pela canção tem sempre o mundo como ponto de partida: ela abre trilhas no emaranhado das coisas humanas, opina sobre elas, discute quanto valem, dá caráter público àquilo cujo conhecimento estaria, num primeiro momento, fechado no coração do homem, e expõe de modo transparente a verdade íntima dos sentimentos humanos.

Não é pouca coisa. Contudo, ao menos no caso do Brasil moderno, a canção popular, em toda sua impressionante variedade de gêneros, tratou de ampliar ainda mais suas pretensões e alcance: de forma pouco usual nas diversas formações culturais em que é praticada, entre nós a canção tornou-se um dos meios através dos quais o país logrou alcançar certo conhecimento de si. Está implícito ou explícito no nosso cancioneiro um modo de pensar o Brasil. Ou, se quisermos, um padrão de reflexão sobre o país que destaque suas condições específicas, atento à produção de um conjunto de referências comuns, em especial ao papel desempenhado pelos afetos, os sonhos, a imaginação e os interesses compartilhados pelos brasileiros, nos procedimentos de formação de um mundo público.

Essa é uma das particularidades que fazem a originalidade da moderna canção popular urbana brasileira. Entre nós, canções são uma tentativa de narrar experiências no interior de um país onde sempre predominou a força da palavra oral sobre o hábito da palavra escrita e da leitura reflexiva. Durante as primeiras décadas do século XX, quando se consolidou o processo de desenvolvimento do estilo moderno do samba que está na origem da canção popular urbana, a oralidade ainda era uma presença marcante no Brasil devido às dificuldades objetivas enfrentadas na constituição da nossa formação histórica: a persistência e a amplitude social do analfabetismo e a presença de uma população em larga medida semiescolarizada; a força das características de uma sociedade em que as relações privadas dão o tom e dominam o cenário mesmo no âmbito da esfera pública.

Por essa razão, o traço mais evidente do cancioneiro nacional é sua capacidade de engendrar uma via narrativa peculiar que permite o acesso a certa imagem de mundo comum que possa ser válida para indivíduos de uma mesma coletividade. Evidentemente, essa é uma forma narrativa híbrida por conta de sua estrutura geral, que envolve a fina articulação entre elementos de natureza diversa. A dupla natureza verbal e musical da canção acirra sua dimensão híbrida, capaz de agregar necessariamente melodia, letra, interpretação e arranjo instrumental e engendrar uma estética própria que preserva e sublinha o nexo necessário entre a voz, a melodia e a palavra; entre a interpretação musical e a performance cênica; entre a canção e seu suporte principal de circulação e consumo.

Mas a moderna canção popular urbana brasileira também produziu um modo peculiar de narrar o Brasil a partir do lugar onde se constitui a fronteira entre os diferentes territórios que formam a tradição letrada, a tradição escrita, a tradição do livro e a tradição oral da poesia cantada no país. Lugar do encontro de diversas linguagens próprias ao campo da imaginação brasileira e, simultaneamente, espaço do conflito e da redefinição de territórios, a fronteira definiu o lugar poético de produção de uma forma de expressão sobre o país que veio a ser também uma maneira original de pensar o Brasil. Como resultado, na sua gênese e na sua realização, além da forma, a canção popular encontrou sua identidade por meio de um pensamento híbrido que permitiu a gerações de compositores, poetas e escritores procederem a migrações as mais surpreendentes: entre o livro e a canção, a canção e o poema; entre os horizontes de interpretação destinados a opinar sobre a formação social brasileira.

No Brasil, sustentou Mário de Andrade, filho de preto com branco sabe cantar. Ele estava certo. Entre o final do século XIX e o início do XX, a forma moderna da canção popular urbana se consolidou entre nós a partir precisamente da ambivalência desse lugar instável e incerto onde também habita o mulato, equilibrando-se precariamente na borda dos procedimentos letrados de interpretação do país, ora parcialmente rejeitada, nunca admitida de todo. Graças à ambivalência do lugar ocupado pela canção popular, no decorrer dos processos de constituição dessa forma de sonoridade brasileira, nem o erudito nos vigia impassível do alto do desejo de realizar o ato puro de fazer música ou de configurar ideias, nem o popular nos espia zombeteiro enquanto chafurda no barro do chão. No século XIX, os dois paradigmas, erudito e popular, já constituíam um terceiro, constata José Miguel Wisnik em seu ensaio "Machado maxixe: considerações sobre o caso Pestana".

Talvez as origens do processo de formação do terceiro paradigma sugerido por Wisnik, capaz de misturar o erudito e o popular, sejam ainda mais antigas e anteriores ao século XIX. Ao comentar o panorama literário, no Brasil, por volta da segunda metade do século XVIII, o historiador Sérgio Buarque de Holanda insinuou, na figura de Domingos Caldas Barbosa, uma espécie de matriz por onde principiou a tradição da canção popular, esse saber poético e musical que se tornou marco do nosso destino comum de brasileiros.

Domingos Caldas Barbosa era padre, mulato, tocador de viola de arame, poeta árcade e compositor de modinhas e lundus. Ainda no final do século XVIII, a matriz continuou a ser modelada por arte de outro poeta, também mulato, Manuel Inácio da Silva Alvarenga. A poesia de Silva Alvarenga foi provavelmente a primeira, na América portuguesa, a misturar ao bucolismo da Arcádia o brilho da paisagem tropical manchada de cores, e a deixar de lado os pastores de carneiros e ovelhas para preocupar-se com a fauna do Brasil — atravessam seus versos cobras, onças de variada espécie, morcegos e muitos beija-flores. Filho do músico Inácio da Silva, talvez também por essa razão, seus rondós e madrigais guardam um tom vago de serenata, cultivam um ritmo e uma melodia que prenunciam a sonoridade brasileira na forma de canção.

A poesia meio cantada de Silva Alvarenga e o coloquialismo dos versinhos em redondilhas de Caldas Barbosa fazem deles os fundadores da matriz híbrida, por onde principiou a tradição em que se formou a moderna canção popular urbana brasileira. Uma tradição que desaguou, na segunda metade do século XX, em dois personagens exemplares dos procedimentos de mistura de linguagens e de construção desse pensamento híbrido que vem orientando a maneira de com-

369

por — independentemente do gênero, da personalidade musical e do estilo pessoal — canções no Brasil: Vinicius de Moraes, o poeta do livro que criou um repertório musical capaz de combinar, ao mesmo tempo, fluência lírica, lastro literário e suporte melódico, e Tom Jobim, o grande maestro que queria fazer sinfonias, quartetos e sonatas, e se transformou no maior *clássico* da composição popular brasileira.

Que a vocação para o diálogo *público* componha também um traço essencial da nossa canção popular constitui outra notável consequência desse pensamento híbrido em que ela formou sua identidade. No início do século XIX, quando era conhecido nas ruas como lundu e nos salões como modinha, e servia principalmente para encantar a fantasia amorosa das moças, os versos satíricos, também característicos do processo de origem da canção popular moderna, já se esforçavam na tentativa de fornecer temas, argumento e polêmica para a construção de certa noção de *coisa comum* entre os brasileiros. Esforço que incluía, por exemplo, apontar a corrupção como problema numa corte perdulária e voraz, onde o soberano hesitava em pagar o preço da virtude no controle da administração pública: "Quem furta pouco é ladrão/ Quem furta muito é barão/ Quem mais furta e esconde/ Passa de barão a visconde". Ou empregar a ironia para denunciar impiedosamente que o governo na virada do Império para a República era corrupto porque roubava — e roubava em grande quantidade — do condomínio comum da população: "Cobre feroz/ Que tudo ataca/ Té d'algibeira/ Tira a pataca/ Bravo a especulação/ São progressos da nação".

Mas foram os primeiros sambistas, fundadores da modernidade da nossa canção, que articularam canto e fala em células rítmicas bem definidas e trataram de utilizá-las para tornar públicos os seus pontos de vista. O século XX estava apenas começando quando Donga, Pixinguinha, Caninha, China, Heitor dos Prazeres, João da Baiana e, sobretudo, Sinhô começaram a fustigar uns aos outros unindo melodia e letra e, sob o pretexto de enviar recados, passaram a buscar, para seus versos, um conteúdo menos banal, mais elaborado. É certo que os sambistas estavam preocupados em convencer o ouvinte da excelência de seu produto, no exato momento em que se tornou praticável o registro técnico da canção; mas é certo também que, ao se esmerarem em falar de seus assuntos, os sambistas *de tipo mais antigo*, como gostam de dizer os especialistas, começaram a mobilizar de maneira sistemática um conteúdo que incluía polêmica, críticas da situação do país e, em especial, emissão de opinião.

Graças precisamente a esse desenho dialogal, a moderna canção popular urbana brasileira produziu, ao longo do século XX, uma forma peculiar de narrativa sobre as condições de gestação, expressão e consolidação do mundo público, e de certa noção do sentido do *público* e do *comum* entre nós. Ainda que, no mais das vezes, o mote original da composição seja de cunho eminentemente pessoal e o compositor fale prioritariamente de si, abordando seus amores, infortúnios, aptidões, desenganos ou características pessoais, uma canção costuma quase sempre expor opiniões e agregar comentários ao ponto de vista inicial proposto pelo autor. Ao realizar tal processo, a canção favorece a controvérsia, a discussão e a troca de opiniões, além de facultar a incorporação ao debate de todos quantos se sintam atingidos por esse ponto de vista, independentemente de suas convicções, atributos ou valores originais. Essa capacidade de integração de públicos diversos, de formação de consenso e de ampliação da esfera pública até o limite do indivíduo ordinário é uma das principais características da moderna canção popular urbana brasileira.

Veículo de trocas, durante todo o século XX, a canção popular cortou transversalmente nossa pólis, independente de gênero e estilo, providenciando um estoque de referências para a vida pública brasileira passível de reconhecimento por uma audiência ampla, de nível social ou cultural diversificado. De algum modo, através dela, ou por seu intermédio, circularam ideias e transitaram publicamente pontos de vista num processo de troca, negociação e confronto de opiniões — que, decantadas do particularismo arbitrário ou idiossincrático, puderam vir a transformar-se em opinião pública.

Parece muito e não é pouco. Mas diversos compositores foram ainda mais longe em suas canções na tentativa de repetir para os brasileiros o que era e o que é este país, por quantas esquinas ainda é preciso fazer passar a vida pública do Brasil para que as nossas diferenças sejam igualizadas por leis. Também para isso serve esse pensamento híbrido de onde a canção popular tirou sua identidade: através dele, ela revela algo do que foi abandonado, eclipsado, anulado na aventura nacional brasileira. Graças a ele, abre uma via própria de diálogo com as tradições letradas, as tradições do livro que insistem em dar conta da aventura de interpretação do Brasil na profundidade de sua imaginação histórica, social e política.

Dois compositores são particularmente sensíveis aos procedimentos de construção e integração desse diálogo: Tom Jobim e Chico Buarque. Em comum, a arte de ambos devassou a fronteira entre literatura, poesia escrita e poesia cantada até revelá-la como um dos andaimes da construção de suas obras: as canções assumem implícita ou explicitamente o acompanhamento poético e literário de Olavo Bilac, Carlos Drummond de Andrade, Lúcio Cardoso, Mário Palmério, Guimarães Rosa, João Cabral, Erico Verissimo, Manuel Bandeira, Cecília Meireles. Suas canções também compartilham da mesma desconfiança diante da história de um país hipnotizado pelo desejo de modernidade. Cada um a seu modo, tanto o cancioneiro de Jobim quanto o de Chico Buarque insistem em apontar a persistência de uma zona de hesitação, inconsistência e indefinição, de um enredo problemático onde fica presa a construção da figura nacional, perenemente extraviada entre o exótico e o singular, entre autonomia e dependência, entre imagem e simulacro, entre modernidade e arcaísmo.

372

Talvez se possa dizer que, de um modo muito próprio, Tom Jobim dedicou-se durante toda sua vida a criar um cancioneiro interessado em proporcionar ao ouvinte uma leitura sobre o Brasil. Mas Jobim fez isso a sua maneira: a obra que construiu põe em jogo, de modo muito eloquente, um conjunto de canções com motivos melódicos e poéticos em geral simples, construídos em camadas harmônicas muito complexas e invariavelmente sustentados na vivência particular, nos afetos, nos sonhos, nas fantasias e nos interesses domésticos dos brasileiros. Tudo aquilo que os procedimentos de modernização do país consideraram irrelevante ou descartaram por improdutivo, supérfluo, inútil — o encantamento com as pequenas coisas que cercam nossa vida cotidiana, a durabilidade do gesto amoroso, o alumbramento com o mundo natural, a intimidade de uma vida privada plenamente desenvolvida —, a canção de Tom Jobim deu visibilidade máxima e apresentou como condição de equilíbrio necessário à harmonia do homem consigo mesmo e à concórdia na *pólis* — porções inteiras do nosso *vivere civile*, restos da delicadeza quase perdida deste país.

A partir dos dois discos autorais produzidos na primeira metade da década de 1970, *Matita Perê* (1973) e *Urubu* (1975), as canções de Jobim também passaram a carregar um traço de melancolia que lamenta o risco da perda de um chamado utópico: o sonho e a visão de um Brasil afirmativo visto sob a égide de suas forças revitalizadoras — um Brasil mais puro, mais próximo de uma natureza atemporal, feito de coisas simples, fruto do trabalho que produz valor de uso segundo uma habilidade técnica que lentamente chegou à maturidade, pronto a compartilhar valores comunitários e que tem como sonoridade o samba e o violão. Na obra de Chico Buarque, ao contrário, permanece a inevitável desconfiança de que a aventura nacional brasileira está sempre por um triz. Não por acaso, sua leitura do país é feita a partir das margens, num deslocamento de significado — entre o que virá e não vem, entre o que é tão recente que permanece à espera de conclusão, tão deteriorado que também não conseguiu envelhecer. Nas canções, o modo de pensar o Brasil e a reflexão sobre o percurso da história e da vida pública nacional vêm, em geral, embutidos na narrativa do cotidiano de seus habitantes. Sua canção flagra, com particular ternura, as experiências comezinhas do brasileiro comum, a afirmação da dignidade dos seres anônimos e insignificantes que perambulam pelo país, trazidos à luz por um instante, com todo seu potencial de utopia e toda a dor do Brasil que não somos — chão de desterro, pátria cordial.

É própria à genealogia dos Buarque de Holanda, Sérgio e Francisco, a exigência de pensar o país de maneira radical, isto é, pela raiz. Raízes assinalam uma tentativa de arraigar-se e a necessidade do cultivo em solo firme; aludem aos princípios formadores da nossa experiência histórica e política e revelam os indícios do que não se completou na aventura nacional brasileira.

Mas é igualmente próprio à tradição do nosso cancioneiro popular se meter naquilo que não é de sua conta, naquilo que não lhe diz respeito enquanto membro da divisão social do trabalho porque diz respeito a todos — e, por isso mesmo, *precisa* ser escutado e conhecido por todos. Provavelmente por essa razão, suas canções também trataram de revolver esse emaranhado fundamental de raízes onde a memória do Brasil se agasalha. Pela mesma razão, gerações de compositores se esforçaram na criação de uma sonoridade que se reporta, em última instância, ao esforço de não *se esquecer de lembrar* — lembrar-se do brasileiro que somos; não se esquecer daquilo que deveríamos ou poderíamos ser, em um país que tem um passado e precisa indubitavelmente ser melhor do que o Brasil que temos hoje. Como já avisava Candeia, "mudo é quem só se comunica com palavras".

SUGESTÕES DE LEITURA

MAMMI, Lorenzo *et al*. *Três canções de Tom Jobim*. São Paulo, CosacNaify, 2004.

SANDRONI, Carlos. *Feitiço decente: transformações do samba no Rio de Janeiro (1917-1933)*. Rio de Janeiro, Zahar/Editora da UFRJ, 2001.

SILVA, Fernando de Barros e. *Chico Buarque*. São Paulo, Publifolha, 2004.

TATIT, Luiz. *O século da canção*. São Paulo, Ateliê, 2004.

TINHORÃO, José Ramos. *Domingos Caldas Barbosa: o poeta da viola, da modinha e do lundu (1740-1800)*. São Paulo, Editora 34, 2004.

WISNIK, José Miguel. *Sem receita: ensaios e canções*. São Paulo, Publifolha, 2004.

PARTIDOS POLÍTICOS NO BRASIL

Jairo Nicolau

Um cidadão brasileiro não tem muitas dúvidas do que seja um partido político. Basta assistir televisão com alguma frequência para saber que volta e meia a programação é interrompida para que um partido apresente as suas propostas. Atualmente, no Brasil, os partidos são organizações formais e conhecidas. Eles precisam ser registrados no Tribunal Superior Eleitoral (TSE) para participar de uma eleição; recebem recursos do Fundo Partidário e têm suas contas auditadas pela Justiça Eleitoral; têm símbolos, programas e sedes.

Nas modernas democracias, os partidos se diferenciam de outras organizações por serem os únicos que têm o direito de concorrer em uma disputa eleitoral — poucos países permitem candidaturas avulsas e independentes, mas elas quase sempre obtêm votações irrelevantes. Por conta dessa especificidade, os partidos cumprem o papel fundamental de fazer a ligação entre os cidadãos e o governo. Os partidos recrutam cidadãos que desejam entrar na política e organizam as atividades do Legislativo e do Executivo. É difícil imaginar como seria o funcionamento da vida política nas sociedades de massa sem os partidos políticos.

Mas, se observarmos a história política do Brasil e de outros países, veremos que os partidos já foram organizações muito diferentes das que conhecemos hoje. Os partidos surgiram na Europa e nos Estados Unidos entre o fim do século XVIII e o começo do XIX como organizações eminentemente parlamentares. Nessa fase, o sistema político era ainda fortemente elitista: as restrições de renda, sexo e escolaridade impediam grande parte dos adultos de exercer o direito de voto. Os representantes eram quase sempre os notáveis locais e funcionavam como uma espécie de "delegado" dos interesses locais no Parlamento. Os partidos surgiram como forma de coordenar a ação dos representantes desses interesses locais no interior do Legislativo. É desse período o surgimento da distinção que dividiu os legislativos europeus em duas forças principais: liberais e conservadores. Em linhas gerais, os liberais estavam comprometidos com a defesa das mudanças na ordem econômica e social (defesa das liberdades públicas, maiores poderes para o Parlamento, proteção aos direitos individuais e maiores liberdades econômicas); os conservadores estavam associados aos valores do Antigo Regime, tais como a distinção hierárquica, a Monarquia Absolutista e o forte apelo à tradição aristocrática.

O sistema político que funcionou no Brasil ao longo do século XIX, particularmente durante o Império (1824-89), guarda fortes semelhanças com a vida política da Europa oitocentista. Embora muitos cargos fossem escolhidos por intermédio de eleições, o contingente de adultos aptos a votar era bastante reduzido. No âmbito local eram eleitos os vereadores das Câmaras Municipais e os juízes de paz, nas eleições provinciais eram escolhidos os representantes das Assembleias Provinciais, e no âmbito nacional a vida se organizava em torno da Câmara dos Deputados e do Senado — os deputados gerais e senadores eram eleitos pelo voto indireto, e o imperador tinha a prerrogativa de escolher um nome entre os três mais votados da província para o Senado. Podiam ser eleitores homens (não escravos) com pelo menos 25 anos (21 anos se casados, ou oficiais militares, ou independentemente da idade se clérigo ou bacharel), que tivessem uma renda anual de 100 mil ou 200 mil-réis, de acordo com o cargo em disputa. As pesquisas sobre a participação eleitoral mostram que o comparecimento nas eleições locais era de cerca de 5% da população.

Os primeiros partidos brasileiros surgiram na Câmara dos Deputados e no Senado e serviram para organizar os trabalhos legislativos, bem como foram fundamentais para a formação dos gabinetes de governo durante o Segundo Reinado. O sistema partidário do Império girou em torno de dois partidos: o Liberal e o Conservador. Ambos foram organizados ao longo da década de 1830. Alguns estudiosos tentaram identificar as bases sociais dos componentes dos dois partidos. O cientista político e historiador José Murilo de Carvalho, por exemplo, pesquisou o perfil dos dirigentes e mostrou que o Partido Conservador era composto predominantemente por uma coalizão de burocratas de Estado com donos de terra, concentrados nas províncias do Rio de Janeiro, Bahia e Pernambuco. Já o Partido Liberal era composto majoritariamente por donos de terra e profissionais liberais, concentrados nas províncias de São Paulo, Minas Gerais e Rio Grande do Sul.

Embora os partidos tenham sido peças importantes para a organização da vida política do Império, eles estavam longe de ter a estrutura das organizações partidárias que conhecemos hoje. As eleições eram disputas entre notáveis locais com pouca conexão com a disputa entre liberais e conservadores existente na vida nacional. Os partidos não tinham sede, nem órgãos nacionais formais, nem contavam com filiados e militantes.

Uma das primeiras medidas tomadas após a proclamação da República foi acabar com a exigência de renda para ser eleitor. Mas isso não foi suficiente para alterar o quadro de reduzida participação eleitoral conhecida no Império, sobretudo por conta da nova exigência de que somente homens alfabetizados poderiam ser inscritos como eleitores. A Constituição de 1891 fez alterações importantes na estrutura de poder do país. Os cargos de presidente e vice-presidente foram criados e passaram a ser ocupados via eleição popular. O voto direto elegia ainda os representantes à Câmara dos Deputados e ao Senado.

Durante as quatro primeiras décadas republicanas (1889-1930) o Brasil teve um sistema partidário muito diferente do bipartidarismo imperial. Em cada estado da federação foi organizado um Partido Republicano, que funcionava como unidades razoavelmente independentes em relação à seção de outro estado. As duas seções mais prestigiosas foram a dos dois estados mais populosos, o Partido Republicano Paulista (PRP) e o Partido Republicano Mineiro (PRM). A disputa pelo poder em cada estado acontecia no interior das seções estaduais do Partido Republicano, sendo raros os casos de emergência de disputa interpartidária no período. Uma exceção importante aconteceu no Rio Grande do Sul, onde houve uma disputa entre o Partido Republicano Rio-grandense (PRR) e o Partido Federalista (PF).

Ou seja, a elite política se organizou em torno de um sistema unipartidário de âmbito estadual. As negociações entre as seções estaduais ocorriam particularmente no período de escolha de um novo presidente da República, o que acontecia por intermédio de intensas negociações entre os dirigentes das seções estaduais do Partido Republicano, com posterior legitimação nas urnas. Em apenas três disputas, uma candidatura alternativa conseguiu tornar as eleições nacionais mais competitivas (1910, 1919 e 1930). As seções estaduais e municipais dos Partidos Republicanos funcionavam como organizações elitistas e pouco estruturadas em termos organizacionais. Ou seja, os partidos continuavam a operar como estruturas frágeis.

É interessante observar que nesse período o sistema político de muitos países (particularmente da Europa) passou por intenso processo de democratização. Em primeiro lugar, com a paulatina introdução do sufrágio universal — que é o direito de voto para todos os indivíduos a partir de determinada idade (em geral dezoito anos), sem qualquer restrição de sexo, renda ou escolaridade. Em segundo, com o surgimento de partidos conectados com a emergente classe operária — trabalhistas, socialistas e social-democratas. E, por fim, com a criação de um ambiente eleitoral competitivo (com eliminação das fraudes).

Concomitantemente, durante essas quatro décadas o Brasil passou por profundas transformações na estrutura socioeconômica, como urbanização, industrialização, crescimento populacional. Mas essas mudanças afetaram pouco o quadro institucional do início da República. Em contraste ao processo de democratização vivido em outros países, o sistema político da Primeira República era fortemente oligárquico: eleições com reduzida participação eleitoral, ampla utilização de fraude e ausência de competição partidária.

Os primeiros passos para a democratização do sistema representativo brasileiro foram dados no começo da década de 1930. Uma iniciativa importante nessa direção foi a promulgação do Código Eleitoral de 1932, que concedeu o direito de voto às mulheres, criou a Justiça Eleitoral (que desde então tem a responsabilidade de organizar o alistamento dos eleitores, as eleições e proclamar os vitoriosos) e introduziu o voto secreto e a representação proporcional no Brasil. Duas eleições para a Câmara dos Deputados foram realizadas sob a égide desse Código: 1933 e 1934. Embora o contingente de eleitores inscritos ainda continuasse reduzido (menos de 5% da população), houve uma redução expressiva das fraudes nos dois pleitos.

O Código de 1932 inovou ao exigir o registro prévio de candidatos antes do pleito. Partidos, alianças de partidos ou grupos de pelo menos cem eleitores tinham que registrar, cinco dias antes da eleição, a lista de candidatos. Dezenas de partidos foram registrados em todo o país, quase todos de abrangência estritamente estadual. Nas eleições de 1933, nada menos do que quarenta partidos elegeram representantes à Constituinte. O maior deles, o Partido Progressista, tinha apenas 15% das cadeiras. A tradição de partidos estaduais da Primeira República foi mantida, com a diferença de que o quadro unipartidário foi substituído por uma real disputa entre as legendas.

A efervescência partidária dos primeiros anos da década de 1930 chegou ao fim em 1937, com a instauração do Estado Novo. Uma das primeiras medidas do regime autoritário de Getulio Vargas foi fechar os partidos políticos, que só voltariam a funcionar em 1945, quando, após a deposição de Vargas, foram marcadas eleições para uma nova Constituinte.

A partir das eleições de 1945 (até o golpe de 1964), o país viveu um forte processo de democratização das instituições representativas. Apesar da proibição de voto aos analfabetos, houve um forte crescimento do eleitorado brasileiro (em 1945, 26% dos adultos em idade de voto compareceram às eleições, número que passaria para 40% em 1962). Outra mudança importante foi o aumento expressivo de postos ocupados por intermédio de eleições regulares: presidente (e vice); governadores (e vices), prefeitos (e vices), senadores, deputados federais, deputados estaduais e vereadores.

A legislação estabeleceu, pela primeira vez no país, regras para a organização de partidos. Para obter registro, um partido necessitava alcançar a assinatura de 10 mil eleitores (50 mil a partir de 1950) em pelo menos cinco estados. Ao longo do período, vinte partidos concorreram em alguma das eleições realizadas. A maioria deles restringiu sua atuação a um número reduzido de estados. Quatro partidos conseguiram realmente uma atuação nacional: o Partido Comunista Brasileiro (PCB), a União Democrática Nacional (UDN), o Partido Trabalhista Brasileiro (PTB) e o Partido Social Democrático (PSD).

O Partido Comunista Brasileiro (PCB) foi criado em 1922, mas só conquistou o direito de participar das eleições em 1945, quando obteve 9% dos votos, com votações expressivas em estados importantes (Pernambuco, Distrito Federal, São Paulo e Rio de Janeiro). O registro do PCB foi cassado em 1947, e o partido passou a operar na clandestinidade, e por isso alguns dos seus militantes concorreram a cargos públicos na legenda do PTB. O Partido Social Democrático foi o maior partido do período e elegeu dois presidentes (Eurico Dutra, em 1945, e Juscelino Kubitschek, em 1955). O PSD conquistou ainda o maior número de governos de estado, prefeituras e postos no Legislativo. O Partido Trabalhista Brasileiro (PTB) começou como um partido basicamente composto por dirigentes sindicais e ampliou sua rede de apoios para setores da classe média e do mundo empresarial ao longo do período. O PTB elegeu um presidente (Getulio Vargas, em 1950) e um vice-presidente que assumiu o poder

(João Goulart), e aumentou sua bancada no Congresso expressivamente entre 1945 e 1962. A União Democrática Nacional (UDN) foi o principal partido de oposição do período (o partido esteve no poder por poucos meses em 1961, durante o governo Jânio Quadros), e foi o segundo em número de postos eletivos conquistados.

Mesmo com algumas restrições importantes (a proibição do direito de voto aos analfabetos, a cassação do Partido Comunista e a presença constante dos militares na cena política), a experiência da República de 1946 marcaria o início de um regime democrático no país. Em linhas gerais, o sistema político brasileiro era bastante semelhante ao de muitos países no pós-guerra. As eleições passaram a envolver contingente expressivo de adultos e a ser a via fundamental de acesso a postos decisivos de governo. Nesse cenário, os partidos tornaram-se organizações importantes tanto no plano eleitoral, pois passaram a organizar as campanhas e a coordenar a atividade dos candidatos, como na atividade parlamentar e de governo — a divisão de poder no interior do Congresso e das pastas nos ministérios passou a ser feita com base na força das legendas.

Apesar de os partidos terem sido organizações decisivas na esfera governamental, a legislação do período 1945-64 era pouco exigente quanto à filiação partidária. Não havia nenhum documento legal comprovando o vínculo de um cidadão com determinado partido. Para concorrer em uma eleição, o partido precisava apenas registrar sua lista de candidatos quinze dias antes do pleito. Os partidos funcionavam como organizações de mobilização eleitoral, mas eram menos formais e menos controlados pelo Estado do que as atuais legendas brasileiras.

A rica experiência partidária que teve início em fins de 1945 terminou com o golpe de 1964 (na realidade, os partidos só foram formalmente extintos em 1965). O regime militar manteve eleições para os cargos do Legislativo e para prefeitos de algumas cidades. O calendário eleitoral para esses postos praticamente não foi alterado, mas apenas dois partidos puderam concorrer: a Aliança Renovadora Nacional (Arena), partido governista, e o Movimento Democrático Brasileiro (MDB), partido oposicionista. Os dois partidos concorreram nas diversas eleições entre 1966 e 1978. Até 1970, a Arena saiu vitoriosa das urnas, mas o MDB cresceu fortemente nas eleições de 1974, 1976 e 1978, sobretudo nas maiores cidades e estados do país.

Um dos marcos fundamentais do processo de redemocratização do Brasil foi a extinção do bipartidarismo em 1979, com a abertura de um ciclo de formação de novos partidos no ano seguinte. Apesar de regras bastante rigorosas, cinco legendas conseguiram se organizar a tempo de concorrer nas eleições para governador em 1982. Dois deles eram sucessores diretos de partidos recém-extintos: o Partido Democrático Social, PDS (formado pelos quadros da Arena), e o Partido do Movimento Democrático Brasileiro, PMDB (oriundo do MDB). Dois partidos foram formados por antigos dirigentes do PTB, boa parte deles exilados ou cassados políticos: Partido Democrático Trabalhista (PDT) e Partido Trabalhista Brasileiro (PTB). O Partido dos Trabalhadores (PT) foi organizado por uma coalizão de dirigentes sindicais, líderes de movimentos sociais (boa parte deles ligados a movimentos da Igreja católica), intelectuais e militantes de grupos marxistas.

Após o retorno à democracia em 1985, houve um afrouxamento das regras de criação de partidos, o que facilitou o surgimento de muitas novas legendas. Entre 1985 e 2008, 79 partidos diferentes concorreram às eleições (a maioria deles constituída por partidos efêmeros, que disputaram um ou dois pleitos). Entre eles se destacaram os partidos de esquerda criados em 1985 (Partido Socialista Brasileiro, PSB; Partido Popular Socialista, PPS; e Partido Comunista do Brasil, PC do B), o Partido Liberal (base do atual Partido Republicano, PR), de 1985, e o Partido Verde (PV), de 1988.

Os dois principais partidos desse período foram criados a partir de dissidências dos partidos oriundos do regime militar, PDS e PMDB. O Partido da Frente Liberal, PFL (atual Democratas, DEM), foi fundado em 1985 por dissidentes da Arena que não apoiaram a candidatura de Paulo Maluf ao Colégio Eleitoral nas eleições indiretas de 1984. O Partido da Social Democracia (PSDB) foi formado por dissidentes do PMDB, sobretudo por deputados e senadores que discordavam da atuação do partido nos trabalhos da Constituinte.

Ao longo das duas décadas e meia de regime democrático (1985-2010), o quadro partidário passou por fortes transformações, sobretudo por conta da intensa criação de legendas e a constante mudança de partido por parte da elite política. Mas já é possível identificar algumas características mais estruturais do sistema partidário desse período. A primeira delas é a alta fragmentação partidária. O Brasil tem uma das Câmaras dos Deputados mais fragmentadas do mundo. A dispersão de poder também é observada em outros órgãos: Senado, governos de estado, assembleias legislativas e prefeituras.

Uma segunda característica é a bipolarização da eleição presidencial. Em que pese o elevado número de partidos e a alta dispersão de poder entre eles, a disputa presidencial tem se caracterizado por uma confrontação capitaneada por dois partidos, o PSDB e o PT. Ambos estão à frente do Executivo federal desde meados da década de 1990, com os presidentes: Fernando Henrique (1995-2002), Lula da Silva (2003-10) e Dilma Rousseff (2011).

A terceira característica é a longa duração dos partidos brasileiros. Embora muitos tenham sido criados a partir de 1985, todos os relevantes para a dinâmica da competição política têm mais de duas décadas de existência. PT, PMDB, PDS (atual PP), PTB e PDT foram fundados em 1980; PFL (atual Democratas), PL (atual PR), PSB, PC do B e PCB (atual PPS) foram registrados em 1985; por fim, o PSDB e o PV surgiram em 1988. Todos esses partidos já duram mais do que os que funcionaram durante a República de 1946, como PSD, UDN e PTB. Ou seja, apesar da migração partidária, a aparente confusão de legendas e o grande número delas, os partidos relevantes, que estruturam a vida política do país, são organizações relativamente duradouras.

Uma última característica é o controle cada vez maior da atividade partidária pelo Estado. Esse processo de "estatização" dos partidos tem acontecido em duas frentes. A primeira é a regulação mais geral, exercida pela Justiça Eleitoral: registro de partidos, controle das filiações e prestação das contas partidárias. O controle foi aprofundado a partir de 2002, com uma série de decisões da Justiça (TSE e Supremo Tribunal Federal) que tiveram forte impacto sobre a atividade partidária e têm levado alguns analistas a falar em "judicialização" da vida partidária. A segunda é a transferência de recursos diretos (particularmente o Fundo Partidário e o tempo de rádio e televisão para difusão de propaganda) ou indiretos (propaganda partidária e eleitoral no rádio e na televisão), que têm sido fundamentais para a manutenção de suas atividades.

Nos últimos 25 anos o Brasil viveu a fase mais democrática de sua história. O eleitorado inscrito para votar chega em 2010 a 130 milhões de eleitores. A cada dois anos acontecem eleições em todo o território nacional, ora no âmbito local, ora para cargos estaduais e nacionais. Todas as graves crises políticas que o país viveu estiveram associadas a escândalos de corrupção (a mais grave delas levou ao afastamento de Fernando Collor, o primeiro presidente eleito pós- -1988) e nenhuma delas teve a atuação ativa das Forças Armadas. Os militares se afastaram da vida política e não existem grupos políticos antissistêmicos expressivos atuando no país. Talvez o maior desafio político do período tenha sido a vitória de Luiz Inácio Lula da Silva, do PT, nas eleições de outubro de 2002. Dois meses depois, Lula assumiria, sem qualquer sinal de crise institucional. Por quaisquer dos critérios utilizados pela literatura de instituições comparadas, o Brasil deve ser considerado uma democracia plena.

Não é simples dimensionar o papel que os partidos têm desempenhado para a democracia brasileira. Muitos estudiosos se ressentem do baixo envolvimento dos cidadãos na vida partidária e do voto centrado em pessoas e não nas legendas ou em programas. O que, de fato, se verifica. Mas o que é inquestionável é que em outras dimensões (seleção de lideranças, organização do governo e das atividades parlamentares) os partidos brasileiros não se diferenciam muito dos de outras democracias tradicionais.

SUGESTÕES DE LEITURA

FRANCO, Afonso Arinos de Melo. *História e teoria dos partidos políticos no Brasil*. São Paulo, Alfa-Omega, 1974.

MELO, Carlos Ranulfo. *Retirando as cadeiras do lugar: migração partidária na Câmara dos Deputados (1985-2002)*. Belo Horizonte, Editora da UFMG, 2004.

NICOLAU, Jairo. *História do voto no Brasil*. Rio de Janeiro, Zahar, 2002.

SOARES, Gláucio Ary Dillon. *Sociedade e política no Brasil*. São Paulo, Difel, 1973.

SOUZA, Maria do Carmo Campello de. *Estado e partidos políticos no Brasil*. São Paulo, Alfa-Omega, 1976.

PATRIMÔNIO: HISTÓRIA E MEMÓRIA COMO REIVINDICAÇÃO E RECURSO

Silvana Rubino

Alguns leitores devem ter visto um filme nacional de 2003, uma ficção que mostra um vilarejo ameaçado de ser inundado por uma grande represa. Pobres e esquecidos por todos, seus habitantes não sabem como se defender, até que uma voz parece encontrar a solução: Javé precisa ser reconhecida como "patrimônio", pois assim não se tornaria uma cidade submersa. Não é o caso de expor o final de um filme que merece ser visto (trata-se de *Os narradores de Javé*, de Eliane Caffé, Riofilme, 2003), mas de assinalar duas dimensões dessa fala: "patrimônio" aparece como um recurso e uma reivindicação; a palavra, enunciada naquela cena, evidencia o quanto deixou há muito de ser um termo técnico, especializado, vinculado a um saber e a uma política formal, para se tornar um lugar-comum. Em uma metáfora poderosa, submersão equivale a esquecimento e a não reconhecimento: a reivindicação de posse de um patrimônio é uma demanda de visibilidade. Desprovidos de recursos materiais, os narradores de Javé só podem recordar e reinventar suas estórias, seu mito de fundação, um patrimônio que hoje chamamos imaterial, ou intangível.

O termo patrimônio, do latim *pater*, pai, tornou-se corriqueiro e sua adjetivação se espraiou: patrimônio pode ser histórico, ambiental, arqueológico, artístico, material, imaterial etc., qualificações comumente subsumidas sob o guarda-chuva "cultural". A remissão a pai, patriarca, nos conduz a legado, herança — e não por acaso o termo em inglês é exatamente este: *heritage*.

No filme citado não bastava reconhecer algo importante: era preciso escrever, anotar, identificar — e passar adiante. Esse conjunto de práticas é o que pode transmutar os relatos, as estórias passadas, em conversas informais e os costumes em patrimônio — da cidade, de um grupo, região ou nação. Patrimônio não é uma representação coletiva como outra qualquer, e sim uma prática constituída por um processo de atribuição de um valor, que deve ser reconhecido por um grupo disposto a conservá-lo. Em outras palavras, patrimônio histórico remete a políticas públicas ou a ações que têm lugar na esfera pública.

Os grupos sociais atribuem valores distintos aos seus bens materiais, suas memórias, suas marcas territoriais; nomeiam — e desse modo distinguem, classificam — o ambiente que os rodeia, destacam passagens de sua história comum, de um passado coletivo, elegem paisagens. Por isso, quando falamos em patrimônio (histórico, cultural etc.), é disso que se trata: de um conjunto de bens materiais ou imateriais fruto de uma decisão que partiu da identificação de algo que merecia ser destacado, retirado de certo fluxo corriqueiro das coisas, da rotina cotidiana: um bem tido como especial. A esse bem chama-se bem patrimonial.

O termo é hoje lugar-comum, em duplo sentido: é corriqueiro, parece estar no discurso de todos, mas pode ser também um lugar compartilhado, um ponto de encontro de saberes, disciplinas e políticas. Contudo, não estamos diante de um fenômeno universal, tampouco permanente. Na França, preocupações com patrimônio ou, para usar um termo então utilizado, com monumentos tiveram início após a Revolução Francesa; na Inglaterra, em meio à Revolução Industrial, vitorianos que denunciavam uma civilização moderna percebida como sem raízes voltavam-se para um passado pré-industrial, localizado na arquitetura, nas artes, na literatura. No Brasil, a descoberta de um patrimônio na iminência de ser perdido não se vinculou a revolução de qualquer tipo: foi um debate que teve início na nada revolucionária Primeira República (1889-1930), quando cidades passavam por reformas urbanas pautadas por um "bota abaixo" — como ocorreu no Rio de Janeiro e no Recife no começo do século XX —, e consolidou-se no Estado Novo.

A política pública de identificação e preservação do patrimônio nacional começou de cima para baixo, por um decreto-lei assinado por Getulio Vargas em 1937, mas gerou uma coleção, um conjunto de bens que faz parte da percepção que todos nós temos do país e de sua história. Pergunto ao leitor: alguém duvida que Ouro Preto seja uma cidade histórica, que o Pelourinho baiano seja um centro histórico ou que o Cristo Redentor seja um monumento intocável?

Sim, é possível interpelar estes e outros patrimônios: pô-los sob suspeita. No final do século XIX, não eram poucos aqueles que desejavam demolir boa parte de Ouro Preto para em seu lugar erigir uma cidade moderna, em um momento no qual os anseios republicanos pareciam não se coadunar com a vila colonial. Nas primeiras décadas do século XX, o discurso a respeito da antiga Vila Rica começou a deslizar: de "velha" passou a "antiga", de "obsoleta" a "histórica". Suas ruas íngremes e tortuosas antes rechaçadas passaram a ser consideradas pitorescas, seu casario vetusto e suas igrejas passaram por uma reavaliação embalada pela invenção do herói Tiradentes e pela revalorização da arquitetura barroca. Suas "imperfeições" tornaram-se qualidades, e em 1933 a cidade tornou-se monumento nacional por um gesto discricionário do presidente Getulio Vargas: o monumento deveria fazer lembrar a Inconfidência Mineira e celebrava a cidade como obra de arte.

Ou seja, a consideração de um patrimônio histórico é antes de mais nada *histórica*.

Essa política que teve início na França, atrelando o conceito de monumento — aquilo que faz lembrar — à ideia de nação, dominou a cena preservacionista no Ocidente até meados do século XX. A partir do final da Segunda Guerra Mundial e sobretudo ao longo da década de 1960 as noções de patrimônio e de suas adjetivações foram se alargando a ponto de se desdobrarem em novas e inéditas qualificações, novos léxicos como patrimônio moderno, industrial, científico, imaterial (também chamado de intangível). A essas novas possibilidades correspondem novos campos de disputa e também grupos — dentro e fora dos governos, na academia, em ONGs — para estudá-los, identificá-los e defendê-los. A cada nova modalidade abre-se também uma frente de disputa com uma visão já consagrada: o patrimônio moderno, ou modernista, interpela noções como antiguidade e autenticidade — lembremos que Brasília é patrimônio da humanidade e nacional, nessa ordem; o patrimônio industrial cessa com a percepção de que a industrialização foi tão somente destruidora e reivindica saberes e memórias da classe trabalhadora; o patrimônio imaterial desafia uma ideia de arte maior, erudita. Podemos chegar até mesmo a uma noção-limite, como a de "memória difícil", que visa preservar, por exemplo, campos de concentração ou, para ficarmos em algo mais próximo das nossas feridas históricas, as celas de prisão e tortura do antigo Departamento de Ordem Política e Social — o DOPS —, que podem ser visitadas, mesmo que estejam um tanto escondidas nos fundos da Estação Pinacoteca, no centro de São Paulo.

Esse exemplo nos leva para bem longe da visão corriqueira de cidade histórica, centro histórico, monumento ou outras formas idealizadas de passado. Mas mesmo um bem como Ouro Preto ou um casarão novecentista são documentos/monumentos que contêm, como os escritos de Walter Benjamin (suas "Teses sobre a história") já nos advertiram, sua porção de memória áspera e difícil, sua cota de violência simbólica muitas vezes varrida para baixo do tapete: afinal, a informação que um visitante dificilmente recebe ao caminhar entre o casario do centro histórico de Salvador remete ao aspecto brutal contido no próprio nome Pelourinho, imerso em meio a ritos, comércios, usos e celebrações que têm lugar na área mais antiga da primeira capital do país. Estamos diante de documentos/monumentos (para usarmos a terminologia do historiador francês Jacques Le Goff) de cultura e de barbárie, como escreveu o filósofo alemão Walter Benjamin: em muitos casos o patrimônio é uma atribuição de valor que responde a uma demanda ao mesmo tempo de lembrança e de esquecimento.

Reveladora de história, cultura e seus paradoxos, a materialidade do patrimônio constitui artefato para a construção e a reconstrução de identidades — entendidas sempre como em negociação — e para demandas de inclusão. Ou o contrário: patrimônio pode excluir, como excluídas estiveram as diversas manifestações da religiosidade brasileira durante as décadas em que somente se preservou igrejas católicas. Pois o patrimônio e suas práticas não apenas salvaguardam os bens sobre os quais se construiu um consenso quanto ao seu valor: a própria nominação, aliada a práticas correlatas — como o restauro —, confere valor.

O tombamento é a atividade central da atividade patrimonial. Palavra que existe apenas, nessa acepção, no Brasil — em outros idiomas geralmente o verbo é classificar —, remete ao procedimento ordenador de um guardião diante de um arquivo ou biblioteca — como a famosa Torre do Tombo de Portugal. Tombamento é um instrumento jurídico que, ao contrário do que muitos imaginam, não subtrai o direito de propriedade do dono do bem, mas o coloca em um regime especial, singular: seu dono pode usar, mas não destruir, apagar de sua materialidade as razões pela qual sua importância foi conferida.

Já em 1829 o escritor Victor Hugo publicava na *Revue de Paris* o provocativo artigo "Guerra aos demolidores", no qual atacava os "ignóbeis especuladores": "Há duas coisas num edifício, seu uso e sua beleza. Seu uso pertence a seu proprietário, sua beleza a todo mundo, a você, a mim, a todos nós. Portanto, destruí-lo é ultrapassar os limites desse direito". Deixemos, pois esse não é nosso tema principal, a noção de beleza de lado. O que o escritor francês assinalava, mesmo antes da reforma urbana que poucas décadas depois poria parte da Paris medieval abaixo, era a tensão constitutiva entre patrimônio e propriedade. Em termos bem simples e diretos: a quem pertence um bem? A seu dono, uma comunidade, cidade, nação, a uma ideia abstrata de humanidade?

Na política cultural fundada nos anos Vargas pelo ministro Gustavo Capanema, o patrimônio histórico e artístico foi entendido como documento de identidade da nação em uma noção estrita: expressava-se por meio de fortalezas que atestavam nossa capacidade defensiva; igrejas católicas que eram testemunhos de nosso fervor religioso; palácios reais e imperiais, casas de Câmara e cadeias que assinalavam formas de governo e instituições políticas. Esse era o tom, presente em diversos discursos que apresentavam o acervo formado na primeira gestão do SPHAN, de 1939 a 1967, já chamada por muitos de fase heroica. Essa escolha era também um ajuste de contas com uma noção prévia de patrimônio do mundo, mundo aqui entendido como as nações civilizadas. Em outras palavras, Ocidente. O que se entendia por patrimônio mundial ainda estava restrito ao que a Carta de Atenas de 1931 delimitava, ou seja, uma noção de que a "conservação do patrimônio artístico e arqueológico da humanidade interessa à comunidade dos Estados, guardiã da civilização". Mesmo que o Brasil não tenha sido signatário desse documento, tomou a ideia de um patrimônio que pudesse ser comparável aos "monumentos de arte e história".

Fundado em 1937, o Serviço do Patrimônio Histórico e Artístico Nacional, o SPHAN (hoje IPHAN, pois de Serviço passou a Instituto do Patrimônio Histórico e Artístico Nacional), ainda atua seguindo o decreto que o criou, o de número 25 do Estado Novo, até então vigente, onde se lê: "Constitui o patrimônio histórico e artístico nacional o conjunto dos bens móveis e imóveis existentes no país e cuja conservação seja de interesse público, quer por sua vinculação a fatos memoráveis da história do Brasil, quer por seu excepcional valor arqueológico ou etnográfico, bibliográfico ou paisagístico".

Assim o SPHAN definia patrimônio em seu primeiro artigo, complementado pelo segundo parágrafo: "Equiparam-se aos bens a que se refere o presente artigo e são também sujeitos a tombamento os monumentos naturais, bem como os sítios e paisagens que importe conservar e proteger pela feição notável com que tenham sido dotados pela Natureza ou agenciados pela indústria humana".

Esse decreto-lei, resultado de idas e vindas nas instâncias legais, de projetos e anteprojetos feitos por juristas, políticos e intelectuais (o do escritor Mário de Andrade, de 1936, vale a consulta), em diálogo com medidas e preceitos internacionais, termina por dizer o quê? Que patrimônio pode ser aquilo que é considerado de interesse público — e aí estamos afinados com a lei francesa de 1913 cujo texto é bastante semelhante — desde que notável, excepcional, memorável. Certamente a longa vida desse decreto deve-se a essa definição um tanto aberta que joga para quem a interpreta a definição de um sentido mais preciso. Não por acaso, na virada da década de 1930 para a de 1940, cidades mineiras como Tiradentes, Diamantina e outras do ciclo do ouro foram consideradas memoráveis, ao lado, dentre outros, da igreja matriz de Pirenópolis ou da Aldeia de Carapicuíba; se essa ênfase no nosso passado colonial não arrefeceu, nos anos 1980 bens de um passado mais recente, como aqueles testemunhos da urbanização e industrialização, ou de estilos menos "puros" do que o colonial, foram incluídos — por exemplo, o edifício da Companhia Docas do Rio de Janeiro. E ocorreu uma mudança de perspectiva que é bastante significativa: o tombamento de Ouro Preto foi "passado a limpo". De monumento nacional por um decreto de 1933, a cidade passou a bem tombado por critérios artísticos em 1938, para ser reconhecida por sua história e inscrita como paisagem em 1986 — a mesma cidade que os primeiros republicanos sonharam derrubar! E em 2000 o terreiro do Axé Opô Afonjá em Salvador foi tombado. Com alguns anos de atraso, a voz oficial do patrimônio do país reconhecia outras manifestações religiosas, um resultado tanto do alargamento da ideia de patrimônio histórico como das demandas de grupos organizados, que reivindicaram essa inclusão.

Os habitantes de Javé não estavam equivocados: a reivindicação de sua história e cultura, inventadas ou não, passou para a agenda dos direitos de cidadania, e a Constituição de 1988 chancelou essa visão ao propor a preservação da memória dos "grupos formadores" de nossa nacionalidade. Nessa visão de patrimônio como um recurso, temos demandas de preservação de comunidades quilombolas, assim como o registro recente de uma cachoeira no Amazonas como lugar sagrado, patrimônio imaterial. O que os narradores de Javé talvez não tenham atentado é para a dimensão de poderes e capitais simbólicos inerentes a tais demandas — em outras palavras, nem todas as demandas são bem-sucedidas. De qualquer modo, se viram nessa ideia uma saída para seus impasses, é porque patrimônio (histórico, cultural etc.) tornou-se uma categoria influente da vida cultural e das políticas públicas.

Podemos presumir que já se recenseou quase todo tipo de patrimônio. Essa "ressaca", essa moda patrimonial, pode significar que, no limite, tudo é patrimônio — ou pode ser. Já não pensamos mais apenas nos monumentos e na história marcada por um evento como a Inconfidência Mineira.

Mas voltemos ao início: patrimônio é algo especial, demarcado, destacado do fluxo das coisas comuns. Mesmo que os habitantes de São Luís do Paraitinga, que passaram por chuvas torrenciais e destrutivas em janeiro de 2010, lamentem suas perdas individuais, especialmente suas casas, quando a igreja de taipa ruiu sob um forte temporal, todos sabiam que havia ali um valor especial, notável. Tal consideração de valor patrimonial, compartilhada com pessoas que sequer vivem na cidade, já se manifestava em suas festas e ritos, e hoje se expressa no empenho coletivo de grupos locais e órgãos do patrimônio no intento de reconstruir o que de material e simbólico se perdeu.

SUGESTÕES DE LEITURA

ARANTES, Antonio A. "Patrimônio cultural e cidade". *In*: FORTUNA, Carlos e LEITE, Rogério Proença (orgs.). *Plural de cidade: novos léxicos urbanos*. Coimbra, Almedina, 2009.

CURY, Isabelle (org.). *Cartas patrimoniais*. 3ª ed. Rio de Janeiro, IPHAN, 2004.

GONÇALVES, José Reginaldo. *A retórica da perda: os discursos do patrimônio cultural no Brasil*. Rio de Janeiro, Editora da UFRJ/IPHAN, 1996.

MENEGUELLO, Cristina. *Da ruína ao edifício*. São Paulo, Annablume, 2008.

RUBINO, Silvana. "Nem findas nem lindas: cidades e gestão da memória". *In*: LEITE, Rogério Proença (org.). *Cultura e vida urbana: ensaios sobre a cidade*. São Cristóvão, Editora da UFS, 2008.

PERIFERIA: FAVELA, BECO, VIELA

Celso Athayde

Abriremos aqui um espaço de diálogo e elucubrações, que não corresponde a uma verdade absoluta, muito menos a uma tentativa de esgotar avaliações sobre o tema. Mas certamente partimos de um marco, onde a periferia será traduzida a partir do seu próprio olhar, sendo eu, o "escritor", um sujeito da periferia. Este verbete apresenta uma reflexão sobre o espaço geográfico intitulado como periferia. Podem até dizer que é um conceito, e pode até ser, ou não, depende dos olhares. Assim, a academia faz recortes para dialogar com as fontes e os pressupostos teóricos; a força policial a vê como espaço para aplicar a repressão; o crime organizado atua nela como território de disputa das facções; candidatos a pleito político a visitam como curral eleitoral; as instâncias do poder público não a enxergam; a classe média a estigmatiza como uma ameaça à sua paz; e os favelados a veem como alternativa de moradia distante do asfalto. E você, caro leitor, cara leitora, como vê tudo isso?

Habitualmente os aglomerados habitacionais, com disposição visivelmente irregular e desprovidos de acessos básicos, que determinam qualidade de vida, são chamados de periferias. No Brasil, a forma de denominar ganha variações em cada região do país, podendo ser chamados de comunidade, favela, invasão, morro, quebrada, palafita, gueto, assentamento, dentre outros. Mas decerto a realidade socioeconômica é a mesma e os olhares seguem a direção do abandono, do descaso e das ausências, o que faz desses espaços locais com altos índices das mais variadas formas de violência e seus consequentes desdobramentos.

O contexto retratado é palco de contradições, pois ao mesmo tempo que é visto socialmente como espaço fora do padrão de "normalidade", o perfil de quem nele vive é normalizado; ou seja, periférico; logo, é marginal, bandido, preto, analfabeto, subempregado, e assim os estigmas negativos prevalecem em relação à dignidade. Para o IBGE (Instituto Brasileiro de Geografia e Estatística) esses aglomerados são considerados subnormais, como conjuntos de residências que ocupam terreno alheio (público ou privado), que estão organizados de forma desordenada, com elevada densidade populacional e carência de serviços públicos essenciais (IBGE, 2002). Já a agência das Nações Unidas UN-HABITAT define favela como uma área degradada de determinada cidade, caracterizada por moradias precárias, falta de infraestrutura e sem regularização fundiária.

A ideia de regularização fundiária nos remete à Roma antiga, berço do conceito de cidadania, onde a condição de ser cidadão perpassava as relações de poder e de posse da terra. Assim, quem não possuía terra tinha por destino a escravidão. Dando um giro pela história e chegando ao Brasil, vamos ver como as populações que habitavam os centros urbanos, em sua maioria pretos e pretas livres ou forros, foram espremidas ao extremo em nome do "progresso" e da "evolução", tudo respondendo ao crescimento dos grandes centros urbanos, que sempre foram associados ao capital. Portanto, pretos e pobres não são evoluídos? Precisam estar à margem da sociedade, excluídos do direito de acesso?

Geograficamente a periferia é entendida como uma área que fica nas extremidades, distante do miolo central das cidades, mas no Brasil ela está ligada à condição social e material. Assim, do ponto de vista sociológico, é considerada como espaço que abarca sujeitos anônimos e desfavorecidos em total invisibilidade e nivelados horizontalmente como iguais. São os escravos da contemporaneidade, em contínuo processo de negação da sua cidadania. A história dos excluídos se repete? Alguns afirmam que não, mas continuam tendo cor e endereço fixo, e ainda vivem na rua dos desprovidos de tudo, no bairro de ninguém, próximos de lugar algum.

Pois bem, vamos a partir daqui continuar nossa conversa focando na mais significativa representação social da periferia, a favela, como espaço de história, memória e resistência. Se nos debruçarmos na história e utilizarmos a favela como objeto de investigação e interpretação, podemos imaginar que a formação dos quilombos, durante todo o período escravocrata brasileiro, representou a articulação inicial que agregou excluídos e perseguidos indistintamente, pois, apesar de a maioria da população quilombola ser composta de negros fugidos, abrigava também pobres e indivíduos de outras etnias. Num segundo momento, já no século XIX, inicialmente com a chegada da família real e sua fixação na então capital do Brasil, a cidade do Rio de Janeiro, homens e mulheres, forros, livres, libertos e pobres, que habitavam a região central da província, foram empurrados para as extremidades, obrigados a desocupar suas casas para abrigar a corte portuguesa. Mais tarde, com o fim da escravidão, uma massa de negros libertos migrou para a região central das capitais do Império a fim de se fixar, restando-lhes espaços informais e sem estrutura de moradia digna, afinal, ainda que libertados os escravizados, o estigma do preconceito permaneceu.

Digamos que a capacidade de resistência dos excluídos foi se fortalecendo e sendo reelaborada seguindo o curso do trem da história. O escritor Euclides da Cunha, em sua obra *Os sertões* (1902), traz uma passagem interessante, deixando para a posteridade a origem da expressão "favela", quando diz: "Ali se associam. E, estreitamente solidárias as suas raízes, no subsolo, em apertada trama, retêm as águas, retêm as terras que se desagregam, e formam, ao cabo, num longo esforço, o solo arável em que nascem, vencendo, pela capilaridade do inextricável tecido de radículas enredadas em malhas numerosas, a sucção insaciável dos estratos e das areias. E vivem". Nesse trecho o autor refere-se a uma espécie de planta, típica da região Nordeste do Brasil, conhecida como favela, evidenciando sua força e resistência, ao que chama de planta social. Após a Guerra de Canudos (1897), sobreviventes do exército brasileiro que ali lutaram retornaram do sertão da Bahia e se alocaram no morro da Providência (RJ), e o local passa a ser chamado de morro da favela. Dizem que é por conta dessa contingência que todos os aglomerados periféricos que surgem a partir de então foram batizados com o nome da planta.

Assim, a periferia é um emaranhado de força que vive do esforço individual e coletivo, sobrevivendo e crescendo na contemporaneidade diante das mazelas sociais a que populações são submetidas em nome do capital, da mais-valia e da apropriação das riquezas por uma minoria.

Essa minoria beneficiada, abastada materialmente, vai (re)produzir a grande contradição que contorna as zonas periféricas, ao passo que as favelas, morros, becos e vielas são fruto de uma construção social que segregou a pobreza à margem da sociedade como forma de mantê-la distante para a manutenção da ordem social e assegurar a riqueza de poucos. Por outro lado, o tempo, senhor dos destinos, vai mostrar que a segregação desenhada se constituirá na grande ameaça dessa mesma minoria abastada e da sua riqueza. É o que o historiador italiano Carlo Ginszburg chama de "circularidade cultural", ou seja, em algum momento as pedras se encontram e o seu atrito produz o fogo, retratado como o caos social que vivenciamos e a dicotomia morro x asfalto.

É importante lembrar que as comunidades periféricas são fruto da má distribuição de renda, da ausência de qualidade na educação e na saúde, e do preconceito reproduzido das mais variadas formas. Sobretudo, vale a pena refletir como a manutenção da pobreza, em sua maior parte alocada na periferia, é uma estratégia para perpetuar o lucro de poucos, principalmente depois que inventaram a chamada responsabilidade social, exercitada pelo grande capital, uma forma caridosa de "minimizar as desigualdades" e de manter cada um no seu quadrado.

Mas vamos utilizar este espaço de produção de saberes para tratar dos aspectos positivos que permeiam a periferia, as favelas. Afinal, nem só de espinhos vivem as rosáceas. É imprescindível entender que a periferia tem voz e só precisa ser ouvida sem interlocutores, pois, segundo a antropologia,

405

cada grupo social tem sua própria linguagem, seus símbolos e significados. Portanto, ninguém melhor do que os próprios "periféricos" para expressar sua realidade, dar voz aos seus anseios e dialogar acerca de alternativas, mostrando que a invisibilidade está imposta, mas pode ser combatida com a capacidade de resistência que sempre moveu as massas. Segundo o filósofo francês Michel Foucault, em toda hegemonia há uma contra-hegemonia, isto é, o efeito favela, fazer a diferença, fazer do seu jeito. Descartamos, pois, o olhar da vitimização, entendendo que seu eco está na capacidade de mobilização, enfrentamento, desconstrução e mudança da sua realidade.

Outra questão pertinente é a proliferação das drogas em todo o país, com destaque para o crack. Para boa parte da sociedade brasileira sua origem está nas favelas, mas é preciso fazer algumas reflexões sobre a questão. Não quero dizer o óbvio; é fato, porém, que todo comércio existe quando há comprador. Assim, o comércio ilegal das drogas se mantém porque existem usuários, e estes, por sua vez, são oriundos de diferentes classes sociais. Vocês devem estar se perguntando onde quero chegar. Pois bem, no inconsciente coletivo das periferias ainda persiste a tentativa de reproduzir o comportamento de quem vive no asfalto, ou seja, indiretamente alimentar a ideia de ser similar, sendo essa uma maneira equivocada de se sentir incluído. No entanto, isso é fato, e assim caminha a humanidade. Dessa forma, o consumo do crack ganhou corpo nas favelas, isto é, o principal ponto de comércio está na periferia e os consumidores em potencial da droga emergem do asfalto. E a periferia segue o exemplo. O que precisamos diferenciar é que nas favelas existem marginais e marginalizados, e os olhares têm de ser bem definidos. A horizontalidade do perfil dos moradores das periferias reafirma a exclusão social e perpassa uma relação de desvantagem em todos os aspectos aos que lá vivem; o elemento suspeito tem nome e endereço, levando a condição múltipla de vulnerabilidade.

Situação delicada, mas pode ser revertida. Essa reversão será possível a partir do reconhecimento da favela como um espaço de ativismo social, produção cultural e com ampla capacidade de mobilização. As mudanças estruturais devem estar acompanhadas da ressignificação das relações de alteridade; os sobreviventes das periferias não podem mais ser culpabilizados pela inversão de valores sociais que vivemos. Portanto, entendemos que favela é quilombo urbano contemporâneo, que, como no passado histórico, abriga a todos e todas indistintamente e transforma o mundo real em ideal. Periferia é favela, beco, viela. É resistência!

SUGESTÕES DE LEITURA

ATHAYDE, Celso; MV Bill e SOARES, Luís Eduardo. *Cabeça de porco*. Rio de Janeiro, Objetiva, 2005.

ATHAYDE, Celso e MV Bill. *Falcão: meninos e o tráfico*. Rio de Janeiro, Objetiva, 2006.

———. *Falcão: mulheres e o tráfico*. Rio de Janeiro, Objetiva, 2007.

POESIA
NO BRASIL:
FUNCIONA

Eucanaã Ferraz

Não há dúvida de que a poesia logrou constituir, nos poucos séculos de vida brasileira, um acervo cultural e artístico altamente expressivo. Considerando suas origens e seu percurso marcado por dispositivos de importação, implantação, conformação, influência e superação, também é possível afirmar que a história da poesia brasileira expõe a exemplar adaptação de uma forma europeia ao Brasil.

A poesia era algo como a quintessência da civilização quando, em meados do século XVII, encontrou-se, aqui, constrangida pela natureza avassaladora, pela exploração feroz da terra e pela escravidão. Foi ali, precisamente na Bahia dos engenhos de cana-de-açúcar, que surgiu Gregório de Matos. Tendo-se em vista o modo circunstancial e aleatório com que seus versos foram talhados e como circularam entre os iletrados da colônia, seria equívoco pensar sua obra em termos de um esforço de adaptação da poesia às terras brasileiras. E, por isso mesmo, talvez coubesse falar numa adaptação sem problemas, já que Gregório, sem qualquer planejamento, fez caber numa forma estritamente europeia realidades até então inéditas. Mas se no embaraçar de temas, paisagens, fatos, personagens, nomes e marcas linguísticas pode-se enxergar uma exuberância alegórica e um caso excepcional de barroco literário, não há, porém, como sobrepor a esse caso específico, absolutamente brasileiro, as marcas de um estilo que, nas terras do Velho Mundo, fora a expressão de uma arte urbana, sofisticada, erguida nas tensões sociais entre a aristocracia e a burguesia ascendente. Vale lembrar que mesmo a Igreja católica adaptava-se aqui, tornando elásticos os princípios contrarreformistas ditados pela longínqua Roma. Nesse sentido, a poesia de Gregório alargou o conceito de barroco ao se realizar como uma tecnologia europeia que, afastada por completo daquela civilização, permaneceu ideologicamente ligada a ela, mas deixou-se, ao mesmo tempo, entranhar pelo mundo baiano, vivido como metonímia torta e mal refletida do mundo ibérico.

Desejo bem mais consciente de adaptação teve lugar no século seguinte, quando surgiu, nas Minas Gerais, o célebre grupo dos poetas árcades. À formação intelectual europeia de homens como Cláudio Manuel da Costa e Tomás Antonio Gonzaga — observadores da Ilustração, do neoclassicismo e das sugestões da poesia bucólica — juntaram-se idiossincrasias e acasos que tornaram intrincado o caminho da escrita poética nas terras brasileiras. Há que se observar, no entanto, que o ideal de universalidade do imaginário ilustrado e neoclássico contrapunha-se ao princípio da adaptação. Diferenças deveriam desaparecer sob a força do universal, o que podia significar, muito simplesmente, estender ao verso o dispositivo teatral do pano de fundo: a antiga Grécia viria na voz do poeta, convertido em pastor de lira em punho. As obras dos nossos árcades, no entanto, deixam ver mais que isso, já que, ao lado dos cenários em que passeiam o manso gado e deuses da mitologia greco-latina, há uma inequívoca e inesperada cor local, bem como as marcas de uma natureza em transformação, alterada pelo trabalho, histórica, sem a esperada conformidade aos modelos europeus. O quadro é, portanto, bastante curioso: por um lado, constatamos que os poetas, ao descumprirem o ideário universalista, deixavam de adaptar exemplarmente a poesia neoclássica à literatura brasileira; por outro lado, podemos considerar que tal falha era uma conformação mais profunda da poesia ao seu entorno.

Essa adaptação na contracorrente seria substituída, adiante, em meados do século XIX, por uma acomodação programada, objetiva, de claras intenções ideológicas, para além de estéticas: o romantismo. A inversão de sinais foi clara quando a Europa consagrou os conceitos de pátria, nação, cultura: a substituição do universal pelo específico converteu-se em programa, e os escritores europeus passaram a sugerir, explicitamente, que os brasileiros trocassem os rígidos princípios clássicos pela liberdade criadora e pela inspiração, bem como abandonassem a velha mitologia greco-latina em favor de lendas, mitos e heróis autóctones. História e literatura, compreendidas então como modos de conhecimento do passado, aproximaram-se num esforço ideológico comum, cabendo à primeira ir até as origens de uma temporalidade compreendida linearmente, e à segunda prosseguir em frente, em direção ao sem-fim do tempo mítico. O indianismo atendeu, de imediato, uma coisa e outra, e alcançou força poética na escrita de um autor como Gonçalves Dias.

Granjeando resultados bastante diversos entre si, os poetas buscaram não só identificar e trazer ao poema os elementos singulares da natureza, mas fazê-lo de modo a revelar e, a um só tempo, constituir uma hipotética alma brasileira. Ou seja, a operação de fundar a subjetividade na detecção do mundo exigia que funcionassem, lado a lado, senso de observação e fantasia, pendor para a história e imaginação pura, conhecimento da tradição lírica e talento para a renovação de temas e formas.

Os românticos da geração seguinte desgostaram-se de projetos ideológicos de cunho coletivista, voltando-se para os dramas da individualidade: o amor e a morte, a dor de existir e a infância como paraíso perdido. Alternando doçura e ironia, melancolia e algum entusiasmo, as obras de Álvares de Azevedo, Bernardo Guimarães e Casimiro de Abreu são exemplos acabados dessa corrente. Mas, logo adiante, ressurgiu o interesse pelos dramas da coletividade, com poetas que se ocupavam menos da cor local como índice de nacionalidade que dos problemas sociais e políticos da nação.

Versos, portanto, já podiam dar voz às inquietações mais subjetivas, bem como, em outro extremo, forjar para si uma função social reformadora. Se é certo que, em ambos os casos, os resultados nem sempre foram excelentes, o fato é que a poesia passava a ter ambições, criava expectativas e engendrava um destino próprio.

A exacerbação das inclinações realistas da terceira geração romântica levaria às experiências frustradas de se fazer uma poesia científica, estritamente descritiva, ou socialista, até que se chegasse ao termo ideal dessa procura com o parnasianismo, por volta de 1880. O gosto pela realidade mais palpável, por sua observação, e o entendimento da poesia como trabalho com a língua trariam, de fato, sugestões modernizadoras se o apego a um vocabulário raro, aos temas nobres e a um tom acadêmico não tivessem fechado o poema num claustro, ou num antiquário, sem qualquer diálogo com a experiência do homem comum. São exemplares, nesse sentido, as obras de Alberto de Oliveira, Raimundo Correia, Olavo Bilac e Vicente de Carvalho.

Não menos aristocrática, distante e exótica foi a reação simbolista. Negando o materialismo parnasiano, mas não a sua retórica altissonante, os simbolistas amplificaram um outro romantismo, o da subjetividade, noturno e místico, engendrando pelo menos uma grande voz: Cruz e Souza.

Essa breve história seria avaliada criticamente pelo modernismo, num momento em que a arte de fazer versos, imersa num ambiente cultural ralo e conservador, parecia expressar, com sua artificialidade retórica, anacrônica e pouco ambiciosa, a mentalidade de grande parte da elite intelectual do país. A célebre Semana de Arte Moderna de 1922 não teve grande importância em si mesma, mas serviu como baliza para a tarefa de tornar as artes nacionais contemporâneas das vanguardas europeias. Testou-se então, com sucesso, a capacidade de a poesia, num salto, renovar-se em aliança com outras linguagens artísticas.

Uma empresa ainda mais ambiciosa ganharia corpo a partir de 1924: fazer uma arte tão moderna quanto brasileira. Coube à poesia sondar a vária, polifônica, paradoxal e perturbadora realidade brasileira. Se parece sobressair daí alguma afinidade com o programa romântico, deve-se observar de imediato que, entre outras diferenças, o modernismo já não se guiava por ideais de pureza e tampouco por uma compreensão da história como processo linear. Por outro lado, cabia aos modernistas, assim como aos primeiros românticos, guiar seus versos, simultaneamente, pela observação e pela fantasia, pela história e pela imaginação.

O senso de adaptação no contrapé da experimentação formal e da liberdade expressiva funcionou, num primeiro momento, como reação ao impulso abstratizante da poesia simbolista e ao realismo convencional dos parnasianos; mas, concluído o momento inicial de recusa e destruição, permaneceu aquela espécie de ponderação do real, típica da crônica ou do ensaio, que atuou como uma força gravitacional capaz de engendrar poéticas como as de Oswald de Andrade, Mário de Andrade, Manuel Bandeira, Carlos Drummond de Andrade, Vinicius de Moraes, João Cabral de Melo Neto e Ferreira Gullar, que, cada qual a seu tempo e a seu modo, aliaram à pesquisa, à inovação formal e à livre imaginação um sentido de adequação, ou adaptação, que não raro garantiu a suas obras uma dimensão estética atravessada por ambições éticas e também políticas.

Com o surgimento da poesia concreta, na década de 1950, parecia haver chegado ao fim aquele equilíbrio, ou tensão. Na esteira das artes plásticas, Haroldo de Campos, Augusto de Campos e Décio Pignatari defendiam o poema como forma gráfica e visual: as palavras, livres da sintaxe do verso, comporiam, no espaço da folha, arranjos de natureza plástica e geométrica. Buscava-se combater, com tanto, as estruturas discursivas tradicionais e a chamada lírica confessional. Mas em vez de ajuizar essa aparente hipertrofia da forma como um desaparecimento do senso de adaptação que parecia marcar a poesia brasileira até ali, caberia, contrariamente, enfatizar o fato de que a poesia concreta buscava uma radical sintonia com as mudanças tecnológicas, estéticas e filosóficas que marcaram o pós-guerra. Não por acaso, o mesmo contexto — mais especificamente o desenvolvimento socioeconômico e cultural, que culminaria com a construção de Brasília — viu emergir um movimento renovador musical, a bossa nova. Outro dado a considerar é o próprio percurso das obras concretistas, que, ainda antes do golpe militar de 1964, ampliaram certa dimensão crítico-irônica, rumo a uma participação efetivamente política.

O senso de adaptação significava, naquele momento, um esforço por manter o poema como forma contemporânea, e, nessa trilha, surgiu no Rio de Janeiro dos anos 1970 a chamada poesia marginal. O nome chamava a atenção para o fato de os poetas atuarem fora do mercado editorial, mas marcava, também, um outro lugar estético e ideológico: aqueles jovens escritores cariocas estavam à margem tanto das vanguardas, afeitas à teoria e ao debate altamente intelectualizado, quanto das tentativas de fazer da poesia um instrumento de conscientização política das massas. Buscaram, por sua vez, a vizinhança com os movimentos contraculturais e inseriram no poema a notação rápida, circunstancial, o lance biográfico e a confissão. Traços comuns não foram suficientes para fazer da poesia marginal um movimento com propostas estéticas definidas, manifestos e porta-vozes, mas as sensibilidades e orientações formais de autores como Francisco Alvim, Cacaso, Chacal e Ana Cristina Cesar, tão diferentes entre si, revelam uma mesma aterrissagem da poesia no cotidiano e o desejo de igualar o escrito e o vivido.

A poesia brasileira que se escreveu desde então contou com uma tradição e é com ela, sobretudo, que os poetas dialogam, por mais que outras fontes e esferas de interesse atuem em suas formações. Há que entender a tradição, porém, não como uma sequência de livros e autores, alinhados como numa biblioteca ou nas páginas de uma enciclopédia. O que se oferece ao diálogo é um imaginário, um vasto conjunto de aplicações linguísticas, escolhas formais, modos de pensar e disposições afetivas. Como num jogo de espelhos, que tudo multiplica, superfícies distantes no tempo e no espaço refletem-se e formam novos arranjos. Nesse sentido, nossos poetas tiveram sempre que se defrontar, e assim continuará sendo, com uma história que, sendo a da poesia brasileira, é também a de cada um que escreve poesia no Brasil. Não se trata de um arquivo estático e pronto, diante do qual seria praticável a observação exterior ou escolhas meramente utilitárias, visando benefícios e perdas. Movimentos de aproximação ou de distanciamento, gestos de continuidade ou de ruptura, transformações, deformações, esquecimentos, não importa, acontecem *dentro*, numa constante luta.

Herdamos o que sequer sabemos ou lembramos. Aquele senso de adaptação, originado pela exigência de fazer vingar desse lado do Atlântico uma tecnologia importada — o verso —, marcou definitivamente o modo de escrever por aqui, não há dúvida. Mas a consciência maior ou menor de tal legado facultou aos poetas a perspectiva de retesá-lo com a pesquisa formal, a imaginação, a subjetividade, a paródia, a ironia, a mística e o sonho.

Pode-se escolher um lado ou outro, é certo. Mas a poesia brasileira mostrou-se historicamente mais forte quando optou pela tensão e pela dissonância.

SUGESTÕES DE LEITURA

BANDEIRA, Manuel. *Apresentação da poesia brasileira; seguida de uma antologia*. São Paulo, CosacNaify, 2009.

BOSI, Alfredo. *Dialética da colonização*. 2ª ed. São Paulo, Companhia das Letras, 1992.

_____. *História concisa da literatura brasileira*. 3ª ed. São Paulo, Cultrix, 1980.

CANDIDO, Antonio. *Formação da literatura brasileira; momentos decisivos*. 5ª ed. Belo Horizonte/São Paulo, Itatiaia/Edusp, 1975, 2 v.

HOLANDA, Sérgio Buarque de. *O espírito e a letra; estudos de crítica literária*. Organização de Antonio Arnoni Prado. São Paulo, Companhia das Letras, 1996, 2 v.

MERQUIOR, José Guilherme. *De Anchieta a Euclides: breve história da literatura brasileira*. 2ª ed. Rio de Janeiro, José Olympio, 1979.

PÚBLICO E PRIVADO NO PENSAMENTO SOCIAL BRASILEIRO

André Botelho

O baralhamento entre público e privado como marca da sociedade, do Estado e da cultura política formados no Brasil desde a colonização portuguesa constitui uma das construções intelectuais mais recorrentes no seu pensamento social. E também um dos problemas mais tenazes para a plena realização da democracia entre nós. Afinal, em sua acepção clássica, inventada na antiga cidade-estado grega, legada à filosofia política e às modernas ciências sociais, público e privado formam uma relação de distinção antes que de continuidade: são não apenas espaços sociais distintos com fronteiras normativamente delimitadas, nos quais, porém, nos inscrevemos ao mesmo tempo como atores sociais, mas também pressupõem valores e práticas próprios e, portanto, diferentes de orientação das condutas e de organização social. Nessa acepção, sempre atualizada historicamente, o público tem sido associado a princípios impessoais e universais considerados como garantidores de que direitos e deveres sejam válidos para todos; e o privado, por sua vez, a princípios particularistas, referidos às relações nas quais valemos integralmente como pessoas singulares e não em função de papéis sociais que desempenhamos, por exemplo o de cidadãos na esfera pública.

No pensamento brasileiro, o privado tem sido geralmente identificado aos círculos primários, sobretudo à família de matriz patriarcal, e esta como a agência principal de coordenação da vida social, através de cuja práxis o privado foi se estendendo ao público, identificado ao Estado, modificando-lhe o sentido quiçá originalmente pretendido. Daí que essa relação implique não apenas uma circunscrição preponderante da identidade e da ação coletivas aos círculos primários, mas também a sugestão de que, quando esses círculos são ultrapassados em direção a uma esfera de vida pública, essa passagem comumente não se faz acompanhar por formas de orientação da conduta distintas daquelas próprias à esfera de vida privada. Nesse sentido, a fluidez das fronteiras

420

entre público e privado ao mesmo tempo permite e se alimenta de um conjunto muito diferente de situações concretas. Como políticas públicas que expressam antes interesses particulares, ou que podem assim ser apropriadas, para não falar de políticos e servidores que se beneficiam ilicitamente dos meios da administração pública, até os aparentemente ingênuos atos de "furar" uma fila ou de recorrer a um "pistolão" bem-posto numa repartição qualquer. É claro que essas são situações extremamente diferentes e também desiguais em suas consequências e graus de responsabilidade. Mas elas, e outros exemplos que o próprio leitor é capaz de mobilizar, exprimem, em comum, um conjunto de práticas e de valores que dão significado à vida coletiva, revelando pressupostos nos quais os atores baseiam seu comportamento cotidiano em relação às instituições e à vida política.

Por tudo isso, mais do que uma simples mistura, talvez seja mesmo mais adequado falar numa sobreposição do privado sobre o público. É certo, no entanto, que a tese da hipertrofia do privado (e da atrofia do público) na formação da sociedade brasileira não se coloca da mesma maneira em diferentes correntes ou tradições intelectuais do pensamento social. E igualmente importante: não assume o mesmo sentido político, como exemplificam os casos de Sérgio Buarque de Holanda, de um lado, que recusa qualquer saída autoritária para o problema tal como prescrita, de outro lado, por Oliveira Vianna. Mas, na verdade mesmo, ela sequer aparece exatamente como um problema a ser superado por meio do fortalecimento democrático ou autoritário do público ante o privado para todos os intérpretes clássicos do Brasil, embora o seja para a maioria deles. Comecemos, então, pela mais notória exceção: Gilberto Freyre.

Em *Casa-grande & senzala* (1933), embora identifique a hipertrofia do privado, Freyre argumenta a favor do equilíbrio operado, também a esse respeito, pela família patriarcal na vida social brasileira, que, desse modo, acabou por tornar não apenas exótica a noção ocidental de indivíduo, como adjetivo o papel do Estado na sua formação. Situação sem dúvida abalada a partir da transferência da corte portuguesa para o Rio de Janeiro, discutida em *Sobrados e mucambos* (1936) como o marco decisivo de reorientação da vida social no sentido da sua modernização/ocidentalização. Processo que também se fez acompanhar, no plano político, pelo progressivo declínio do poder privado, representado pelo patriarca, diante do progressivo aumento do poder político público. Todavia, como a decadência do patriarcado rural não implicou o desaparecimento total do seu poder, também a interpenetração entre público e privado não é rompida, ainda que as relações entre esses domínios tenham se alterado mediante o peso relativo que as instituições públicas passaram a assumir. É por isso que a ascensão social do bacharel (e do mulato) e sua inserção na vida pública estiveram condicionadas a suas relações tradicionais com a família patriarcal. Não por acaso, eles são os personagens sínteses de um processo de mudança social que não se processa através de rupturas, mas por meio de acomodações, como a que garantiu a sua inserção no Estado, que, originalmente, havia se organizado para contrapor-se ao poder privado. A minimização por parte de Freyre das consequências da hipertrofia do privado na definição da modernidade está associada, contudo, não apenas à perspectiva positiva que manifesta em relação à ordem social tradicional fundada na família patriarcal, como ainda ao fato de não enfrentar diretamente a questão das instituições políticas na configuração da democracia, limitando-se a defender a superioridade da "democracia social" atingida justamente com a concorrência também daquela mistura.

Não é esse o caso nem de Sérgio Buarque de Holanda nem de Oliveira Vianna, a despeito das suas posições contrastantes quanto às possibilidades da democracia no Brasil e aos meios de sua instauração. Em *Populações meridionais do Brasil* (1920), Vianna identifica a origem da hipertrofia do privado nas formas sociais assumidas pela propriedade fundiária no Brasil desde a colonização portuguesa, especialmente sua desmedida amplitude, dispersão pelo território e feição autonômica. Fatores que teriam concorrido para uma "simplificação" da estrutura social global da sociedade, dificultando a dinamização do comércio, da indústria e dos núcleos urbanos. Sem ter quem lhes contestasse efetivamente o poder, os "clãs rurais" configurados nos latifúndios abriam espaços no incipiente domínio público da sociedade brasileira para formular e promover programas que expressassem seus interesses particulares. Mecanismo designado de "anarquia branca" e que expressa a capacidade de apropriação privada das instituições públicas, o que acaba por distorcer e redefinir-lhe o sentido, demonstrado no ensaio em relação à justiça, ao recrutamento militar e às corporações municipais. Nessas condições, a fragilidade e a parcialidade a que as instituições públicas estavam sujeitas estimulavam os diferentes grupos sociais subalternos a se refugiarem sob o poder tutelar dos clãs rurais. Seria, pois, em face dessa situação que se faria urgente reorganizar, fortalecer e centralizar o Estado. Único ator considerado como dotado dessas características, capaz de enfraquecer politicamente as oligarquias agrárias e sua ação corruptora das liberdades públicas e, desse modo, corrigindo os defeitos da nossa formação social, conferir novos nexos e rumos institucionais à sociedade brasileira.

Outra é a perspectiva de *Raízes do Brasil* (1936). Embora também reconheça a hipertrofia do privado, Sérgio Buarque não apenas nega qualquer gradiente entre este e o público, como propõe Freyre, mas ainda recusa a ideia defendida por Vianna de que a centralização do Estado constituiria condição para o fortalecimento do público. A precedência do privado em relação ao público é entendida em seu caso, fundamentalmente, nos termos de um legado cultural da colonização portuguesa, como expressa a discussão sobre a "cordialidade" enquanto atualização da "cultura da personalidade" dos ibéricos. Daí a referência a *Antígona*, tragédia grega de Sófocles, que Buarque recupera, através de uma leitura bastante pessoal, para iluminar a necessária disjunção entre família e Estado. E, consequentemente, para acentuar o caráter problemático da "cordialidade" como forma de sociabilidade que transpunha para o público os valores, as paixões e as práticas particularistas próprios ao mundo privado. Uma possível "solução" para o dilema fica em suspenso, a não ser que as próprias mudanças prometidas pela urbanização finalmente cumprissem com o seu desígnio de uma maior racionalização da vida social. E embora reconheça a fragilidade do caminho societário de construção da cidadania democrática no interior da cultura política pessoalizada brasileira, Buarque sustenta que nem por isso ele seria menos necessário e adequado, ainda que também não deixasse de ser ambíguo. Mesmo não sendo o caso de desenvolver aqui a questão, cabe registrar que as diferentes perspectivas de Vianna, Freyre e Buarque se relacionam de várias formas aos seus respectivos contextos históricos.

Mas como a formação social brasileira constitui processo de longa duração, a atrofia do público e a hipertrofia do privado voltaram a incomodar e a estimular outras gerações intelectuais posteriores. Foi o caso de um conjunto de pesquisas da sociologia política desenvolvido entre as décadas de 1940 e 1970 sobre fenômenos como dominação pessoal, coronelismo, parentelas, clãs eleitorais, favor etc., que se mostravam persistentes mesmo após a transição do rural ao urbano. Ao mesmo tempo, contudo, essas pesquisas acabam por reorientar o interesse de análise para as formas históricas, concretas e contingentes da articulação entre público e privado, apontando, por isso, as impropriedades de uma concepção dualista sobre aquela relação, como identificavam nos ensaios de interpretação do Brasil. Por exemplo, em *Coronelismo, enxada e voto* (1949), Victor Nunes Leal mostra que na Primeira República (1889-1930) o privado não se sobrepunha inteiramente ao público e nem esses princípios diferentes de coordenação social se encontrariam numa relação de oposição; mas, antes, que o coronelismo supõe um compromisso entre um poder privado decadente e um poder público progressivamente fortalecido numa relação de interdependência, no sentido de que nenhum dos dois isoladamente consegue determinar o processo político na base dos seus valores ou interesses específicos. Maria Isaura Pereira de Queiroz, por sua vez, sobretudo com base em trabalhos de campo realizados nos sertões baianos na década de 1950, busca evidenciar as possibilidades e limites da ação individual no interior da estrutura da dominação política do coronelismo, por mais diversas que essas fossem, como faz questão de acentuar. O uso do voto como "posse" para uma barganha política na estrutura coronelística expressa em suas pesquisas como as relações de dominação política, constituídas entre o privado e o público, pode produzir comportamentos em indivíduos e grupos sociais, e não apenas restringir e controlar o escopo de suas ações.

Sem subestimar a particular relação histórica entre público e privado, e os problemas nela envolvidos, essas e outras pesquisas do período mostram que a sociedade brasileira não estava em suspenso à espera de resoluções para, enfim, se modernizar. Mas tampouco concluem que aquela relação seria sem consequências para a vida política, em geral, e para a democracia, em particular. Assim, apontam para uma caracterização da dominação política como relações diretas, pessoalizadas e violentas, cujas bases sociais estariam em redes de reciprocidades assimétricas entre os diferentes atores e grupos sociais. Envolvendo bens materiais e imateriais, controle de cargos públicos, votos, recur-

425

sos financeiros, prestígio, reconhecimento de autoridade legal ou não, tais relações pessoalizadas, fundadas na estratificação social brasileira, definiriam nossa vida política em toda a sua complexidade, da aquisição à distribuição do poder, da sua organização ao seu exercício. Como mostra, por exemplo, a análise de Maria Sylvia de Carvalho Franco sobre a "dominação pessoal" em *Homens livres na ordem escravocrata* (1969), diluindo as fronteiras entre público e privado, o *favor* sujeita os homens pobres negando o reconhecimento de sua condição de portadores de direitos. Sucedâneo e princípio negador dos *direitos*, que para serem universalmente reconhecidos e sancionados exigem ordem e condutas públicas, numa ordem pessoalizada/privatizada, o *favor* assume o status de mediador quase universal das relações sociais — como indica a análise de Roberto Schwarz dos romances de Machado de Assis.

Não obstante os avanços democráticos das últimas décadas, porém, a diferenciação entre público e privado parece não estar se consolidando na sociedade brasileira. Os padrões de sociabilidade do passado, codificados nas ideias de "espírito de clã" de Oliveira Vianna ou de "cordialidade" de Sérgio Buarque, por exemplo, têm se mostrado tenazes em meio às mudanças decorrentes da rápida urbanização, do processo acelerado de industrialização e da secularização da cultura. E ainda que possam inexistir condições para se atingir exclusivamente formas civis de "solidariedade social", os padrões de vida associativa e de identidade coletiva parecem presos aos círculos privados. Ou ao menos esses últimos podem sempre ser acionados, configurando uma acomodação do modelo igualitarista (impessoal) ao hierárquico (pessoalizado), o que, feitas as contas, não deixa de expressar resistência à universalidade e à impessoalidade da cidadania democrática.

É justamente o que expressa a forma ritualística "você sabe com quem está falando?", estudada por Roberto Da-

Matta. Mobilizada em situações em que uma pessoa se acha "diminuída" ou tratada "sem consideração" por algum representante da ordem legal, ela demarca posições, transformando um cidadão desconhecido em pessoa detentora de cargo importante ou nome de família, que se arroga o direito de tratamento especial. Além disso, desnuda o "elo não resolvido" entre a igualdade postulada pela ordem impessoal e as hierarquias que dão sentido às práticas cotidianas na ordem pessoalizada. Afinal, se a lei nos reconhece enquanto indivíduos, pois perante a legislação moderna somos sujeitos integrais e indivisos, portadores de direitos supostamente universais, as normas não escritas da moralidade pessoal nos reconhecem como pessoas singulares que ocupam somente uma posição numa rede hierárquica de relações privadas, fundada em favores e privilégios.

Se a nossa democracia não existe sem as instituições consolidadas na Constituição de 1988, cognominada "Cidadã", também não se encerra ordeiramente nelas, já que as próprias instituições não existem para além dos sentimentos, crenças e práticas sociais que ordenam e dão significados à vida política. Por isso mesmo, não se trata de corroborar uma visão do baralhamento entre público e privado como problema imutável, como se constituísse uma essência dos brasileiros, ou um impasse intransponível à consolidação da democracia entre nós. Mas a tenacidade histórica dessa particular relação tampouco permite concluir que ela seja sem consequências para a democracia, não apenas do ponto de vista formal da existência de instituições democráticas, mas também das formas sociais de sua organização, exercício e realização no dia a dia.

É claro que sem uma visão integrada do movimento geral da sociedade fica difícil especificar tanto como as instituições democráticas se enraízam ou não através da socialização dos atores, quanto como os sentidos dessa socialização são afetados e podem alterar as próprias instituições. E esse é um desafio intelectual central do nosso tempo. Sobretudo tendo em vista que, se, de um lado, a "sociedade civil" vem sendo reapresentada como uma esfera capaz de sustentar uma vida pública para além dos mundos da economia e do Estado, de outro, a combinação entre o modelo de cidadania historicamente institucionalizado no Brasil (definido mais pela autoridade que pela solidariedade) e as persistentes desigualdades da sua estrutura social parece estar se mostrando potente o suficiente para manter a esfera pública estreita e a participação democrática reduzida na atualidade. E a participação cívica é componente fundamental da democracia, responsável pela sua expansão e consolidação. Não sabemos se conseguiremos alcançar um novo equilíbrio, ainda que delicado, entre sentimentos e práticas de solidariedade civil e paixões e lealdades particularistas, ou simplesmente entre público e privado. Mas esse também é um desafio político central do nosso tempo.

SUGESTÕES DE LEITURA

BOTELHO, André. "Sequências de uma sociologia política brasileira". *Dados*, Rio de Janeiro, IUPERJ, vol. 50, nº 1, 2007, pp. 49-82.

CARVALHO, José Murilo de. *Cidadania no Brasil: o longo caminho*. Rio de Janeiro, Civilização Brasileira, 2004.

GOMES, Ângela de Castro. "A política brasileira em busca da modernidade: na fronteira entre o público e o privado". *In*: SCHWARCZ, Lilia M. (org.). *História da vida privada no Brasil*, vol. IV. São Paulo, Companhia das Letras, 1998, pp. 489-558.

REIS, Elisa Pereira. "Desigualdade e solidariedade: uma releitura do 'familismo amoral' de Banfield". *In*: ____. *Processos e escolhas. Estudos de sociologia política*. Rio de Janeiro, Contracapa, 1998, pp. 111-36.

RACISMO NO BRASIL: QUANDO INCLUSÃO COMBINA COM EXCLUSÃO

Lilia Moritz Schwarcz

No ano de 2009, a mídia brasileira foi inundada por uma notícia que abalou a sensibilidade nacional. O episódio envolveu o jogador do São Paulo Futebol Clube, Grafite, e o zagueiro argentino Desábato, o qual, bem no meio da partida, teria xingado o colega, chamando-o de "negro e macaco"; a ele e a toda a sua parentela. Tomemos o caso como um modelo exemplar. Afinal, por que será que o evento despertou tanta atenção e ressentimento? Com certeza, essa não seria a primeira vez que alguém arregimentaria a cor como categoria acusatória, ou lembraria da associação popular entre cor da pele e determinados atributos morais e culturais. Além do mais, como marcador social de diferença, "negro" pode ser termo negativo, mas também positivo; até afetivo. Jamais neutro.

Mas o fato é que símbolos só são entendidos de maneira situada e, no contexto em questão, não havia nenhum laivo de atitude carinhosa na expressão utilizada. Ao contrário, dessa vez, o que parecia chamar à reação geral era o lugar onde o conflito se explicitava: no *outro*. E não por coincidência, todo o cenário lembra uma modalidade de preconceito amplamente praticada no Brasil: uma espécie de "preconceito de ter preconceito". Tal tipo de racismo retroativo foi descrito pela primeira vez por Florestan Fernandes, nos anos 1960, e já naquela ocasião o sociólogo concluía como costumamos jogar para o "outro" a discriminação e o racismo. E melhor ainda se for estrangeiro e, de quebra, argentino.

Por outro lado, o embate jogava mais lenha na fogueira daqueles que acreditam que, no país, a discriminação se aplica mais à cor do que à origem social. Oracy Nogueira em 1954 teria chamado o fenômeno de "preconceito de marca", contraposto ao de "origem", mais praticado em países como África do Sul e Estados Unidos, duas nações sempre lembradas, como o outro lado do espelho, quando se trata de analisar o racismo existente por aqui. O suposto é que, diferente de outros países, cuja base objetiva da discriminação é a origem e a quantidade de sangue negro ou branco (o famoso modelo norte-americano do *one drop blood rule*), no Brasil os padrões se apresentariam comparativamente mais flexíveis, uma vez que oscilariam a partir da contingência (do momento), da situação social e da origem cultural. Ou seja, uma pessoa pode definir-se mais ou menos branca em função da pessoa que faz a pergunta, do contexto em que se encontra ou da situação econômica que vivencia. É famosa a passagem citada pelo viajante francês Saint-Hilaire, que em pleno século XIX, percorrendo o interior de Minas Gerais, deparou-se com uma pequena milícia e logo indagou pelo chefe. Um dos membros apontou então para um soldado, e foi quando o francês reagiu, dizendo: "É aquele negro lá?". Ao que o mesmo oficial respondeu: "Não, ele não pode ser negro, uma vez que é chefe".

Exemplos desse tipo abundam em nossa literatura e conformam um retrato fiel da ambivalência do racismo praticado no país. Grafite aceitou o apelido, que afetivamente delimita sua cor. No entanto, em circunstância pública agencia essa mesma cor de maneira contrária: talvez nessa situação específica prefira alegar não ter cor, se julgue até mais branco do que em outras contingências, ou então fique irado ao ver sua origem social e de classe ser destacada em situação de conflito. O mesmo fenômeno se repete em um jogo que ocorre em Heliópolis (em São Paulo), quando, há mais de oito anos, um pouco antes do Natal, realiza-se uma pelada chamada "Pretos x Brancos". Teoricamente são onze jogadores negros contra onze brancos. No entanto, a cada ano os esportistas mudam de time como se trocassem de meia. Melhor do que a "versatilidade" é o calibre das explicações. Alguns dizem estarem mais brancos porque enriqueceram; outros porque subiram de vida; outros, ainda, porque se sentem assim: mais brancos. Há ainda poucos exemplos de jogadores que afirmam estar mais pretos, quando não reinventam certa origem africana. O importante é que, no país, cor é dublê de raça, de classe social e, portanto, matéria para negociação.

Hoje sabemos, segundo dados da biologia e da genética, que raça não existe como conceito científico; é antes uma categoria taxonômica e meramente estatística, uma construção social. O problema é que sob a capa da raça introduzem-se considerações de ordem cultural, na medida em que a ela associam-se crenças, valores e verdades. Assim, se o conceito não é natural, continua a ser pragmaticamente acionado, denotando uma classificação social baseada em atitude negativa ante determinados grupos, devidamente discriminados a partir desses critérios. Demonstrar, pois, as limitações do conceito biológico, desconstruir a sua significação histórica, não leva a abrir mão de suas implicações e novas classificações sociais. Como mostra a antropóloga Manuela Carneiro da Cunha, existem diferentes maneiras de entender a cultura de uma nação: *cultura* (sem aspas) seria um patrimônio geral; já *"cultura"* (com aspas), a propriedade particular de cada povo, devidamente agenciada. E é essa *"cultura"* (com aspas) que tem sido manipulada de maneira ampla, assumindo novo papel como argumento político. Vale a pena assinalar a mudança de axioma: se o período do pós-guerra defendeu a universalização dos direitos, mais recentemente a ênfase recaiu nos direitos das minorias. Ora, nesse mundo das diferenças, nada como acionar a *"cultura"* (com aspas) enquanto recurso para afirmar novas identidades, e raça seria um poderoso operador nesse sentido. Assim, se pensarmos não em raça como um conceito biológico, mas — fazendo um paralelo com o modelo da antropóloga —, em "raça" entre aspas, veremos como temos pela frente um marcador crucial, que permite demonstrar a qualidade reflexiva da cultura, e como ela estabelece um fio de tensão que liga e separa — reflexivamente — antropologia e política. Voltemos uma vez mais ao nosso caso inicial. De antemão vale a pena dizer que qualquer debate desse tipo já carrega consigo, e por aqui, seus méritos. No interior de um país em que até bem pouco tempo a discriminação parecia estar naturalizada, como se as posições sociais desiguais fossem desígnio da natureza e atitudes racistas fossem consideradas minoritárias e excepcionais, todo barulho é lucro. Afinal, na ausência de uma política discriminatória oficial, andamos cercados por uma boa e falsa consciência, que ora nega o preconceito, ora o reconhece como mais brando, ou ainda afirma que ele existe, sim, mas na boca da pessoa ao lado. É só dessa maneira que se pode explicar uma pesquisa realizada em 1988, pela Universidade de São Paulo, na qual 97% das pessoas afirmaram não ter preconceito e 98% — dos mesmos entrevistados — disseram conhecer outras pessoas que tinham, sim, preconceito. Ao mesmo tempo, quando inquiridos sobre o grau de relação que possuíam com aqueles que consideravam racistas, os entrevistados apontavam com frequência parentes próximos, namorados e amigos íntimos. Conclusão imediata: todo brasileiro se sente como uma ilha de democracia racial, cercada de racismo por todos os lados.

Em 1995, o jornal *Folha de S.Paulo* divulgou uma pesquisa sobre o mesmo tema, com resultados semelhantes. Apesar de 89% dos brasileiros dizerem haver preconceito de cor contra negros no Brasil, só 10% admitiram tê-lo. No entanto, de maneira indireta, 87% revelaram algum preconceito ao concordar com frases e ditos de conteúdo racista, ou mesmo enunciá-los. A pesquisa foi repetida em 2009, e os resultados não diferiram, nesse aspecto; ao contrário, parecem indicar uma convivência ainda mais harmoniosa, a despeito de denunciarem-se, sempre, casos de discriminação "alheios".

As conclusões a que chegou o antropólogo João Batista Felix, em trabalho sobre os bailes negros em São Paulo, podem ser entendidas de forma inversa, mas simétrica. A maioria dos entrevistados negou ter sido vítima de discriminação, porém confirmou casos de racismo sofridos por familiares e conhecidos próximos. E mais, em investigações realizadas sobre a existência de preconceito em pequenas cidades, costuma-se apontar para a ocorrência de casos de racismo apenas nos grandes conglomerados (a atriz que foi barrada em uma boate, a filha do governador do Espírito Santo que não pôde usar o elevador social, o cidadão que foi impedido de frequentar um clube, o trabalhador que foi abusado pela polícia); mas o contrário também acontece — na visão dos moradores de São Paulo e do Rio de Janeiro, é no interior que se concentram os exemplos mais radicais de discriminação.

Isso para não falar do uso do passado. Quando entrevistados, os brasileiros jogam para a história, para o período escravocrata, os últimos momentos de racismo. Emblemático nesse sentido é o hino da República, que no início de 1890, um ano e meio depois do final da escravidão, entoava com orgulho: "Nós nem cremos que escravos outrora tenha havido em tão nobre país". O passado mora longe, e um ano parecia ser, nesse contexto, sinal de muitas décadas ou até mais: dádivas da pátina do tempo.

Aparentemente distintas, as conclusões das diferentes investigações são paralelas: não se nega mais que exista racismo no Brasil, mas ele é sempre um atributo do "outro". Seja da parte de quem preconceitua ou de quem é preconceituado, o difícil é admitir a própria discriminação, e não o ato de discriminar. Além disso, o problema parece se resumir ao ato de afirmar oficialmente o preconceito, e não reconhecê-lo na intimidade. Como diz o ditado, "de perto ninguém é perfeito", e a máxima parece valer para a prática da discriminação privada. O resultado é um discurso que tende, senão a negar, ao menos a minorar a importância e a evidência do racismo entre nós.

A questão é polêmica e tem dividido os especialistas brasileiros, que se opõem entre afirmar o lado singular e até positivo desse modelo miscigenado de convivência, e mostrar como cruzamento racial não quer dizer ausência de discriminação. De toda maneira, o que ninguém discute é a existência de desigualdades sociais. Tudo indica que estamos diante de um tipo particular de racismo; um racismo silencioso e ambivalente, que se esconde por detrás de uma suposta garantia da universalidade e da igualdade das leis, e que lança para o terreno do privado, e para o vizinho, o jogo da discriminação. Em uma sociedade marcada historicamente pela desigualdade, pela larga vigência da escravidão, pelo paternalismo das relações e pelo clientelismo, o racismo se afirma prioritariamente na intimidade ou na delação alheia. Quem sabe o caso do esportista argentino, que acabou na prisão, sirva como modelo para pensar o nosso jogo interno e perverso, que faz oscilar inclusão social com exclusão.

ENTRE A INCLUSÃO E A EXCLUSÃO: NÃO DIZER, OMITIR, SILENCIAR

Certa vez o filósofo Kwame Appiah desabafou que: "Insistir com a noção de raça é mais desolador para aqueles que levam a sério a cultura e a história". A pena é constatar que esse tipo de cenário desolador mantém-se forte e bastante vital. Raça é ainda um conceito poderoso, e persiste como construção histórica e social, matéria-prima para o discurso das nacionalidades, ou como marcador social que identifica e classifica pessoas e situações. Não por acaso, o conceito serviria para analisar a inserção de outros grupos sociais, como judeus, índios, ciganos ou até deficientes físicos ou mentais. No entanto, no caso brasileiro, tal problema centrou-se, primeiramente, na discussão sobre nossos nativos indígenas, e depois acerca da vasta população negra brasileira. Tal afirmação é ainda mais vigorosa quando se lembra que, antes mesmo de o Brasil ser Brasil, quando era ainda uma América portuguesa, o tema já fazia parte dos discursos, crônicas, imagens, cartas que descreviam o país. Viajantes seiscentistas como Thevet, Leiris, Laet destacavam de um lado uma natureza paradisíaca e, de outro, uma população dada a hábitos considerados "primitivos" ou "bárbaros", tudo conforme a designação de época. O cronista português Gandavo sintetizou tal tipo de percepção mais negativa, afirmando que os brasileiros eram povos sem F, L, R: fé, lei e rei. Os habitantes do país, desde o início de sua incursão numa longa história ocidental, já eram entendidos como "outros" e apreendidos sob o signo da falta. Nesse caso, diferença não era *mais*, e sim *menos*: carência de costumes, de ordem, de responsabilidade. Não por coincidência, hábitos como o canibalismo, a poligamia ou a nudez incendiavam a imaginação europeia, que migrava do Oriente para a América, maravilhada com a natureza, mas desconfiada dessa que seria uma nova humanidade.

A ambiguidade era tal que, em 1534, Paulo III estabelecia uma bula papal que confirmava a "humanidade" dos nativos do Novo Mundo e lhes conferia "alma". Mas a desconfiança mantinha-se, tanto que naturalistas do século XVIII voltariam a observar a natureza e os naturais americanos. Se o conde de Buffon (George-Louis Leclerc), que em 1749 publicou os três primeiros volumes da *Histoire naturelle*, determinou que os nativos eram povos crianças (uma vez que não tinham pelos nos corpos), mostrando assim a juventude do continente; já seu colega Cornelius De Pauw editava em 1768, em Berlim, *Recherches philosophiques sur les américans, ou Memoires interessants pour servir à l'histoire de l'espèce humaine*, e tornava mais agudo o argumento, dizendo que esses não eram povos infantis, mas decaídos. Ou seja, já haviam sido crianças, passado pela maturidade e envelhecido; eram, portanto, "degenerados".

O tema da degeneração entraria fundo no debate sobre a América, e em especial acerca do Brasil, quando em meados do século XIX seria retomado por cientistas locais, informados pelas teorias deterministas e raciais em voga na época. O debate coincide com a campanha pelo final da escravidão no país, e, nesse caso, remete-se não tanto às raças, como fenômenos isolados, mas sobretudo à miscigenação. Na verdade, contra o argumento da cidadania, opõe-se um modelo racializado, que nega a noção de igualdade entre os homens. O suposto era não só que as raças (como espécimes ontológicas) tinham contribuições e qualidades diferentes, como que a mistura das mesmas levava sempre ao infortúnio, ao desequilíbrio e à degeneração. Usando esse tipo de modelo, cientistas da Faculdade de Direito de Recife, como Silvio Romero e Tobias Barreto, ou saídos dos quadros da Faculdade de Medicina da Bahia e do Rio de Janeiro, como Nina Rodrigues e Renato Khel, advogarão práticas de exclusão social, de combate à miscigenação e cerceamento da liberdade jurídica, sempre em nome da ciência da época.

Interessante é pensar que, em meados da década de 1920, estávamos a um passo do *apartheid social*, e em 1930 nos transformaríamos em "modelo de democracia racial". É certo que o contexto intelectual era distinto, e que agora a noção de raça passava a ser trocada pela de cultura, advogando-se que não era a biologia que explicava as sociedades, mas suas histórias, contingências e costumes. E, no Brasil, o debate seria capitaneado por toda uma geração modernista, que, a exemplo de Mário de Andrade, Gilberto Freyre, Artur Ramos e tantos outros, passaria a trazer as populações negras, e sua contribuição, para o centro do pensamento nacional; não como lacuna, silêncio ou demérito, mas como profunda contribuição. De veneno a fortuna, a mestiçagem aos poucos foi se transformando em "marca nacional", a ponto de o Brasil servir em 1947, 1951 e 1964 como estudo de caso para a Unesco; um exemplo de convivência idílica e pacífica num mundo marcado por ódios expressos em termos de raça, origem e cultura. São desse contexto expressões como "*melting pot*", democracia racial, celeiro harmônico de raças, que em seu conjunto apontam para uma virada cultural e para novas representações identitárias acerca desse mesmo país. Em questão estava a evidência de um padrão singular de relacionamento racial. Não por acaso, nesse mesmo momento, Getulio Vargas "nacionalizaria" e tiraria da criminalidade práticas como a capoeira, o samba e o candomblé, além de transformar o futebol numa modalidade esportiva mestiça e brasileira. Também resultado desses novos ares é a transformação da feijoada em prato nacional e mestiço: o branco do arroz, o marrom do feijão, o amarelo da laranja, o vermelho da pimenta e o verde das nossas matas (*sic*) passavam a compor essa nova "aquarela do Brasil".

E de lá para cá tudo mudou, mas permaneceu semelhante também. Após os anos 1970, com o recrudescimento do movimento negro e de uma política de ações afirmativas, com o resultado de pesquisas pautadas nos censos nacionais e novas pesquisas na área, o tema anda ainda mais contundente. Tem sido difícil desconhecer como, ao lado da inclusão, impera uma persistente exclusão social. Para tanto, basta notar os dados oficiais que mostram desvantagens profundas no acesso ao trabalho, à escolarização, à moradia, mas que também se expressam nas taxas de mortalidade e até de matrimônio desiguais. Mestiçagem nunca foi sinônimo de igualdade ou ausência de discriminação, e a ambivalência desse "racismo à brasileira" se apresenta na convivência muitas vezes perversa entre inclusão e exclusão.

Como se vê, não é de hoje que raça sempre deu o que falar entre nós, para o bem e para o mal. Além do mais, vale a pena acrescentar que o racismo é uma questão contemporânea, uma vez que significa a reinvenção da hierarquia em sociedades supostamente igualitárias. Se a Revolução Francesa determinou a igualdade jurídica entre os homens, o preconceito e o racismo, primeiro científico e depois cultural, se apresentaram como uma resposta afirmativa, no sentido de repor a diferença e a discriminação; senão em termos legais, ao menos a partir de critérios que se pretendiam científicos e depois históricos. Desde então, o racismo faz parte da agenda de nossa era globalizada, marcada por ódios considerados "tradicionais", mas nomeados a partir da etnia, da origem, da geografia ou da condição social. Já no Brasil, o tema vem sendo reposto de maneiras variadas. De um lado, não há como negar a evidência de uma convivência, de fato, singular, e a existência de um projeto oficial de identidade pautado em modelos culturais mestiçados. De outro, essa mesma sociabilidade ímpar referenda uma divisão outrora naturalizada (e hoje culturalizada) que se refere a "aptidões" e costumes. Há uma espécie de compartimentalização consensual de atividades, em que fica explícito, pela convenção, que a inclusão social se dá na música, no esporte e nas artes de maneira geral. Já em outros locais — no exercício da política, da ciência, no convívio social —, o suposto é que "cada um conhece seu lugar". Quem sabe a ausência de leis discriminatórias ajude, paradoxalmente, a jogar para o lugar do silêncio e dos interditos certas práticas costumeiras de discriminação. Afinal, é no espaço doméstico, das práticas do senso comum que se exclui e se renaturaliza um jogo de possibilidades e de impedimentos.

É certo que no Brasil não existem discursos raciais oficiais a legitimar a exclusão, leis e instituições discriminatórias, ou modelos dicotômicos que impõem limites estritos para pretos e brancos — o que constitui ganho inestimável —; no entanto, e mesmo assim, sobrevive uma robusta segregação que atinge sobretudo os pobres e os negros, que são ainda mais pobres. Hora de terminar com dois provérbios, os quais funcionam a partir dos supostos que disseminam. O primeiro afirma que "de noite todos os gatos são pardos". Pardo é categoria imprevisível e indeterminada, e nomeia nosso racismo ambivalente e poroso, ainda mais à noite. Mas há ainda mais um, que se refere ao outro lado da moeda. "Eles é que são brancos que se entendam" diz respeito, como mostra Arcádio Diaz, a novos interditos. De um lado, o dito lembra como na lógica cotidiana se joga para a terceira pessoa do plural o espaço do mando e da autoridade. Por outro, quem são eles e quem somos nós, não há como saber. O que se sabe é que se trata de uma relação plena de silêncios, ambivalências e convenções que se impõem pela história, pela memória e por inúmeros não ditos. Vale a pena, portanto, observar o uso social do conceito, e notar como ele vem sendo agenciado não só por grupos militantes, como no senso comum, de uma forma geral. De nada ajuda ficarmos presos a uma definição canônica, se o conceito está nas ruas e sendo negociado como discurso social, no sentido de operar na sociedade e produzir efeitos. Pensada dessa maneira, "raça" (com aspas) iluminaria para novos sentidos disseminados tanto pela teoria do senso comum (que cotidianamente divide e discrimina segmentos sociais), como ao ser utilizada numa agenda de inclusão social.

Raças e cores no Brasil atuam como classificações sociais arbitrárias, mas não aleatórias. Fazendo um paralelo com o que ensina Manuela Carneiro da Cunha — quando pensa etnicidade —, também raças são construções diacríticas, relacionais, posicionais. Constituem, assim, argumento político poderoso, para uma realidade política igualmente aguda, que permite entender, e muito bem, por que, afinal, Grafite reagiu a uma situação que tenderia a acomodar se ela se apresentasse no privado, mas que considerou inadmissível quando manifestada em público.

SUGESTÕES DE LEITURA

CUNHA, Manuela Carneiro da. *Cultura com aspas e outros ensaios de antropologia*. São Paulo, Cosac Naify, 2009.

FRY, Peter. *A persistência da raça. Ensaios antropológicos sobre o Brasil e a África austral*. Rio de Janeiro, Civilização Brasileira, 2005.

GUIMARÃES, Antonio Sérgio. *Classes, raças e democracia*. São Paulo, Editora 34, 2002.

MAGGIE, Yvonne. *Divisões perigosas: políticas raciais no Brasil contemporâneo*. Rio de Janeiro, Civilização Brasileira, 2007.

SCHWARCZ, Lilia Moritz. "Nem preto, nem branco, muito pelo contrário". *In:* _____ (org.). *História da vida privada*, vol. IV. São Paulo, Companhia das Letras, 1999.

TELLES, Edward. *Racismo à brasileira*. Rio de Janeiro, Relume Dumará, 2003.

REGIÃO
E NAÇÃO:
VELHOS
E NOVOS
DILEMAS

Elide Rugai Bastos

Tema recorrente entre os pensadores sociais, as relações entre regiões e nação também têm sido tratadas de forma mais ou menos aprofundada nos diferentes momentos da história do Brasil. Não se trata de idiossincrasia dos autores que refletem sobre o tema, mas a preocupação se explica pelo fato de essas relações nem sempre terem sido harmônicas e, nos momentos de crise, terem alterado os rumos políticos do país. Refiro-me, por exemplo, às várias revoluções regionais da primeira metade do século XIX — cabanagem, balaiada, farroupilha, praieira — que desencadearam forte repressão por parte do governo central e foram objeto de interpretações que chegam até hoje, sem fundar consenso sobre medidas políticas adotadas para sua "pacificação" e sobre as razões que as desencadearam.

Expressões correntemente utilizadas — bandeira nacional, identidade nacional, unidade nacional, orgulho nacional, atitude nacionalista — remetem a uma representação aparentemente compartilhada sobre o significado do termo nação, mas essa não é tarefa simples. Vários estudiosos lembram dificuldades da conceituação e sugerem tratar-se de fenômeno que compreendemos mas não podemos explicar com precisão.

Nação não é conceito unívoco, isto é, que tenha universalidade de aplicação a objetos empíricos. Tampouco é dado que emana do grupo social, mas é atribuição de quem analisa ou de um processo de organização política. Assim, existe principalmente como ideia, trata-se de conduta adquirida, qualidade obtida no percurso da coesão da sociedade, possível na medida da crença da não existência de oposição de interesses. Tem, nessa direção, um caráter político, pois a coesão depende de forças existentes na sociedade. Enfim, nação é conceito empiricamente multidimensional.

Uma das opções para a compreensão da nação é dar conta dos diversos momentos de desenvolvimento e de arranjo de elementos, tais como origem, língua, religião, história, tradições e território comuns a uma população como fatores de constituição da sociedade. Isto é, enfocá-los a partir da análise da *questão nacional*, que consiste na reflexão sobre a articulação desses componentes. Correlaciona-se composição da sociedade e traços culturais lembrando o papel do Estado nesse arranjo. Trata-se da captação de mudanças sociais, econômicas, políticas, culturais percebidas em sua associação. Consideram-se as relações entre os fatores que definem a unidade em uma sociedade e aqueles que apontam a diversidade nela presente sem negarem o conjunto. Examinam-se as formas particulares que adquirem os sentimentos de solidariedade relacionados às diversas condições de origem do povo — étnica, linguística, religiosa, regional, cultural — e as consequências desses fatores para a sobrevivência dos grupos e para a coesão dos mesmos. Também busca-se compreender como esses diferentes grupos estão representados no Estado. Nesse sentido, é analisado o acesso diferenciado aos direitos civis, políticos e sociais.

A região tem preeminência na configuração da questão nacional por ser fator definidor de fronteiras, sejam elas econômicas, sociais, políticas, demográficas, culturais. Região significa parte delimitada de um todo e, no sentido aqui expresso, aplica-se prioritariamente às configurações territoriais e ambientais que combinam aspectos sociais, econômicos e culturais. No pensamento brasileiro, a região, como componente da questão nacional, ganha dimensões importantes, pois está fortemente vinculada à elaboração do(s) projeto(s) nacional(ais), no Império ou na República.

Alberto Torres, no início do século XX, coloca o problema regional como centro da revisão constitucional que propõe. Afirma que só uma estreita solidariedade entre os habitantes das diferentes zonas do país poderia construir a unidade moral não realizada pela unidade política. O quadro político sobre o qual repousa a preocupação é a crise do pacto oligárquico, que estará em seu ponto alto no decênio de 1920. É nessa década e na seguinte que trabalhos clássicos sobre o tema ganharão repercussão.

Em *Populações meridionais do Brasil*, publicado em 1920, Oliveira Vianna propõe uma abordagem para a compreensão da formação social brasileira diferente das anteriores, que procuram dar conta da unidade de raça, civilização e língua, esquecendo a diversidade dos *habitats* e o papel das variações regionais. Considera como fundamento de sua tese a presença de diferentes pressões históricas exercidas ao norte, ao centro e ao sul do país sobre as respectivas populações, as quais produziram tipos sociais que apresentavam consideráveis diversidades organizacionais e comportamentais. Os tipos descritos e analisados pertencem ao mundo rural — naquele momento representando a grande massa populacional —, pois os "tipos urbanos" não passariam de variantes dos meios de que procedem. Seu projeto resta incompleto; o primeiro volume, dedicado ao estudo dos paulistas, fluminenses e mineiros, apresenta-se de forma mais acabada que o segundo, dedicado à pesquisa da população sul-rio-grandense; a pesquisa sobre as populações do Norte e Nordeste não foi sistematicamente realizada.

A partir do início do decênio de 1920, a produção bibliográfica sobre região-nação surge de modo coletivo. Esse caráter conjunto explicita o sentido político do processo. O movimento modernista do início desses anos — em São Paulo, Rio de Janeiro, Nordeste, Minas Gerais — envolve intelectuais e artistas que propõem suas posições mesmo negando a intenção política de sua ação. Na mesma linha, podemos indicar as análises da situação nacional para as comemorações do centenário da independência em 1922. O livro organizado por Vicente Licínio Cardoso, *À margem da história da República*, publicado em 1924, reúne alguns desses ensaios.

Texto regionalista, exemplar da centralidade da questão, reunindo vários autores, é o *Livro do Nordeste*, organizado por Gilberto Freyre em 1925, comemorando os cem anos do

Diário de Pernambuco. Decorrentes dessa iniciativa surgirão o Congresso do Recife (1926), quando teria sido lido o Manifesto Regionalista, publicado em 1952; artigos no *Diário de Pernambuco* (1925-7) sobre região e tradição, onde esse autor relembra a cozinha, a casa, as ruas, os móveis, os costumes regionais; os livros *Região e tradição* (1940) e *Nordeste* (1937), além de importantes passagens em *Casa-grande & senzala* (1933), *Sobrados e mucambos* (1936), *Interpretação do Brasil* (1947).

O *Livro do Nordeste* apresenta estrutura multidisciplinar, reunindo artistas, médicos, advogados, políticos, engenheiros, jornalistas, professores, administradores públicos e privados. Aparentemente a reabilitação cultural do Nordeste movia a publicação, pois recuperava a especificidade regional do artesanato, da arquitetura, da música, da poesia, da pintura, da produção do açúcar, do território, das ferrovias, das formas populares de música, dança, teatro. Avançado sobre essa intenção, no prefácio não assinado, mas atribuído a Gilberto Freyre, o sentido político aparece claramente; trata-se da recuperação das tendências de vida de cinco ou seis estados "cujos destinos se confundem num só e cujas raízes se entrelaçam [...] espécie de balanço das nossas perdas e danos". Mais ainda, representa um certo espírito de fraternidade do Nordeste, cujas aspirações e interesses seriam de toda a região, acima dos interesses de estado.

A crise do pacto oligárquico e o questionamento da política dos governadores se expressaram em várias mobilizações nacionais — o tenentismo, a fundação do Partido Comunista, o reforço do tradicionalismo católico, o movimento modernista — e podem explicar as palavras do sociólogo pernambucano ao definir a função do *Livro do Nordeste* quando de sua reedição em 1979: "Constituiu-se em uma mensagem e não apenas como conjunto de colaborações intelectual e artisticamente valiosas". Uma mensagem que precede as alterações decorrentes do movimento de 1930, que levou ao fim a política dos governadores e instaurou a centralização político-administrativa. Embora esta se efetuasse administrativamente, os traços políticos do regionalismo persistiam e expressaram-se em várias ocorrências: entre outros, o movimento paulista de 1932, a dissolução da Constituinte em 1934. Em 1937 tem início o Estado Novo e como símbolo da unificação são queimadas pelo chefe do governo em cerimônia pública as 21 bandeiras estaduais, substituídas pela bandeira nacional. O regime é reforçado pela lei orgânica de 1939 que consolida o princípio de centralização nacional, unificando a direção política e subordinando as questões importantes à fiscalização e orientação do poder central. Procurou-se, então, assentar essas medidas no apoio popular e, principalmente, no de intelectuais que as justificassem ante a questão nacional.

Nesse quadro surge *Cultura Política. Revista Mensal de Estudos Brasileiros*, que circulou de março de 1941 a outubro de 1945. Destinava-se a divulgar as transformações socioeconômicas, culturais e políticas pelas quais passava o país. Embora reunisse escritores de várias formações e procedência política, abria espaço para uma manifestação conjunta: a construção da unidade nacional. Objetivos compartilhados — "a ordem social, a paz, o trabalho, a tolerância política" — permitem a presença de colaboradores de "diversas correntes literárias, artísticas e científicas".

Azevedo Amaral, em artigo de 1941, afirma que o Estado Novo tem um sentido progressivo em relação às medidas de 1930, pois a legislação centralizadora afasta a possibilidade de retrocesso ao predomínio "das forças dos regionalismos particularistas". Mas se essas forças são reprimidas, o cenário da diversidade cultural das regiões é acentuado como ponto importante da nacionalidade. Partes da revista são dedicadas ao tema, embora sua formatação varie no decorrer dos 48 números publicados: Quadros e costumes do Norte, do Nordeste, do Centro e do Sul; O povo brasileiro através do folclore; Problemas regionais; Quadros regionais; Folclore e cul-

450

tura. Artigos sobre arte, literatura, território, alargamento das fronteiras vão na mesma direção. Assinalo alguns colaboradores que não são alinhados ideologicamente ao Estado Novo — Nelson Werneck Sodré, Gilberto Freyre, Graciliano Ramos, Marques Rabelo, Brito Broca —, mas operam no eixo de uma ordem unificadora.

Nos anos 1950 e início de 1960, o debate sobre o subdesenvolvimento retoma, no pensamento brasileiro, a questão região-nação. A temática estava relacionada às discussões iniciadas em 1953 pelos intelectuais reunidos no "Grupo Itatiaia", mais tarde fundadores do Instituto Brasileiro de Economia, Sociologia e Política (IBESP), que se amplia posteriormente, originando o ISEB — Instituto Superior de Estudos Brasileiros —, o qual influencia a política nacional-desenvolvimentista do governo Juscelino Kubitschek. As propostas do ISEB estão direcionadas a um modelo nacional de desenvolvimento de caráter fortemente homogeneizador, que considera marginais as características dos diferentes setores ou regiões.

Opondo-se a essa visão, denunciando a seca e a fome no Nordeste, um grupo se destaca: a Igreja católica, assumindo papel intelectual e político, tem a primazia de erguer a voz contra a situação que muitos conheciam mas se recusavam a admitir. Realiza-se, sob sua liderança, a reunião dos bispos no Nordeste, em Campina Grande, em maio de 1956, produzindo-se vários documentos sobre a marginalidade regional e a questão agrária. Depois do encerramento do encontro, no dia 1º de junho foram assinados pelo presidente da República vinte decretos que envolviam providências executivas, no âmbito federal, decorrentes das recomendações dos bispos, a maior parte referente ao mundo rural.

Outro grupo refletindo sobre a questão nacional é o de intelectuais reunidos no Centro Latino-Americano de Pesquisas em Ciências Sociais, fundado em 1957 no Rio de Janeiro, organizado pelo sociólogo Costa Pinto. Trata-se de reunião de sociólogos da América Latina que questionam a visão e as propostas desenvolvimentistas em curso, propondo-se a redimensionar as ciências sociais. As orientações são diversas no que diz respeito às relações região-nação. No encontro internacional realizado em 1959, dois diagnósticos opostos se definem. De um lado, os debates consideram a existência de "dois brasis" — expressão formulada por Jacques Lambert —, um atrasado (Norte, Nordeste), outro adiantado (Sul, Sudeste), aquele devendo ser superado através da modernização para nivelar-se a este. De outro, recusa-se a visão dualista, mostrando que a equação atraso/moderno constitui-se em unidade na qual os polos se reproduzem combinadamente; assim, denuncia-se a impropriedade de um projeto de desenvolvimento linear e mostra-se o caráter estrutural da questão. Em outros termos, indica-se que o dinamismo da economia brasileira permite simultaneamente a riqueza, a exclusão social, a pobreza e as disparidades regionais; ou seja, a reprodução da pobreza se dá no quadro da própria geração da riqueza. O grupo que ilustra essa visão é o formado em torno de Florestan Fernandes, na Universidade de São Paulo. Os dois diagnósticos possibilitam condução política diferenciada. Simplificando, o primeiro demanda um governo forte que conduza o projeto de desenvolvimento; o outro aponta a formulação de projetos que respeitem o perfil dos diferentes setores e regiões, ou seja, que tenha por base a representação democrática.

A possibilidade de continuidade dessa polêmica, que poderia encaminhar várias alternativas políticas, é bruscamente interrompida pelo golpe de 1964. Nos governos militares a questão da modernização e da incorporação econômica das diferentes regiões é feita sob regime centralizador e ditatorial. Representativo dessa visão é o livro *Geopolítica e poder*, de Golbery do Couto e Silva, general poderoso — foi denominado O Bruxo — e fundador do Serviço Nacional de Informação. Textos escritos pelo autor entre os anos 1952 e

1960, na Escola Superior de Guerra, compõem a obra, e as ideias associadas de desenvolvimento e segurança nacional a articulam. Várias medidas assumidas no período pós-1964, entre as quais se destacam atos institucionais fortemente repressores, têm por fundamento análises, interpretações e resoluções encaminhadas nesse trabalho.

A repressão decorrente dessas medidas resultou na aposentadoria de vários professores que se dedicavam à discussão da questão nacional; mas o tema pouco a pouco retorna através do estudo de alguns aspectos importantes do problema, que, direta ou indiretamente, estão relacionados com a questão principal. Vou referir-me a alguns deles, embora tenha consciência da omissão de trabalhos importantes.

Por várias razões, principalmente a continuidade pelo governo militar da política desenvolvimentista e dos programas de modernização, a questão agrária reuniu grupos de pesquisadores e, como consequência do tema, abordaram-se os problemas regionais e de ocupação do território, acompanhados dos conflitos decorrentes. Cito alguns projetos coletivos. No Museu Nacional, formou-se um grupo de pesquisadores em torno de Moacyr Palmeira, que desde 1968 iniciara estudos sobre o tema na zona da mata pernambucana. Produzem textos debatidos nacionalmente, além de Moacyr Palmeira, Lygia Sigaud, José Sérgio Leite Lopes, Vera Echenique, Luís Maria Gatti, Roberto Rinquelet, Afrânio Garcia, Beatriz Heredia, Marie France Garcia, Rosilene Alvim. Ainda no Museu Nacional a temática da expansão do capitalismo no campo, das frentes de expansão e da estrutura agrária, que aborda diretamente a questão do regionalismo, é desenvolvida em vários livros por Otávio Guilherme Velho.

Afastados da Universidade de São Paulo por um ato institucional, vários professores formaram o Cebrap, um centro de estudos que, ao lado da preocupação com a questão nacional, dedicou-se a pesquisas que envolveram o problema agrário e o regional, na maior parte das vezes articulados. Textos diretamente voltados à discussão da situação da agricultura, como os de Maurício Caldeira Brant, Teresa Salles, Francisco Sá Jr., Juarez Brandão Lopes, recolocam o problema regional e das políticas nacionais voltadas a encaminhá-los. Projeto diretamente voltado ao estudo da Amazônia se expressa em livros e artigos de Fernando Henrique Cardoso, Octavio Ianni, Geraldo Müller, Juarez Brandão Lopes, abordando o problema da ocupação do território, da distribuição, da preservação ambiental, dos projetos de colonização, da intenção de uso da região como área de "absorção" de tensões resultantes da expulsão de trabalhadores de outras áreas agrícolas.

Um Projeto de Intercâmbio de Pesquisa Social em Agricultura — PIPSA — foi criado em 1979 pelos professores da Universidade Federal Rural do Rio de Janeiro, entre os quais destaco Leonilde Sérvolo de Medeiros, visando criar condições para troca de informações e debates entre pesquisadores de origem acadêmica ou não, de temas relacionados com a agricultura e a questão agrária. A própria estratégia da organização levou a que nas reuniões que se estenderam até 1982 o tema regionalismo se situasse como eixo central dos debates.

O CEDEC, além de outras abordagens, também entrou na discussão sobre questão agrária e regionalismo. Durante três anos, a partir de 1982, reuniu pesquisadores da UFR-RJ, Unicamp, Unesp-Araraquara, PUC-SP, que se dedicaram a levantar, através dos arquivos da CPT e da Contag, os conflitos de terra registrados por essas entidades, classificando-os por municípios. A finalidade era indicar, no momento da implementação do Plano Nacional de Reforma Agrária a ser discutido após o término da ditadura, as regiões passíveis de desapropriação para a resolução dos conflitos. É desnecessário dizer que tal finalidade sequer foi cogitada como política pública diante do peso das alianças celebradas em 1985, nas quais certos poderes regionais foram decisivos.

Após essa data, inúmeros estudos foram feitos sobre a relação região-nação. Referir-me-ei a apenas alguns deles, com caráter somente ilustrativo. Na Universidade de São Paulo, Maria Arminda do Nascimento Arruda aponta a necessidade da retomada, pelas ciências sociais, do estudo do regionalismo, tema que teria sido muito mais desenvolvido pelos historiadores. Assim, ao estudar o regionalismo mineiro, busca apontar as expressões culturais produzidas em seu âmbito e apontar a tessitura social que engendra essas expressões. Também na USP, José de Souza Martins aborda o tema região-nação a partir de várias perspectivas: questão agrária, mundo urbano, trabalho operário, cotidiano, violência, migrações, fronteiras. Em vários desses estudos, a região amazônica ganha relevância, pois expressa as mudanças que se operaram desde a década de 1960, não só porque se constatam processos de expropriação e expulsão acompanhados de extrema violência, mas também pelo fato de se alterarem as relações tradicionais, o que permite a emergência de novos sujeitos políticos e históricos.

Vários outros grupos recuperam o pensamento sociopolítico sobre a região, mostrando que não se trata de produção isolada, mas diretamente dirigida à compreensão do Brasil e denunciando o esquecimento de vários aspectos não presentes na política nacional. Lembro, como exemplos, *Vozes do Nordeste*, de Pedro Vicente da Costa Sobrinho e Nelson Ferreira Patriota Neto (2001), e *Vozes da Amazônia*, organizado por Renan Freitas Pinto e Elide Rugai Bastos (2007).

Antropólogos participantes do Grupo de Trabalho sobre Identidades na América Latina, uma das unidades do Conselho Latino-Americano de Ciências Sociais, têm se constituído como núcleo de estudos sobre região-nação, discutindo principalmente os temas etnias e região. Já foram produzidos por eles três livros sobre o tema. Além de George de Cerqueira Leite Zarur, organizador desses livros, cito alguns dos participantes: Luiz Felipe Baeta Neves Flores, Ruben

George Oliven, Giralda Seuferth, Nelly Arvelo-Jiménez, Miguel Alberto Bartolomé, entre outros.

Parte não abordada em vários textos apontados é a questão da distribuição desigual de bens entre as regiões e os componentes da população brasileira. Não se trata simplesmente da média população/PNB — Produto Nacional Bruto —, mas da desigualdade de acesso à educação, à saúde, à moradia, ao transporte, aos bens culturais, aos direitos de cidadania, à representação política para a própria formulação dos problemas. Mesmo assim, é possível perceber que a reflexão sobre as relações região-nação é a porta de entrada para desnudar um vasto quadro de questões sociais.

SUGESTÕES DE LEITURA

BALAKRISHNAN, G. (org.). *Um mapa da questão nacional.* Rio de Janeiro, Contraponto, 2000.

BOURDIEU, Pierre. "A identidade e a representação. Elementos para uma reflexão crítica sobre a ideia de região". *In:* ____. *O poder simbólico.* Lisboa/Rio de Janeiro, Difel/Bertrand Brasil, 1989, pp. 107-32.

ZARUR, G. C. L. (org.). *Região e nação na América Latina.* Brasília/São Paulo, Editora da UnB/Imprensa Oficial do Estado, 2000.

A INSERÇÃO DO BRASIL NO MUNDO

Rubens Ricupero

Se há um tema pouco clássico no pensamento social brasileiro é justamente o das relações internacionais. Elas só se emanciparam como campo autônomo nos últimos 35 anos, o que não quer dizer que não existissem sobre o assunto reflexões esparsas, não sistematizadas, principalmente em obras de história.

Mais do que por estudos teóricos, o passado das relações internacionais do Brasil é constituído quase exclusivamente de intervenções práticas — discursos parlamentares, pareceres e votos do Conselho de Estado, debates de imprensa — em torno de decisões concretas de política externa: negociações de limites, tratados, guerras, alianças. É radical a diferença em relação a outras áreas onde se discutem conceitos intelectuais de explicação da realidade social: o de patrimonialismo, por exemplo. Nas relações internacionais, os elementos do que veio a formar um corpo de pensamento precisam ser extraídos de textos prescritivos, não de obras teóricas inexistentes até data recente.

A pré-história desse pensamento se situa em escritos de defesa da abertura dos portos (1808) por José da Silva Lisboa, futuro visconde de Cairu, ou nas críticas às concessões aos ingleses nos tratados de 1810, publicadas por Hipólito José da Costa no *Correio Braziliense* em Londres. O patrono do jornalismo brasileiro partia dos eventos contemporâneos para analisar teoricamente as diferenças que separavam o Brasil do reino metropolitano.

Em contraste com Portugal, que dependia da proteção naval inglesa na Europa e para as ligações transatlânticas com as colônias, o Brasil gozava de localização geográfica que lhe garantia relativa segurança estratégica, sem necessidade da proteção da esquadra britânica. Entre a economia lusa e a da Inglaterra, a complementaridade era tão completa que a troca de vinho por tecidos de lã tinha se consagrado como o exemplo clássico das vantagens comparativas citado por David Ricardo. Não era o que ocorria com os produtos brasileiros, concorrentes das colônias de Londres, sendo inconveniente amarrar a economia brasileira ao Reino Unido com concessões tarifárias de longa duração, sem levar em conta as eventuais vantagens que o futuro poderia revelar no intercâmbio com os Estados Unidos.

A abordagem do fundador do primeiro jornal brasileiro antecipava a independência, fundamentando-se na especificidade dos interesses objetivos de natureza política e econômica do Brasil, derivados das características de sua produção e comércio, bem como da localização americana de seu território.

Esse debate se prolonga até meados do século XIX e realça o que vai caracterizar as relações internacionais do Brasil: um processo de redefinição e modernização das modalidades de inserção do país no sistema internacional. Integrado no sistema do capitalismo mercantilista, o território brasileiro foi o cenário por excelência do tipo de colonização cujo sentido, conforme demonstrou o historiador Caio Prado Jr., havia sido o fornecimento aos mercados europeus de bens primários produzidos em grandes unidades trabalhadas pelo braço escravo.

Nada disso se alterou em substância após a independência de 1822, que pouco afetou a estrutura econômico-social. O que muda nesse momento é a forma de integração no sistema internacional, já agora dominado pelo capitalismo industrial de nítida preponderância inglesa.

Do ponto de vista internacional, a independência consiste na modernização do modo de inserção, que cessa de estar subordinada ao anacrônico monopólio comercial, em proveito da metrópole portuguesa decadente, para passar a se conectar e depender do novo centro dinâmico da economia-mundo: a Inglaterra em vias de industrialização.

A modernização da inserção transfere às elites locais parte dos benefícios da acumulação de capital antes monopolizados pela metrópole, mas também traz consigo constrangimentos novos com sérias implicações para a autonomia de funcionamento do país recém-independente: os privilégios tarifários, na raiz da crise fiscal crônica do Império, a humilhante jurisdição especial dos britânicos e, acima de tudo, a pressão para a abolição do tráfico de escravos, que afeta a soberania e põe em risco a escravidão, instituição básica para a sobrevivência do sistema.

As questões internacionais eram, portanto, vitais. O debate em torno delas acompanha a constituição de um conjunto de princípios e orientações cujo sentido geral é o de um processo crescente de afirmação do poder nacional. Este reage às limitações externas iniciais, eliminando em menos de três décadas a preponderância política britânica herdada de Portugal: os tratados desiguais não mais são renovados; as preferências comerciais e a jurisdição especial desaparecem; o tráfico é abolido pelo próprio governo imperial.

Dessa reação à subordinação nascem orientações duradouras: a defesa da soberania até em causas moralmente injustificáveis (o tráfico no passado, a violação dos direitos humanos nos regimes militares); a recusa de assinar acordos comerciais com nações mais poderosas, antepassado remoto da relutância permanente do país em aceitar limitações comerciais potencialmente adversas (como no recente caso da rejeição da Associação de Livre Comércio das Américas — ALCA —, iniciativa de acordo comercial originada nos Estados Unidos).

A separação do Uruguai na desastrosa Guerra da Cisplatina (1828) ocorreu logo nos albores da vida independente, deixando herança perdurável e salutar: apagou para sempre a obsessão colonial com a fronteira "natural" do rio da Prata e demonstrou a inconveniência da incorporação de territórios povoados por hispânicos. Apesar de império no nome, o Brasil não teve tradição de política "imperial" nem na teoria nem na prática, ao contrário dos americanos com sua doutrina do "destino manifesto" ou do expansionismo russo no Extremo Oriente.

Para todos os efeitos práticos, a expansão territorial se havia concluído por ocasião do Tratado de Madri (1750). A política territorial brasileira será mais de consolidação da expansão já registrada no passado do que de aquisição de conquistas novas. A doutrina do *uti possidetis de facto*, que começa a ser definida no Império para ser consagrada mais tarde pelo barão do Rio Branco, é a expressão da defesa do *status quo*. Também é basicamente defensiva a doutrina do fechamento do Amazonas à navegação internacional durante a monarquia e a aparentemente contraditória advocacia da livre navegação do rio da Prata, para acesso à distante província de Mato Grosso.

Da mesma forma, a política das intervenções em questões platinas, tal como delineada por seu iniciador, o visconde do Uruguai, a partir de 1850, se reveste de uma ideologia defensiva: a necessidade de evitar o surgimento no Uruguai e sobretudo na Argentina de regime que ameace a integridade e a segurança do Império. Ou que reconstitua o Vice-Reinado do Prata, desequilibrando contra o Brasil um jogo de poder até então de relativa igualdade e simetria. É nesse contexto que se vai inserir a Guerra da Tríplice Aliança contra o Paraguai (1864-70).

O primeiro paradigma abrangente da política externa brasileira surge com o barão do Rio Branco, ministro das Relações Exteriores de 1902 a 1912, que contou em alguns aspectos com a colaboração, quase coautoria, de Joaquim Nabuco. Rio Branco priorizou a solução sistemática, por meio de negociações e arbitragens, das questões de fronteiras com os vizinhos, consolidando em definitivo o perfil territorial do país. Ao mesmo tempo, reorientou o eixo da diplomacia de Londres para Washington, estabelecendo com os Estados Unidos pragmática aliança "não escrita": o Brasil apoiava nos foros internacionais e hemisféricos o poder americano em ascensão e esperava em troca o apoio dos Estados Unidos contra ameaças do imperialismo europeu e sua ativa neutralidade, se não sustentação, em relação aos vizinhos hispânicos, com os quais tínhamos litígios, sobretudo a Argentina, o Peru e a Bolívia, os dois últimos por causa do Acre.

Um elemento complementar dessa política era a colaboração para a criação da futura União Pan-Americana, sob a hegemonia dos Estados Unidos, devendo-se a Nabuco, em boa medida, a conceituação de que existiria um "sistema internacional americano" benigno e pacífico, em contraste com o "sistema beligerante" do concerto europeu, dominando o velho continente, além da África e da Ásia. Nesse contexto, o Brasil pretendia desempenhar papel de intermediário entre Washington e os hispano-americanos e, em âmbito mais amplo, buscava ativamente o reconhecimento e o prestígio internacionais para a crescente irradiação da influência brasileira.

Fora os documentos oficiais — notas diplomáticas, exposições de motivos, defesas em arbitragens —, as ideias inspiradoras da diplomacia se encontram quase exclusivamente em discursos, conferências e artigos jornalísticos. A principal voz discordante é a de outro diplomata, Oliveira Lima, que ataca a conivência brasileira com os desmandos ianques no México, na América Central e no Caribe, pregando um entendimento mais estreito com a Argentina e os hispânicos em geral, e a volta a uma orientação pró-europeia.

Não obstante uma ou outra discordância como essa, a política de Rio Branco se impõe pelos êxitos, tornando-se virtual unanimidade nacional. Seu autor, considerado insubstituível, atravessa os governos de quatro presidentes e só deixa o Itamaraty pela morte.

Esse paradigma vai dominar boa parte do século XX. Ganha poderoso reforço com a aliança militar da Segunda Guerra sob a égide de Getulio Vargas e do chanceler Osvaldo Aranha, a cessão de bases, o envio de tropas à Itália, o financiamento americano para a siderúrgica de Volta Redonda. Findo o conflito, a Guerra Fria, coincidindo com o anticomunismo do governo Dutra, cria fato inédito: a diplomacia passa a ser vista como a continuação externa da luta interna contra a subversão, tendência que se prolonga e se acentua em momentos como o da implantação do regime militar em 1964.

Antes disso, Jânio Quadros tinha inaugurado em 1961 a chamada Política Externa Independente, reafirmada, após seu breve governo, pelos ministros San Tiago Dantas e Araújo Castro, sob João Goulart. Visa tomar o lugar do antigo paradigma, intitulado depreciativamente de "alinhamento automático com os Estados Unidos". Conforme sugere seu nome, afirma a independência diante das orientações globais e hemisféricas dos Estados Unidos; recusando a lógica da Guerra Fria, não aceita que os interesses do Brasil coincidam necessariamente com os da aliança ideologicamente anticomunista liderada pelos americanos.

A nova diplomacia favorece a descolonização, que não encara mais pelo prisma ideológico de antes, preferindo salientar a natureza nacionalista dos movimentos de emancipação. Valoriza, nesse sentido, a aproximação com os países recém-independentes da Ásia e da África. Em terreno muito mais controvertido, favorece o reatamento e a intensificação das relações com a União Soviética e os países comunistas, acreditando nos benefícios econômicos do comércio com essas economias, e adota postura positiva em relação ao regime de Cuba.

A crise do paradigma Rio Branco se origina da confluência da evolução mundial com o enfraquecimento da anterior identidade de valores com os americanos por obra do nacional-desenvolvimentismo e do marxismo, reforçada pela decepção dos dirigentes brasileiros com a modéstia da ajuda econômica dos Estados Unidos, por causa das novas priori-

465

dades da Guerra Fria. A crítica feita por um diplomata profissional, o embaixador e ex-ministro de Goulart, Araújo Castro, do que denominava de "congelamento do poder" ditado pelas grandes potências, exercerá grande influência na mudança de paradigma.

Na atmosfera de polarização e radicalização que precede o golpe de 1964, a política exterior pela primeira vez se converte em fator agudo de divisão da opinião pública. O regime oriundo do golpe reorienta a diplomacia para um estreito alinhamento com Washington, do qual recebe substancial apoio político e econômico. A partir de 1967, os dois governos voltam a se afastar por divergências quanto ao rumo ditatorial de Brasília e à recusa brasileira de aderir ao Tratado de Não Proliferação Nuclear (TNP).

Depois de 1974, a abertura iniciada por Geisel cria clima propício à retomada de parte do legado da Política Independente. Conduzida pelo ministro Azeredo da Silveira, a diplomacia estabelece relações com Pequim, reconhece como governo legal em Luanda o governo do Movimento Popular de Libertação de Angola, MPLA, na época apoiado pelos soviéticos e cubanos, aproxima-se dos árabes e vota em favor da resolução da ONU contra o sionismo, assina o acordo nuclear com a Alemanha e denuncia os acordos militares com os Estados Unidos.

A Nova República confirma essa política e a amplia, com a aproximação com a Argentina e a América Latina, a constituição com a Argentina, o Paraguai e o Uruguai do acordo de integração do Mercosul, a acentuação da chamada "diplomacia do desenvolvimento", a renúncia, juntamente com Buenos Aires, do projeto de construir uma bomba atômica e a consequente adesão ao Tratado de Não Proliferação Nuclear. O fim da Guerra Fria e a estabilidade econômica após 1994 favorecem a expansão de política com vistas a aproveitar as oportunidades surgidas para a afirmação de atores médios, o que se traduz, sobretudo, na conquista de lugar permanente no Conselho de Segurança, mas pode assumir outras formas como a constituição de grupos do tipo dos BRICs (Brasil, Rússia, Índia e China), do IBAS (Índia, Brasil, África do Sul), de iniciativas como o acordo mediado com o Irã sobre o problema nuclear etc.

Essa atividade no plano político global é complementada pelo esforço de utilizar a expansão e a estabilidade da economia para consolidar a posição brasileira no Grupo dos 20, que se torna o mais importante foro de coordenação econômica mundial, assim como para ampliar a influência no FMI e no Banco Mundial. Em comércio, a prioridade principal é tentar obter nas negociações da Organização Mundial de Comércio ganhos nos produtos agrícolas onde o Brasil é competitivo.

Um traço marcante da moderna orientação diplomática brasileira é a ação para reforçar o eixo de cooperação Sul-Sul, desenvolvendo o comércio e a coordenação com países da Ásia e da África, dentre os quais a China, hoje o principal parceiro comercial do Brasil. A intensificação da presença do Brasil nesses continentes vem somar-se à linha mais tradicional de construir um espaço de integração econômica e política de participação exclusiva sul ou latino-americana.

No início do século XXI, o Brasil ocupa lugar de crescente relevo nas relações internacionais. Desfruta há 140 anos de paz ininterrupta com os dez vizinhos (desde o fim da Guerra do Paraguai), fato sem paralelos entre países de comparável extensão territorial e número de vizinhos. Entre os cinco países continentais de grande população (Estados Unidos, China, Rússia, Índia e Brasil), é o único que não é potência nuclear, nem militar convencional. De acordo com teóricos contemporâneos das relações internacionais, como o professor Joseph Nye, de Harvard, existiram dois tipos de poder internacional: o *"hard power"*, o poder duro de constranger outros países pela força militar ou pela coerção econômica, e o *"soft"* ou *"smart power"*, o poder suave ou inteligente de persuadir e convencer pela diplomacia, os argumentos e o exemplo. O Brasil desfruta de situação singular por ser dos raros casos de ator internacional em franca ascensão cujo prestígio deriva não do poder das armas, que não possui, mas quase com exclusividade do chamado "*soft power*", o poder suave da influência e da persuasão diplomática.

SUGESTÕES DE LEITURA

ALMEIDA, Paulo Roberto de. *O estudo das relações internacionais do Brasil.* Brasília, LGE, 2006.

CARVALHO, Carlos Delgado de. *História diplomática do Brasil.* Brasília, Senado Federal, 1998.

CERVO, Amado L. e BUENO, Clodoaldo. *História da política exterior do Brasil.* Brasília, Ibre/UnB, 2002.

RELIGIÕES NO BRASIL

Antônio Flávio Pierucci

Três em cada quatro brasileiros se consideram católicos. Pelas contas do Censo 2000, para uma população total de 170 milhões de habitantes o Brasil entra no século XXI com 125 milhões de católicos declarados. Em números exatos: num total de 169 799 170 brasileiros, o Censo encontrou 124 976 912 católicos, praticamente três quartos (74%) da população residente total.

Quer dizer que no início do terceiro milênio ainda é possível a este país, o maior e mais populoso da "América católica", continuar ostentando com fundamento em dados estatísticos cientificamente controlados e religiosamente isentos sua histórica posição de nação com hegemonia católica, que um dia lhe valeu o desgastado título que o aclama como "o maior país católico do mundo". Tradicionalmente autoaplicado por seus habitantes em conotações que, a bem da verdade, sofrem polarizações e inflexões de toda espécie e grau, que vão do contentamento envaidecido sem ressalvas ao lamento aborrecido sem reservas, a plausibilidade deste superlativo identitário — "o maior país católico do mundo" — pode estar com os dias contados.

Não obstante a permanência ininterrupta da enorme desigualdade em tamanho e estatura das religiões no Brasil, não é mais possível, nos dias que correm, desconhecer que a sociedade brasileira está passando por um processo de transição religiosa que é notório. Visível a olho nu. Mas não só, uma vez que se trata de um processo que tem sido há décadas acompanhado atentamente, e comprovado a frio reiteradamente, pelas estatísticas censitárias. Esse lento vir a ser, ao mesmo tempo matemático e falastrão, vai pouco a pouco desfigurando nosso velho semblante cultural com a introdução gradual, mas nem por isso menos corrosiva, de estranhamentos e distâncias, descontinuidades e respiros no batido ramerrão do imaginário religioso nacional. Com efeito, hoje se assiste em nosso país a um vigoroso movimento de *transição demográfico-religiosa* que já assumiu a forma de progressiva migração de contingentes católicos para outras religiões. Ou mesmo para *nenhuma*, como atesta o formidável crescimento da porção de brasileiros que se declaram sem religião. Pouquíssimos que eram até 1980, quando representavam só 1,6% da população, em 2000 os sem religião saltam para 7,3%, exibindo-se com um número absoluto superior a 12,3 milhões (ver tabelas 1 e 2).

Aumenta a migração religiosa? Isso pressupõe liberdade de escolha religiosa. Que por sua vez redunda em expansão, ou quando menos em reforço, da diversidade religiosa. Interessante indicador numérico da multiplicação dessa diversidade no Brasil veio à tona justamente numa publicação do IBGE destinada a apresentar e comentar o Censo 2000. Ali se conta que, à pergunta única e aberta "qual é sua religião?", os recenseadores obtiveram nada menos que 35 mil respostas diferentes. É religião que não acaba mais. Variedade religiosa assim tão copiosamente professada ante agentes de controle credenciados pelo poder público não deixa de aparecer como um claro sinal da largueza com que a liberdade de crença e culto é atualmente experimentada em nosso país. Mas, devagar com o andor!

Livre concorrência religiosa foi para onde acabou tendendo, na modernidade avançada, o direito à liberdade religiosa enquanto atividade e exercício isentos da regulação do Estado, o qual se faz laico por deliberação. Não foi desde a primeira hora de sua colonização que o Brasil gozou de liberdade de crença (e descrença), muito menos de uma liberdade religiosa tão grande como esta de que hoje goza e se reapresenta pleiteada vocalmente como condição *sine qua non* de um civilizado convívio entre os religiosamente adversários, ou ressignificada como diversidade cultural a se preservar tanto quanto cumpre preservar a nossa biodiversidade. Hoje no Brasil a diversidade religiosa está sendo revalorizada não só como consequência, mas também e ao mesmo tempo como causa, mola propulsora de uma liberdade religiosa cada vez mais sustentada, afirmativamente reclamada e defendida. Do ponto de vista do título deste verbete, eis aí um relato curto e objetivamente possível de nossa história republicana, história de cuja breve duração, de pouco mais de um século, é possível dizer que tem a mesma extensão da história da vigência formal do estatuto da liberdade religiosa entre nós. Ela vem desde o grande *momentum* secularizador que em 1891, ao se alojar em nossa primeira Constituição republicana, dali de dentro do núcleo formal do Estado desalojou a Igreja.

Cento e poucos anos depois, nunca se viu tanta liberdade religiosa no Brasil como se vê agora. Nunca os profissionais das diferentes religiões se sentiram tão livres, tão à vontade como agora para lutar entre si por todos os meios e a todo momento, a fim de assegurar a reprodução ampliada de suas respectivas igrejas ou comunidades congregacionais. O objetivo de quase todos eles parece ser só um: suas igrejas precisam crescer. Repete-se então no campo religioso brasileiro o que sempre e em toda parte é a consequência de um tal processo de liberalização concorrencial: quem não sobe, desce. Quem não cresce, encolhe. A urgência é tal, que o que mais importa aos profissionais religiosos é converter: "ou converter ou converter!". Ocorre porém que para angariar seguidores uma religião precisa subtrair seguidores... das outras. Converter implica, no fim das contas, "infidelizar" os "fiéis" das religiões concorrentes. Crescer e se propagar significa, para as religiões de conversão, atacar e predar, e o alvo mais imediato e rentável dessa guerra de guerrilha é sempre a religião majoritária — no caso brasileiro, a Igreja católica.

Se assim é, não deixa de ser intrigante observar pela tabela 1 que em termos proporcionais os católicos apareçam no Censo 2000 abarcando ainda três quartos da população total: 74%. No censo de 1991, contudo, sua fatia era bem maior, de 83%, como era maior no recenseamento da década anterior e assim por diante, a taxa de católicos mostrando-se maior à medida que percorremos ao inverso a tabela 1 até os 95,2% cravados pelo catolicismo no Censo de 1940. Já vai longe o tempo em que se declaravam católicos mais de nove entre dez brasileiros. De 1940 para 2000, a taxa nacional de católicos decresceu de 95% para 74%. Seu declínio demográfico é de tal forma escarpado e constante, que parece impor-se ao catolicismo brasileiro como um destino inexorável.

TABELA 1. RELIGIÕES DO BRASIL DE 1940 A 2000, EM PORCENTAGEM

religião	1940	1950	1960	1970	1980	1991	2000
Católicos	95,2	93,7	93,1	91,1	89,2	83,3	73,8
Evangélicos	2,6	3,4	4,0	5,8	6,6	9,0	15,4
Outras religiões	1,9	2,4	2,4	2,3	2,5	2,9	3,5
Sem religião	0,2	0,5	0,5	0,8	1,6	4,8	7,3
total (*)	100,0	100,0	100,0	100,0	100,0	100,0	100,0

(*) Não inclui religião não declarada e não determinada.
Fonte: ibge, Censos demográficos.

Os beneficiários principais do prosseguimento desse processo de transição religiosa em que se acelera o declínio católico são os evangélicos. *Em tempo*: diferentemente do que ocorre nos Estados Unidos, no Brasil o termo "evangélicos" é usado como sinônimo pleno de "protestantes". Isso, desde a chegada do luteranismo em 1824, o qual adotou o nome de "Igreja *Evangélica* de Confissão Luterana no Brasil". Neste país, portanto, evangélico é o nome genérico de um grosso agregado religioso que abarca todas as igrejas do protestantismo histórico (luteranos, presbiterianos, anglicanos, batistas, metodistas, adventistas, menonitas etc.) mais as igrejas pentecostais, sejam as pentecostais estilo convencional (Congregação Cristã no Brasil, Assembleia de Deus, Evangelho Quadrangular, Deus é Amor, O Brasil para Cristo etc.), sejam as *neo*pentecostais, como são classificadas no Brasil (Universal do Reino de Deus, Internacional da Graça de Deus, Mundial do Poder de Deus, Renascer, Sara Nossa Terra etc.).

TABELA 2. AS RELIGIÕES DO BRASIL EM 2000
EM NÚMERO ABSOLUTO E PORCENTAGEM

religião	número absoluto	%
Católicos romanos	124 976 912	73,77
Evangélicos	26 166 930	15,44
Protestantes históricos	7 159 383	4,23
Pentecostais	17 689 862	10,43
Outros evangélicos	1 317 685	0,78
Espíritas	2 337 432	1,38
Espiritualistas	39 840	0,02
Afro-brasileiros	571 329	0,34
Umbanda	432 001	0,26
Candomblé	139 328	0,08
Judeus	101 062	0,06
Budistas	245 87	00,15
De outras orientais	181 579	0,11
Muçulmanos	18 592	0,01
Hinduístas	2 979	0,00
Esotéricos	67 288	0,04
De tradições indígenas	10 723	0,01
De outras religiosidades	1 978 633	1,17
Sem religião	12 330 101	7,28
Declaração múltipla	382 489	0,23
brasil (*)	169 411 759	100,0%

(*) Não inclui 387 411 casos de religião não declarada, que correspondem a 0,23% da população total, que é de 169 799 170 habitantes.

Foi nos últimos vinte anos do século XX que as taxas de crescimento do conjunto dos evangélicos mais subiram (tabela 1). E foi durante os anos 1990 que eles atingiram um crescimento de fato extraordinário; no intervalo de uma década cresceram a uma taxa próxima de 100%. Ou seja, dobraram de tamanho, saltando de 13 para 26 milhões. Se se ajusta mais o foco para observar por dentro o avantajado crescimento evangélico, vai-se constatar que o verdadeiro protagonista dessa admirável expansão do protestantismo ou, dito pelo avesso, o principal agente acelerador do declínio católico é o movimento pentecostal. Desde a década de 1980, quando passam a gozar de maior visibilidade pública, mais tempo no rádio e na TV, mais poder político partidário e representação parlamentar, os pentecostais dobram de tamanho a cada decênio: eram 3,9 milhões em 1980, 8,8 milhões em 1991 e 17,7 milhões em 2000. Apesar da existência de centenas de denominações pentecostais pequenas e médias, pelo Censo 2000 são quatro as que congregam mais de 1 milhão de adeptos cada uma: Assembleia de Deus (8,4 milhões), Congregação Cristã no Brasil (2,4 milhões), Universal do Reino de Deus (2,1 milhões) e Evangelho Quadrangular (1,3 milhão).

Tornados minoritários no campo evangélico, os protestantes históricos saltam de 4,4 milhões em 1991 para 8,5 milhões no Censo 2000. Crescem bem. Menos que os pentecostais, é verdade, porém no conjunto aparecem recuperando taxas mais altas de crescimento. As cinco maiores denominações concentram 80% dos protestantes históricos: os batistas são 3,1 milhões; os adventistas, 1,2 milhão; os luteranos, 1 milhão; os presbiterianos, 981 mil; e os metodistas, 341 mil.

A significação cultural mais promissora desse consistente crescimento evangélico pode estar no fato de que ele torna definitivo, isto é, sem volta, o processo de pluralização do campo religioso brasileiro. A presença protestante cada vez mais contundente no cenário religioso brasileiro, bem como sua participação ostensiva na esfera pública (tanto política quanto midiática), foram fatores decisivos na proeza, para todos os efeitos *histórica*, de pôr em xeque pela primeira vez, mas já de forma categórica e inapelável, a tradicional associação entre catolicismo e identidade nacional. Contabilizando os que se declaram católicos numericamente em queda e os que se declaram evangélicos em franca ascensão numérica, o Censo 2000 parece ter capturado quantitativamente, no limiar do terceiro milênio, esse movimento progressivo de equilibração demográfica entre os dois maiores grupos religiosos do Brasil atual. Eis, desenhado em traços firmes para o Brasil que vem, um croqui identitário que é novo e diferente, embora se mantenha 90% cristão.

Outro grupo religioso que há tempos aparece crescendo no Brasil, e continua a crescer, é o dos adeptos do espiritismo kardecista. Com seus 2,3 milhões de adeptos segundo o Censo 2000, o kardecismo, também conhecido como "espiritismo de mesa branca", ocupa com porte bastante considerável a quarta posição no *ranking* nacional de grupos religiosos. Os kardecistas — muitos dos quais, vale frisar, se dizem cristãos de pleno direito — crescem entre os citadinos de escolaridade elevada e alta renda.

Em suma, crescem os espíritas, os sem religião e os evangélicos, principalmente os pentecostais. Do ponto de vista do catolicismo, uma verdadeira sangria de desfiliações por livre escolha, de apostasias eletivas, cujo fluxo vem se tornando e se mostrando, a partir das duas últimas décadas do século XX, sempre mais massivo no volume e acelerado no passo. Nisso pode estar contida, notar bem, uma demonstração de que no Brasil já se alcança aquele moderníssimo patamar de fruição de fato do direito constitucional à liberdade religiosa, que em jargão emprestado da economia podemos chamar de livre concorrência religiosa ou, vendo a coisa pelo outro lado, de superação de toda uma era de monopólio católico.

Enquanto isso... o conjunto das religiões afro-brasileiras, composto por umbanda, candomblé e suas variantes regionais, registra, ao lado do catolicismo, declínio numérico. Porém, nesse caso, com efeitos ainda mais perversos, visto se tratar de grupos religiosos numericamente pequenos. Pois bem, os brasileiros que se declaram adeptos das religiões de matriz africana estão diminuindo mais ainda. Em números absolutos, caem de 678 714 adeptos em 1980 para 571 329 em 2000; em números relativos, de 0,6% em 1980 para 0,3% em 2000. Na ponta do lápis, os números censitários apontam com toda clareza e frieza para os filiados aos grupos religiosos afro-brasileiros — os quais, por definição, já são de tamanho pequeno: "famílias de santo" —, que nos últimos vinte anos vêm se reduzindo mais ainda. Sofrem evasão e abandono, sufocados em suas bases sociais pelo colossal crescimento pentecostal e diuturnamente atacados em suas práticas rituais pela ira bíblica do discurso neopentecostal de hostilidade explícita à "feitiçaria" e aos "feiticeiros".

Isto pode parecer incrível, mas é real: no campo religioso brasileiro, o segmento das religiões consideradas "brasileiríssimas" também se encontra em declínio. Verdadeiro desmatamento com risco de extinção de uma parcela substancial da nossa biodiversidade religiosa de raiz genuinamente popular.

SUGESTÕES DE LEITURA

CAMARGO, Candido Procopio Ferreira de. *Católicos, protestantes, espíritas*. Petrópolis, Vozes, 1973.

CAMPOS, Leonildo Silveira. *Teatro, templo e mercado: organização e marketing de um empreendimento neopentecostal*. Petrópolis, Vozes, 1997.

FRESTON, Paul (org.). *Evangelical Christianity and democracy in Latin America*. Nova York, Oxford University Press, 2008.

MARIANO, Ricardo. *Neopentecostais: sociologia do novo pentecostalismo no Brasil*. São Paulo, Loyola, 1999.

PRANDI, Reginaldo. *Segredos guardados: orixás na alma brasileira*. São Paulo, Companhia das Letras, 2005.

TEIXEIRA, Faustino e MENEZES, Renata (orgs.). *Catolicismo plural: dinâmicas contemporâneas*. Petrópolis, Vozes, 2009.

SAÚDE PÚBLICA OU OS MALES DO BRASIL SÃO

Gilberto Hochman

Desde o último quartel do século XIX a saúde tem frequentado a agenda intelectual e política brasileira menos pela sua afirmação e muito mais pelo seu avesso, ou seja, pela doença. Viajantes, jornalistas, literatos, médicos e cientistas sociais registraram e refletiram sobre as moléstias dos trópicos, as enfermidades dos escravos africanos e dos imigrantes, as doenças da cidade e as do meio rural, as patologias da modernidade e as do subdesenvolvimento. A magnitude da insalubridade do Brasil e dos brasileiros foi por todos observada, mas variou de ênfase e de foco ao longo do tempo, diferenças essas associadas a contextos específicos da história política, econômica e intelectual brasileira, assim como da história da saúde e da ciência. "O Brasil ainda é um imenso hospital": a célebre denúncia do médico Miguel Pereira em outubro de 1916 tornou-se por décadas a metáfora do país capaz de mobilizar gerações, tanto para sua reafirmação como epitáfio do Brasil, quanto para sua negação em um diapasão ufanista ou para seu reconhecimento e busca de superação. Como seria possível um país se libertar dessa marca profunda? Em 1955, o médico Juscelino Kubitschek acreditava, com seu otimismo de candidato a presidente da República, que o país já tinha superado os seus mais graves problemas sanitários, e alertava que o "Brasil não seria só doença".

Em raros momentos, como nas décadas de 1910 e de 1980, a saúde ocupou lugar destacado na agenda política brasileira. Não por coincidência, foram períodos em que a reforma sanitária foi debatida no Congresso Nacional e ganhou espaço nas páginas da imprensa, saindo de sua reclusão em consultórios, laboratórios, gabinetes, salões de associações e repartições. Todavia, o "país doente" jamais deixou de incomodar as elites médicas e intelectuais. Uma pergunta as perseguiu: como seria possível construir um Brasil civilizado, moderno e desenvolvido com populações doentes e espaços insalubres? Nas suas respostas, a saúde e a doença estiveram intimamente associadas ao debate sobre identidade nacional, sobre incorporação de populações e territórios e sobre o papel do Estado. Desse modo, médicos e sanitaristas são, também, intérpretes do Brasil.

Durante mais de um século a miscigenação racial, a natureza, o clima, a imigração, a cidade, o analfabetismo, a cultura popular e a bacharelesca, as elites governantes, o sistema político, a estrutura fundiária e o capitalismo foram acusados — individualmente ou em associação —, pelo criminoso estado sanitário do país e pela miséria e o analfabetismo que o acompanhava. O status de determinadas doenças consideradas *patologias da pátria*, por sua vez, foi menos variável. Das doenças então chamadas de pestilenciais — ou epidêmicas — do final do século XIX e do início do XX, algumas eram consideradas como vindas "de fora", como as dramáticas epidemias de cólera, outras como "de dentro", tais como a febre amarela, a varíola e a peste bubônica, que poderia ser também importada. E junto com os imigrantes amontoados na terceira classe dos navios vindos da Europa aportava também o tracoma, uma infecção ocular. Em uma economia agrário-exportadora, a saúde dos imigrantes e a salubridade dos portos, e principalmente da capital federal, eram fundamentais para garantir a continuidade dos fluxos de pessoas e de mercadorias. Epidemias manchavam a reputação da cidade do Rio de Janeiro e de um país ansioso por ingressar no mundo civilizado. Reformas urbanas e respostas mais organizadas e bem-sucedidas a essas epidemias na primeira década do século XX possibilitaram os primeiros passos tanto da institucionalização da saúde pública como da microbiologia que a sustentava, sob a direção de Oswaldo Cruz.

Os relatos e as experiências das viagens científicas do Instituto Oswaldo Cruz ao interior do Brasil nas duas primeiras décadas do século XX deslocaram com verve euclidiana a ênfase da saúde pública do litoral para os sertões, que passaram a significar onipresença das doenças e a completa ausência de poder público. Esse desconfortável encontro entre os médicos do litoral e as populações doentes e miseráveis dos sertões, sem nenhum sentimento de brasilidade, foi o que indignou Miguel Pereira e toda uma geração de médicos e cientistas que lutaria pelo saneamento rural, por uma reforma dos serviços sanitários que ampliasse seu alcance territorial e suas atribuições. Seriam as "doenças do Brasil", na perspectiva defendida pelo médico e cientista Carlos Chagas desde 1910, as que deveriam merecer a atenção dos governos e dos cientistas. Isto é, as endemias rurais, as doenças dos sertões, do interior do Brasil. A "trindade maldita", alvo da retórica e ação do médico Belisário Penna a partir de 1916, ou seja, a malária, a doença de Chagas e a ancilostomíase, permaneceriam em lugar de destaque na agenda sanitária brasileira, somada à lepra, à sífilis e à tuberculose, e a mais uma dezena de outras doenças infecciosas e parasitárias.

As patologias do Brasil estavam associadas a múltiplas representações dos sujeitos doentes a serem salvos pela medicina pública e transformados em brasileiros. Além dos sertanejos, caipiras e as populações do interior, vítimas das endemias rurais, fizeram parte dessa lista de infelicitados: os ex-escravos, os habitantes pobres das cidades, moradores dos cortiços e das favelas, os imigrantes, as mulheres e as crianças, os trabalhadores informais e os camponeses. E, por muito tempo, as populações indígenas permaneceram invisíveis para a saúde pública institucionalizada, muitas vezes dissolvidas na identidade de caboclos, outras como parte de uma população do interior do Brasil, ou submetidas à administração de outras burocracias. O médico Noel Nutels seria aquele que buscaria promover a conexão entre os serviços nacionais de saúde e os indígenas já no início da década de 1950.

Um dos poucos consensos estabelecidos no primeiro século republicano foi de que caberia ao poder público, e na maioria das formulações ao Estado nacional, a responsabilidade de nos livrar de todos esses males. Essa concepção derivava, entre outras, da percepção de que doenças transmissíveis (em suas formas endêmicas ou epidêmicas) eram fenômenos da crescente e complexa interdependência social do mundo moderno, e que seus efeitos negativos não poderiam ser minorados ou suprimidos apenas por ações e soluções individuais ou voluntárias. Consagrada no último quartel do século XIX, a ideia de contágio e de transmissibilidade das doenças demandava mudanças nas relações entre indivíduos e modificava o papel dos governos em assuntos de saúde. A filantropia religiosa ou laica, comuns no campo da saúde e da assistência social, teria um lugar neste mundo, mas se tornaria complementar. O Estado seria percebido como o único capaz de agir legítima, técnica e coercitivamente sobre territórios e populações, impedindo ou compensando os efeitos negativos das doenças transmissíveis. Um dos grandes debates foi, e continua sendo, sobre os limites da liberdade individual diante do conjunto da sociedade quando se trata de doenças que "se pegam". Essa perene demanda centralizadora e estatizante, nunca realizada em sua plenitude, pode ser encontrada em outras experiências nacionais de formação de aparatos de saúde pública na Europa e nas Américas do Norte e Latina no mesmo período.

Nas quatro primeiras décadas do século passado, independentemente de qual tenha sido a patologia eleita como problema nacional, os projetos e políticas que visaram melhorar as condições de saúde dos brasileiros estiveram associados a críticas ao liberalismo, ao federalismo, às oligarquias, ao coronelismo e, de modo geral, à denúncia da incapacidade dos estados e municípios em produzirem bens e serviços públicos. Para alguns membros da elite médica, como Miguel Pereira, Miguel Couto e Carlos Chagas, seria possível convencer as elites políticas — que lhes eram muito próximas — da necessidade de uma ação positiva do governo central para além do litoral, sem contestar diretamente o pacto oligárquico que o sustentava. Afinal, como lembrava o médico e escritor Afrânio Peixoto, os sertões, seus doentes e famélicos estavam logo ali, no final da avenida Central, o grande *boulevard* da então capital. Tão perto do poder central, mas ainda longe da consciência nacional.

Porém, o pensamento nacionalista, centralizador e autoritário adquiriu um vezo próprio na saúde pública brasileira. Diante dos desafios da interdependência sanitária e da percepção de uma sociedade inexistente, desorganizada ou dominada por interesses particularistas, o Estado forte surge para muitos como a instituição capaz tanto de organizá-la como de prover um bem público como a saúde. Na tradição do pensamento nacionalista e autoritário, é possível encontrar um parentesco ideológico entre Belisário Penna, o apóstolo radical do saneamento rural na Primeira República, e João de Barros Barreto, o médico burocrata que formulou e implementou a reforma da saúde no Estado Novo. A reforma sanitária alcançada em 1920, e que ampliara as atribuições e alcance dos serviços sanitários a despeito do federalismo, lançou as bases de uma centralização e de um intervencionismo estatal mais pujante do primeiro governo Vargas. Apesar do traço autoritário e nacionalista desses e de outros intelectuais da saúde, a cooperação internacional foi, em geral, muito bem-vinda. A Divisão Sanitária Internacional, braço sanitário da filantropia da Fundação Rockefeller, foi uma permanente parceira dos serviços sanitários federais e estaduais entre as décadas de 1910 e 1940. A cooperação técnica internacional ajudaria a produzir, a partir da difusão de certos modelos biomédicos, autoridade pública no campo da saúde.

Diante dos males do Brasil, proposições de se "trocar de povo", branqueá-lo, de impedir o ingresso de grupos considerados inferiores ou de se eliminar indivíduos ou excluir grupos considerados não assimiláveis ou degenerados obtiveram audiência, mas certamente as propostas eugênicas duras não foram hegemônicas. Apesar do desconsolo das elites políticas e dos intelectuais, provocado pela cíclica revelação de um vasto hospital habitado por um povo doente, a maioria das propostas e dos proponentes era de algum modo otimista em relação ao futuro do país e empática com esses homens e mulheres que deveriam ser colocados sob os cuidados do Estado via políticas de educação e saúde. Entretanto, foram projetos e políticas que não portavam dimensões democráticas. Ampliavam o alcance da saúde pública, mas não reconheciam seus beneficiários como agentes e interlocutores. Desse modo, tinham afinidades com a tradição da medicina, dos médicos e de suas práticas, sempre hierárquicas e monopolistas dos saberes sobre a saúde e a doença. Uma nação imaginada como civilizada ou desenvolvida era o que animava movimentos e ideias sobre saúde pública, não tanto aqueles que seriam objetos de sua intervenção saneadora. Esses seriam incorporados, muito lentamente, pacientes, subordinados e afônicos.

A ampliação hierarquizada e segmentada da proteção à saúde se iniciou com propostas e ações ainda na oligárquica Primeira República, mas ganhou velocidades, magnitudes e direções diferentes durante as décadas que se seguiram ao seu ocaso. Prosseguiu na Era Vargas, no período nacional--desenvolvimentista e no regime militar. No primeiro governo Vargas (1930-45) se estabeleceu uma divisão política e institucional entre saúde pública e previdência social que perduraria por meio século. Categorias profissionais reconhecidas formalmente pelo Estado obtiveram cidadania (regulada, conforme afirma o cientista político Wanderley Guilherme dos Santos) associada a direitos sociais, tais como aposentadoria e pensões, e assistência médica no âmbito da previdência social. Nesse circuito de bens corporativos diferenciados ingressaram marítimos, portuários, bancários, comerciários, industriários, funcionários públicos e trabalhadores de transportes e cargas, todos na década de 1930. Cada qual com seu Instituto de Aposentadoria e Pensões, cada qual com sua cesta de bens e serviços. Os trabalhadores rurais e a população do interior estariam excluídos dessa política, assim como aqueles trabalhadores urbanos que não pertenciam a essas categorias, que não tinham capacidade de pressão e interlocução e ficavam dependentes da assistência pública. Coube à saúde pública institucionalizada atender a esse amplo, diverso e difuso grupo daqueles não organizados e não incorporados ao mundo urbano via trabalho formal. A unificação dos diferentes sistemas de proteção social por categorias profissionais foi feita pelo governo militar em 1967, com o intuito de desarticular o poder dos sindicatos. A dualidade entre saúde pública e assistência médica previdenciária só terminaria nos anos 1990.

A experiência democrática de 1945-64 não alterou profundamente essa perspectiva estatista, nem as estruturas de saúde criadas no período anterior. Foram tempos de "otimismo sanitário", isto é, de crença de que as novas tecnologias disponíveis — inseticidas, antibióticos e vacinas — possibilitariam a eliminação das principais doenças transmissíveis via ações governamentais. Porém, os desafios da saúde pública ficariam mais complexos nos anos 1950 com a Guerra Fria, com os desafios do desenvolvimento e com o crescente ativismo societário e das organizações internacionais e de cooperação bilateral. Do ponto de vista político, tensões e revisões percorreriam o pensamento sanitarista brasileiro, fraturando a sociedade e os intelectuais brasileiros em tempos de desenvolvimento, tal como expressas pelo médico e nutrólogo Josué de Castro, ao classificar o dilema brasileiro como sendo "pão ou aço": se o controle ou a erradicação das doenças transmissíveis seria um pré-requisito para o desenvolvimento ou, embora o controle das doenças fosse necessário, o desenvolvimento socioeconômico seria um pré-requisito para a melhoria da saúde da população. Do mesmo modo, campanhas contra as doenças deveriam ser dirigidas verticalmente contra cada doença específica, como se consolidara no Estado Novo, ou a compreensão de que as campanhas contra as doenças deveriam ser dirigidas de modo coordenado e integrado — e mesmo descentralizado — em relação a um conjunto de doenças e deveriam envolver a promoção de condições básicas de infraestrutura sanitária. Porém, para sanitaristas, tais como Mário Pinotti e Mário Magalhães da Silveira, associados a diferentes matrizes do pensamento desenvolvimentista, a questão democrática continuava pouco saliente e o Estado continuava sendo o protagonista na remoção dos obstáculos ao desenvolvimento, fossem eles sanitários ou estruturais: as endemias rurais ou o subdesenvolvimento. Para o parasitologista e comunista Samuel Pessoa, a solução seria a reforma agrária. O golpe civil-militar de 1964 abortou também a continuidade desse debate e as expectativas de mudanças na direção de uma saúde pública mais descentralizada, horizontal e mesmo democrática.

Direitos, cidadania, universalismo, democracia e participação só começaram a visitar as políticas de saúde — e as políticas sociais de um modo geral — nos anos 1980, como componentes e como expressão da luta pela democracia, durante a ditadura militar. Passaram a frequentar a agenda setorial a partir de meados dos anos 1970 e alcançaram a agenda política nacional com a redemocratização do país em 1985. Os temas da descentralização, do controle social e do direito universal à saúde, com a reversão do modelo instituído na Era Vargas, foram alçados ao topo de uma agenda reformista. Sua expressão máxima realizou-se na Constituição de 1988, que estabeleceu a saúde como "direito de todos e dever do Estado" e se materializou no Sistema Único de Saúde. Portanto, a associação entre saúde, democracia e cidadania, e mesmo desenvolvimento, é muito recente na história política, intelectual e sanitária do Brasil e continuamente revista e desafiada pelos novos e velhos problemas de saúde.

Para além das mudanças políticas mencionadas, a partir dos anos 1970 os processos acelerados de industrialização, urbanização e modernização do campo, e mais recentemente globalização e mudanças ambientais, tiveram impacto na saúde da população. A agenda tradicional da saúde pública forjada desde os anos 1910 — doenças infecciosas e parasitárias e desnutrição — manteve-se, ainda que declinante. Grandes avanços foram obtidos, como, por exemplo, a erradicação da varíola e da poliomielite, além do declínio da desnutrição e da mortalidade infantil. Porém, novos desafios se apresentaram para o sistema de saúde e seus profissionais com as transformações econômicas, sociais e demográficas do Brasil: as doenças do envelhecimento, as doenças da "afluência", as novas enfermidades e epidemias como as de HIV-Aids e de influenza; a violência e os acidentes, doenças do trabalho, a obesidade e os distúrbios nutricionais; a reemergência de doenças como a dengue e a insistente desigualdade em saúde. Neste século, uma das novidades é o esforço de se compreender os determinantes sociais da saúde, entendida como fenômeno complexo. Este exige perspectivas menos biologizantes e mais multidisciplinares e multiculturais para informar ações de governo e da sociedade. As perguntas e as respostas se transformaram, mas a frase instigante com que o irreverente Macunaíma assinou o livro de visitas do Instituto Butantã ainda não foi apagada: *pouca saúde, muita saúva, os males do Brasil são...*

SUGESTÕES DE LEITURA

FONSECA, Cristina M. O. *Saúde no governo Vargas (1930-45) — Dualidade institucional de um bem público.* Rio de Janeiro, Editora Fiocruz, 2007.

HOCHMAN, Gilberto. *A era do saneamento — as bases da política de saúde pública no Brasil.* São Paulo, Hucitec/Anpocs, 1998.

LIMA, Nisia T. Lima e GERSHMAN, Silvia *et al.* (orgs.). *Saúde e democracia. História e perspectivas do SUS.* Rio de Janeiro, Editora Fiocruz, 2005.

MONTEIRO, Carlos Augusto Monteiro (org.). *Velhos e novos males da saúde no Brasil.* 2ª ed. ampliada São Paulo, Hucitec, 2000.

SANTOS, Wanderley Guilherme dos. *Cidadania e justiça — a política social na ordem brasileira.* 2ª ed. revista e atualizada. Rio de Janeiro, Campus, 1987.

SEGURANÇA PÚBLICA: DIMENSÃO ESSENCIAL DO ESTADO DEMOCRÁTICO DE DIREITO

Luiz Eduardo Soares

Está aí um daqueles temas sobre os quais todo mundo tem opinião. Quando todos conhecem o assunto, entramos em área de perigo e o alerta do pesquisador dispara. Por um motivo muito simples: o excesso de notícias, conversas e opiniões transmite a impressão de que falamos da mesma coisa e concordamos quanto ao essencial, o que pode ser — e, frequentemente, é — falso. O melhor a fazer, então, é esquecer o que sabemos sobre segurança e recuar para o estágio preliminar, respondendo à pergunta mais simples: o que é segurança pública?

A resposta parece óbvia, mas não é. Testemos uma primeira hipótese: segurança descreve uma situação da vida social em que não ocorrem crimes ou em que eles são raros. Ou: segurança é o nome que se dá a um estado de coisas que caracteriza a vida social quando ela é pacífica e transcorre sem crimes, afirmando-se, portanto, a plena vigência do respeito às leis. Ou ainda: segurança é a qualidade que distingue sociedades sem crime — ou quase desprovidas de crimes. Elas seriam sociedades "seguras"; nelas os indivíduos viveriam "em segurança".

Duas objeções: onde há mais crimes? Nos países regidos por Estados autoritários, como Coreia do Norte, China, Cuba e Irã, ou nos Estados Unidos? Pelo pouco que se sabe, há menos crimes sob o totalitarismo. Contudo, o fato de haver menor número de crimes em sociedades politicamente autoritárias não significa que teocracias, fechamento cultural, perseguições, torturas, censura e execuções gerem segurança pública. Afinal, a paz dos cemitérios não figura em nosso sonho feliz de cidade. Resumindo: nem sempre ausência de crimes (ou poucos crimes) corresponde à segurança pública. Basta observar o medo. Supostamente, se há segurança não há medo, pelo menos não há medo constante e difuso de ataques físicos e morais, intervenções arbitrárias e imprevisíveis, abusos, violações, violência. Pois, se é assim, sob o totalitarismo não há segurança, porque o medo é onipresente e corrói a confiança — inclusive nas instituições do Estado, a começar pela Justiça.

Ou seja, o que entendemos por segurança tem menos a ver com crime e mais a ver com confiança e ausência do medo.

Uma explicação para o erro da primeira resposta: crime é o que o Estado define como tal e, por consequência, não pode servir de critério fixo e moralmente digno. Como sabemos, ao longo da história e no mundo contemporâneo, os Estados se organizam das mais variadas maneiras e classificam as ações humanas das mais diversas formas, vendo crimes onde outros identificam virtude e enxergando legitimidade em atos que outros abominam como perversão intolerável. Evitemos, pois, falar em crime sem examinar o valor e o conteúdo de cada prática e de cada qualificação.

Outra resposta insuficiente (a segunda) poderia ser assim formulada: segurança pública é a duradoura ausência de violência — qualquer que seja a sua forma de manifestação — na vida de uma sociedade. Algumas sociedades tradicionais apresentam pequena quantidade de práticas violentas, no espaço público, mas inúmeros casos de violência doméstica contra mulheres e crianças, porque a desigualdade entre os gêneros é sancionada pela cultura e a brutalidade perpetrada contra os filhos é definida como recurso educativo. Quem observasse apenas os dados convencionalmente examinados em pesquisas sobre segurança provavelmente não captaria esses processos dramáticos e em certo sentido subterrâneos. O álibi evocado para justificar a negligência do estudioso seria o adjetivo *público*, como se a experiência dos indivíduos, transposta a porta de casa, deixasse de ser pertinente para a fruição disso que se chama segurança. Ela é considerada *pública* porque afeta a coletividade, constituindo-se em um bem universal. O adjetivo *público*, aqui, não se opõe ao significado de *privado* enquanto sinônimo de *doméstico*, mas a *privado* enquanto *exclusivo*, isto é, correspondendo à qualidade daquilo *que não se compartilha*.

Apesar das virtudes do aposto — estendendo o campo de observação das práticas qualificáveis como violentas, deslocando nosso foco para o mundo doméstico e até para a esfera invisível, porém densa, das relações intersubjetivas —, esse movimento de ampliação traz consigo alguns problemas. A começar pelo fato de que talvez nem toda forma de violência seja negativa e se oponha à segurança. Considere, por exemplo, uma luta de boxe ou um campeonato de artes marciais, rigidamente disciplinados por regras e limites. Segundo a visão de seus mestres, as artes marciais cumpririam papel educativo. Eles fazem questão de enfatizar a diferença entre a violência e a força no esporte, onde é usada com técnica e limitada por normas severas.

Trata-se de um tópico interessante para reflexão. Basta enunciá-lo para mostrar que expandir o campo semântico da violência tem vantagens e desvantagens. Nem sempre seria adequado fazê-lo. Há argumentos críticos que merecem atenção e encontram boas bases na filosofia, na psicanálise e nas ciências sociais. Outro complicador proviria do olhar antropológico sobre a categoria violência. Em diferentes culturas, o que denominamos violência — palavra que como vimos é polissêmica em nossa própria cultura — se divide e se ramifica, e se refrata em múltiplos sentidos, vinculados a cosmologias, crenças e valores os mais diversos. O mesmo vale para as categorias medo, segurança, público, privado, força, autoridade, poder, liberdade, obediência, coerção, direito, dever, individualidade etc. É razoável — ainda que incerto, em virtude da variação de situações entre culturas diferentes e no interior da mesma cultura — definir "violência negativa" como a imposição, por ação ou omissão, de sofrimento evitável ao outro, provocando-lhe danos (físicos ou psicológicos) ou ferindo seus direitos (nesse caso, se o contexto social for regido pelo princípio da equidade e pelo Estado Democrático de Direito).

Uma consequência do reconhecimento da diversidade cultural é a necessidade de restringir essas reflexões às sociedades com Estado. Essa restrição remete a problemática da segurança pública ao Estado, entendido como o aparato institucional que detém o monopólio da violência legítima. Eis aí mais uma acepção positiva da violência, nesse caso definida como o emprego potencial dos meios de coerção (armas, polícias, força organizada) a serviço de objetivos aprovados pela sociedade, porque conformes às determinações legais, sendo a legislação fruto da vontade popular, nos termos instituídos democraticamente pelo Estado Democrático de Direito. Em outras palavras: a violência seria legítima quando empregada pelo Estado para proteger direitos e liberdades, evitando, portanto, a violência ilegítima. Também seria legítima aquela adotada por um indivíduo para defender-se da violência ilegítima. Em todos os casos, a ideia de proporcionalidade cumpre um papel central, uma vez que não se justificaria fazer a outrem um mal maior do que aquele que se procura evitar, em sendo possível calibrar a reação defensiva.

Mas não percamos o fio da meada. A segunda resposta — segurança pública é a ausência de violência — também é insuficiente. Por quê? Simples: se a expressão "segurança pública" se restringir a descrever sociedades em que a violência esteja ausente, vai ter pouco uso. Talvez fosse melhor aposentá-la e não perder mais tempo com ela. Há gradações e mediações da maior importância, e essas diferenças graduais não são pouca coisa. A inviabilidade de prevenirmos inteiramente a violência não significa que não haja gradações de imensa relevância para a sociedade.

Se o "tudo ou nada" não se aplica (ausência de violência ou guerra de todos contra todos), uma terceira resposta pode surgir, inspirada pela necessidade de buscar algum ponto intermediário de equilíbrio, talvez um certo padrão ou alguma medida que fossem razoáveis. Alguém talvez se sentisse disposto a propor a hipótese de que certa média de atos geradores de insegurança seria aceitável, para sociedades de determinado porte, com certas características. Quem sabe, partindo da experiência real de sociedades existentes, que sejam avaliadas pelo senso comum internacional como razoavelmente seguras? Por exemplo, os países nórdicos europeus, de tradição social-democrata, que apresentam ao mesmo tempo baixas taxas de violência (adotando-se uma interpretação frouxa da palavra) e os melhores indicadores mundiais relativos a desigualdade, educação, qualidade de vida, e acesso a bens e serviços, em regimes democráticos. Não seria despropositado tomar esses países como referência e fixar um patamar para definir com mais firmeza e substância o que seria segurança pública. Na medida em que as taxas se afastassem do patamar, negativamente, uma sociedade seria mais insegura. Aproximando-se da referência, tornar-se-ia mais segura.

Nenhum absurdo nessa proposta. Entretanto, sua utilidade também seria questionável. Digamos que um país ou uma cidade reduza à metade as práticas por ela mesma classificadas como inaceitavelmente violentas. Digamos também que essa diminuição dos casos intoleráveis de violência seja perceptível e se sustente ao longo de um tempo razoável. É provável que a população beneficiada por esse declínio da violência sinta-se mais segura e avalie positivamente a segurança em sua cidade, ou país. Ainda que o patamar, isto é, o número de casos, continue elevadíssimo, em termos absolutos. A comparação que realmente lhe importa, aquela que vai sensibilizá-la, é a que se estabelece com sua própria experiência anterior, e não com países ou cidades distantes ou com taxas, números e cálculos abstratos. O mesmo vale na direção oposta.

Se a população valoriza a comparação endógena (consigo mesma), não o faz por ignorância ou falta de cultura sociológica, mas porque é o mais relevante para sua vida. Não é à toa que os formuladores de políticas públicas optam pelo mesmo viés. Afinal, se lhes cabe elaborar políticas e orientar ações que reduzam a violência, de que lhes servem os números eslavos ou patamares artificialmente concebidos por estudiosos preocupados com a definição do conceito de segurança pública? Os dados pertinentes são os que descrevem as dinâmicas em curso na realidade que lhes compete transformar. Os números importantes referem-se aos anos anteriores e ao presente. São essas as referências que fazem sentido para técnicos, governantes e profissionais que atuam na área. Tanto quanto para a população. Sendo assim, uma boa dose de relatividade passa a perturbar as definições gerais e abstratas.

A quarta resposta é também insuficiente: segurança pública é a própria ordem social, desde que seja conforme às determinações legais — "o império da lei e da ordem". O problema dessa hipótese está na reificação da ordem, ou seja, em tratá-la como se fosse uma coisa, um objeto, uma substância, que existe por si mesma, tem permanência e é independente da vontade de quem a compõe e a observa. Pois não existe tal coisa. O que há, quando se declara que a ordem existe, são constelações de indivíduos interagindo de modo dinâmico, segundo certo padrão, quer dizer, confirmando determinadas expectativas, derivadas da observação do passado. A confirmação das expectativas, isto é, a reprodução de certo padrão, não garante a continuidade desse processo de reprodução, ainda que funcione como um preditor poderoso. Um padrão de interações dinâmicas é o modelo que se pode descrever com base no exame da experiência pregressa. Um flagrante desse conjunto de interações dinâmicas é apenas um flagrante, não a fotografia de uma ordem permanente, cuja durabilidade se assemelhe à ideia que fazemos de um objeto físico. Bastaria que os trabalhadores interrompessem suas atividades para que a ordem entrasse em colapso.

A ordem é, na verdade, expectativa de ordem. Ela é uma prospecção. E funciona como uma profecia que se auto-cumpre: na medida em que todos esperam que os demais repitam sua rotina, a tendência é que cada um busque fazê--lo, tornando real a expectativa generalizada, até porque cruzar os braços e ficar em casa, no contexto em que os outros trabalham ou desempenham suas atividades regulares, custaria caro nos mais diferentes sentidos, inclusive econômico. Se a expectativa é de desordem ou se as expectativas predominantes são instáveis, a ordem já foi rompida e a insegurança reina.

Aqui, é preciso cuidado: insegurança pode provir de acidentes naturais, crises econômicas, dramas familiares, epidemias, sendo em essência uma experiência múltipla e polissêmica. Por consequência, segurança pública engloba, potencialmente, essa pluralidade de esferas da vida coletiva. Entretanto, para fins de delimitação analítica e divisão do trabalho entre as instituições do Estado, convém circunscrever nosso objeto, restringindo-o ao plano das experiências relacionadas à paz ou ao uso da força, ao respeito a regras socialmente sancionadas ou à sua ruptura, sobretudo quando estão em risco o corpo, os bens e a identidade moral de indivíduos, e a necessidade de intervenção legítima da coerção do Estado, seja preventiva, seja repressiva, seja reparadora — auxiliando a Justiça criminal.

Revendo o que aprendemos nessa caminhada, chegamos às seguintes conclusões: 1) segurança pública não se reduz à existência ou inexistência de crimes; 2) não se esgota na presença ou ausência de fatos visíveis e quantificáveis, embora diga respeito à relação com a experiência emocional, física e/ou simbólica da violência intolerável; 3) incorpora a dimensão subjetiva, como o medo, que é sempre intersubjetiva, porque experimentada em sociedade; 4) é indissociável de algumas dimensões políticas fundamentais, como democracia ou ditadura, e da regência de formas locais (ou capilares e domésticas) de poder, tirânicas ou libertárias; 5) diz respeito a toda a coletividade; 6) seu alcance envolve as esferas pública e privada; 7) não pode ser definida por um critério fixo e permanente, nem mensurada de forma abstrata e artificial; 8) depende de contextos específicos e de histórias singulares — nesse sentido, é social, histórica e culturalmente relativa, ainda que essa relatividade seja limitada pelos balizamentos substantivos referidos acima (como, entre outros, a prática de violência inaceitável, o regime político e as formas de poder local ou capilar).

Alcançamos, então, uma definição sintética — isto é, capaz de reunir todos os requisitos acima listados — e bastante simples: segurança pública é a estabilização universalizada, no âmbito de uma sociedade em que vigora o Estado Democrático de Direito, de expectativas positivas a respeito das interações sociais — ou da sociabilidade, em todas as esferas da experiência individual. O adjetivo "positivo" sinaliza a inexistência do medo e da violência (em seus significados negativos), e a presença da confiança, em ambiente de liberdade. Corresponde, portanto, à fruição dos direitos constitucionais, em particular daqueles que se relacionam mais imediatamente com a incolumidade física e moral, e à expectativa de sua continuidade ou extensão no tempo, reduzindo-se a incerteza e a imprevisibilidade, o medo e a desconfiança. E assim concorrendo para que círculos virtuosos substituam círculos viciosos — dinâmicas negativas que se retroalimentam, estimuladas por narrativas dominadas pelo medo e pela demonização do outro. Em vez de atitudes defensivas de quem espera agressões e as acaba precipitando, no ambiente seguro predominam posturas desarmadas e cooperativas, que estimulam a difusão de respostas e expectativas sociáveis e produtivas.

Expectativas envolvem percepções sobre o presente, alimentadas por narrativas sobre o passado, e prefigurações do futuro. Trata-se, portanto, de fenômeno plural, por excelência, frequentemente contraditório, subordinado a distintas mediações. Nesse contexto, a mídia opera como importante elo na cadeia das desiguais produções narrativas, concorrendo para a formação diferenciada de expectativas. Essa multiplicidade dificilmente é redutível a uma tendência hegemônica, nas sociedades de massa, o que torna a segurança pública também sujeita a avaliações múltiplas e converte os esforços dirigidos a promovê-la em simples ações orientadas para a redução de danos e para a geração capilar de experiências e narrativas positivas.

A estabilização referida no conceito de segurança pública constitui um processo e, como vimos, é sempre não mais do que uma tendência — que não se realiza como um fenômeno objetivo localizado no tempo e no espaço, e que é vivenciado diferentemente por distintos grupos e indivíduos —, para a qual concorrem diferentes fatores, entre os quais as instituições do Estado cuja função constitucional é oferecer e garantir a fruição desse bem coletivo.

Por isso, entende-se que o papel das polícias, assim como de todas as instituições do campo da segurança pública, é o de atuar, se preciso com o uso comedido e proporcional da força, para prevenir desrespeito aos direitos e às liberdades, promovendo a estabilização generalizada de expectativas positivas, inclusive relativamente a seu próprio comportamento, que não pode trair sua missão constitucional, eminentemente democrática, protetora da cidadania, da vida e da dignidade humana. O acesso à Justiça é componente fundamental do processo de construção interativa, intersubjetiva e multidimensional — isto é, envolvendo Estado e sociedade — da segurança pública, porque esta apenas subsiste caso faça parte das expectativas de indivíduos e grupos a suposição de que eventuais ataques aos direitos — sobretudo os mais sensíveis e diretamente ligados à vida, à integridade física e moral, à liberdade e à propriedade dos bens mais próximos — serão reparados tempestivamente e com equidade.

Qual o impacto prático desse conceito de segurança pública? Se o levarmos a sério, as políticas responsáveis por promovê-la teriam de ser multidimensionais ou intersetoriais, isto é, não se restringiriam a ações policiais, e estas, por sua vez, respeitariam a vida, a equidade, os direitos e as liberdades, rejeitando atitudes que ampliassem o medo e a iniquidade no acesso à Justiça.

SUGESTÕES DE LEITURA

KANT DE LIMA, Roberto. *A polícia da cidade do Rio de Janeiro: seus dilemas e paradoxos*. Rio de Janeiro, Forense, 1995.

ROLIM, Marcos. *A síndrome da rainha vermelha: policiamento e segurança pública no século XXI*. Rio de Janeiro, Zahar, 2006.

SENTO-SÉ, João Trajano (org.). *Prevenção da violência. O papel das cidades*. Rio de Janeiro, Civilização Brasileira, 2005.

SOARES, Luiz Eduardo. *Meu casaco de general; 500 dias no front da segurança pública do Rio de Janeiro*. São Paulo, Companhia das Letras, 2000.

_____. *Legalidade libertária*. Rio de Janeiro, Lumen-Juris, 2006.

Polícia e sociedade. Série publicada pela Edusp, organizada pelo NEV.

TEATRO BRASILEIRO: UMA LONGA HISTÓRIA E ALGUNS FOCOS

J. Guinsburg
Rosangela Patriota

O fenômeno teatral no Brasil está vinculado ao nosso processo sócio-histórico. Essa afirmação pode soar como óbvia, mas se faz necessária porque a predominância dos estudos literários, em certos períodos, fez com que a ênfase analítica recaísse sobre textos teatrais. Essa discussão, por si só, justificaria um estudo. Porém, este ensaio examinará o teatro não sob o ponto de vista dramatúrgico, e sim do teatro em ato.

Quando nos voltamos para o período colonial, em especial no século XVI, deparamo-nos com os autos jesuíticos, sobretudo os de Anchieta. Entretanto, uma análise pormenorizada revela que, em notas esparsas, os livros de Varnhagen, Fernão Cardim e Melo Morais Filho apresentam preciosos indícios acerca dos recursos cênicos e interpretativos dos atuantes nas representações ocorridas nos adros das igrejas e em festas populares. Ainda no que se refere à cena, em 1575, em Pernambuco, foi apresentado o drama *O rico avarento e o lázaro pobre*. Esses espetáculos não visavam apenas ao entretenimento de seu público, pois exerciam funções sociopolíticas e religiosas específicas, como a catequese.

Já no século XVIII, com a ampliação e a diversidade do público, surgem as Casas da Ópera no Rio de Janeiro (1767) e em Vila Rica (1770), além do Teatro Manuel Luiz (RJ). No que diz respeito ao repertório, tanto na mais antiga casa, erigida pelo padre Ventura, quanto no Theatro Manuel Luiz, as evidências apontam para a presença das comédias de Antônio José, consideradas como o que havia de mais atraente na época. De acordo com os registros, na noite do incêndio do teatro de Ventura, *Os encantos de Medeia*, de Antônio José, estava em cena.

O processo de emancipação política, do qual 7 de setembro de 1822 é um marco, não promoveu, de imediato, alterações significativas nas atividades teatrais da jovem nação. Os estudos históricos revelam que, se as peças confeccionadas na colônia não possuíam propósitos definidos, no decorrer do século XIX começou, porém, a surgir um teatro comprometido com a ideia de nacionalidade.

Essa afirmativa ampara-se no fato de que, em 1831, estreou profissionalmente nos palcos cariocas o ator João Caetano. Ele, em 1833, criou sua própria companhia e encenou, em 1838, a tragédia de Gonçalves de Magalhães, *Antônio José ou o poeta e a Inquisição*, e a comédia *O juiz de paz na roça*, de Martins Pena.

Os dois trabalhos foram adjetivados como a primeira tragédia e a primeira comédia nacionais do país, respectivamente; na peça de Pena, a crítica enfatizou os valores do homem do campo em contraponto ao ambiente das cidades.

Já o texto de Magalhães foi qualificado, por ele próprio, como a primeira tragédia cuja temática e autor são brasileiros. No entanto, essa declaração recebeu ressalvas. Para alguns, o fato de Antônio José ter nascido no Brasil não autorizava alocar suas comédias entre as realizações artísticas de seus compatriotas porque ele, ainda muito jovem, se transferiu para Portugal e lá desenvolveu suas atividades até ser preso, julgado e morto pela Inquisição. De todo modo, com ou sem restrições, a sua trajetória motivou o processo criativo de Gonçalves de Magalhães, a quem Machado de Assis denominou o pai do teatro brasileiro.

Nessas avaliações, o trabalho do ator ficou ausente, já que os críticos deram primazia à palavra em detrimento da performance de João Caetano, tido por Décio de Almeida Prado como o maior ator brasileiro de todos os tempos. Ainda que existam algumas referências de época, elas, na verdade, são superficiais quanto ao desempenho de Caetano. Este, mesmo com todas as qualidades que lhe foram atribuídas, chegou até nós através de seus escritos *Reflexões dramáticas* (1837) e *Lições dramáticas* (1861), e não por suas nuanças interpretativas.

Concomitantemente, na dramaturgia entre 1858 e 1867, vêm à luz dramas de caráter histórico e nacional, como *Calabar* (Agrário de Menezes), *O jesuíta* (José de Alencar), *Sangue limpo* (Paulo Eiró) e *Gonzaga ou a revolução de Minas* (Castro Alves).

Em meados do século XIX, o drama realista subiu aos palcos cariocas graças ao trabalho de jovens atores, como os portugueses Luís Furtado Coelho e Eugênia Câmara. Tais espetáculos apresentaram-se como vanguarda, e o eram de fato, na esteira do realismo francês de Alexandre Dumas Filho, e em contraponto à escola romântica e ao teatro desenvolvido por João Caetano, propiciando a produção marcada por temas sociais, com especial destaque para José de Alencar e suas peças *O demônio familiar* (1857) e *Mãe* (1860), que abordaram o problema maior do Brasil daquela época, a escravidão, para uma assistência não só da corte como de uma sociedade que se urbanizava e se aburguesava.

Nesse período, o país recebeu a visita de *troupes* estrangeiras, como a Companhia de M. Paul e Mme. Charton, ensaiada por Emilio Doux, introdutor do *vaudeville* em Portugal, e de artistas de destaque. Sarah Bernhardt, por exemplo, esteve no Brasil quatro vezes, das quais as duas primeiras durante o Segundo Reinado.

Vale ressaltar que, dramaturgicamente, se processava uma efusiva defesa do drama e/ou comédia, cuja temática exaltasse e suscitasse condutas sociais/morais adequadas. Esse foi o caminho adotado pela crítica militante da época e até há pouco tempo, em termos absolutos, por boa parte da historiografia teatral do Brasil.

Por sua vez, a crescente identificação do público com as comédias de costumes e com as "revistas de ano" revela a existência de uma produção artística que ocupou lugar significativo na ribalta brasileira e no seu reflexo da vida social e política. As companhias de repertório e os atores, em palcos estáveis ou mambembes, foram seus veículos. Graças à capacidade de improviso, ao registro sensível das atualidades e à empatia com o público, elas construíram narrativas e entrechos paralelos às expectativas estabelecidas pelos militantes da crítica. Não obstante a opinião corrente, houve um pensamento estético, teatral e crítico relevante, a exemplo de Machado de Assis, de José de Alencar e do grupo de intelectuais que publicaram na *Revista Dramática* (1860).

Esses embates tornaram-se patentes com o abrasileiramento para os palcos das paródias e das operetas francesas, que a elite assistia no Alcazar ou mesmo em Paris. O realizador de tal feito foi o ator cômico Francisco C. Vasques. É claro que, do ponto de vista histórico e artístico, os desdobramentos desses caminhos são por demais complexos. Todavia, com o objetivo de pontuar aspectos marcantes no movimento teatral no país, cumpre destacar que tais iniciativas propiciaram condições para o estabelecimento e o sucesso do teatro de revista e, em particular, o de um dos maiores comediógrafos do país, Artur Azevedo, que escreveu peças paradigmáticas deste repertório, dentre as quais estão: *Tribofe, Capital federal, Amor por anexins, O bilontra*. Nesse contexto, não se pode deixar de mencionar também a contribuição de França Júnior com *As doutoras*.

O êxito de tais espetáculos assentava-se, por um lado, em textos desenvolvidos por diálogos ágeis e entremeados por números musicais e, de outro, no talento e no poder de improvisação dos intérpretes que, pela graça e malícia, envolviam de pronto suas plateias numa relação empática.

Assim, momentos significativos da cena teatral do *fin de siècle* e da primeira metade do século XX estiveram assentados na figura icônica de um ator, ou de uma atriz, e no diálogo direto com o cotidiano. Por sua vez, as análises críticas, em geral, veiculadas especialmente pela imprensa, enfatizavam a necessidade de um teatro fortalecido por uma dramaturgia capaz de contribuir com o processo civilizatório e com a nação.

É evidente que os temas e as questões colocadas de maneira abrangente suscitaram e suscitam, no curso do tempo, interpretações que tendem a avaliar o processo segundo a dicotomia literatura e teatro. Por isso, importa ressaltar que dramaturgos, atores e críticos compartilharam o mesmo tempo histórico e modelaram suas posturas tendo em vista concepções e modismos em confronto no jogo de ideias e, é claro, conforme escolhas pessoais.

Contudo, entre a ideia e o fazer teatral existe o público e as expectativas de fruição que nos remetem diretamente à história do gosto. Tais fatores fizeram com que profissionais de teatro como Itália Fausta, Procópio Ferreira, Alda Garrido, Eva Tudor, Dulcina de Morais, Jayme Costa, mesmo com acesso a informações e detentores de larga cultura e/ou experiência teatral, optassem por manter, em geral, um repertório, em suas companhias, sem maiores arrojos.

Nunca é demais, porém, recordar que, no decorrer do século XIX e no início do XX, o Brasil recebeu a visita de companhias de países distintos, como as de André Antoine, expoente do naturalismo francês, e de Lugné-Poe, representante do simbolismo. No decorrer dos anos 1930, dramaturgos/diretores como Oduvaldo Vianna e Renato Vianna, respectivamente com as peças *Amor* e *Sexo*, ao lado das contribuições de Oswald de Andrade (*O rei da vela*, *O homem e o cavalo* e *A morta*), deram mostras tanto do pensamento quanto das incorporações cênicas das novas propostas que agitavam o teatro ocidental, o que inclui também a percepção e a consciência das relações na sociedade capitalista e a resposta ideológica e política que levou, nessa época, Procópio Ferreira a produzir e protagonizar *Deus lhe pague*, de Joracy Camargo.

Acrescente-se a isso, nas décadas de 1930 e 1940, as experiências do Teatro de Brinquedos de Eugênia e Álvaro Moreyra e as iniciativas de Paschoal Carlos Magno no seu Teatro do Estudante do Brasil (TEB), além de grupos amadores como Os Comediantes e o Teatro Experimental do Negro de Abdias Nascimento.

O debate em torno de um teatro nacional, típico do século XIX, transmutou-se no século XX, sem perder seu objetivo anterior, na busca da modernidade, por via da modernização, incorporando a complexidade de um mundo em que a aceleração do tempo se tornara uma realidade de vida. Assim, conquanto a dinâmica histórica apresente-se múltipla, contraditória e tão marcada pelas especificidades de seu ritmo, aqueles que advogaram e/ou militaram em prol de um teatro capaz de promover o ingresso do Brasil no rol das nações "civilizadas", por intermédio das letras e das artes, bem como do apurado juízo moral e estético, atuaram, sistematicamente, na divulgação de seus princípios em jornais, por meio da crítica teatral, das discussões públicas, em livros e, principalmente, na criação de grupos de teatro amador — vale aqui citar as contribuições das comunidades de imigrantes: italiana, espanhola, judaica, isso para não mencionar a portuguesa — com a finalidade de estabelecer a sintonia entre a produção teatral e a modernização.

A encenação da peça *Vestido de noiva* (28 de dezembro de 1943) — nascida da união entre um grupo de teatro amador, Os Comediantes, um dramaturgo, Nelson Rodrigues, um cenógrafo, Santa Rosa, e um ator e diretor, Zbigniew Ziembinski — tornou-se simbólica e foi capaz de unificar os anseios modernizantes.

Ressalte-se que as principais experiências e inovações estéticas tiveram como palco o Rio de Janeiro, que por ser, à época, a capital da República, assim como fora no Império, herdou da corte as bases de seu desenvolvimento cultural. Embora essa escolha não signifique afirmar que em outras cidades não houvesse atividades artísticas e, às vezes, atrações vanguardeiras, não se pode ignorar que a sociedade carioca reuniu condições efetivas para manter uma praça teatral capaz de acolher espetáculos, companhias e artistas, oriundos de diferentes regiões do Brasil, que lá se radicaram.

Entretanto, se o Rio de Janeiro tornara-se o polo gerador e divulgador do teatro, a cidade de São Paulo, ainda na primeira metade do século XX, por seu progresso econômico, por sua elite cafeeira, por sua burguesia industrial e pela forte presença de imigrantes, conseguiu constituir um mercado de bens simbólicos, ao lado de incentivos culturais e econômicos, capitaneado por seus artistas e intelectuais que, ao contrário daqueles oriundos de outras regiões, se fixaram na capital do estado e não seguiram para o meio cultural carioca.

Em 1948, em São Paulo, é fundado por Franco Zampari o Teatro Brasileiro de Comédia (TBC) e, por Alfredo Mesquita, a Escola de Arte Dramática (EAD). Sob esse prisma, a tarefa civilizatória assumiu nova feição e os dados da modernização começaram a se mostrar por meio de um repertório mais eclético e internacional e da presença de profissionais, não só nativos como estrangeiros, especializados, que passaram a atuar em sintonia com atores não mais dependentes do ponto, mas com maior desenvoltura no ambiente cênico. Dentre os inúmeros espetáculos do TBC estão o lendário *Pega fogo*, protagonizado por Cacilda Becker, e *Seis personagens à procura de um autor*, interpretado por Paulo Autran e Sérgio Cardoso.

Os esforços na Pauliceia propiciaram a criação em 1952, pelo diretor José Renato, do Teatro de Arena. Formado por jovens egressos da EAD e de grupos de amadores, o Arena diferenciava-se do TBC pela opção político-ideológica e pelo palco em arena, que permitiu montagens a custos mais baixos. Essa empreitada desvelou o papel da EAD na cena teatral paulista e brasileira, por meio de novas companhias constituídas por artistas com sólida formação estética e de técnicas interpretativas e cênicas.

Após a união do Arena com o Teatro Paulista do Estudante (TPE), a chegada do diretor e dramaturgo Augusto Boal e o sucesso do espetáculo *Eles não usam black-tie* (1958), de Gianfrancesco Guarnieri, as expectativas concentraram-se tanto na elaboração de peças que estivessem em consonância com as questões nacionais, em uma dimensão crítica, quanto na busca interpretativa que deveria acentuar o coloquialismo da fala (prosódia brasileira) e a espontaneidade do gesto. Tudo isso entremeado a estudos da obra de Konstantin Stanislavski e a temáticas sociais.

512

É preciso lembrar que o aprofundamento cênico, sob o prisma stanislavskiano, foi também o que, inicialmente, singularizou o trabalho do Teatro Oficina. Por intermédio do ator russo Eugênio Kusnet, radicado no Brasil, essa companhia destacou-se pela interpretação acurada que os atores davam a seus papéis e pelo trabalho de direção, que começaria a pôr em destaque a criatividade de seu encenador José Celso Martinez Corrêa.

Essa carpintaria teatral deixou incisiva marca estilística na trajetória do Oficina por toda a década de 1960, mesmo após o golpe de 1964, quando o investimento pormenorizado no método Stanislavski cruzou-se com o *distanciamento* no *gestus* de Bertolt Brecht e com as inquietações existenciais e epistemológicas da estética de Antonin Artaud, propiciando a montagem da peça de Oswald de Andrade, em 1967. No entanto, convém observar que o encontro entre Brecht e Artaud já era objeto de discussões nos cursos de Crítica Teatral da EAD. Nesse sentido, o que já se apresentara em termos teóricos materializou-se cenicamente nesse trabalho, que se tornou um dos marcos referenciais do teatro brasileiro.

No decorrer das décadas de 1960 e 1970, mesmo sob a ditadura militar, o teatro foi espaço não somente da cena da resistência democrática e da defesa da radicalização política, mas também de experiências no âmbito da teatralidade, seja com os musicais do Arena, seja com as pesquisas cênicas do Oficina, que tiveram visibilidade com a montagem antológica de *O rei da vela* e se radicalizaram com as apresentações de *Roda viva*, *Galileu Galilei* e *Na selva das cidades*. Ao mesmo tempo, não se deve esquecer a presença da comédia de costumes, do teatro de variedades, dos dramas nacionais (Nelson Rodrigues, Jorge de Andrade e uma plêiade de jovens dramaturgos) e internacionais (Schiller, Pirandello, Tennessee Williams, Arthur Miller).

O teatro brasileiro se caracterizou pela multiplicidade, pois, ao mesmo tempo que alguns grupos e artistas faziam a defesa do estado de direito e denunciavam o arbítrio, outros, mesmo questionando os caminhos políticos e econômicos do país, direcionaram seus trabalhos para uma investigação de formas e estilos. Assim, para além do impacto dos escritos de Artaud para o Oficina, esse pensador marcou as realizações do Teatro Ipanema (RJ), de Rubens Corrêa e Ivan Albuquerque.

Acentuaram-se atividades identificadas como *happenings* e performances. A vinda para o Brasil de grupos como o Living Theatre e o Los Lobos deu novo fôlego aos debates acerca dos limites da relação entre palco e plateia. Tais experiências se fizeram presentes em companhias já consolidadas, como o Teatro Ruth Escobar (SP), que trouxe o diretor Victor Garcia para dirigir espetáculos como *O balcão* (Jean Genet) e *Cemitério dos automóveis* (Fernando Arrabal).

Já o Teatro São Pedro (SP), por sua vez, foi palco do espetáculo *Moço em estado de sítio*, sob a direção de Celso Nunes, que havia recém-chegado da Europa, onde teve contato com as ideias e com o trabalho do diretor polonês Jerzy Grotowski.

O trabalho dramatúrgico continuou a ser desenvolvido por autores consagrados, assim como pela então jovem geração em que figuravam escritores como Vianinha, Guarnieri, Plínio Marcos, Leilah Assumpção, Consuelo de Castro, Carlos Queiroz Telles, e diretores como Flávio Rangel, Antunes Filho, Fernando Peixoto. No decorrer da década de 1970, emergem grupos e *troupes* como Asdrúbal Trouxe o Trombone (RJ) e Pod Minoga, Pessoal do Victor, Ornitorrinco, em São Paulo.

Com esses novos personagens, diferentes propostas cênicas e dramáticas passaram a ganhar forma e espaço nos tablados brasileiros, que se intensificaram especialmente em fins da década de 1970 e início do período seguinte, e ganharam novos contornos com o fim da ditadura militar.

Encerrado o período de exceção, ideias como liberdade, estado de direito, luta contra o arbítrio, aos poucos cederam lugar a temáticas que obtiveram visibilidade sociopolítica, com os questionamentos iniciados na Europa e nos Estados Unidos.

Na atualidade, o teatro no Brasil vive um desdobramento de propostas iniciadas no decênio de 1980, tais como o Centro de Pesquisas Teatrais do Sesc-SP, coordenado por Antunes Filho, e o Oficina, que reiniciou polêmicas e ousadas montagens sob a batuta de Zé Celso, além do importante trabalho do Tapa, sob a direção de Eduardo Tolentino, remontando em inovadoras versões cênicas a dramaturgia "clássica" de nossa modernidade teatral. Outras experiências, como a Cia. Estável de Repertório e a Cia. Ópera Seca, também marcaram o debate e a pesquisa no país.

Surgiram novos grupos no início dos anos 1990. O Rio de Janeiro é sede da Cia. dos Atores e da Cia. Armazém de Teatro. Em São Paulo estão Folias D'Arte, Teatro da Vertigem, Cia. do Latão, Parlapatões, Cia. Livre, Cemitério de Automóveis, Os Satyros etc. Por sua vez, Salvador é a sede do Grupo de Teatro Olodum e João Pessoa é o berço do Piollin Grupo de Teatro. Neles integram-se talentosos diretores, atores de grande densidade interpretativa e inúmeros criadores capazes de produzir espetáculos, nos quais a fragmentação contemporânea é exposta pelas releituras de textos e de situações que envolvem sentimentos, sensações, vontades e condições existenciais.

Há, pois, uma evidente pluralidade cênica, interpretativa e dramatúrgica. Assim, em que pese, muitas vezes, a homogeneização decorrente da utilização de conceitos, pode-se dizer que predomina uma forte tendência pós-moderna e pós-dramática no teatro contemporâneo.

Ademais, houve o incremento de cursos de teatro, em nível superior e técnico, em diferentes regiões do Brasil, voltados para o ensino, pesquisa e atuação profissional, cuja integração no mercado artístico de trabalho vem modificando o nível e a composição das artes cênicas no país. A tudo isso deve-se acrescentar a ação significativa do Sesi e do Sesc em prol das artes cênicas.

Os olhares para o teatro foram se diversificando na pesquisa, na interpretação do processo histórico, no plano das realizações, propriamente dito, e nas ideias que alimentam os debates, o fazer teatral e as expectativas projetadas sobre a ribalta. O dramaturgo foi retirado do centro de suas motivações, e suas investigações foram redimensionadas por múltiplos direcionamentos, dentre os quais se sobressaem o *diretor-encenador* e o *ator-criador* e, em inúmeras experiências, o *dramaturgista*.

Enfim, as abordagens narrativas são inúmeras e, ao mesmo tempo, legítimas. Em vista disso, fizemos a nossa, privilegiando o *fenômeno teatral*, mesmo reconhecendo que, nos limites destas páginas, momentos e aspectos significativos não puderam ser abordados devidamente.

SUGESTÕES DE LEITURA

GUINSBURG, J.; FARIA, João Roberto e LIMA, Mariângela Alves de. *Dicionário do teatro brasileiro: temas, formas e conceitos*. 2ª ed. São Paulo, Perspectiva/Edições Sesc-SP, 2009.

MAGALDI, Sábato. *Panorama do teatro brasileiro*. 3ª ed. São Paulo, Global, 1997.

PAIXÃO, Mucio da. *O theatro no Brasil*. Rio de Janeiro, Brasília Editora, s/d.

PATRIOTA, Rosangela e GUINSBURG, J. (org.). *J. Guinsburg. A cena em aula: itinerários de um professor em devir*. São Paulo, Edusp, 2009.

PRADO, Décio de Almeida. *História concisa do teatro brasileiro*. São Paulo, Edusp, 1999.

TELENOVELA EM TRÊS TEMPOS

Esther Hamburger

Brasil! Mostre a tua cara, quero ver quem paga, pra gente ficar assim! ("Brasil", de Cazuza, abertura de *Vale tudo*, 1988)

Com raiz nas radionovelas, populares na América Latina, em especial antes de 1959 na Cuba pré-revolucionária, a telenovela, doravante aqui chamada simplesmente de "novela", está presente na programação da TV brasileira desde sua inauguração, em 1950. Inicialmente feita ao vivo, não era diária, não ocupava o horário nobre, nem era o programa mais lucrativo ou aquele em que as emissoras investiam maiores recursos. Em 1963, como parte de estratégia comercial inovadora, e se beneficiando da tecnologia do videoteipe, a TV Excelsior introduziu a novela diária. *2-5499 ocupado* foi adaptada de roteiro original argentino e dirigida por um argentino. Tem início a ascensão do gênero que na década seguinte se tornaria o carro-chefe da indústria televisiva brasileira.

No começo dos anos 1970, na recém-inaugurada TV Globo, o seriado diário, repetitivo, centrado em tramas românticas, com viés melodramático, comercial, patrocinado pela indústria de produtos de higiene, feito para um público imaginado como feminino, a partir de modelos e roteiros que funcionavam em outros países da América Latina, dominou o horário nobre de uma das principais indústrias de televisão do mundo.

Durante cerca de vinte anos a novela se manteve nessa posição, afirmando características estilísticas e um modo de fazer que ficou conhecido como brasileiro e que mobiliza públicos nacionais. Até o final dos anos 1960 predominavam novelas situadas em tempos e/ou espaços longínquos, animadas por personagens de fala e figurino empolado. A novela que se estabelece em 1970 lança mão de convenções do cinema moderno, como a temporalidade contemporânea e a filmagem, ainda que parcial, fora dos estúdios, em locações conhecidas, formas que facilitam a diluição das fronteiras entre a ficção e o documentário. Adota, ao mesmo tempo, modos de organização de produção típicos do cinema clássico, como a concentração da produção e da difusão nas mesmas empresas emissoras, ou a manutenção de um corpo fixo de profissionais contratados.

Nos primeiros anos do século XXI, com a diversificação do campo audiovisual, a concorrência da TV a cabo, do DVD e da internet, e a queda dos índices de audiência, esse estilo se desarticula. A novela permanece estratégica na receita e na competição entre emissoras de televisão aberta, porém sua capacidade de polarizar audiências nacionais diminui.

Os diferentes significados que o gênero mobiliza ao longo do tempo instigam diversas publicações no Brasil e em países como França, Holanda, Estados Unidos, de autoria de críticos literários, comunicólogos, antropólogos, cientistas políticos. Diversos trabalhos abordaram a novela a partir de referências a autores associados à Escola de Frankfurt, como Theodor Adorno e Max Horkheimer, em alguns casos combinados com questões caras à sociologia da cultura de Pierre Bourdieu. Outros buscam o referencial gramsciano dos estudos culturais ingleses, inspirados em Raymond Williams e, posteriormente, Stuart Hall. Essa literatura procura definir o caráter do conteúdo ideológico da novela — alienante ou crítico. O fato de que ambas as teses, embora opostas e excludentes, encontrem evidência empírica atesta o interesse do caso brasileiro para especulações teóricas que incorporem a contribuição decisiva das teorias críticas, mas procurem entender as maneiras específicas pelas quais indústrias culturais contribuem para a definição de transformações imprevistas no cotidiano, nas sensibilidades estéticas e nas estruturas sociais. A literatura é útil inclusive como documento histórico em uma área em que a falta de arquivos limita a pesquisa. As abordagens incluem a análise de fluxos transnacionais de mídia, da estrutura institucional das emissoras brasileiras e de suas relações com governos, análise do conteúdo ideológico de um ou outro título, pesquisas sobre contextos de recepção também de títulos específicos, alguns levando em conta a relação entre telenovela, consumo e representações das relações de gênero. Estudos como os de Armand e Michele Mattelart e Jesus Martin Barbero contribuem para a elaboração das dimensões teóricas, internacionais e latino-americanas do gênero. A novela brasileira desafia polarizações entre alta e baixa cultura, cultura erudita e popular, modernismo e cultura de massa. O gênero convida análises que integrem formas de produção, expressões estéticas, estilísticas e dramatúrgicas, e interlocuções distorcidas e mediadas estabelecidas com diversos segmentos do público, na compreensão de sociedades pós-industriais.

Marlyse Meyer em seu livro *Folhetim* (1996) aponta que a novela é herdeira do gênero literário que surgiu na França no século XIX nos rodapés literários dos jornais diários, misturado ao *fait divers*. O parentesco com o folhetim define uma característica que diferencia a versão dominante no Brasil de seriado de TV: a novela é escrita, gravada, editada e difundida enquanto vai ao ar. Esse modo de fazer simultâneo à exibição possibilita diversas formas de interlocução — mesmo que opacas e desiguais — entre autores e público. Telespectadores escrevem cartas, enviam e-mails, contribuem para aumentar ou diminuir índices de audiência medidos pelo Ibope, segundo critérios que privilegiam a capacidade de consumo do público, e opinam em grupos de discussão conduzidos por institutos especializados. Anunciantes, movimentos sociais, censores, dirigentes de emissoras, entre outros potenciais críticos, podem interferir na definição dos rumos de narrativas. O conjunto de interlocuções que uma novela estabelece define o âmbito de sua "repercussão". A provocação é bem-vinda. Nesse sentido, a novela pode ser considerada "protointerativa". Ela acena com a interatividade que as novas tecnologias estimulam e permitem. A novela estimula torcidas em torno de personagens e tramas.

Durante os anos 1970 e 1980, a novela brasileira surpreendeu por sua capacidade, inédita como produto comercial, de atrair público telespectador de diferentes classes sociais, composto de homens e mulheres das mais diversas gerações e habitantes de todo território nacional.

A novela surpreendeu também pela aceitação no exterior. A exportação de novelas brasileiras demonstrou a possibilidade de reversão dos fluxos transnacionais de informação e cultura. A partir de 1977, o Brasil exportou novelas inicialmente para Portugal, em seguida para diversos países da América Latina e do então mundo socialista, como Cuba, China e União Soviética. Países europeus e norte-americanos também importaram o produto. Na ex-metrópole colonial, então recém-saída da ditadura salazarista, as novelas eram exibidas pela RTP, emissora estatal, em horário nobre. Sabe-se que o parlamento português chegou a suspender a sessão para que os deputados pudessem acompanhar *Gabriela*, um libelo sensual e antipatriarcal, adaptada do romance de Jorge Amado por Walter Durst, com Sonia Braga, Dina Sfat e Elizabeth Savalla, abertura de Caribé e canção especialmente composta por Dorival Caymmi.

Novelas foram assunto por sua capacidade inusitada de incorporar, a uma forma industrial produzida sob censura, elementos da cultura popular — como a literatura de cordel — e comentários críticos sobre os rumos da política brasileira. Novelas são organizadas em torno do movimento de relações amorosas frágeis e cada vez mais volúveis. Em novelas como *Irmãos Coragem* (1970) ou *Selva de pedra* (1972), sexo antes do casamento resultava em gravidez e matrimônio futuro. Ao longo dos anos, o divórcio foi legitimado (antes de legalizado), o prazer e a independência feminina também. Em geral houve uma expansão despolitizada do universo feminino e a valorização perversa de uma ideia de "mulher forte", que, além de responsável pela família, deve trabalhar e pode almejar a satisfação amorosa.

Relações entre novelas e consumo são notórias. Novela lança moda. Novela ensina o uso de novos produtos, especialmente meios de comunicação e transporte. Nessa vitrine eletrônica, temas polêmicos como o orgasmo feminino, ou anos depois a discriminação de cor ou o beijo gay, ganham visibilidade por meio da ação de personagens associados com certos objetos e estilos de vestir que sugerem uma "modernidade" sucessivamente atualizada. Novelas difundiram imagens de um país que se modernizava. As alusões à nação se davam inicialmente pela abordagem de esportes nacionais, como a Fórmula 1 e o futebol, ou a arquétipos como o coronel, o padre, o prefeito e o delegado. Na segunda metade dos anos 1980, com a transição para a democracia, a Globo realizou seus títulos mais densos, com referências explícitas ao Brasil e comentários sobre decepções e consequências não antecipadas da modernização.

A música de Cazuza, na voz de Gal Costa, citada na epígrafe deste texto, dá o ritmo da montagem da vinheta de *Vale tudo* (1988). Planos curtos de símbolos nacionais: a bandeira vista a partir de diversos ângulos e em situações diferentes, sendo feita à mão na máquina de costura, em uso oficial no mastro, carregada pelo povo em meio à torcida de futebol. A abertura sintetiza em um minuto a trama que mobilizou o público brasileiro de segunda a sábado, no horário das oito, durante dez meses. A montagem de imagens com referência direta à nação brasileira emoldura a história de amor e ódio que culmina no suspense em torno de "quem matou Odete Roitman?", a empresária vilã, personagem de Beatriz Segall, apaixonada por um gigolô. A novela de Gilberto Braga é talvez a expressão mais contundente da expansão do gênero. *Vale tudo* ganhou espaço nas primeiras páginas dos principais jornais.

Outras novelas mobilizam referências mais ou menos explícitas ao país. *Roque Santeiro* (1985) conta a história da cidade que vivia às custas de um culto a um falso santo. A novela de Dias Gomes, baseada em sua peça *Berço do herói* (1963), teve o título na vinheta escrito em verde e coroado com uma sugestiva auréola amarela, sublinhada por um toque em som eletrônico. *O salvador da pátria* (1989), de Lauro Cesar Muniz, apresentava imagens de Brasília na vinheta. A novela criticava o sistema político no ano em que Fernando Collor de Melo derrotaria Luiz Inácio Lula da Silva no primeiro pleito presidencial pós-ditadura. O papel da emissora líder na definição de um resultado final apertado gerou debate nas arenas política e acadêmica. Lima Duarte fazia Sassá Mutema, o boia-fria honesto que se torna prefeito de Tangará, uma pequena cidade fictícia, antes dominada pela corrupção.

Nesse mesmo ano, *Que rei sou eu?*, novela do veterano Cassiano Gabus Mendes, que em seus tempos de diretor da TV Tupi inspirou *Beto Rockfeller* (1968), pioneira na linguagem coloquial contemporânea, também foi implicada no debate sobre o resultado eleitoral. A novela abordou, em tom de fábula, a história das disputas e corrupções palacianas no reino fictício de Avelã.

As novelas da Rede Globo se tornaram espaço privilegiado de atualização de uma comunidade nacional imaginada como "país do futuro". A discoteca de *Dancin' days* (1978) e as meias listradas em sandálias de salto fino sinalizaram uma ânsia de liberação. O folhetim eletrônico se organiza em torno de oposições dramáticas entre personagens pobres e ricos, da cidade grande e do "interior", homens e mulheres de gerações diferentes. Essas tensões podem ser sintetizadas na oposição entre ser "tradicional", adjetivo aplicado a coronéis e patriarcas, mulheres carolas e dependentes, e "moderno", termo associado à liberação dos costumes.

A combinação pouco usual de artistas de esquerda, publicitários e governo autoritário na feitura de novela talvez ajude a entender como o gênero extrapolou os espaços usualmente destinados a programas desse formato, para ganhar expressão no cotidiano de milhares de espectadores. Além de autoras vindas do rádio, como Ivani Ribeiro e Janete Clair, a novela reuniu o talento de realizadores intelectualizados, com experiência no cinema e no teatro dos anos 1950 e 1960, como Bráulio Pedroso, Dias Gomes, Lauro Cesar Muniz, Walter Avancini, com agenda ideológica de esquerda; uma segunda geração de autores inclui Sílvio de Abreu, Gilberto Braga e Glória Peres. O conhecimento técnico de profissionais estrangeiros como Joe Wallach e Homero Sanchez, dispostos a racionalizar o sistema de produção e a relação entre emissora e anunciantes, em prol do desenvolvimento do mercado consumidor, em uma emissora privada familiar gerida profissionalmente, também foi decisivo. A pressão autoritária do regime militar com sua agenda modernizante e conservadora de "integração nacional" por via eletrônica, expressa em suas diretrizes de política cultural e na censura pesada, tampouco pode ser esquecida.

Em sintonia com a construção de um Brasil do futuro, a trama da novela se torna mais complexa e menos linear, com o aumento do número de personagens, tramas e cenários. A novela articula a vida de cerca de quarenta personagens em planos curtos editados de maneira acelerada. O visual rápido, associado a vinhetas de abertura que usam efeitos eletrônicos, reforça a mensagem *high tech* da emissora líder. O maior número de possibilidades dramáticas favorece a oscilação entre tramas principais e secundárias e sugere que a melhor representação gráfica do desenvolvimento narrativo de uma novela é a rede.

A relação entre a novela e diferentes interpretações da nação brasileira se explicita de maneira mais clara em momentos em que a competição entre emissoras assume a forma da competição entre versões diferentes do Brasil.

Em 1990, a TV Manchete apresentou uma programação diferenciada que incluía uma série de documentários, gênero raro na televisão brasileira. Mas a emissora se tornou competitiva, apresentando uma novela que explicitamente propunha uma nova versão de identidade nacional: a fauna, a flora e a família no lugar do consumismo moderno e liberado da concorrente. *Pantanal* foi gravada no "coração do Brasil", com planos longos e gerais de paisagens bucólicas cortadas por rios de águas límpidas e enfeitadas pela nudez feminina. Ela ofereceu uma alternativa ao ceticismo com que os títulos da Globo a essa altura abordavam consequências não antecipadas da modernização.

Em 2006 mais uma vez o gênero protagoniza a disputa entre emissoras. Com *Vidas opostas*, de Marcílio Moraes, veterano da Globo, a Record ousa levar para a novela o universo da pobreza e da violência carioca, que o cinema da retomada tematizou em títulos como *Como nascem os anjos* (1996), *Notícias de uma guerra particular* (1999), *O invasor* (2002), *Cidade de Deus* (2002), *Ônibus 174* (2002), entre outros. Nessas novelas, a paisagem urbana saturada pela desigualdade e pelo poder paralelo do tráfico emerge como marca de uma situação que extravasa fronteiras nacionais.

Finda a primeira década do século XXI, novelas abusam de mensagens de conteúdo social, enquanto perdem seu diferencial estético e sua força polêmica. A nação já não prepondera porque os temas extrapolam fronteiras. Há poucas referências a temas atuais polêmicos. A opção é pelo desenvolvimento de campanhas politicamente corretas, muitas vezes em detrimento da dramaturgia. A estrutura de conflitos melodramáticos que sustenta a narrativa se mantém, em histórias que voltam a se restringir a espaços imaginados como femininos e de menor valor cultural. O gênero já não atrai tantos talentos criativos.

Audiências caíram proporcionalmente e em números absolutos, mas a novela permanece lucrativa e popular. A persistência tem a ver com a estrutura dramática, diferente do padrão linear dominante no cinema clássico. Tramas proeminentes podem diminuir de importância, ser substituídas por outras. O desenvolvimento narrativo de núcleos pode ser interrompido durante vários capítulos em que outras partes ganham relevância. A trajetória de personagens pode se modificar bastante no decorrer de uma história em função do movimento de outros personagens, das reações do público e de diversos outros eventos alheios à narrativa propriamente dita. A novela abusa da repetição, mas potencializa interlocuções múltiplas, permite novas formas de autoria e de relação entre os universos narrativos e extranarrativos, onde se situam telespectadores e autores. A flexibilidade do folhetim eletrônico nas últimas décadas do século passado esteve em sintonia com expectativas de mudança.

A queda de interesse nas novelas coincide com a inesperada renovação dos seriados americanos, que ganham espaço nos canais brasileiros, dando novo fôlego a um fluxo de importação de programação que as novelas nas décadas anteriores haviam substituído. A indústria norte-americana de televisão passou a atrair os melhores talentos, particularmente no campo da dramaturgia, retirando do cinema, ao menos temporariamente, a posição de ponta no audiovisual hollywoodiano. Dentre as modificações introduzidas pelos novos seriados, algumas se assemelham a convenções consolidadas nas novelas, particularmente a diminuição do tempo entre realização e emissão. A TV americana já admite colocar no ar seriados com temporadas incompletas. Outro fator que aproxima esses seriados contemporâneos da novela é a alusão frequente a elementos políticos e culturais da conjuntura norte-americana. Também mais aberto a repercussões variadas, esses seriados estimulam redes de seguidores em outros meios como a internet. Em outros países da América Latina, como Colômbia e México, onde a novela também se estabeleceu, traços semelhantes se consolidam. Essas aproximações estéticas e no modo de fazer seriados televisivos convidam abordagens comparativas que especulem sobre o lugar do imprevisto e do improviso na indústria cultural contemporânea.

SUGESTÕES DE LEITURA

HAMBURGER, Esther. *O Brasil antenado: a sociedade da novela*. Rio de Janeiro, Zahar, 2005.

KEHL, Maria Rita. *Anos 70: televisão*. Rio de Janeiro, Europa, 1979.

MARTIN-BARBERO, J. e REY, G. *Os exercícios do ver*. São Paulo, Senac, 2000.

MATTELART, Armand e MATTELART, Michele *O carnaval das imagens*. São Paulo, Brasiliense, 1990.

ORTIZ, R.; BORELLI, S. e ORTIZ RAMOS, J. M. *Telenovela: história e produção*. São Paulo, Brasiliense, 1988.

TRABALHO E TRABALHADORES: ORGANIZAÇÃO E LUTAS SOCIAIS

José Ricardo Ramalho

O trabalho é uma atividade humana fundamental e plena de significados. Remunerado ou não, ocupa um lugar importante na vida das pessoas e no reconhecimento social. Embora se manifeste de modo diverso em diferentes épocas, adquiriu destaque no processo de construção do sistema capitalista de produção, em especial a partir da Revolução Industrial. Foi nesse contexto que a divisão do trabalho se tornou mais complexa e houve um crescimento do número de ocupações. Entender o papel e o sentido do trabalho na sociedade capitalista transformou-se também em objetivo dos escritos de muitos dos principais pensadores e cientistas sociais dos séculos XIX e XX, como Karl Marx, Émile Durkheim, Max Weber, entre outros.

A divisão do trabalho estabelecida pela nova organização da sociedade capitalista pôs também em evidência aqueles que passaram a depender das atividades de trabalho para a sobrevivência. Os trabalhadores (industriais e urbanos), principais motores da nova lógica produtiva, se transformaram em atores sociais de relevância, tanto no sentido de se tornarem os grandes propulsores da reprodução do novo sistema, por serem objeto de longas jornadas de trabalho e de uma exploração desmedida e desumana, como por terem criado mecanismos vários de resistência política dentro dos ambientes fabris, ou nos embates públicos em luta por reconhecimento e direitos. A formação de uma identidade ligada ao trabalho, ou de uma identidade de classe, reforçou a presença social desse setor majoritário da sociedade, mesmo em situação permanente de penúria e pobreza. As organizações da classe trabalhadora ao longo desse período, e até hoje, se tornaram, com muito esforço e luta política, instituições de referência no debate sobre a democracia e seu exercício através da liberdade de expressão e manifestação, com destaque para os sindicatos.

A transferência das atividades produtivas para a fábrica, no século XIX, alterou os mecanismos de controle sobre o trabalho. Entre as diversas tentativas de assumir o conhecimento e o poder de quem atuava no espaço fabril, prevaleceu aquela difundida e associada ao engenheiro norte-americano Frederick W. Taylor, com o uso ainda atual do termo "taylorismo" para caracterizar estratégias gerenciais de controle de tempos e movimentos, especialização de tarefas e remuneração por desempenho, e ao empresário norte-americano Henry Ford, fundador da Ford Motor Company, que, com a introdução da linha de montagem, a verticalização da organização fabril e a produção em massa, acabou cunhando o termo "fordismo" como o resumo de um padrão produtivo e uma nova fase do processo de acumulação. Esse padrão introduziu técnicas de gerência que enfatizaram a separação entre a concepção (gerência) e a execução (trabalho) como o principal objetivo da organização moderna e do controle sobre o processo de trabalho. Do ponto de vista dos trabalhadores, a desqualificação do trabalho como fonte de poder dentro das fábricas fomentou uma reação e fez crescer mecanismos de resistência operária. O período que vai do final da Segunda Guerra Mundial em 1945 até os anos 1970, com a consolidação do Estado de Bem-Estar Social nos países industrializados, pode ser considerado o auge dessa fase da produção de massa.

No contexto atual, trabalho e emprego experimentam uma nova fase no universo das transformações implementadas nas últimas três décadas, a partir de uma nova estratégia de acumulação do sistema capitalista, com a introdução de um padrão apoiado na flexibilidade das relações de trabalho, dos processos produtivos, das relações interfirmas e na utilização intensa das tecnologias da informação. Ser mais competitivo em um mercado cada vez mais globalizado forçou empresas a utilizar esses novos métodos de racionalização e de redução de custos, com sérias implicações para os níveis de emprego. Postos de trabalho de longa duração, com garantia de estabilidade, foram desaparecendo rapidamente e a insegurança passou a fazer parte do cotidiano do assalariado com emprego formal. Formas precárias de emprego passaram a ser incorporadas como norma por empresas componentes das cadeias produtivas. A instituição sindical, como representação legítima dos trabalhadores, perdeu força. O desemprego cresceu, mudando hábitos e trazendo pobreza e desesperança. O crescimento da participação feminina no mercado de trabalho foi um dos aspectos importantes desse período de reestruturação. Outro aspecto se refere à associação do trabalho flexível com a noção de "informal", uma combinação que não significou redução da exploração. Nos países europeus, segundo o sociólogo francês Robert Castel, onde o trabalho não pode ser pensado apenas como relação técnica de produção, mas como inscrição em redes de sociabilidade e sistemas de proteção, a flexibilização e a "precarização" das relações de trabalho trouxeram isolamento e exclusão.

Embora haja diferenças conforme os contextos dos países, mais do que nunca as situações de trabalho se entrelaçam nas atividades produtivas internacionalizadas, transformando questões de direitos em temas internacionais. Tentativas permanentes de desregulamentar o mercado de trabalho e retirar garantias de legislações trabalhistas passaram a fazer parte da ação política das empresas e suas organizações, e até mesmo formas análogas ao trabalho escravo, por exemplo, continuam sendo acionadas por diferentes empresas em diferentes partes do mundo. O padrão flexível também colocou em crise a instituição sindical como capaz de defender com eficácia os interesses dos trabalhadores. Discute-se inclusive se esse novo processo não teria demonstrado um declínio inevitável do sindicato, embora haja também o reconhecimento de que o que vem ocorrendo não é uma crise do sindicalismo, mas uma crise do estilo e orientação tradicionais do sindicalismo.

TRABALHO E TRABALHADORES NO BRASIL

Não é tarefa fácil, em poucas palavras, resumir o tema do trabalho e dos trabalhadores no Brasil. Pode-se, no entanto, assinalar alguns aspectos que confirmam sua importância na história do país. A nossa história do trabalho conserva as marcas de um longo período de escravidão, de uma presença significativa no mundo rural e de uma diversidade de atividades que vieram com o processo de industrialização e crescimento das cidades. Também não é possível separar a história do trabalho da história do sindicalismo e dos movimentos trabalhistas que se manifestaram nas últimas seis décadas. Intelectuais e pesquisadores da área dos estudos do trabalho têm multiplicado análises sobre esses aspectos essenciais da vida brasileira, renovando interpretações e adensando o corpo de pesquisas já existente, e agora se debruçam sobre as questões do trabalho no contexto da globalização tomando como princípio as características particulares do Brasil na apreensão do modelo de produção flexível.

O processo de industrialização ocorre tardiamente se comparado com os países de tradição industrial, principalmente da Europa. Somente a partir dos anos 1930, com a consolidação de uma legislação específica de regulação do mercado de trabalho e dos sindicatos, e com o controle e a iniciativa de um Estado centralizado politicamente, pode-se dizer que o país adquire características mais nítidas de uma sociedade industrial.

A diversidade do mercado de trabalho impede a caracterização de uma classe trabalhadora com perfil uniforme. Em termos comparativos, a história do trabalho e dos trabalhadores no Brasil percorre caminhos diferentes daqueles dos países industrializados. O trabalho industrial e a formação de uma classe operária associada a esse tipo de atividade só ganham contornos mais nítidos no século XX, e de forma mais incisiva a partir dos anos 1930 e 1940, com a intervenção do Estado (comandado por Getulio Vargas) na criação de condições para o desenvolvimento industrial. Uma classe operária no estilo clássico europeu, por exemplo, só se formou mesmo nos anos 1950 e 1960, com a chegada de empresas estrangeiras.

A constituição de uma legislação trabalhista e sindical marcada pelo corporativismo, com objetivos explícitos de buscar a cooperação e não o conflito entre classes sociais antagônicas, foi um aspecto importante dos anos 1930 e 1940 que acabou permanecendo em boa parte até os dias de hoje. O que sempre esteve em jogo foi a subordinação dos sindicatos ao Estado, algo que a manutenção da legislação, mesmo em momentos políticos muito diversos (períodos democráticos e períodos ditatoriais), facilitou enormemente. As várias Constituições que o Brasil teve desde 1945 (1946, 1967, 1988) mantiveram de um modo ou de outro essa ligação ou dependência dos sindicatos com relação ao Estado. Como explicar, por exemplo, a persistência ainda hoje do imposto sindical, cobrança compulsória de um dia de trabalho feita pelo Estado e que permanece na letra da Constituição?

O espaço de tempo entre 1945 e 1964 constituiu uma fase importante da nossa história política e econômica e se caracterizou por ser um intervalo democrático entre duas ditaduras (1937-45 e 1964-84). Foi o período da consolidação do processo de industrialização, ao mesmo tempo que ocorria um movimento migratório de trabalhadores das áreas rurais para as áreas urbanas, estimuladas pela oferta de empregos na indústria e na construção civil. Na política, o trabalhismo se tornou manifestação importante da estratégia de defesa do nacionalismo, principalmente através das práticas do Partido Trabalhista Brasileiro (PTB), e o Partido Comunista Brasileiro (PCB) fez crescer sua influência junto ao movimento sindical.

O golpe militar de 1964 teve como um dos seus principais motivos a ação dos trabalhadores em defesa das reformas econômicas propostas por João Goulart. Foi um movimento político que usou como justificativa o medo do comunismo, mas também da formação de uma "república sindicalista" no país. Não trouxe surpresa, portanto, a perseguição implacável aos sindicatos ocorrida nesse período, com sucessivas intervenções do Ministério do Trabalho e prisões de suas lideranças. A resistência política dos trabalhadores passou a ocorrer em pequenos atos organizados clandestinamente no interior das empresas, na maioria das vezes surpreendendo até mesmo o sindicato sob controle estatal. As greves de Contagem no estado de Minas Gerais e de Osasco no estado de São Paulo, em 1968, foram sinalizações desse estilo de resistência e precursoras de um novo momento do sindicalismo brasileiro, que só vai ocorrer dez anos depois, no final dos anos 1970, com as greves dos metalúrgicos do ABC paulista.

Não por coincidência, foi na região mais industrializada, o cinturão de cidades que se formou ao redor de São Paulo, conhecido como ABC, que surgiu um movimento sindical com características diferentes da tradição constituída a partir dos anos 1930. Esse movimento foi denominado "novo sindicalismo" e desafiou o regime ditatorial vigente, ao descumprir publicamente a legislação sindical e antigreve. Sua legitimidade foi reforçada pelo incentivo à representação no local de trabalho e se notabilizou pelas greves dos trabalhadores metalúrgicos do setor automobilístico em 1978, 1979 e 1980. A importante presença do movimento sindical no cenário político brasileiro de hoje tem raízes no passado de resistência e luta de muitos militantes ao longo dos anos 1950 e 1960, mas ganhou consistência com as greves do ABC paulista no final dos anos 1970 e com a criação da Central Única dos Trabalhadores (CUT) e do Partido dos Trabalhadores (PT) nos anos 1980.

Mas a história do trabalho no Brasil tem também relação direta com as condições de trabalho no campo e com as lutas dos trabalhadores rurais. Demandas por melhor distribuição da terra e reforma agrária adquirem força política nos anos anteriores a 1964, com as Ligas Camponesas, por exemplo, e mesmo durante a ditadura militar importantes movimentos reivindicatórios se manifestaram na ação sindical ou em outros tipos de movimentos organizados, como foi o caso das greves organizadas pela Confederação Nacional dos Trabalhadores na Agricultura (Contag) nos canaviais de Pernambuco em pleno regime militar. Mais recentemente, a ação política do Movimento dos Sem Terra relembra diariamente nossas mazelas e sinaliza as desigualdades sociais presentes nas áreas rurais.

No início dos anos 1990, a abertura do mercado para a competição internacional e a globalização da economia promovida por Collor alterou as relações de trabalho e introduziu os mecanismos da flexibilização como estratégia empresarial. Há que se considerar que esse processo está marcado por uma grande heterogeneidade entre setores da economia e às vezes entre empresas de um mesmo setor. Em termos mais gerais, a difusão das novas estratégias produtivas ocorreu ao mesmo tempo que se abandonava o modelo de desenvolvimento dos anos 1950 e 1960, baseado em políticas de substituição de importações. As empresas passaram a concentrar seus esforços na organização produtiva, bem como na adoção de novas formas de gestão da mão de obra, mais compatíveis com as necessidades de flexibilização do trabalho e de comprometimento dos trabalhadores com as novas concepções de qualidade e produtividade. No entanto, se na atual conjuntura já é possível identificar alterações no processo produtivo propriamente dito, na maioria dos casos pode-se constatar que as novas estratégias empresariais têm se preocupado mais em cortar custos, eliminando em definitivo postos de trabalho. Para os que mantêm seus empregos, as exigências são maiores. Não só a intensificação do trabalho está presente, mas uma condição de maior escolaridade e maior capacidade de adaptação às mudanças constantes. A renovação das estratégias organizacionais e a "flexibilização" têm sido objeto de muitos estudos e têm identificado práticas contraditórias que vão desde o anúncio de propostas de democratização das relações de trabalho até a persistência de práticas autoritárias dentro das empresas. Outros estudos mostram também que as vantagens do padrão flexível não se confirmam como anunciado, e, na verdade, há um crescimento do desemprego e das práticas de "precarização" do emprego, das condições de trabalho e dos salários.

A especificidade brasileira ocorre também no nível da legislação trabalhista e dos direitos sociais, no modo como esses aspectos ficaram expostos na Constituição de 1988. Resultado em grande parte das demandas de trabalhadores organizados em sindicatos e movimentos sociais, articulados na resistência ao autoritarismo do regime militar de 1964, a Carta criou vários mecanismos de proteção na contramão das estratégias de flexibilização implantadas nos anos 1990. Apesar dos avanços sociais na regulamentação de muitos direitos trabalhistas, a conjuntura política e econômica dos últimos vinte anos esteve marcada por um constante questionamento às suas garantias. A necessidade de proteger o trabalhador através de legislação tem sido objeto de intenso debate e disputa política entre setores diferenciados da sociedade brasileira, e a Constituição tem sido invocada ora como proteção, ora como impedimento para o desenvolvimento do país.

A conjuntura dos últimos anos tem revelado dificuldades para os sindicatos que se restringem às questões salariais, no exercício de sua representação. O trabalho adquiriu uma dimensão mais ampla e complexa, e envolve em seus desdobramentos outros setores da vida social. Nesse sentido, não parece ser mais possível para os sindicatos, enquanto instituições, desconhecer que os problemas dos trabalhadores ultrapassam os setores organizados e exigem ações voltadas para atender demandas de desempregados e trabalhadores informais. Ao mesmo tempo, crescem as reivindicações por uma ação voltada para a manutenção de direitos de cidadania e por uma maior participação em instâncias de decisão que discutem políticas econômicas e de inclusão social.

SUGESTÃO DE LEITURA

CARDOSO, Adalberto. *A construção da sociedade do trabalho no Brasil*. Rio de Janeiro, Editora da FGV/FAPERJ, 2010.

CASTEL, Robert. *As metamorfoses da questão social: uma crônica do salário*. Petrópolis, Vozes, 1998.

GOMES, Ângela de Castro. *A invenção do trabalhismo*. Rio de Janeiro, Vértice/IUPERJ, 1988.

LEITE LOPES, José Sérgio. *A tecelagem dos conflitos de classe na "cidade das chaminés"*. São Paulo/Brasília, Marco Zero/Editora da UnB/CNPq, 1988.

LOPES, Juarez R. Brandão. *Crise do Brasil arcaico*. São Paulo, Difel, 1967.

RODRIGUES, Leôncio M. *Conflito industrial e sindicalismo no Brasil*. São Paulo, Difel, 1966.

METAMORFOSES DA VELHICE

Guita Grin Debert

Aposentado, terceira idade, idoso são modos de tratamento das pessoas em etapas mais avançadas da vida que apontam a relação da velhice com diferentes dimensões da experiência social, como o preconceito e a discriminação, a atribuição de status e prestígio, a conquista de direitos sociais, a definição de formas adequadas de consumo e a valorização de estilos de vida.

A palavra velho, por um lado, praticamente desapareceu do vocabulário que usamos quando queremos tratar de maneira respeitosa as pessoas de mais idade. Preferimos usar expressões como "idoso" ou "terceira idade" para evitar ofender ou melindrar nosso interlocutor. A "melhor idade" é uma nova fórmula de denominação, encontrada por clubes ou programas que reúnem pessoas com sessenta anos ou mais.

Falar da aposentadoria, por outro lado, é traçar a história do conjunto de transformações ocorridas na segunda metade do século XIX, que acompanharam o desenvolvimento industrial e levaram à criação de instituições voltadas ao atendimento dos operários que, por serem considerados velhos, eram expulsos do trabalho e ficavam sem condições de garantir sua sobrevivência. Foi somente no final do século XIX que a aposentadoria entrou na pauta das reivindicações operárias e a universalização desse direito para todos os trabalhadores foi uma conquista muito recente, do ponto de vista histórico, porque só se generalizou nos países europeus depois de 1945, com o fim da Segunda Guerra Mundial.

Naquele contexto, a velhice estava associada à pobreza, invalidez e incapacidade de produzir, e a aposentadoria deu uma identidade a essa população, diferenciando-a de outros grupos alvos da assistência social.

A terceira idade é uma expressão que surge na década de 1970, quando foi criada na França a primeira Universidade para a Terceira Idade, voltada para pessoas com setenta anos ou mais. Essa expressão não indica uma idade claramente delimitada em anos vividos, nem é apenas uma forma de nomear os mais velhos sem uma conotação pejorativa. Sinaliza, antes, mudanças no significado da velhice. Não se trata mais de empreender o combate à ameaça da pobreza e invalidez dos trabalhadores velhos, como foi o caso da invenção da aposentadoria, mas sim de celebrar a velhice como um momento privilegiado para o lazer e para as atividades livres dos constrangimentos da vida profissional e familiar, daí a ideia da "melhor idade". A invenção da terceira idade indicaria assim uma experiência inusitada de envelhecimento, em que o prolongamento da vida nas sociedades contemporâneas ofereceria aos mais velhos a oportunidade de dispor de saúde, independência financeira e outros meios apropriados para tornar reais as expectativas de que essa etapa da vida é propícia à realização e satisfação pessoal.

Até muito recentemente, tratar da velhice nas sociedades industrializadas era traçar um quadro dramático de perda de status social: a industrialização e a urbanização teriam destruído a segurança econômica e as relações estreitas entre as gerações na família, que vigoravam nas sociedades tradicionais. Entretanto, as políticas de aposentadoria e a garantia de um rendimento mensal reverteram a situação dos idosos. Esse segmento da população não pode mais ser considerado o setor mais desprivilegiado da sociedade, quer nos países de capitalismo avançado, quer em países como o Brasil.

A terceira idade é acompanhada de um conjunto de práticas, instituições e agentes especializados, encarregados de definir e atender as necessidades dos mais velhos, população que passará então a ser caracterizada como vítima da marginalização e da solidão. Uma nova linguagem, empenhada em alocar o tempo dos aposentados, é ativa na construção das etapas mais avançadas da vida como uma fase dinâmica, em oposição à ideia da aposentadoria como um momento de desengajamento passivo de uma vida ativa.

A VELHICE COMO CONSTRUÇÃO HISTÓRICA E SOCIAL

Essas mudanças nas formas de nomear a velhice e os significados que as expressões utilizadas ganham em diferentes períodos históricos iluminam o ponto de partida da reflexão sociológica sobre o tema, que considera que a velhice é uma construção histórica e social.

Uma distinção é assim estabelecida entre um fato universal e natural — o ciclo biológico, do ser humano e de boa parte das espécies naturais, que envolve o nascimento, o crescimento e a morte — e um fato social e histórico, que é a variabilidade da forma pela qual o envelhecimento é concebido e vivido. Trata-se de ressaltar, em primeiro lugar, que as representações sobre a velhice, a posição social dos velhos e o tratamento que lhes é dado pelos mais jovens ganham significados particulares em contextos históricos, sociais e culturais distintos.

Essa mesma perspectiva orienta a análise das outras categorias como a infância, a adolescência e a juventude, e as pesquisas antropológicas e históricas são ricas em exemplos que servem para demonstrar que essas fases da vida, tão importantes para caracterizar uma pessoa na nossa sociedade, não se constituem em propriedades substanciais que os indivíduos adquirem com o avanço da idade cronológica. Pelo contrário, os estudos sobre os períodos em que a vida pode ser desdobrada mostram como um processo biológico é elaborado simbolicamente com rituais que definem fronteiras entre idades pelas quais os indivíduos passam e que não são necessariamente as mesmas em todas as sociedades.

Essa demonstração exige um rompimento com os pressupostos da psicologia do desenvolvimento que concebe o curso da vida como uma sequência unilinear de etapas evolutivas em que cada uma delas, apesar das particularidades sociais e culturais, seria um estágio pelo qual todos os indivíduos normais deveriam passar. A idade não é um dado da natureza, não é um princípio naturalmente constitutivo de grupos sociais, nem um fator explicativo dos comportamentos humanos. Como ressalta o sociólogo francês Pierre Bourdieu, é um reflexo profissional do sociólogo ao tratar das idades da vida lembrar que elas são uma criação arbitrária. Na produção das categorias de idade, conclui esse autor, está envolvida uma verdadeira luta política pela redefinição dos poderes ligados a grupos sociais distintos em diferentes momentos do ciclo da vida.

Afirmar que as categorias de idade são construções culturais e que mudam historicamente não significa dizer que elas não tenham efetividade. Essas categorias são constitutivas de realidades sociais específicas, uma vez que operam recortes no todo social, estabelecendo direitos e deveres diferenciais no interior de uma população, definindo relações entre as gerações e distribuindo poder e privilégios.

Na nossa sociedade, a idade cronológica — que é um sistema de datação ausente em muitas outras sociedades — é assim um mecanismo fundamental na organização social, porque determina entre outras coisas a maioridade civil, o início da vida escolar, a entrada e a saída do mercado de trabalho.

A velhice, como as categorias etárias, étnicas, raciais ou de gênero, é uma forma de segmentar e classificar uma população, mas também de construir uma hierarquia entre diferentes segmentos assim constituídos.

A GERONTOLOGIA E AS MUDANÇAS NA PIRÂMIDE ETÁRIA

A gerontologia — palavra cunhada pelo biólogo russo Elie Metchnikoff, em 1903 — é a ciência que estuda a velhice, e a perspectiva que orientou os primeiros estudos nessa área considerava que os problemas enfrentados pelos idosos eram tão prementes e semelhantes que minimizavam as diferenças em termos de etnicidade, classe, gênero e religião. A velhice era então pensada através da ideia de *roless role* — a sociedade moderna não prevê um papel específico ou uma atividade para os velhos, abandonando-os a uma existência sem significado. Essa hipótese, que considerava a velhice como uma experiência homogênea, foi revista, e as pesquisas sobre o tema demonstravam que as clivagens socioeconômicas e outras diferenças davam à experiência de envelhecimento conteúdos distintos que mereceriam investigação. A nova hipótese da diversidade foi um convite para uma série de pesquisas preocupadas com a elaboração de mediadores sofisticados e com a definição de instrumentos capazes de avaliar a qualidade de vida e uma série de outras dimensões da velhice.

A preocupação da sociedade com o processo de envelhecimento deve-se, sem dúvida, ao fato de os idosos corresponderem a uma parcela da população cada vez mais representativa do ponto de vista numérico. A ideia de que o Brasil é um país de jovens tem sido contestada pelos dados demográficos, que mostram que, tal como ocorreu nos países europeus e na América do Norte, temos aqui também um crescimento demográfico da população mais velha. Falar em envelhecimento populacional é chamar a atenção para o prolongamento da vida humana — o fato de um número muito significativo de pessoas viver um número maior de anos — e também para a redução da taxa de natalidade — diminuição do número de filhos por casal —, que leva a um achatamento da pirâmide etária, na medida em que a proporção dos idosos se iguala ou aumenta em relação aos jovens e crianças.

A visibilidade alcançada pela velhice não pode, entretanto, ser tomada como uma consequência automática do envelhecimento populacional. Requer também uma atenção para o duplo movimento que acompanha sua transformação em uma preocupação social.

Assistimos, por um lado, a uma socialização progressiva da gestão da velhice; durante muito tempo considerada como própria da esfera privada e familiar, uma questão de previdência individual ou de associações filantrópicas, ela se transforma numa questão pública. Um conjunto de orientações e intervenções, muitas vezes contraditório, é definido e implementado pelo aparelho de Estado e outras organizações privadas. A gerontologia como um campo de saber específico cria profissionais e instituições encarregados da formação de especialistas no envelhecimento. Como consequência, uma nova categoria cultural é produzida: os idosos, como um conjunto autônomo e coerente que impõe outro recorte à geografia social, autorizando a colocação em prática de modos específicos de gestão.

Nesse movimento que marca as sociedades modernas, a partir da segunda metade do século XIX, a visão da velhice como um processo contínuo de perdas e de dependência é responsável por um conjunto de imagens negativas associadas a ela, mas foi também um elemento fundamental para a legitimação de direitos sociais, como a universalização da aposentadoria.

Por outro lado, desse movimento de socialização não está ausente o que venho chamando de processos de reprivatização, que transformam a velhice numa responsabilidade individual — e, nesses termos, ela poderia então desaparecer do nosso leque de preocupações sociais.

A VELHICE COMO PROBLEMA SOCIAL E A REPRIVATIZAÇÃO DO ENVELHECIMENTO

A tendência contemporânea é rever os estereótipos associados ao envelhecimento. A ideia de um processo de perdas tem sido substituída — como vimos com a invenção da terceira idade — pela consideração de que esse é um momento propício para novas conquistas guiadas pela busca do prazer. As experiências vividas e os saberes acumulados são ganhos que oferecem oportunidades de explorar novas identidades, realizar projetos abandonados em outras etapas, estabelecer relações mais profícuas com o mundo dos mais jovens e dos mais velhos.

No Brasil proliferaram, na última década, os programas voltados para a terceira idade, como as escolas abertas, as universidades e os grupos de convivência. Esses programas, encorajando a busca da autoexpressão e a exploração de identidades de um modo que era exclusivo da juventude, abrem espaços para que uma experiência inovadora possa ser vivida coletivamente e indicam que a sociedade brasileira é hoje mais sensível aos problemas do envelhecimento. Contudo, o sucesso surpreendente dessas iniciativas, implementadas em boa parte das cidades brasileiras, é proporcional à precariedade dos mecanismos de que dispomos para lidar com a velhice avançada. A nova imagem do idoso não oferece instrumentos capazes de enfrentar a decadência de habilidades cognitivas e controles físicos e emocionais que são fundamentais, na nossa sociedade, para que um indivíduo seja reconhecido como um ser autônomo, capaz de um exercício pleno dos direitos de cidadania. A dissolução desses problemas nas representações gratificantes da terceira idade é um elemento ativo na reprivatização do envelhecimento, na medida em que a visibilidade conquistada pelas experiências inovadoras e bem-sucedidas que têm velhos como protagonistas fecha o espaço para outras iniciativas voltadas para o atendimento das situações de abandono e dependência que marcam o avanço da idade. As perdas próprias do envelhecimento passam, então, a ser vistas como consequência da falta de envolvimento dos mais velhos em atividades motivadoras ou da adoção de formas de consumo e estilos de vida inadequados.

É, portanto, ilusório pensar que essas mudanças são acompanhadas de uma atitude mais tolerante em relação às idades. A característica marcante desse processo é a valorização da juventude, que é associada a valores e a estilos de vida, e não propriamente a um grupo etário específico. A promessa da eterna juventude é um mecanismo fundamental de constituição de mercados de consumo e nele não há lugar para a velhice.

A oferta constante de oportunidades para a renovação do corpo, das identidades e autoimagens encobre os problemas próprios do avanço da idade. O declínio inevitável do corpo, o corpo ingovernável que não responde às demandas da vontade individual, é antes percebido como fruto de transgressões — como fumar, beber, não fazer exercícios, negligenciar a própria saúde — e por isso não merece piedade.

O prolongamento da vida humana é, sem dúvida, um ganho coletivo, mas também tem se traduzido em uma ameaça à reprodução da vida social, num risco para o futuro da sociedade. As projeções sobre os custos da aposentadoria e da cobertura médica e assistencial do idoso são apresentadas como um problema nacional, indicador da inviabilidade de um sistema que em futuro próximo não poderá arcar com os gastos de atendimento, mesmo quando os serviços são precários, como no caso brasileiro.

Nas situações em que o desemprego e o subemprego atingem contingentes cada vez maiores da população mais jovem, os custos implicados na velhice, especialmente aqueles envolvidos nas fases mais avançadas da vida, crescem na mesma proporção dos avanços tecnológicos postos em ação para prolongar a vida humana. A imaginação dos *experts* em contabilidade pública não vai além da sugestão de que quatro tipos de medidas devem ser tomadas simultaneamente para garantir a viabilidade do sistema: diminuição dos gastos públicos, aumento dos impostos, diminuição dos vencimentos dos aposentados e aumento da idade da aposentadoria.

Como mostrou a antropóloga Mary Douglas, cada sociedade tem seu portfólio de riscos e estabelece uma combinação específica de confiança e medo, e na seleção dos perigos que merecem ser temidos está sempre envolvida uma estratégia de proteção e exclusão de valores e estilos de vida particulares.

Cabe, portanto, perguntar se as perdas próprias da velhice continuarão sendo um segredo desagradável que, como Norbert Elias mostrou, não queremos conhecer e para o qual encontramos formas cada vez mais sofisticadas de negar a existência. É possível também sugerir caminhos alternativos para enfrentá-la. O sonho de que os avanços na pesquisa científica ofereçam soluções para o envelhecimento das células humanas ou de que a tecnologia encontre formas capazes de minimizar os problemas da dependência na velhice ganha cada vez mais concretude.

O crescimento do número de aposentados foi seguido do aumento do seu poder político, de sua capacidade de exigir mais e implementar demandas políticas. Mas trabalhar, ter trabalhado ao longo da vida — no momento em que desenvolvimento econômico não significa aumento da demanda por mão de obra e em que a engenharia empresarial impõe que racionalizar é reduzir empregos —, pode se transformar num privilégio e não mais um desgaste que merece compensação.

Serão os velhos vistos como seres sedentários e inativos que consomem de maneira avassaladora tanto as heranças que poderiam ser alocadas para grupos mais jovens na família quanto os recursos públicos que deveriam ser distribuídos para outros setores da sociedade?

Transformar os problemas da velhice em responsabilidade individual e apontar a inviabilidade do sistema de financiamento dos custos da idade avançada é recusar a solidariedade entre gerações. Certamente o nosso leque de escolhas de como viver o envelhecimento foi ampliado com o conjunto de novas práticas que acompanham a invenção da terceira idade.

É preciso reconhecer, no entanto, que se a responsabilidade individual pela escolha é igualmente distribuída, os meios para agir de acordo com essa responsabilidade não o são. A liberdade de escolha, como mostra o sociólogo Zygmunt Bauman, com toda a razão, é um atributo graduado: acrescentar liberdade de ação à desigualdade fundamental da condição social, impondo o dever da liberdade sem os recursos que permitem uma escolha verdadeiramente livre, é, numa sociedade altamente hierarquizada como a brasileira, uma receita para uma vida sem dignidade, repleta de humilhação e autodepreciação.

SUGESTÕES DE LEITURA

BARROS, Myriam Moraes Lins de (org.). *Velhice ou terceira idade*. São Paulo, Editora da FGV, 1998.

DEBERT, G. G. *A reinvenção da velhice*. São Paulo, Edusp, 2004.

VIOLÊNCIA
E CRIME:
SOB O DOMÍNIO
DO MEDO
NA SOCIEDADE
BRASILEIRA

Sergio Adorno

A palavra violência tem origem no verbo latino *violare*, que significa tratar com violência, profanar, transgredir. Faz referência ao termo *vis*: força, vigor, potência, violência, emprego de força física em intensidade, qualidade, essência. Na tradição clássica greco-romana, violência significava o desvio, pelo emprego de força externa, do curso "natural" das coisas. Hoje, o termo é empregado de modo polissêmico. Designa fatos e ações humanas que se opõem, questionam ou perturbam a paz ou a ordem social reconhecida como legítima. Seu uso corrente compreende o emprego de força brutal, desmedida, que não respeita limites ou regras convencionadas.

Seus múltiplos significados gravitam em torno do universo de valores que constitui o "sagrado" para determinado grupo social. Por exemplo, na civilização ocidental moderna o direito à vida é considerado universal a despeito do modo como diferentes culturas o respeitam e o garantem para pessoas pertencentes a distintos grupos sociais.

Crime, por sua vez, é a violência codificada nas leis penais. É parte do repertório de ações violentas. Dado que as sociedades se transformam no tempo e no espaço, muitas ações hoje reconhecidas como violentas não estavam até há pouco reconhecidas como crime nas legislações penais, como, por exemplo, a violência nas relações de gênero. Do mesmo modo, certos comportamentos eivados de preconceitos contra grupos determinados — negros, migrantes, mulheres, pobres, homossexuais — dificilmente são caracterizados como crimes. Compreendem violência simbólica, pois agridem valores culturais relativos ao respeito mútuo e à dignidade das pessoas.

Os efeitos da violência produzem danos à integridade física, psíquica, moral, aos bens materiais e simbólicos. Resultam em dor e sofrimento impostos por uns contra outros. Por isso, compreendem tanto dimensões objetivas — a morte de alguém, a perda de um direito, restrições à livre circulação inclusive de ideias — quanto experiências subjetivas.

Sob essa perspectiva, atos violentos estão referidos ao mundo das percepções coletivas e das representações. Ora a violência aparece como caos e desordem normativa, ora como transgressão aos valores considerados "sagrados", como a inviolabilidade do domicílio, do corpo, da privacidade. Na chamada era da globalização, vem adquirindo sentido lúdico ou performático, expresso em estéticas contemporâneas de existência tão bem narradas na literatura, nos filmes, na representação das lutas e dos esportes, da sexualidade e da competição pela existência cotidiana. Por fim, está presente com maior frequência e intensidade em sociedades autoritárias ou nas ditaduras (militares e civis), onde predominam relações assimétricas de poder. Por certo, não está ausente das sociedades democráticas, embora estas disponham de meios institucionais, legitimamente reconhecidos, para contê-la de acordo com as leis que limitam o uso arbitrário da força.

Essas características da violência acompanham a história das sociedades. Na Antiguidade clássica, compreendia ajustes na esfera das relações privadas entre senhores, seus escravos e dependentes domésticos. Na Idade Média, incorporou-se ao *ethos* cavalheiresco e guerreiro. Com o colonialismo moderno, esses hábitos migraram para o Novo Mundo e para outros continentes que não o europeu. Nessas sociedades, a violência passou a ser uma espécie de linguagem da vida cotidiana.

Com a marcha do processo civilizatório ocidental na Europa (séculos XV a XIX), que se irradiará para o resto do mundo, alcançando especialmente as Américas, o emprego cotidiano e recorrente da violência começa a ser socialmente reprovado. Dois processos ocorrerão simultaneamente: uma nova economia moral baseada na contenção dos impulsos agressivos (psicogênese) se dissemina por todos os estratos sociais; e a destituição dos particulares (civis) do direito de recorrer às armas e à força para resolução de conflitos nas relações sociais e interpessoais (sociogênese). O Estado moderno passa a ser a única comunidade a deter o monopólio legítimo da violência regulado pelas Constituições nacionais e convenções internacionais. Esse modelo de comportamento tendeu a se formalizar com a consolidação da democracia representativa, que reconhece a existência de canais institucionais (oficiais e públicos) para a resolução de conflitos.

No Brasil, desde a colônia a violência esteve incorporada ao cotidiano dos homens escravos e livres, inclusive sitiantes pobres, esposas, filhos e agregados domésticos. No mesmo sentido, da colônia à República, a violência desmedida foi utilizada habitualmente na repressão a movimentos sociais contestatórios, como as revoltas regionais, em especial contra o movimento operário nascente no final do século XIX. Foi traço marcante dos períodos de vigência de ditaduras militares, como na República da Espada — isto é, os dois primeiros governos militares no início do período republicano (1889--94) —, no Estado Novo (1937-45) e no golpe de Estado (1964--85), regimes que perseguiram dissidentes políticos.

Surpreendentemente, após o retorno da sociedade brasileira ao estado de direito, explodem conflitos de diversa natureza: crescimento dos crimes, em especial em torno das formas organizadas (por exemplo, tráfico de drogas), graves violações de direitos humanos e conflitos com desfechos fatais nas relações interpessoais. Aumentaram destacadamente os homicídios com concurso de arma de fogo, cujos alvos privilegiados são homens de quinze a 29 anos, habitantes dos bairros que compõem as chamadas periferias das regiões metropolitanas. A resposta do Estado tem sido caracterizada por ambivalência, ora legislando e apostando em políticas do tipo "mão dura" ou tolerância zero, ora em políticas "liberais" e inscritas no território dos direitos humanos, priorizando a humanização do tratamento penal e focalizando a proteção dos direitos de grupos determinados (mulheres, crianças, negros, idosos).

Nesse novo contexto social e político, a violência no Brasil deixou de ser pensada como afeta à órbita das relações privadas. Cada vez mais, é matéria de inquietação pública, alimentando sentimentos coletivos de medo e insegurança e estimulando debates públicos. Não menos relevante foi o interesse das ciências sociais e das humanidades desde meados da década de 1970.

O debate entre cientistas sociais foi muito influenciado pela transição política. Muitos acreditavam que a reconstrução da democracia conduziria inevitavelmente à pacificação da sociedade. Mas não foi o que aconteceu, diante justamente do crescimento dos crimes e da violência em geral. Era preciso então explicar o cenário social que estava se armando, assim como suas causas. Os argumentos gravitavam em torno dos efeitos da desigualdade produzida pelo capitalismo, das heranças autoritárias da sociedade brasileira que se encontravam ancoradas nas agências policiais e judiciais ou das características da "cultura" na sociedade brasileira. Chegava-se, na tradição do pensamento social, a reconhecer que a sociedade civil no Brasil nunca existira, o que contribuía para acentuar a histórica desconfiança das elites políticas nas leis e nas instituições republicanas.

Em quase quarenta anos de investigação empírica (1970--2010), muitos desses argumentos foram retificados, mitos foram questionados e demolidos, hipóteses foram sendo elaboradas e mesmo revistas com base em resultados de rigorosas investigações etnográficas ou com apoio em inúmeras outras perspectivas metodológicas, como tratamento estatístico de dados primários ou secundários, análises de fontes documentais, realização de histórias de vida e entrevistas com os protagonistas dos acontecimentos.

Um dos esforços realizados foi conhecer as características e a evolução dos crimes e da violência com base em estatísticas oficiais, cuja qualidade e fidedignidade eram àquela época questionáveis. Os estudos estavam revelando o crescimento, desde fins da década de 1970, de quase todas as modalidades de crimes contra o patrimônio e contra a vida.

Aumentavam em volume e intensidade os chamados crimes violentos, aqueles que ameaçam a integridade física das pessoas, como roubos, estupros, extorsão mediante sequestro e homicídios. O crescimento acelerado dos homicídios, sobretudo na região Sudeste do país, passou a frequentar o noticiário e exerceu forte pressão sobre as agendas governamentais e das ciências sociais.

Não apenas essas modalidades de crime estavam crescendo. Paradoxalmente, os avanços da democracia corriam paralelos a graves violações de direitos humanos. Ao crime vinha se associar a ação de justiceiros e esquadrões da morte, compostos por pessoas civis e policiais. Linchamentos, que sempre existiram na sociedade brasileira, começam a ocorrer com maior frequência, sobretudo nas capitais de São Paulo e Salvador. Tudo concorria para que práticas de justiça popular e rústicas viessem ocupar o espaço deixado pelas instituições oficiais de aplicação das leis e distribuição de justiça. Contra esses cenários de violência, policiais, não raro estimulados pela formação adquirida nas agências de polícia, recorreram ao uso abusivo da força, contribuindo para o aumento de casos de morte nas estatísticas.

Compõe ainda esse cenário de violência a explosão de conflitos nas relações interpessoais e intersubjetivas, que nada parecem ter em comum com a criminalidade cotidiana. Compreendem conflitos entre os homens e suas companheiras, entre parentes, vizinhos, amigos, colegas de trabalho, entre conhecidos que frequentam os mesmos espaços de lazer, entre pessoas que se cruzam diariamente nas vias públicas, patrões e empregados, entre comerciantes e seus clientes. Resultam, em não poucas circunstâncias, de desentendimentos variados acerca da posse ou propriedade de um bem, de paixões não correspondidas, compromissos não saldados, de reciprocidades rompidas, de expectativas não preenchidas quanto ao desempenho convencional de papéis, como os de pai, mãe, mulher, filho, estudante, trabalhador, provedor do lar.

Entre os pesquisadores, não há consenso a respeito das possíveis explicações para essas tendências de evolução do crime e da violência no Brasil. Algumas hipóteses têm sido mais bem exploradas e podem ser agrupadas em duas ordens de explicações.

Primeiramente, referem-se ao conjunto de mudanças pelas quais vem passando a sociedade brasileira desde a segunda metade do século passado, e sobretudo a partir do retorno ao Estado Democrático de Direito. No espaço de três gerações, o Brasil deixou de ser uma sociedade agrária. Processos acelerados de urbanização, industrialização, crescimento e diversificação do setor de serviços alteram padrões tradicionais de recrutamento dos trabalhadores, exigindo cada vez mais investimentos em profissionalização e expansão da escolaridade, ampliando as oportunidades de acesso ao mercado de trabalho para setores da população antes pouco representados, como mulheres e jovens.

Cresce a circulação da riqueza e da renda. O crime segue a rota da riqueza e não da pobreza, como muitas vezes se acreditou. Mudam as relações entre as classes sociais, que se diversificam e se tornam menos polarizadas, assim como relações intergeracionais, entre os gêneros, entre as etnias, tornando mais complexas as hierarquias sociais. Mais modernizada e conectada com as transformações globais, e tudo o que isso representa em termos dos usos das tecnologias nos modos de vida cotidianos, a sociedade brasileira se torna mais suscetível às mobilidades verticais e horizontais. Pouco a pouco emergem novos padrões de relações entre governantes e governados, expressos nas eleições e nas tendências majoritárias do voto popular.

Todo esse conjunto de mudanças incide também na esfera das representações sociais e da cultura. Como as sondagens de opinião têm demonstrado, a sociedade brasileira vem revelando atitudes ambíguas com relação às leis e às instituições. Ora apoia a democracia, o respeito à legalidade e aos direitos humanos. Ora, contrariamente, reconhece que as leis não valem para todos, as instituições privilegiam grupos sociais, os direitos não são universais, vale a vontade do mais forte. Cenários como esses contribuem para enfraquecer a confiança dos cidadãos nas instituições encarregadas de aplicar as leis e oferecer segurança à população.

É nessa espécie de "vácuo" que a sociedade brasileira assistiu impassível a chegada do crime organizado entre as classes populares, notadamente em torno do tráfico e comércio ilegal de drogas. Atraindo para si outras modalidades de crimes, como assaltos a bancos e sequestros de pessoas, o narcotráfico tem adquirido características particulares em distintas regiões do país. Em São Paulo, não tem sido diferente, com o surgimento do crime organizado, altamente centralizado e hierarquizado, controlado a partir das prisões e se irradiando pelos bairros populares e com o concurso de pistoleiros profissionais. Além do mais, o envolvimento de segmentos da classe média e mesmo de elevados estratos socioeconômicos nas atividades conexas, como lavagem de dinheiro, fraudes bancárias, corrupção de autoridades e governantes, tem se tornado recorrente. Esse quadro completa-se com as conexões entre mercados ilegais e mercado político, das quais resultam financiamento também ilegal de campanhas políticas, corrupção de autoridades e enriquecimento ilícito.

Uma segunda ordem de explicações reside no âmbito mais propriamente institucional. No Brasil, suspeita-se que nunca se consolidou o monopólio estatal legítimo do uso da coerção física. Se isso é verdade, a emergência e a disseminação do crime organizado contribuíram ainda mais para enfraquecer a capacidade do poder público de exercer controle legal do crime e da violência. A sociedade mudou, os crimes cresceram e se tornaram mais violentos; o crime organizado se espraiou inclusive com o apoio de armas possantes e de tecnologias de informação. Todavia, o sistema judicial permaneceu apegado aos padrões tradicionais, alicerçados na criminalização do comportamento dos pobres e voltados para perseguir e prender bandidos conhecidos.

As agências policiais custam a reconhecer a necessidade de reforma institucional, seja em suas práticas de policiamento repressivo e preventivo, seja nas técnicas de investigação policial, assim como nas suas formas de recrutamento e formação profissional de seus quadros. Muitos policiais persistem acreditando que o problema do controle do crime e da violência é de exclusiva competência das autoridades policiais, daí as demandas em torno de mais armas e reaparelhamento das forças. Ignoram que segurança pública é, cada vez mais, objeto de planos de ação que envolvem não apenas conhecimento especializado, mas também parcerias entre governos e organizações da sociedade civil.

A despeito das mudanças recentes impressas nas leis penais, o modelo de aplicação de sanção permanece preso às tradições liberais de individualização da responsabilidade e de punição, em resoluto contraste com as formas sociais organizadas de criminalidade e violência. Fechando o círculo, os governos federal e estaduais têm endereçado vultosos investimentos para ampliação de vagas e modernização do sistema penitenciário. É verdade que a situação de aberta violação de direitos humanos tem recomendado a ampliação da oferta de vagas para conter a superpopulação carcerária em obediência às convenções internacionais. Contudo, o outro lado desse quadro é perverso, pois criou condições favoráveis para a expansão do crime organizado no interior das prisões.

Não é estranho que a violência tenha se apropriado do cotidiano dos cidadãos e cidadãs brasileiros. Por um lado, intensificou o sentimento de medo e insegurança coletivos, de que as leis não são aplicadas, de que a impunidade é regra, de que os mais fortes podem impor sua vontade sob ameaça do uso da força. Por outro, a violência paradoxalmente institui linguagens, representações do mundo que parecem ordenar e hierarquizar relações e atribuir sentido ao inevitável

— as mortes, os ilegalismos, a arbitrariedade das autoridades no controle social. Os rumos da sociedade democrática no Brasil estão exigindo maior conexão entre políticas de segurança pública e políticas de proteção e promoção de direitos humanos, capazes de realizar o esperado desejo de uma sociedade mais justa, solidária e internamente pacificada.

SUGESTÕES DE LEITURA

ELIAS, Norbert. *O processo civilizador.* São Paulo, Companhia das Letras, 1990 e 1993, 2 v.

HOBSBAWM, Eric. *Globalização, democracia e terrorismo.* São Paulo, Companhia das Letras, 2007.

MISSE, Michel. *Crime e violência no Brasil contemporâneo. Estudos de sociologia do crime e da violência urbana.* Rio de Janeiro, Lumen Juris, 2006.

ROBERT, Philippe. *Sociologia do crime.* Petrópolis, Vozes, 2007.

ZALUAR, Alba. *Integração perversa: pobreza e tráfico de drogas.* Rio de Janeiro, Editora da FGV, 2004.

OS AUTORES

ANDRÉ BOTELHO é professor do Departamento de Sociologia da UFRJ. Pesquisador do CNPq e da FAPERJ. Escreveu, entre outros trabalhos, *Aprendizado do Brasil* (Editora da Unicamp, 2002) e *O Brasil e os dias. Estado-nação, modernismo e rotina intelectual* (Edusc, 2005), e organizou, entre outros, *Um enigma chamado Brasil: 29 intérpretes e um país* (Companhia das Letras, 2009), com Lilia Moritz Schwarcz.

ANTÔNIO FLÁVIO PIERUCCI é professor titular do Departamento de Sociologia da USP, pesquisador do CNPq especializado em Sociologia da Religião, autor dos livros *Ciladas da diferença* (Editora 34, 2008) e *O desencantamento do mundo: todos os passos do conceito em Max Weber* (Editora 34, 2005).

ANTONIO SÉRGIO ALFREDO GUIMARÃES é professor titular do Departamento de Sociologia da USP, pesquisador do CNPq e da FAPESP em estudos afro-brasileiros e desigualdades raciais. Foi visitante em diversas universidades do exterior. Seus principais livros são *Racismo e antirracismo no Brasil* (1999), *Classes, raças e democracia* (2002), *Preconceito e discriminação* (2004), todos pela Editora 34, e *Preconceito racial* (2008), pela Cortez.

BERNARDO RICUPERO é professor do Departamento de Ciência Política da USP e pesquisador do Centro de Estudos da Cultura Contemporânea (Cedec). Escreveu, entre outros trabalhos, *Caio Prado Jr. e a nacionalização do marxismo no Brasil* (Editora 34, 2000) e *O romantismo e a ideia de nação no Brasil (1830-1870)* (Martins Fontes, 2004).

BOLÍVAR LAMOUNIER é natural de Dores do Indaiá, MG. Fez o bacharelado em Sociologia e Política na Faculdade de Ciências Econômicas da UFMG e o doutorado (Ph.D.) na Universidade da Califórnia, Los Angeles. É autor de numerosos estudos de ciência política, entre os quais *Da Independência a Lula: dois séculos de política brasileira* (Augurium, 2005). Integrou a Comissão Afonso Arinos (1985-86) e, desde 2001, a assessoria acadêmica do Clube de Madri, entidade formada por ex-chefes de Estado e primeiros-ministros com o objetivo de desenvolver esforços internacionais pela democracia.

BRASILIO SALLUM JR. é professor titular do Departamento de Sociologia da USP, pesquisador do CNPq e do Cedec. Seus trabalhos se concentram principalmente na área da Sociologia Política. Coordena atualmente dois projetos, o sistema de intercâmbio de informações sobre a sociedade brasileira, denominado Consórcio de Informações Sociais, e a pesquisa intitulada "*Impeachment*, crise e transição política".

CELSO ATHAYDE é um produtor brasileiro, nasceu na Baixada Fluminense, RJ, onde viveu até os sete anos. Aos dezesseis anos já havia morado em três favelas, em abrigo público e na rua. Foi criado na favela do Sapo. Autodidata, assina três *best-sellers*: é coautor dos livros *Falcão: mulheres e o tráfico* (Objetiva, 2007), *Falcão: meninos do tráfico* (Objetiva, 2006) e *Cabeça de porco* (Objetiva, 2005), os dois primeiros com o *rapper* MV Bill e o último com MV Bill e o sociólogo Luís Eduardo Soares.

CELSO CASTRO, doutor em Antropologia Social (Museu Nacional, 1995), é professor do Centro de Pesquisa e Documentação de História Contemporânea do Brasil (CPDOC) da Fundação Getulio Vargas. Tem vários livros publicados sobre os militares na história e na sociedade brasileiras, como *O espírito militar* (Zahar, 2ª ed., 2004), *Os militares e a República* (Zahar, 1995), *A invenção do Exército brasileiro* (Zahar, 2002) e *Antropologia dos militares* (Editora da FGV, 2009).

DALILA ANDRADE OLIVEIRA é socióloga, mestre e doutora em Educação. Professora titular da Faculdade de Educação e do Programa de Pós-Graduação em Educação da UFMG. Presidente da Associação Nacional de Pós-Graduação e Pesquisa em Educação (ANPEd). Pesquisadora do CNPq.

EDUARDO GONÇALVES ANDRADE, TOSTÃO, 63 anos, é ex-jogador do Cruzeiro, Vasco e Seleção brasileira, campeão do mundo em 1970, médico, atualmente colunista de vários jornais, como *Folha de S.Paulo*, *Correio Braziliense*, *Estado de Minas*, *A Tarde* (Bahia), *Gazeta do Povo* (Paraná) e *O Povo* (Ceará).

ELIDE RUGAI BASTOS é mestre em Ciência Política pela USP, doutora em Ciências Sociais pela PUC-SP, livre-docente em Pensamento Social e titular em Sociologia pela Unicamp. Foi editora da *Revista Brasileira de Ciências Sociais* (Anpocs) de 2001 a 2005, é atualmente editora da revista *Lua Nova* (Cedec). Autora de *Ligas camponesas* (Vozes, 1984), *Gilberto Freyre e o pensamento hispânico* (Edusc, 2003), *As criaturas de Prometeu* (Global, 2006).

ESTHER HAMBURGER é crítica e ensaísta, professora livre-docente de Teoria e História do Cinema e da Televisão da ECA-USP e Ph.D. em Antropologia pela Universidade de Chicago.

EUCANAÃ FERRAZ é professor de Literatura Brasileira na UFRJ. Organizou, entre outros, os volumes *Letra só* (Companhia das Letras, 2003) e *O mundo não é chato* (Companhia das Letras, 2005), ambos de Caetano Veloso. É autor do ensaio *Folha explica Vinicius de Moraes* (Publifolha, 2006). Coordena a Coleção Vinicius de Moraes para a editora Companhia das Letras. Também é poeta, autor de, entre outros, *Rua do mundo* (Companhia das Letras, 2004) e *Cinemateca* (Companhia das Letras, 2008).

EUGÊNIO BUCCI, jornalista, é professor doutor da Escola de Comunicações e Artes da USP. Foi secretário editorial da Editora Abril e presidente da Radiobras. É autor de *Sobre ética e imprensa* (Companhia das Letras, 2000), *Em Brasília, 19 horas* (Record, 2008) e *A imprensa e o dever da liberdade* (Contexto, 2009), entre outros livros.

FABIO FELDMANN é consultor, administrador de empresas formado pela Faculdade Getulio Vargas em 1977 e advogado pela Faculdade de Direito do Largo São Francisco em 1979. Foi eleito deputado federal por três mandatos consecutivos (1986-98) e atuou como secretário do Meio Ambiente do estado de São Paulo entre 1995 e 1998. Foi autor de parte da legislação ambiental brasileira, como o capítulo de meio ambiente da Constituição Federal de 1988. Em 2000 ajudou a criar o Fórum Brasileiro de Mudanças Climáticas, do qual foi secretário executivo até o ano de 2004. Foi fundador da SOS Mata Atlântica (da qual foi também o primeiro presidente), da OIKOS, Funatura e Biodiversitas. Faz parte do Conselho sobre Mudanças Climáticas do Deutsche Bank, do conselho do CBCS — Conselho Brasileiro de Construção Sustentável, e do conselho da Amigos da Terra, dentre outros.

FERNANDO ANTONIO PINHEIRO FILHO é professor do Departamento de Sociologia da USP e pesquisador do CNPq.

FERNANDO PERLATTO é mestre em Sociologia pelo Instituto Universitário de Pesquisas do Estado do Rio de Janeiro (IU-PERJ) e doutorando em Sociologia pelo Instituto de Estudos Sociais e Políticos (IESP) da UERJ.

GILBERTO HOCHMAN é doutor em Ciência Política, pesquisador e professor da Fundação Oswaldo Cruz. Suas áreas de pesquisa e ensino são: políticas sociais em perspectiva histórica; saúde global; história da saúde pública; saúde, doença e pobreza no pensamento social brasileiro. É autor, entre outros artigos e livros, de *A era do saneamento* (Hucitec/Anpocs, 1998; 2ª ed., 2006).

GUITA GRIN DEBERT é professora titular do Departamento de Antropologia da Unicamp, pesquisadora do Pagu — Núcleo de Estudos de Gênero da Unicamp e do Conselho Nacional de Desenvolvimento Científico e Tecnológico (CNPq).

HELOISA MARIA MURGEL STARLING é professora de História das Ideias da UFMG, coordenadora do Projeto República: núcleo de pesquisa, documentação e memória da UFMG, e pesquisadora do CNPq e da Fapemig. Seu último livro publicado foi *Uma pátria paratodos: Chico Buarque e as raízes do Brasil* (Língua Geral, 2009).

HERMANO VIANNA é antropólogo e participou da criação do site Overmundo (www.overmundo.com.br). Autor de *O mundo funk carioca* (Zahar, 1988).

ISMAIL XAVIER é professor da Escola de Comunicações e Artes da USP. Publicou, entre outros livros, *O discurso cinematográfico: a opacidade e a transparência* (Paz e Terra, 1977; 3ª ed., 2005), *Sertão mar: Glauber Rocha e a estética da fome* (CosacNaify, 2ª ed., 2007), *Alegorias do subdesenvolvimento: Cinema Novo, Tropicalismo, Cinema Marginal* (Brasiliense,

1993), *O cinema brasileiro moderno* (Paz e Terra, 2001), *O olhar e a cena: melodrama, Hollywood, Cinema Novo, Nelson Rodrigues* (CosacNaify, 2003).

J. GUINSBURG é professor emérito da USP, professor de Estética Teatral e Teoria do Teatro e editor da Editora Perspectiva. Dentre seus trabalhos estão *Stanislavski e o teatro de arte de Moscou* (Perspectiva, 2010), *Leoni de' Sommi: um judeu no teatro da Renascença italiana* (Perspectiva, 1989), *Stanislavski, Meierhold e Cia.* (Perspectiva, 2008), *Da cena em cena* (Perspectiva, 2007). Organizou com Rosangela Patriota o livro *J. Guinsburg, a cena em aula: itinerários de um professor em devir* (Edusp, 2009).

JAIRO NICOLAU é cientista político e professor visitante da UERJ. Foi professor e pesquisador do IUPERJ (1995-2010). Publicou diversos textos sobre partidos, eleições, sistemas eleitorais e comportamento político, entre eles: *História do voto no Brasil* (Zahar, 2002) e *Sistemas eleitorais* (Editora da FGV, 2004).

JOSÉ MURILO DE CARVALHO é professor titular aposentado da UFRJ e membro da Academia Brasileira de Ciências e da Academia Brasileira de Letras.

JOSÉ REGINALDO SANTOS GONÇALVES é professor pesquisador do PPGSA do IFCS/UFRJ, pesquisador do CNPq e autor de *Antropologia dos objetos: coleções, museus e patrimônios* (IPHAN/Minc, 2007), além de outros livros e artigos sobre patrimônios culturais.

JOSÉ RICARDO RAMALHO é professor e pesquisador do Programa de Pós-Graduação em Sociologia e Antropologia (PPGSA) e do Departamento de Sociologia do Instituto de Filosofia e Ciências Sociais da UFRJ.

JÚLIO ASSIS SIMÕES é professor do Departamento de Antropologia da USP e pesquisador colaborador do Pagu — Núcleo de Estudos de Gênero da Unicamp. Tem pesquisas sobre movimentos sociais, participação política, envelhecimento, gênero e sexualidade. Publicou, entre outros, *O dilema da participação popular* (Marco Zero/Anpocs, 1992) e *Na trilha do arco-íris: do movimento homossexual ao LGBT*, em parceria com Regina Facchini (Fundação Perseu Abramo, 2009).

LILIA MORITZ SCHWARCZ é professora titular no Departamento de Antropologia da USP. É autora, entre outros, de *Retrato em branco e negro* (Companhia das Letras, 1987), *O espetáculo das raças* (Companhia das Letras, 1993; Farrar Strauss & Giroux, 1999), *As barbas do imperador — D. Pedro II, um monarca nos trópicos* (Companhia das Letras, 1998, Prêmio Jabuti de livro do ano de não ficção 1999; Farrar Strauss & Giroux, 2004), *No tempo das certezas*, em coautoria com Angela Marques da Costa (Companhia das Letras, 2000), *Símbolos e rituais da monarquia brasileira* (Zahar, 2000), *Racismo no Brasil* (Publifolha, 2001), *A longa viagem da biblioteca dos reis*, com Paulo Azevedo (Companhia das Letras, 2002), *O livro dos livros da Real Biblioteca* (Biblioteca Nacional/Odebrecht, 2003) e *O sol do Brasil: Nicolas-Antoine Taunay e seus trópicos difíceis* (Companhia das Letras, 2008, Prêmio Jabuti de melhor biografia 2009). Coordenou, entre outros, o volume 4 da *História da vida privada no Brasil: contrastes da intimidade contemporânea* (Companhia das Letras, 1998) e, com André Botelho, *Um enigma chamado Brasil* (Companhia das Letras, 2009).

LUCIANO MIGLIACCIO (Nápoles, 1960) é formado em História da Crítica de Arte pela Scuola Normale Superiore di Pisa e pelo Dipartimento di Storia delle Arti da Università degli Studi di Pisa. Foi bolsista da Fondazione di Studi di Storia dell Arte Roberto Longhi de Florença. Foi professor de História da Arte na Accademia Albertina di Belle Arti de Turim (Itália).

Desde 1998 é professor de História da Arte no Departamento de História da Arquitetura e Estética do projeto da Faculdade de Arquitetura e Urbanismo da USP. É autor de numerosas publicações sobre as relações artísticas entre a Itália e os países ibéricos e sobre a arte brasileira do século XIX.

LUIZ CAMILLO OSORIO é professor do Departamento de Filosofia da PUC-Rio e curador do MAM-Rio. Publicou, entre outros livros, *Flavio de Carvalho* (CosacNaify, 2000), *Abraham Palatnik* (CosacNaify, 2004), *Razões da crítica* (Zahar, 2005) e *Angelo Venosa* (CosacNaify, 2008).

LUIZ CARLOS BRESSER-PEREIRA é professor emérito da Fundação Getulio Vargas, editor da *Revista de Economia Política* e professor associado da École d'Hautes Études en Sciences Sociales. Foi ministro da Fazenda (1987), da Administração Federal e Reforma do Estado (1995-98) e da Ciência e Tecnologia (1999). É autor, entre outros, de *Globalização e competição* (Campus Elsevier, 2009), *Macroeconomia da estagnação* (Editora 34, 2007), *Democracy and public management reform* (Oxford University Press, 2004), *Desenvolvimento e crise no Brasil* (Editora 34, 5ª ed., 2003) e *Reforma do Estado para a cidadania* (Editora 34, 1998).

LUIZ EDUARDO SOARES é antropólogo e cientista político, professor da UERJ e da UES, ex-secretário nacional de Segurança Pública, ex-coordenador de segurança, justiça e cidadania do estado do Rio de Janeiro, ex-secretário municipal de prevenção da violência em Nova Iguaçu (RJ) e Porto Alegre, e autor de vários livros, entre eles: *Legalidade libertária* (Lumen-Juris, 2006), *Cabeça de porco*, com MV Bill e Celso Athayde (Objetiva, 2005), e *Elite da tropa*, com André Batista e Rodrigo Pimentel (Objetiva, 2006). Foi professor da Unicamp e do IUPERJ.

LUIZ WERNECK VIANNA é professor pesquisador do Instituto de Estudos Sociais e Políticos (IESP) da UERJ e autor, entre outros livros, de *A revolução passiva: iberismo e americanismo no Brasil* (Revan, 2ª ed., 2004).

MANUELA CARNEIRO DA CUNHA é antropóloga e professora emérita da Universidade de Chicago. É membro da Academia Brasileira de Ciências. Seu mais recente livro é *Cultura com aspas* (CosacNaify, 2009).

MARCELO RIDENTI é professor titular de Sociologia na Unicamp, pesquisador do CNPq e autor de livros como *Brasilidade revolucionária — um século de cultura e política* (Editora da Unesp, 2010) e *Em busca do povo brasileiro — artistas da revolução, do CPC à era da TV* (Record, 2000).

MARIA ALICE REZENDE DE CARVALHO é professora do Departamento de Sociologia e Política da PUC-Rio e membro do colegiado de coordenadores do Centro de Estudos Direito e Sociedade (CEDES/IUPERJ). Autora de, entre outros, *O quinto século, André Rebouças e a construção do Brasil* (Revan, 1998).

MARIA LAURA VIVEIROS DE CASTRO CAVALCANTI é antropóloga (IFCS/UFRJ). Autora de *Carnaval carioca: dos bastidores ao desfile* (Editora da UFRJ, 1994) e *O rito e o tempo: ensaios sobre o carnaval* (Civilização Brasileira, 1999). É também gestora do Fundo Oracy Nogueira. Diversas publicações e atividades suas podem ser encontradas em www.lauracavalcanti.com.br.

MARIA TEREZA AINA SADEK é professora do Departamento de Ciência Política da USP e diretora de pesquisas do Centro Brasileiro de Estudos e Pesquisas e Judiciais (Cebepej).

MARIZA CORREA, antropóloga, é pesquisadora do Pagu — Núcleo de Estudos de Gênero da Unicamp. É autora, entre outros, de *As ilusões da liberdade. A escola Nina Rodrigues e a antropologia no Brasil* (Edusf, 2001) e *Antropólogas & Antropologia* (Editora da UFMG, 2003).

NEIDE ESTERCI é professora do Departamento de Antropologia Cultural da UFRJ. Fez estudos sobre conflitos agrários e formas de coerção da força de trabalho na área rural, e hoje faz pesquisas sobre projetos socioambientais na Amazônia brasileira.

NÍSIA TRINDADE LIMA é professora do Programa de Pós-Graduação em História das Ciências e da Saúde, pesquisadora da Casa de Oswaldo Cruz/Fiocruz e editora científica da Editora Fiocruz. Publicou, entre outros, *Um sertão chamado Brasil* (Revan/IUPERJ, 1999) e co-organizou *Antropologia brasiliana: ciência e educação na obra de Edgard Roquette-Pinto* (Editora da UFMG/Fiocruz, 2008) e *Saúde e democracia: história e perspectivas do SUS* (Fiocruz, 2005).

ROSANGELA PATRIOTA é professora associada do Instituto de História da UFU (Universidade Federal de Uberlândia). Autora de *Vianinha — um dramaturgo no coração de seu tempo* (Hucitec, 1999) e *A crítica de um teatro crítico* (Perspectiva, 2007). Organizou com J. Guinsburg o livro *J. Guinsburg, a cena em aula: itinerários de um professor em devir* (Edusp, 2009).

RUBEN GEORGE OLIVEN, doutor pela Universidade de Londres, é professor titular do Departamento de Antropologia da UFRGS e membro da Academia Brasileira de Ciências. Foi presidente da Associação Brasileira de Antropologia e da Associação Nacional de Pós-Graduação e Pesquisa em Ciências Sociais.

RUBENS RICUPERO é diplomata aposentado, tendo sido secretário-geral da Conferência das Nações Unidas sobre Comércio e Desenvolvimento (UNCTAD), ministro da Fazenda, ministro do Meio Ambiente e da Amazônia, embaixador em Washington e representante permanente junto às Organizações das Nações Unidas em Genebra, na Suíça. Atualmente é diretor da Faculdade de Economia e Relações Internacionais da FAAP. Foi professor de Teoria das Relações Internacionais da UnB e de História das Relações Diplomáticas do Brasil do Instituto Rio Branco, sendo autor de vários livros sobre esses assuntos.

SERGIO ADORNO é professor titular do Departamento de Sociologia da USP, coordenador do Núcleo de Estudos da Violência (NEV-Cepid-USP), coordenador do INCT-CNPq Violência, Democracia e Segurança Cidadã, coordenador da cátedra Unesco de Educação para a Paz, Direitos Humanos, Democracia e Tolerância (IEA-USP) e pesquisador I-B do CNPq.

SILVANA RUBINO é doutora em Ciências Sociais pela Unicamp e professora do Departamento de História da mesma universidade. Autora de diversos artigos sobre patrimônio cultural, arquitetura moderna e revitalização urbana, organizou, com Marina Grinover, *Lina por escrito* (CosacNaify, 2009).

SILVIA FIGUEIRÔA é professora titular do Instituto de Geociências da Unicamp. É geóloga, com mestrado e doutorado em História pela FFLCH-USP. Suas áreas de pesquisa são História das Ciências (com ênfase no Brasil) e Educação em Geociências. É presidente da International Comission on the History of Geological Sciences/IUGS-IUPHS (2008-12).

VALDEMIR ZAMPARONI é doutor em História pela USP (1998), professor do Programa de Pós-Graduação em História e do Programa Multidisciplinar de Pós-Graduação em Estudos Étnicos e Africanos, no Centro de Estudos Afro-Orientais, ambos da UFB, membro do conselho consultivo da Casa das Áfricas (São Paulo) e pesquisador do CNPq, desenvolvendo investigação sobre práticas de cura em contexto colonial, Angola e Moçambique.

WANDER MELO MIRANDA é professor titular de Teoria da Literatura na UFMG. Autor de *Corpos escritos: Graciliano Ramos e Silviano Santiago* (Edusp/Editora da UFMG, 1992; 2ª ed., 2009), *Graciliano Ramos* (Publifolha, 2004), *Nações literárias* (Ateliê Editorial, 2010), organizou os volumes *Narrativas da modernidade* (Autêntica, 1999), *Arquivos literários*, com Eneida Maria de Souza (Ateliê Editorial, 2003), e *Crítica e coleção,* com Eneida Maria de Souza (Editora UFMG, no prelo), entre outros.

CRÉDITOS DAS IMAGENS

Página 19: Tatiana Constant/ Agência JB
Página 31: Folhapress
Página 43: Augusto Malta/ Fundação da Imagem e do Som do Estado
do Rio de Janeiro – FMIS
Página 57: Folhapress
Página 69: Claude Lévi-Strauss/ Acervo Instituto Moreira Salles
Página 81: Marcio Fernandes/ Agência Estado
Página 93: Wilton Junior/ Agência Estado
Página 103: Jonne Roriz/ Agência Estado
Página 111: Folhapress
Página 123: Felipe Rau/ Agência Estado
Página 135: Jean Manzon/ Cepar Consultoria e Participações
Página 143: Acervo Iconographia
Página 155: Acervo Jesus Carlos Imagem Latina
Página 167: Nilton Fukuda/ Agência Estado
Página 177: Celso Júnior/ Agência Estado
Página 189: Folhapress
Página 203: Folhapress
Página 215: Acervo Iconographia
Página 225: Folhapress
Página 235: Acervo Jesus Carlos Imagem Latina
Página 247: Folhapress
Página 257: Jean Manzon/ Cepar Consultoria e Participações
Página 267: Jean Manzon/ Cepar Consultoria e Participações
Página 279: Dida Sampaio/ Agência Estado
Página 293: Acervo Iconographia
Página 303: Arquivo Público do Estado de São Paulo – Fundo Última Hora
Página 315: Folhapress

Página 325: Folhapress
Página 335: Folhapress
Página 345: Jonne Roriz/ Agência Estado
Página 355: Jean Manzon/ Cepar Consultoria e Participações
Página 365: Marcos Mendes/ Agência Estado
Página 377: Celso Júnior/ Agência Estado
Página 393: Acervo Iconographia
Página 401: Márcia Folleto/ Agência O Globo
Página 409: Folhapress
Página 419: Folhapress
Página 431: Folhapress
Página 445: Folhapress
Página 459: Folhapress
Página 471: Jean Manzon/ Cepar Consultoria e Participações
Página 481: Folhapress
Página 493: Marcos de Paula/ Agência Estado
Página 505: Acervo do cpt
Página 519: Edu Villares/ N Images
Página 531: Acervo Iconographia
Página 543: Folhapress
Página 555: Wilton Júnior/ Agência Estado